DIE VIERSPRACHIGE SCHWEIZ

HERAUSGEGEBEN VON
ROBERT SCHLÄPFER

DIE VIERSPRACHIGE SCHWEIZ

VON
JACHEN C. ARQUINT
ISO CAMARTIN
WALTER HAAS
PIERRE KNECHT
OTTAVIO LURATI
FLORENTIN LUTZ
ROBERT SCHLÄPFER

BENZIGER

Dieses Buch erscheint mit Unterstützung des Migros-Genossenschaft-Bundes, der Stiftung Pro Helvetia und der Walter- und Ambrosina-Oertli-Stiftung.

ISBN 3 545 36312 0

INHALT

VORWORT

Die Darstellung der viersprachigen Schweiz will Informationen vermitteln über das Sprachleben in den vier Sprachregionen der Schweiz, von der Frühzeit der Besiedlung des Landes bis in unsere Gegenwart.
Es ist ja immer wieder erstaunlich, wie wenig Genaues wir in der Regel wissen über die sprachliche Situation der Südschweiz, der Welschschweiz, Romanischbündens, ja selbst des eigenen Sprachgebiets. «Die Tessiner reden italienisch» – «In der welschen Schweiz sind die Dialekte schon lange ausgestorben» – «Es gibt kein einheitliches Rätoromanisch»: Bei solchen generellen Feststellungen hat es gewöhnlich sein Bewenden. Über die charakteristischen Züge des Tessiner Italienisch, seine Unterschiede gegenüber der Sprache Italiens, die Vielschichtigkeit der Tessiner Regional- und Lokaldialekte sind wir kaum im Bild. Ähnliches gilt für die übrigen Sprachgebiete. Dabei ist doch gerade die Sprache in *allen* ihren Erscheinungs- und Verwendungsformen wesentliches Element und Ausdrucksmittel kultureller Eigenart und kultureller Selbständigkeit einer Region.
Ziel des Buches ist es, mit der Schilderung der *sprachlichen Situation* Grundlagen zu vermitteln zu einem vertieften Verständnis des Wesens und der Probleme der verschiedenen Sprachregionen; sprachpolitische Fragen sollen eher im Hintergrund bleiben. Bewußt ausgeklammert ist auch das Problem der sprachlichen Assimilation der Gastarbeiter verschiedener Herkunft und der Integration ihrer Kinder in der Schule; der Einbezug dieser soziologisch und soziolinguistisch vielschichtigen Frage hätte den Rahmen bei weitem gesprengt.
Die einzelnen Sprachregionen werden durch kompetente Sprachwissenschafter vorgestellt, die durch ihre langjährige Beschäftigung mit den Problemen eines Sprachgebiets als ausgewiesene Kenner dieses Gebiets gelten können. Der erste Hauptabschnitt des Buches («Sprachgeschichtliche Grundlagen») und das Schlußkapitel («Die Beziehungen zwischen den schweizerischen Sprachregionen») umreißen den historischen und den kulturpolitischen Rahmen, in welchem die heutigen Sprachregionen zu sehen sind.

Die Autoren haben sich bemüht, einerseits wissenschaftlichen Ansprüchen zu genügen, anderseits aber eine Darstellung zu geben, die auch für den nicht sprachwissenschaftlich geschulten interessierten Leser zugänglich ist. Da Geschichte und heutige sprachliche Situation jeder Sprachregion aus ihrer eigenen Sicht, gewissermaßen von innen her, dargestellt sind, ergeben sich gelegentlich bei der Schilderung von Problemen, die sich in verschiedenen Sprachgebieten ähnlich stellen, Wiederholungen und Überschneidungen, in einzelnen Fällen aber auch Aussagen, die – bedingt durch den unterschiedlichen Standpunkt, von dem her sie entstanden sind – als widersprüchlich erscheinen mögen. Es schien uns wichtig, solches nicht um einer oberflächlichen Geschlossenheit willen auszumerzen. Wenn ähnliche Phänomene aus unterschiedlicher Sicht verschieden beurteilt werden können, ist das ja gerade auch ein Aspekt der mehrsprachigen Schweiz.
Daß das Buch, das in bezug auf das Verständnis für die sprachliche Situation innerhalb und zwischen den Sprachregionen der Schweiz eine Lücke schließen soll, überhaupt zustande kommen konnte, war nur möglich dank der wissenschaftlichen Sorgfalt und der Kooperationsfähigkeit der Mitarbeiter, aber auch nur mit Verständnis und Geduld des Verlags, der von der ersten Stunde an, in der das Projekt Gestalt annahm, über Jahre hinweg keine Anstrengungen scheute, um das Werk zu einem guten Abschluß zu bringen. Den Autoren, dem Verlag und nicht zuletzt den Institutionen, die schließlich durch ihre großzügige finanzielle Unterstützung die Herausgabe des Werks ermöglichten, sei der beste Dank ausgesprochen.

Robert Schläpfer

ROBERT SCHLÄPFER

MUNDART UND STANDARDSPRACHE

Die Schweiz als mehrsprachiger Staat ist ein lebendiger Widerspruch zur Idee der *Nationalsprache,* die seit den Humanisten des 16. Jahrhunderts von Staatstheoretikern und vor allem auch von zentralistischen Trägern einer Staatsmacht immer wieder vertreten worden ist und in Formeln wie *«Nation = Sprache»* bzw. *«Sprache = Nation»* und – unter dem Aspekt des Herrschaftsanspruchs – im *«cuius regio eius lingua»* («wessen Herrschaft, dessen Sprache») ihren Niederschlag gefunden hat.

Gerade heute, wo sich in zahlreichen Staaten regionalistische Kräfte regen, in deren Argumentation nicht zuletzt die eigene regionale Sprache eine zentrale Rolle spielt, gewinnt die Schweiz mit ihren vier Landessprachen, von denen das Deutsche, das Französische und das Italienische über die politischen Grenzen hinaus an einer größeren Sprachgemeinschaft teilhaben, wieder neu an Aktualität und Interesse. Dabei wäre es eine Verfälschung der Geschichte und eine Beschönigung der Gegenwart, wenn wir behaupten wollten, das Nebeneinander ganz verschiedener Sprachen innerhalb der engen Grenzen der Schweiz habe immer reibungslos funktioniert. Wenn es im wesentlichen funktioniert, dann nicht zuletzt darum, weil sich der Schweizer in der Regel gleichzeitig mit seiner sprachlich-kulturellen Region *und* mit dem Lande als Ganzem identifiziert.

Hinter Reibungen oder eigentlichen Spannungen, wo sie – in Geschichte und Gegenwart – zwischen den Landesteilen auftreten, stehen sehr oft mangelnde Kenntnis der anderssprachigen Miteidgenossen und auf dieser mangelnden Kenntnis beruhende Vorurteile. Dabei spielt – bewußt oder unbewußt – die fremde Sprache immer eine gewichtige Rolle. Nicht nur wegen der äußeren, rein formalen Erschwerung der Verständigung über die Sprachgrenze hinweg, sondern auch aus dem tieferen Grunde, daß jedes unter bestimmten geschichtlich-sozialen Bedingungen entstandene Sprachsystem mit seinen grammatischen Strukturen und seinem Wortschatz Einfluß hat auf das Weltverständnis der Sprachträger, auf ihre Art, die Welt zu sehen und zu gliedern, ihre Art zu denken, zu sprechen und zu handeln.

Hierin liegt eine grundsätzliche Schwierigkeit der Kommunikation über Sprachgrenzen hinweg, aber auch zwischen verschiedenen Systemen *einer* Sprache, z. B. zwischen Mundart und Schriftsprache. Diese Schwierigkeit hat insofern nicht nur sprachliche Konsequenzen – Konsequenzen des Sich-Verstehens oder Nicht-Verstehens –, als

Sprechen immer auch soziales Handeln ist, in dem Sinne, daß es Vorgänge auslöst oder verhindert, Emotionen weckt oder abbaut. Mit anderen Worten: Das Funktionieren oder eben Nicht-Funktionieren sprachlicher Kommunikation ist von zentraler Bedeutung für das Funktionieren individueller und gesellschaftlich-sozialer Beziehungen.
Vor diesem Hintergrund ist es zu sehen, daß im folgenden in der Darstellung der viersprachigen Schweiz der Sprachgeschichte und der aus dieser Geschichte erwachsenen heutigen sprachlichen Situation der vier Sprachregionen ein großes Gewicht zukommt. In einem zusammenfassenden und überblickenden Abschnitt – gewissermaßen dem Fazit aus den sprachlichen Fakten – werden dann die in der Mehrsprachigkeit der Schweiz begründeten aktuellen politischen und kulturpolitischen Aspekte der Beziehungen zwischen den Sprachgebieten beleuchtet.
Dem Ganzen seien hier einige aus linguistischer Sicht grundsätzliche Bemerkungen vorangestellt.

Diglossie

Es ist ein Kennzeichen der Anfänge europäischer Kultursprachen, daß sich mit zunehmender Bedeutung des Schriftverkehrs geschriebene und gesprochene Sprache immer weiter voneinander entfernten. Ansätze zu einer solchen Entwicklung finden sich schon im lateinischen Mittelalter. Während die wenigen, die damals des Schreibens und Lesens kundig waren und diese Kunst auch brauchten – es waren vor allem Geistliche –, durch Jahrhunderte hindurch in ganz Europa ein nur wenig sich veränderndes und weitgehend einheitliches Latein schrieben, löste sich die gesprochene Sprache, das Vulgärlatein, als Volkssprache immer weiter von der lateinischen Schriftsprache. Damit entstand das, was man heute *Diglossie* nennt. Man versteht darunter den Tatbestand, daß in einer Sprachgemeinschaft (mindestens) zwei verschiedene Sprachsysteme mit verschiedenen Funktionen nebeneinander gebraucht werden.
Eine solche Diglossie entstand ganz ausgeprägt, als sich in den verschiedenen europäischen Sprachgebieten in einem Jahrhunderte dauernden Prozeß je eigene, zunehmend standardisierte Schreibsprachen entwickelten, die im betreffenden Gebiet die Funktion übernahmen, die einstmals das Latein für den gesamten europäischen Kulturraum gehabt hatte. Dabei verbreiterte sich der Graben zwischen der

gesprochenen Volkssprache und der geschriebenen Sprache immer mehr, weil geschriebene Sprache, *Schriftsprache,* von ihrer Entstehung an aus praktischen Gründen durch grammatische Regeln und Schreibtraditionen – z. B. in der Orthographie – viel stärker normiert und damit fixiert wird als gesprochene Sprache, die sich deswegen auch ungehinderter entwickeln kann. Die stärkere Festlegung, Fixierung der Schreibsprache hängt damit zusammen, daß geschriebene Texte nicht nur im Augenblick, in dem sie verfaßt werden, und nicht nur am Ort ihrer Entstehung verstanden werden wollen. Daß sie, mit anderen Worten, eine überzeitliche, nicht ortsgebundene Gültigkeit beanspruchen. Dazu kommt, daß sie aus sich selber heraus verstanden werden müssen, weil der Leser ja nicht wie ein Gesprächspartner nachfragen, zurückfragen und der Schreiber nicht auf die Reaktionen des Lesers eingehen kann.

Für geschriebene und gesprochene Sprache gelten also ganz andere Gesetzmäßigkeiten – das galt im lateinischen Mittelalter, und das gilt noch heute. So sind in gesprochener Sprache einfache Sätze – neben komplizierteren Satzgefügen – verhältnismäßig viel häufiger als in geschriebener Sprache. Andere Erscheinungen, die die gesprochene Sprache charakterisieren, sind unvollständige Sätze (Ellipsen), Wortwiederholungen, Füllwörter (hm, äh, dann usw.), grammatisch ungewöhnliche Abfolge der Satzglieder u. ä. Dieser Möglichkeiten kann sich gesprochene Sprache umso eher bedienen, als ja Gespräche – außer am Telefon – nie nur verbal geführt werden, sondern immer auch von nonverbalen Signalen wie Veränderung der Stimmlage und der Tonführung, Mimik, Gestik begleitet sind. Weil der geschriebenen Sprache diese Mittel nicht zur Verfügung stehen und sie über Zeit und Raum hinweg ohne direkten Kontakt mit dem Kommunikationspartner verstanden werden muß, verlangt die Schriftsprache eine stärkere Regelhaftigkeit, was wiederum dazu führt, daß sie sich nur langsam, nur in kleinen Schritten, gewissermaßen widerwillig verändert. Das zeigt sich deutlich, wenn sich ein Schriftbild, eine Orthographie, die ursprünglich den Lautstand einer Sprache recht genau wiedergegeben hat, nur zögernd verändert, auch wenn sich der Lautstand der gesprochenen Sprache im Verlauf der Zeit stark gewandelt hat. So sind schließlich Schriftbild und Lautsystem sehr weit voneinander entfernt, wie das z. B. im heutigen Englisch extrem der Fall ist. Ein anderes Beispiel dafür sind die -ie-Schreibungen in der deutschen Schriftsprache in Fällen wie «Lied», «Fieber», «mieten». Wir empfinden hier das -e- als bloßes Dehnungszeichen; es ist aber ein Relikt aus der Zeit bis zum Ausgang des Mittelalters, in der man wirklich – wie heute noch im Schweizerdeutschen – mit einem Zwielaut (Diphthong) «Liəd», «Fiəber» gesprochen hat. Wie schwer sich geregelte schriftsprachliche Traditionen verändern lassen, zeigen auch die schon Jahrzehnte dauernden Diskussionen um die Abschaffung der Großschreibung der Substantive im Deutschen.

Schriftsprache, Schriftdeutsch, Hochdeutsch, Hochsprache

Die Gemeinsprache wird im Deutschen als die *Schriftsprache,* vornehmlich im süddeutschen und deutschschweizerischen Raum auch als das *Schriftdeutsche* bezeichnet. Andere Benennungen dafür sind *das Hochdeutsche* oder *die Hochsprache.*

Anfänglich war diese Sprache ausschließlich geschriebene Sprache, Literatur- und Bildungssprache. In diesem Sinne waren die Bezeichnungen «Schriftsprache», «Schriftdeutsch» zunächst durchaus zutreffend. Seit sie aber auch gesprochen wird, sind sie im Grunde irreführend.

Die Bezeichnung *Hochdeutsch* findet ihre Berechtigung darin, daß die deutsche Gemeinsprache auf *hochdeutschem Boden,* d. h. im mittel- und oberdeutschen Raum entstanden ist. Der Gegensatz dazu ist der *niederdeutsche Sprachraum* im nördlichen Deutschland, in welchem die (hoch)deutsche Gemeinsprache die einheimischen niederdeutschen Schreibsprachen und Mundarten überlagert hat. «Hochdeutsch» ist somit mehrdeutig: Einerseits ist die deutsche Gemeinsprache darunter verstanden, anderseits sind aber auch die mittel- und oberdeutschen Mundarten hochdeutsche Sprachformen. Vielfach glaubt man auch, aus dem *«hoch*deutsch», wenn es zur Bezeichnung der Gemeinsprache verwendet wird, herauszuhören, daß es sich dabei, im Vergleich zu den Mundarten, um die höher einzuschätzende Sprachform handle. Noch deutlicher, und hier bewußt in den Vordergrund gestellt, ist dieses wertende Moment, wenn man von der deutschen, aber auch von der französischen, italienischen *Hochsprache* spricht. Daß man in der Zeit, als sich eine Regionalsprache (bzw. im Deutschen eine Ausgleichssprache zwischen verschiedenen Schreibdialekten) für ein ganzes Sprachgebiet als allgemeine Schriftsprache, als Literatur- und Bildungssprache durchzusetzen begann, mit diesem Prozeß die Vorstellung verband, eine «höhere» Sprache überwölbe die regionalen Mundarten, ist verständlich. Heute wachsen die Bedenken gegen eine solche Wertung, insbesondere weil es nicht angeht, eine bestimmte Sprachform wegen ihrer größeren kommunikativen Reichweite, und weil sie (auch) Literatursprache ist, höher einzustufen als die *Alltags*sprache, in der sich die entscheidenden zwischenmenschlichen Beziehungen artikulieren, in der sich alltäglich entscheidendes sprachliches Handeln vollzieht. Dazu kommt, daß mit dem Begriff der «*Hoch*sprache» meist ein Normanspruch verbunden ist, mit dem vor allem in Gebieten, in denen die Mundart oder eine mundartlich gefärbte Regionalsprache noch Alltagssprache ist, ein großer Teil der Sprachteilhaber überfordert wird. Was wiederum zur Folge hat, daß für sie das Erfahrungsfeld «Hochsprache» aus dem Gefühl des Ungenügens heraus negativ besetzt wird, so daß die Gefahr besteht, daß sich eine negative Einstellung gegen diese «Hochsprache» entwickelt.

Mundart, Dialekt, Patois

Es ist hier der Ort, ein Wort zu sagen zu den Begriffen «Mundart», «Dialekt», «Patois»: *Mundart* und *Dialekt* werden in diesem und in den folgenden Abschnitten ohne jede Differenzierung völlig gleichbedeutend (synonym) gebraucht. Zahlreiche immer wieder unternommene Versuche, die beiden Bezeichnungen inhaltlich irgendwie gegeneinander abzugrenzen, konnten nie recht befriedigen. – «Patois» hat im gängigen französischen Sprachgebrauch sehr häufig noch heute einen leicht abschätzigen Beigeschmack, ein Moment, das in den deutschen Bezeichnungen «Dialekt» und «Mundart» in der Regel nicht mehr mitschwingt. Zur Zeit allerdings, als sich die als Schriftsprache erst entstehende deutsche Gemeinsprache in einem langen Kampf gegen die regionalen Schreibdialekte durchsetzen mußte, in einer Auseinandersetzung, die im 15./16. Jahrhundert begann und in einzelnen Gegenden bis ins 19. Jahrhundert hinein dauerte, galt die Mundart allgemein als «verdorbene Sprache», als «schlechtes Deutsch», das auszumerzen sei.

Standardsprache

Seit den siebziger Jahren gebraucht man als Bezeichnung der Gemeinsprache irgendeiner Sprachgemeinschaft den Begriff der *Standardsprache*. Man spricht also von der *deutschen, französischen, italienischen Standardsprache*.

Der Terminus «Standardsprache» will Wertungen vermeiden. Mit denselben Kriterien kann er in den verschiedenen Sprachgebieten vergleichbar verwendet werden: Die Standardsprache ist die lokale und regionale sprachliche Varianten übergreifende Sprachform, welche auf allen Ebenen der Sprache – in der Aussprache und in der Orthographie, in der Grammatik und weitgehend auch im Wortschatz – vereinheitlicht und so verbindlich geregelt, normiert, ist, daß sie für alle Textformen und im ganzen Sprachgebiet gebraucht werden kann. Dabei ist allerdings nicht zu übersehen, daß *Standard-Sprache, Standard-Form* der Sprache zu einem Mißverständnis Anlaß geben könnte: wenn *Standard* als etwas Statisches, ein für allemal Festgelegtes verstanden würde, so daß Abweichung vom «Standard» zwangsläufig falsch wäre. Eine solche Bedeutung darf dem Begriff nicht unterschoben werden; sie trüge der Tatsache nicht Rechnung, daß sich Sprache in einer ständig sich verändernden Welt in enger Wechselbeziehung mit der Wandlung gesellschaftlicher Verhältnisse mehr oder weniger kontinuierlich entwickelt.

Es gibt aber auch in keinem Sprachgebiet eine völlig einheitliche Standardsprache. Zwar ist in der Regel die Orthographie durchgehend verbindlich normiert. Verhältnismäßig schmal ist die Bandbreite der standardsprachlichen Varianten auf der Ebene der Grammatik. Sehr viel häufiger sind innerhalb einer Standardsprache die regional bedingten Unterschiede in der Aussprache und vor allem im Wortschatz. Solange aber diese Varianten ein gewisses Maß nicht übersteigen, ist die Hauptfunktion der Standardsprache, die überregionale Verständigung innerhalb des ganzen Sprachgebiets, nicht gefährdet. Wir gehen hier nicht weiter auf diese Frage ein; im einzelnen wird das Problem der Einheitlichkeit bzw. Uneinheitlichkeit der Standardsprache im folgenden in den Kapiteln dargestellt, die sich mit der Situation der deutsch-, französisch-, italienischsprachigen und der rätoromanischen Schweiz befassen. Dort ist von den Besonderheiten der deutschen Schriftsprache in der Schweiz, von der französischen Standardsprache in der welschen Schweiz, den Unterschieden zwischen dem Tessiner Standarditalienisch und der Standardsprache Italiens wie auch von den Standard-Problemen des Rätoromanischen ausführlich die Rede.

Die Standardsprachen haben sich anfänglich als Schriftsprachen entwickelt. In praktisch allen Sprachgebieten wurden sie aber auch zu gesprochenen Sprachen, zumindest in bestimmten Situationen und für bestimmte – meist höhere – soziale Schichten. Damit müssen nun strikte geschriebene Standardsprache und gesprochene Standardsprache auseinandergehalten werden, gelten doch – wie wir es angetönt haben – für geschriebene und gesprochene Sprache vor allem im Satzbau (in der Syntax) grundsätzlich verschiedene Gesetzmäßigkeiten. Einen Sonderfall in bezug auf die Verwendung der Standardsprache als gesprochener Sprache bildet die deutsche Schweiz: Der gesprochenen Standardsprache ist hier nur ein sehr beschränkter Verwendungsbereich zugestanden. In Deutschland andererseits ist gesprochene Standardsprache in der Form einer *Umgangssprache* in weiten Teilen des Landes vor allem für mittlere und höhere soziale Schichten die Regel geworden. Wo es in solchen Fällen «unter» der Umgangssprache den Dialekt noch gibt, ist er im strengen Sinn nicht mehr oder zumindest nicht mehr nur Dialekt – ortsgebundene Varietät der Sprache mit begrenzter kommunikativer Reichweite –, sondern ebensosehr *Soziolekt,* d. h. Sprachvariante bestimmter sozialer Gruppen: der bäuerlichen Schicht in ländlichen Gebieten, Familiensprache der sozialen Grundschicht in städtischen Agglomerationen. Wieweit man eine mehr oder weniger regional gefärbte Umgangssprache, deren Abgrenzung gegen den Dialekt und die «reine» Standardsprache nicht einfach ist, überhaupt noch als Standardsprache bezeichnen will, ist Ermessensfrage; die Übergänge vom einen Sprachsystem ins andere sind immer fließend.

Standardsprache in der viersprachigen Schweiz

In der viersprachigen Schweiz haben die deutsche, französische und italienische Standardsprache nicht nur die Funktion der Gemeinsprache für den Sprachraum, zu dem das jeweilige schweizerische Sprachgebiet gehört. Sie sind auch die Verständigungssprachen über die innerschweizerischen Sprachgrenzen hinweg und haben damit ganz wesentlich eine kulturpolitische Bedeutung. Der Westschweizer lernt Standarddeutsch, der Tessiner und der Deutschschweizer Standardfranzösisch. Die Tendenz, wie sie in der deutschen Schweiz eine seit Ende der sechziger Jahre einsetzende «Mundartwelle» gebracht hat, den Gebrauch der gesprochenen Standardsprache immer mehr zugunsten der Mundart einzuschränken: im Unterricht auf allen Stufen und in allen Fächern, in Radio und Fernsehen, im öffentlichen Sprachgebrauch, kann sich in doppelter Hinsicht verhängnisvoll auswirken. Einerseits wird die deutsche Standardsprache, mit der von jeher viele Deutschschweizer Mühe hatten, immer mehr zur «Fremdsprache». Wenn sie der

Deutschschweizer nur noch liest und schreibt – wobei die Mundart auch als geschriebene Sprache zumindest im privaten Sprachgebrauch deutlich im Vormarsch zu sein scheint –, gesprochene Standardsprache aber kaum mehr aktiv gebraucht und nur noch passiv versteht, ist das der Anfang einer Distanzierung vom größeren deutschen Sprachgebiet, die Einleitung einer sprachlich-kulturellen Isolierung, die der Deutschschweizer, der bei aller Heimatverbundenheit über die eigenen engen Grenzen hinausblicken möchte, nicht wünschen kann. Verwurzelung im eigenen Boden, politische und geistige Selbstverständlichkeit und Teilhabe am größeren Kulturraum sind ja keineswegs Gegensätze, dürfen sich nicht ausschließen.

Anderseits erhöht die Vernachlässigung der deutschen Standardsprache durch die Deutschschweizer die Sprachbarrieren zu den anderen Sprachgebieten der Schweiz in einem auch politisch unerwünschten Maß. Sollen die größeren und kleineren Minderheiten der Schweizer, die nicht deutscher Muttersprache sind, in Zukunft statt der deutschen Standardsprache Schweizerdeutsch lernen, und welches Schweizerdeutsch? Es ist doch mehr als zweifelhaft, daß wir mit ihrem Einsatz zum Erlernen einer Sprachform rechnen dürfen, die sie über die deutsche Schweiz hinaus in einem viel größeren deutschen Sprachraum nicht brauchen können. Oder glauben die alemannischen Verfechter des «Mundart um jeden Preis» tatsächlich, den andern beides zumuten zu dürfen: deutsche Standardsprache und schweizerdeutschen Dialekt? Ernsthafte Besinnung auf Deutschschweizer Seite tut hier ohne Zweifel not.

WALTER HAAS

SPRACHGESCHICHTLICHE GRUNDLAGEN

SPRACHGESCHICHTE DER SCHWEIZ

Die Geschichte der Sprachen ist älter als die Geschichte der Staaten. Die frühe Sprachgeschichte eines jeden modernen Staatswesens ist deshalb die Sprachgeschichte einer Region, die nachträglich von den viel jüngeren Staatsgrenzen her definiert wird. Von einer rein sprachlichen Warte aus ist dieser Ausschnitt willkürlich: Die Geschichte der französischen Sprache etwa müßte alle Gebiete umfassen, deren Einwohner französisch sprechen – unbeschadet ihrer heutigen Staatsangehörigkeit. Eine «innere Sprachgeschichte» wird sich denn auch nicht um die modernen und oft zufälligen Staatsgrenzen kümmern. Dagegen ist die nachträglich definierte Region vom sprachpolitischen Gesichtspunkt aus äußerst bedeutsam. Erst vor diesem Hintergrund läßt sich zeigen, in welcher Weise die spätere geschichtliche Entwicklung auf vorgegebene sprachliche Verhältnisse eingewirkt hat oder wie umgekehrt sprachliche Verhältnisse den Gang der geschichtlichen Entwicklung beeinflußt haben. Ich unterscheide deshalb im folgenden eine Sprachgeschichte der Region, die durch die heutigen politischen Grenzen der Schweiz umschrieben wird, und eine Sprachgeschichte des Staates, welche die Entwicklung des sprachlichen Zustands des heutigen Staates darstellt.

Die ersten Schweizer

Die Sprachgeschichte der Schweiz beginnt im Wallis. Hier lebten nämlich nach dem Zeugnis des römischen Dichters Rufus Festus Avienus um 600 v. Chr. die *Tylangier, Daliterner, Clahilcer* und *Lemener* – die ersten Völkerschaften auf schweizerischem Boden, von denen wir den Namen und somit etwas Sprachliches kennen.
Allerdings: Manche Historiker zweifeln daran, ob die Tylangier und ihre Genossen nicht vielmehr im unteren Rhonetal anzusiedeln seien, denn allzugenau sind Aviens Angaben nicht. Die ältesten Einwohner unseres Landes waren jene Tylangier ohnehin nicht, nur kennen wir von den urzeitlichen Menschen, die uns Überreste ihrer Waffen, Werkzeuge und ihrer Körper hinterlassen haben, keine Namen. Man vermutet, daß die Tylangier und ihre Nachbarn zu den *Ligurern* gehörten, einem Urvolk, das dem Ligurischen Meer den Namen gegeben hat. Von ihnen berichtet Avien, daß andere Völker sie in die unwirtlichen Alpen verdrängt hätten, aber von ihrer Sprache besitzt man keine Zeugnisse – außer vielleicht ein paar geographischen Namen.
Namen von Flüssen, Bergen und Örtlichkeiten erhalten sich von allen sprachlichen Zeugnissen am längsten: Sie haften sozusagen an den bezeichneten Stellen, und wenn die Bewohner ihre Sprache mit einer anderen vertauschen, dann behalten sie doch die ererbten Orts- und Flurnamen bei; und nimmt ein neues Volk mit anderer Sprache ein Gebiet in Besitz, so wird es mit den Örtlichkeiten oft auch deren Namen von den früheren Bewohnern übernehmen. Deshalb verbergen sich noch heute hinter vielen unserer «modernen» geographischen Namen die einzigen Überreste von Sprachen, die sonst vollständig verklungen sind, von denen keine Texte überliefert sind, von denen wir nicht einmal wissen, wie das Volk hieß, das sie einmal sprach.
Dennoch können Namen Aufschlüsse über die Sprache geben, aus der sie stammen. Jede Sprache hat ganz bestimmte Verfahrensweisen zur Namenbildung, denken wir nur an die vielen deutschen Ortsnamen auf

-ingen, von *Andelfingen* bis *Zofingen.* Auch die Ligurer scheinen ein solches «Suffix» zur Bildung von Namen gekannt zu haben. Man glaubt es in den Südschweizer Ortsnamen auf *-asco/-asca (Giubiasco, Biasca* usw.) entdeckt zu haben, da die gleiche Endsilbe auch in Inschriften aus dem Gebiet um Genua vorkommt, wo die Ligurer ja ursprünglich gewohnt haben sollen. Ganze Texte auf ligurisch gibt es nicht, und so kann man nur vermuten, daß die Schweiz außer den genannten tessinischen Ortsbezeichnungen auch die Namen *Rhone, Lac Léman* (von den Lemenern!) und *Genf* den Ligurern verdankt – weil man sie durch keine andere bekannte Sprache erklären kann.

Vorstoß in die Urzeit

In fast allen heute lebenden europäischen Sprachen lebt ein Traditionsstrang fort, der infolge der Überlieferung über zahllose Generationen in verschiedenen, räumlich getrennten Gruppen dieses großen Gebiets außerordentlich starke Auseinanderentwicklungen erlebt hat, der aber aufgrund der Regelmäßigkeiten des Sprachwandels noch immer klar erkannt werden kann. Diesen Traditionsstrang meint man, wenn man die europäischen Sprachen als Mitglieder der *indogermanischen Sprachfamilie* bezeichnet.

Nicht zum Indogermanischen gehören in diesem Erdteil bloß das Finnisch-Lappische, das Estnische, das Ungarische, das Maltesische und das Baskische. Die drei ersten Sprachen kamen durch Einwanderer aus dem asiatischen Raum nach Europa (wie vielleicht auch das Indogermanische), das Maltesische entstand in neuerer Zeit durch Verschmelzung einer semitischen und einer indogermanischen Sprache. Das Baskische dagegen setzt eine Sprachtradition fort, von der man allgemein annimmt, sie sei auf diesem Kontinent älter als die indogermanische: Es wäre somit der letzte lebende Zeuge jener Sprachen, die vor dem Aufkommen des Indogermanischen in Europa gesprochen wurden.

Europa lernt «Indogermanisch»

Aus dem Studium der modernen Sprachen geht nicht hervor, wann die indogermanischen Sprachen in Europa aufgekommen sind, wer sie

hierherbrachte, wie die Indogermanisierung der Einwohner des Kontinents vor sich gegangen ist.
Es scheint, daß die ältesten Aufspaltungen des indogermanischen Traditionsstrangs in die jüngere Steinzeit zurückreichen, also in die Zeit lange vor 2000 v. Chr., da die indogermanischen Sprachen für die Metalle keine gemeinsamen Wörter mehr haben. Die Archäologie stellt in Europa eine Kultur fest, die erstmals seit etwa 1800 v. Chr. über außerordentlich weite Räume recht gleichartig verbreitet war: Nach einer typischen Verzierungsart der Töpferei jener Epoche spricht man von der «Schnurkeramik-Kultur». Es ist verlockend, wenn auch nicht unumstritten, die Ausbreitung der indogermanischen Sprachtradition in Europa mit jener der Schnurkeramik-Kultur in einem Zusammenhang zu sehen. Diese Ausbreitung muß aber nicht überall, wie dies etwa in Griechenland wahrscheinlich ist, an das Vordringen eines bestimmten Volkes gebunden sein. Es ist durchaus denkbar, daß die Ureinwohner sowohl die Sprache wie die Kultur von kleinen Gruppen der Ankömmlinge übernahmen, daß beide sich ohne enorme Völkerwanderungen ausbreiten konnten. Dazu stimmt, daß die Indogermanisierung Europas nicht überall gleichzeitig und gleich umfassend erfolgte: Um 600 v. Chr., als in Griechenland die indogermanische Tradition schon seit einem Jahrtausend heimisch war, erlebte in Italien die etruskische Kultur ihre höchste Blüte, und dieses Volk sprach noch immer eine nicht-indogermanische Sprache.
Hinweise auf den Verlauf der Indogermanisierung Europas vermögen vielleicht wiederum alte Namen zu geben. Nördlich der Alpen lassen sich die Namen der meisten wichtigeren Gewässer aus der indogermanischen Sprachtradition heraus erklären. In den Alpen hingegen und im Mittelmeerraum haben sich zahlreiche nicht-indogermanische Namen erhalten, darunter etwa die ligurischen: Auch dieses Volk sprach also noch lange eine vor-indogermanische Sprache. Dazu kommt, daß die indogermanischen Gewässernamen Nordeuropas aufgrund ihrer einheitlichen Bildungsweise in eine sehr frühe Zeit zurückreichen müssen, als der europäische Zweig der indogermanischen Sprachtradition auf dem ganzen Gebiet noch recht einheitlich war: Wiederum kommt man in die Zeit der Schnurkeramiker zurück.
Man schließt daraus, daß der Raum nördlich der Alpen früher, schneller und durchgreifender indogermanisiert wurde als der Alpen- und Mittelmeerbereich, wo die Indogermanisierung von verschiedenen

kleinen Gruppen ausgegangen zu sein scheint, die aus den früher indogermanisierten Gebieten eingewandert waren.
Von diesen «Keimzellen» aus ging die indogermanische Sprachtradition auf die Vorbevölkerung über. Zeugen dieses Prozesses sind etwa die indogermanischen Lehnwörter im Etruskischen.

«Urwörter» und Sprachkontakt

Aber auch die Sprachen der Vorbevölkerung haben auf die schließlich siegreiche indogermanische Tradition des Mittelmeerraums starken Einfluß ausgeübt: Noch in den heutigen Sprachen und Mundarten dieses Gebiets müssen zahlreiche Wörter auf die «mediterranen» Vorsprachen zurückgeführt werden. Einige dieser mediterranen Wörter weisen eine erstaunliche Verbreitung auf. Meist handelt es sich um Begriffe, die mit der Jagd und besonderen Geländeverhältnissen zusammenhängen. Besonders zahlreich kommen solche uralten Wörter in den Alpen vor. Beispiele sind *Balma* ‹überhängender Fels›, *Loba* ‹Kuh› und *Camox* ‹Gemse›.
Auch diese Reliktwörter zeugen für eine langsamere Indogermanisierung der betreffenden Gebiete: Hier müssen die «mediterranen» und die indogermanischen Sprachen lange Zeit nebeneinander gelebt haben. Während aber die zögernde Indogermanisierung des Mittelmeerraums durch seinen Bevölkerungsreichtum und seine überlegene Kultur erklärt werden muß, ist die gleiche Erscheinung in den Alpen auf deren Verkehrsabgelegenheit zurückzuführen, die alten Lebensformen Schutz bot und wenig einladend auf Neuankömmlinge wirkte. Die Bevölkerung der Alpen konnte auch dann noch sprachlich und kulturell eigene Traditionen bewahren, als der Mittelmeerraum längst indogermanisiert war: Wir treffen hier erstmals auf eine geschichtliche Konstante dieses Raums, die sich bis in die neueste Zeit bemerkbar macht.
Aufgrund seiner geographischen Lage war das Gebiet der Schweiz seit den fernsten Zeiten ein Begegnungsraum verschiedener Kulturen. Für die Epoche zwischen 1500 und 1000 v. Chr. müssen wir mit einem bereits indogermanisierten Mittelland rechnen. Im Gebiet der Alpen samt ihrem südlichen Vorland hielten sich dagegen noch für lange Zeit nicht-indogermanische mediterrane Sprachen. Gegen das Jahr 1000 v. Chr. entstanden die ersten indogermanischen Keimzellen in Norditalien. Zwischen diesen beiden indogermanischen Bereichen sollten die mediterran-alpinen Sprachen schließlich «zerrieben» werden.

Von Kelten, Rätern und Lepontiern

Mit der Unterwerfung der Ostalpen im Jahre 15 v. Chr. vollendete Kaiser Augustus die Eingliederung des Gebiets der heutigen Schweiz ins römische Reich. Damit beginnt für unser Land die geschichtliche Zeit, für die unsere Kenntnisse auf schriftlichen Nachrichten beruhen. So wissen wir, daß damals im Tessin ein Volk lebte, das die Römer *Lepontier* nannten. Wir erfahren, daß in den Bündner Tälern *Räter* hausten, von denen uns zudem die Namen einer ganzen Menge von Unterstämmen überliefert sind. Julius Cäsar schließlich verdanken wir die Nachricht, daß sich die Bewohner des Mittellandes bis zum Bodensee damals *Helvetier* nannten, daß der Jura den *Sequanern,* die Gegend um Basel vermutlich den *Raurachern* und jene von Genf an südwärts den *Allobrogern* gehörte. Wir erfahren weiter, daß all die zuletzt genannten Stämme, die von den Römern unter der Sammelbezeichnung *Gallier* zusammengefaßt wurden, sich selber als *Kelten* bezeichneten.

In welche sprachlichen Traditionen lassen sich diese Völkerschaften einbinden?

Zumindest seit dem Beginn der Bronzezeit (um 1800 v. Chr.) sprechen die archäologischen Funde für eine ununterbrochene Kontinuität der Bevölkerung aller Landesteile. Nichts deutet auf große Invasionen und Zerstörungen hin. Die relativ ungestörte Generationenfolge wird aber von kulturellen Veränderungen begleitet, die in ihren Auswirkungen sogar sehr radikal sein können: Wesentlich ist, daß alle Änderungen sich allmählich, ohne abrupte Brüche, durchgesetzt haben. Genauso konnten sich natürlich die sprachlichen Traditionen ändern; die Kontinuität der Bevölkerung bedeutet nicht unbedingt eine ebenso ungestörte Kontinuität der sprachlichen Traditionen. Die Vorfahren der Menschen, die zu Beginn der Römerzeit keltisch, rätisch oder lepontisch sprachen, können trotz ungebrochener Siedlungskontinuität zu einer früheren Zeit durchaus einer andern sprachlichen Tradition angehört haben, ohne daß dies die Bodenfunde verraten.

Seit dem Beginn der Bronzezeit läßt sich für das Mittelland ein Zusammenhang mit weiter verbreiteten mittel- und westeuropäischen Kulturen feststellen, während die Alpentäler stets ein gewisses Eigenleben führten. Der Raum der östlichen Schweizer Alpen, der später als Heimat der Räter angegeben wird, zeigt seit etwa 1000 v. Chr. eine kleinräumige Kultur. Sie hatte ihren Schwerpunkt offenbar in Südtirol und reichte zur Zeit der größten Ausbreitung bis ins Sankt Galler Rheintal. Auch der Raum des Tessins gehörte im letzten Jahrtausend v. Chr. zu einer relativ eigenständigen kleinräumigen Kultur. Solche Kulturkreise deuten immerhin auf einen intensiven Verkehr innerhalb der betreffenden Gebiete, und dies dürfte auch die sprachlichen Traditionen nicht unbeeinflußt gelassen haben.

Sprachen die Räter rätisch?

Was weiß man nun aber von diesen Sprachtraditionen? Für die Schweiz am wichtigsten ist das Keltische, eine indogermanische Sprache; das Mittelland war ja, wie wir gesehen haben, offenbar seit früher Zeit indogermanisiert.

Anders verhielt es sich mit Rätien. Zwar weiß man wenig von den Sprachen jener Region, doch das Wenige genügt, um eine starke nicht-indogermanische Sprachtradition nachzuweisen. Solche «rätische» Sprachrelikte haben sich in vielen Örtlichkeitsnamen und in den rätoromanischen Mundarten erhalten. Das eindrücklichste Beispiel sind wohl die in Churrätien sehr häufigen *Patnāl*-Namen, die meist einen prähistorischen Burgplatz bezeichnen und nicht indogermanisch erklärt werden können. Daneben sind aus den letzten vier vorchristlichen Jahrhunderten auch Inschriften in einer Sprache gefunden worden, die aufgrund ihrer Fundgegend «rätisch» genannt wird. Geschrieben sind die allesamt sehr kurzen Texte in Alphabeten, die eindeutig von der Schrift der Etrusker abgeleitet sind. Die römischen Autoren Livius und Plinius, welche die Räter für verwilderte Abkömmlinge der Etrusker hielten, scheinen wenigstens insofern recht zu haben, als die Sprache der rätischen Inschriften sich an keine indogermanische Tradition anknüpfen läßt. Für Etruskisch allerdings kann sie auch nicht gelten.

Leider finden sich die «rätischen» Inschriften alle auf oberitalienisch-tirolischem Boden: Rätien war zur Römerzeit viel größer als das heutige Graubünden. Die einzige vielleicht rätische Inschrift, die auf Schweizer Gebiet gefunden wurde, ziert eine Kanne aus dem Misox, und die kann natürlich ebensogut als Handelsgut dorthin gelangt sein. Deshalb ist es nicht einmal sicher, ob die Bewohner der Bündner Täler je die Sprache gesprochen haben, die von der Wissenschaft heute «rätisch» genannt wird. Noch am ehesten dürfen wir dies von den alten Engadinern annehmen. Jedenfalls deuten die archäologischen Funde im Engadin

auf enge und lange dauernde Verbindungen mit den südtirolischen Verfassern der rätischen Inschriften hin. Aber wenn auch nicht alle alpinen Völkerschaften, die von den Römern zu den Rätern gezählt wurden, die Sprache der rätischen Inschriften gesprochen haben, so ist doch eines sicher: Noch bei der Ankunft der Römer waren die Alpentäler Graubündens nicht vollständig indogermanisiert.
Der Prozeß muß aber im Gange gewesen sein. Auch in Rätien gibt es viele uralte Örtlichkeitsnamen, die sich bereits an die indogermanische Tradition anknüpfen lassen. Dies gilt beispielsweise für den Flußnamen *Plessur,* der auf eine indogermanische Wurzel **pleu̯* zurückgeführt werden kann, von der auch unser deutsches Wort *fließen* letztlich abstammt. Gerade dieser Name zeigt aber, daß die indogermanischen Traditionen Rätiens sich von jenen der Mittelland-Kelten unterschieden, denn im Keltischen ist altes anlautendes *p-* weggefallen. Aber auch hier zeichnete sich seit dem 5. Jh. v. Chr. eine Wende ab: Der keltische Einfluß auf Rätien wurde stärker; von Süden her machten sich die Lepontier bemerkbar, die mit den Kelten zumindest verschwägert waren.

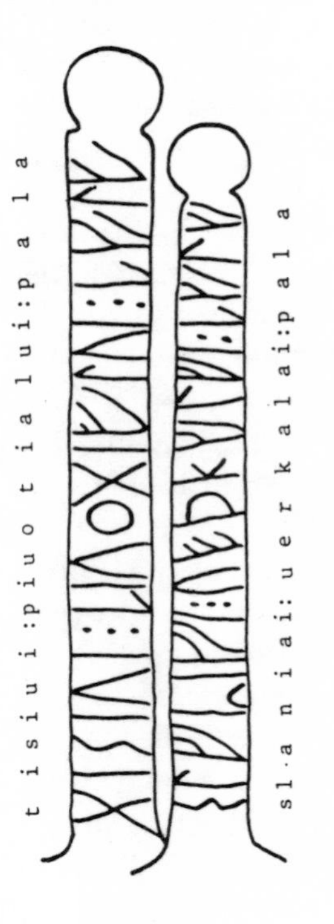

Slania Verkalas Grab
Auch die Lepontier haben eine Reihe von Inschriften hinterlassen. Sie sind ebenfalls in einem etruskisch beeinflußten Alphabet geschrieben und stammen aus der Zeit nach 300 v. Chr. Die längste Inschrift wurde in der Nähe von Lugano gefunden und lautet: *slaniai verkalai pala / tisivi pivotialui pala* ‹Für Slania Verkala [=Tochter des Verkos] das Grab, für Tisios Pivotialos [=Sohn des Pivoti(o)s] das Grab›. Die Sprache der lepontischen Inschriften scheint aus einer Verschmelzung keltisch-indogermanischer und ligurisch-mediterraner Sprachtraditionen hervorgegangen zu sein. Zu den ligurischen Elementen im Lepontischen gehört das *-asca/-asco*-Suffix, das noch lange zur Bildung neuer Namen verwendet wurde, zu den indogermanischen gehören etwa die Dativ-Endungen *-ai, -ui* unserer Inschrift. Wegen des starken Misch-

charakters des Lepontischen wird diese Sprache von einigen Linguisten als «Keltoligurisch» bezeichnet, andere halten ihre Grundkomponente für ein eigenständiges indogermanisches Idiom, das später «keltisiert» und zusätzlich etruskisch, in den Alpentälern ligurisch, beeinflußt worden sei.

Der Name des Volkes lebt weiter im Namen des Livinentals (*Valle Leventina* aus *vallis Lepontina* ‹lepontisches Tal›). Von diesem Kerngebiet aus scheinen die Lepontier die zentralen Alpentäler «kolonisiert» zu haben: In Graubünden erinnert der Name des Lugnez (*Lumnezia* aus *Leponetia*) an dieses Volk, dem auch die keltisch beeinflußten Bodenfunde am Talausgang zu verdanken sein dürften. Im Oberwallis gehörte nach Plinius der Stamm der *Uberer* zum Volk der Lepontier, und die Ortsnamen *Ablätsch* in Glarus und *Urnäsch* in Appenzell a. Rh. könnten das ehemals ligurische Suffix *-asca* enthalten. Auf das gleiche «lepontische Einflußgebiet» um den Gotthard ist der Name *Frutt* beschränkt; auch er könnte auf einen lepontischen Namengebungsbrauch zurückgehen. Das Wort selber gehört dem keltischen Traditionsstrang in der Mischsprache der Lepontier an und bezeichnet den Wasserfall (kelt. *frutus*).

Die Kelten und ihre Herkunft

Die keltischen Stämme, die zu Cäsars Zeiten Westeuropa bewohnten, führten ein politisches Eigenleben und waren untereinander oft verfeindet. Daß sie sich dennoch mit dem gemeinsamen Keltennamen nannten, beruhte auf dem Bewußtsein kultureller und religiöser Gemeinsamkeit, die sich auch durch die Bodenfunde nachweisen läßt. Die Römer sprachen den Kelten sogar einen «Nationalcharakter» zu: Immer wieder berichten sie vom leidenschaftlichen Jähzorn, der Trink- und Redelust dieser rotblonden, hochgewachsenen Krieger, die sich unter schrecklichem Geschrei mit nacktem Körper in den Kampf zu stürzen pflegten.

Zu den wichtigsten Gemeinsamkeiten der keltischen Stämme gehörte ihre indogermanische Sprache, die nicht nur die Namenlandschaft eines großen Teils von Westeuropa geprägt hat, sondern auch in den heutigen Sprachen der Schweiz ihre Spuren hinterließ.

Die «Herkunft» des keltischen Volkes ist ungeklärt. Für die Zeit seit etwa 1800 v. Chr. liefert uns die Archäologie keinen Hinweis auf die massenhafte Einwanderung fremder Völker nach Mitteleuropa. Scheinbar unvermittelt taucht um 500 v. Chr. die als typisch geltende keltische Kultur mit beeindruckender Geschlossenheit auf. Es muß somit angenommen werden, daß die Kelten nicht von nirgendwoher «gekommen» sind, sondern hier in Mitteleuropa «entstanden». Die Frage lautet nicht, wann keltischsprechende Menschen in unser Land kamen, sondern wann die Menschen unseres Landes keltisch zu sprechen begannen.

Vom Indogermanischen zum Keltischen

Seit dem Ende der Steinzeit wechselte Westeuropa nördlich der Alpen allmählich zur indogermanischen Sprachtradition hinüber, einer Sprachtradition, die zu Beginn dieses Prozesses noch recht einheitlich gewesen sein muß. Gerade der Einfluß der verdrängten Vorsprachen dürfte die Differenzierung des Traditionsstrangs in verschiedene «Einzelsprachen» beschleunigt haben.

«Differenzierung» bedeutet, daß in der Sprache bestimmter Sprechergruppen Merkmale aufkommen, die in der Folge dieses Idiom von jenem der Vorfahren und der Nachbarn unterscheiden. Auch das Keltische ist definiert durch einen Komplex von Abweichungen gegenüber der indogermanischen Vorsprache und den indogermanischen Nachbarsprachen. Es kennt beispielsweise, wie wir gehört haben, kein anlautendes *p*- mehr. Somit hätten die Indogermanen nördlich der Alpen in *dem* Moment keltisch zu sprechen begonnen, in dem diese Merkmale in ihrer Sprache vorhanden waren. Dieser «Moment» ist aber aus einem inneren und einem äußeren Grund nicht auszumachen. Zum einen brauchen sprachliche Veränderungen oft lange Zeiträume, um sich durchzusetzen. Die Merkmale, die beim Eintritt der Kelten in die Geschichte ihre Sprache von den anderen indogermanischen Idiomen unterschieden, sind offensichtlich zu sehr verschiedenen Zeiten entstanden. Sie lassen sich nämlich nicht zu einem zusammenhängenden Veränderungssystem zusammenfassen, wie das etwa bei der germanischen Lautverschiebung möglich ist. Der äußere Grund aber liegt im völligen Fehlen keltischer Sprachreste vor dem 1. Jahrhundert v. Chr. Der *Name* der Kelten taucht zuerst beim griechischen Historiker Herodot um 450 v. Chr. auf. Doch läßt seine Beschreibung der keltischen Wohnsitze Zweifel an seinen mitteleuropäischen Geographiekenntnissen aufkommen. Befriedigender wäre in dieser Beziehung eine Nachricht des Geographen Hekataios von Milet, der sogar ein paar Jahrzehnte vor Herodot gelebt hat. Leider aber besteht der Verdacht, jene Nachricht sei ihm Jahrhunderte später unterschoben worden. Aus Bemerkungen jüngerer Autoren wird allerdings klar, daß um 400 v. Chr. zwischen Alpen und deutschem Mittelgebirge Völkerschaften lebten, die Kelten genannt wurden; daß alle diese Stämme schon damals sämtliche «keltischen» Sprachmerkmale aufgewiesen haben, muß damit nicht vorausgesetzt werden. Die kulturelle Vereinheitlichung dagegen war damals bereits auf dem besten Weg.

Der gleiche Raum, der als Keltenland bezeichnet wird, stellt sich nämlich als Verbreitungsgebiet einer Kultur heraus, die nach dem wichtigen Fundort La Tène am Neuenburgersee *Latène-Kultur* genannt wird. Entstanden ist sie allerdings nicht im Raume der Schweiz, sondern am Südrand des deutschen Mittelgebirges. Von dort aus eroberte sie seit etwa 500 v. Chr. den gesamten Einflußbereich der vorangehenden sogenannten «Hallstatt-Kultur». Es muß angenommen werden, daß der plastische, durch Ranken und Spiralen an Töpferwaren und Schmuck gekennzeichnete Latène-Stil den materiell faßbaren Reflex einer umfassenden religiösen, sozialen und kulturellen Umwälzung darstellt, die schließlich bei den davon erfaßten Völkerschaften über die erworbenen kulturellen Gemeinsamkeiten auch zu einem gewissen Gemeinschaftsbewußtsein führte. Es scheint nur folgerichtig, daß auch die Sprache in diesen Prozeß einbezogen wurde, daß also im Zuge dieser Umwälzung innerhalb des bereits indogermanischen Hallstattkreises sich auch die sprachlichen Merkmale ausbreiteten, die später als typisch keltisch gelten sollten.

Dies führte in vielen Fällen zu einer «Keltisierung» von Idiomen indogermanischer Tradition, die bereits eine andere Eigensprachlichkeit entwickelt hatten. So deutet beispielsweise der lateinische Name des Bodensees, *lacus Venetus,* darauf hin, daß in seiner Umgebung Teile der *Veneter* lebten, deren Stammlande um Venedig lagen; ihr indogermanisches Idiom wurde aber in der Ostschweiz vollständig keltisiert – wiederum mit Ausnahme einiger Ortsnamen: Der antike Name Zürichs, *Turīcum,* entstammt vielleicht dem Venetischen. In Rätien muß die Keltisierung indogermanischer Vorsprachen, ja die Übernahme des Keltischen durch nicht-indogermanische Stämme noch zu Beginn der Römerzeit angedauert haben.

Die keltische Expansion

Seit dem 5. Jahrhundert v. Chr. begannen Gruppen von Kelten durch ganz Europa bis nach Kleinasien hinein auszuschwärmen: Es waren Kelten, die durch die Eroberung Roms (387 v. Chr.) den kapitolinischen Gänsen Gelegenheit boten, sich unvergänglichen Schulbuchruhm zu erwerben. Während dieser «keltischen Expansion» wurden aber die Stammlande in Mitteleuropa nie aufgegeben, und auf diesen Raum und auf Gallien sahen sich die Kelten schließlich weitgehend wieder beschränkt, als es vorab den Römern um 200 v. Chr. endlich gelang, ihre Wanderlust zu brechen. Für die Sprachgeschichte der Schweiz ist von Bedeutung, daß Oberitalien seit 400 v. Chr. dauernd von Kelten bewohnt war; seither hieß die Gegend bei den Römern *Gallia cisalpina,* das Keltenland diesseits der Alpen. Im Zuge dieser Südwanderung dürften die keltischen Stämme der *Nantuaten, Verager* und *Seduner* das Wallis in Besitz genommen und die ligurische Vorbevölkerung aufgesogen haben; noch heute erinnert der Name *Sitten* an die Seduner.

Seit dem zweiten Jahrhundert v. Chr. zeigt die keltische Kultur wiederum eine große Einheitlichkeit, und dies scheint nun auch für die Sprache zu gelten. Besonders friedliche Zeiten waren allerdings die beiden letzten Jahrhunderte ihrer Selbständigkeit für die Festlandkelten nicht; noch immer waren innerhalb des Keltengebiets einzelne Stämme auf der Wanderschaft. So sollen nach einigen antiken Autoren gerade die Helvetier erst um 100 v. Chr. unter germanischem Druck aus Süddeutschland in das schweizerische Mittelland eingewandert sein, das damals schon längst keltisch gewesen sein muß. In dieser Spätzeit begannen die Kelten, große befestigte Siedlungen zu errichten, sogenannte *oppida,* die als Markt- und Verwaltungszentren dienten und in denen ein technisch und künstlerisch hochstehendes Handwerk blühte. Auf schweizerischem Gebiet gab es solche *oppida* etwa bei Genf, Lausanne, Bern, Windisch, Rheinau und an mehreren anderen Orten; zwölf *oppida* sollen die Helvetier nach Cäsars Bericht verbrannt haben, als sie sich im Jahre 58 v. Chr. aufmachten, um nach Gallien zu ziehen.

Die Sprache der Kelten

Die alten Kelten haben es der Sprachwissenschaft nicht leichtgemacht, ein Bild ihrer Sprache zu gewinnen, und zwar aus zwei Gründen: Solange ihre Sprache noch lebte, haben die Kelten wenig vom Schreiben gehalten, und als sie einmal unter römische Herrschaft gekommen waren, haben sie nur noch lateinisch geschrieben und auch im täglichen Leben die Sprache der Sieger mit solcher Begier übernommen, daß die Tradition des eigenen Idioms spätestens im 6. Jahrhundert zu Ende war.

Die Druiden, die keltischen Priester und Gelehrten, hatten zwar die Schrift von den Griechen in Marseille gelernt, benutzten sie aber nur selten in ihren weltlichen Geschäften; im übrigen zogen sie es vor, ihr Wissen und ihre Mythen mündlich weiterzugeben. So haben die Archäologen außer den Fragmenten eines Kalenders, der in Frankreich gefunden wurde, kaum nennenswerte Zeugnisse des Festlandkeltischen zutage gefördert. Namen auf Münzen und ein paar kurze Inschriften bilden die Hauptmasse des aus antiker Zeit Überlieferten. Der Beweis, daß auch die Helvetier, wie Cäsar behauptet, die griechische Schrift gekannt haben, hängt an einem einzigen Namen, der auf einem am Bielersee gefundenen Schwert eingraviert ist: KOPICIOC ‹Korisios›. In der Schweiz kam bloß eine einzige «keltische» Inschrift zum Vorschein, die mehr als einen Namen umfaßt; sie steht in lateinischen Buchstaben auf einem Ring aus Vindonissa (Windisch/AG) und lautet: *avo mio toc nai ixu tio udr uto* – *avo(t)* bedeutet auf keltisch ‹er machte›, sonst aber ist von der Wortzahl bis zum Inhalt alles an diesem Text unklar, damit natürlich auch die Frage, ob seine Sprache *tatsächlich* keltisch sei …

Nur auf den Britischen Inseln vermochte sich die keltische Sprachtradition zu halten. Das Gälische in Irland und Schottland und das Walisische in Wales bilden dort heute ihre letzten bedrohten Ausläufer. Auch das Bretonische ist keltisch, aber es ist nicht ein Nachfahre der alten Sprache Galliens, sondern wurde im 5. und 6. Jahrhundert von Britannien nach Gallien zurückgebracht.

Das schon seit dem 6. Jahrhundert schriftlich überlieferte Inselkeltische erleichtert die Deutung der festlandkeltischen Sprachreste, die zwar kaum Zusammenhängendes umfassen, dafür aber eine Fülle von Namen. Aus ihnen kann dank der Vergleichsmöglichkeit mit dem

Inselkeltischen ein klareres Bild jener untergegangenen Sprache gewonnen werden.

Keltische Namen aus der Antike finden sich auf gallischen Münzen und den wenigen «originalkeltischen» Inschriften. So lesen wir etwa auf einem Grabstein aus dem römischen Augusta Rauricorum (Augst): *D(is) M(anibus) / Adiantoni Toutio / et Marulin(ae) Maru / [li] f(iliae) coniugi Adled / [us et] Adnamtus / [fili] eorum p(onendum) c(uraverunt)* ‹Den Manen. Für Adianto Toutius und Marulina, Tochter des Marulus, seine Frau, haben Adledus und Adnamtus, ihre Söhne, (diesen Stein) setzen lassen›.

Hier sind nicht bloß die Namen keltisch (besonders *Toutus* kommt in Gallien oft vor), auch die Benennungsweise folgt keltischem Brauch: Auf den Vornamen des Verstorbenen, *Adianto* (im Dativ), folgt ein vom Vornamen seines Vaters, *Toutus,* durch das Suffix *-ius* abgeleiteter «Vatername»: *Toutius* (ebenfalls im lat. Dativ). Die verstorbene Mutter dagegen trägt bereits als Vorname einen «Vaternamen»: *Marulina* ist durch ein Suffix vom Männernamen *Marulus* abgeleitet.

Das Festlandkeltische lebt aber auch in Örtlichkeitsnamen weiter, freilich durch die späteren Sprachentwicklungen des Französischen und Deutschen vielfach verändert. So scheinen die Namen der meisten wichtigeren Flüsse der Schweiz nördlich der Alpen indogermanisch in keltischer Form zu sein, einige Berge, wie der *Jura,* vielleicht auch *Tödi* und *Eiger,* haben ihre Bezeichnungen von den Kelten erhalten.

Recht zahlreich sind die keltischen Siedlungsnamen. Hier lassen sich zwei große systematische Gruppen unterscheiden, nämlich die Städtenamen auf *-dūnum* ‹Burg› und *-durum* ‹Tor› (*Noviodunum* Nyon; *Salodurum* Solothurn) und die vielen Ortsnamen auf *-ācum,* die im Französischen heute auf *-y,* im Deutschen auf *-ach* auslauten (*Martiliacum* Marly/Mertenlach). Das Suffix *-ācum* ist zwar ebenfalls nach der lateinischen Sprache zurechtgebogen, aber ursprünglich eindeutig keltisch. Später konnte es aber auch an lateinische Namen angehängt werden: ein Zeugnis der keltisch-lateinischen Mischkultur.

Neben diesen nach typischen Verfahrensweisen gebildeten Namen trifft man auch auf keltische Einzelnamen, wie etwa *Vindonissa* Windisch, *Aventicum* Avenches usw. Einige keltische Wörter haben den Sprachwechsel der Festlandkelten überstanden und leben in den romanischen Sprachen ihrer romanisierten Nachkommen weiter.

Das Erbe der Römer

Ihre Kriegstüchtigkeit bewahrte die zerstrittenen keltischen Stämme nicht vor der Unterwerfung unter die römische Gewalt. Mit der Eroberung der Provence, zu der damals als nördlichster Punkt Genf gehörte, kamen schon 121 v. Chr. die ersten «schweizerischen» Kelten unter römische Herrschaft. 58 v. Chr. erlitten die Helvetier und die übrigen Stämme das gleiche Schicksal. Unter Augustus wurden, wohl um 25 v. Chr., die Lepontier und anschließend die Stämme des Wallis unterworfen, 15 v. Chr. gelang der Sieg über die Räter. Damit war das gesamte Gebiet der heutigen Schweiz für mehr als vierhundert Jahre unter römische Herrschaft und in den Einflußbereich lateinischer Sprache und Kultur gelangt.

Die Römer haben nie versucht, die Sprache ihrer Unterworfenen zu verdrängen, sie ignorierten sie. Kaum ein Römer hat je eine Barbarensprache erlernt, und da die neuen Herren sowohl politisch wie kulturell überlegen waren, blieb den Besiegten keine andere Wahl, als die Sprache der Herren zu erlernen und nach und nach zu übernehmen. Besonders wichtig war dies für die jeweiligen Aristokratien, wenn sie unter den veränderten Verhältnissen weiterhin eine führende Rolle spielen wollten.

Ein solcher Sprachwechsel braucht Zeit. Der Übergang der keltischen Bevölkerung zur lateinischen Sprache und Kultur beanspruchte wohl vier bis sechs Jahrhunderte, und er verlief nicht in allen Landesteilen gleichmäßig. Die Westschweiz, etwa bis Solothurn, wurde früh und radikal romanisiert; dazu trugen die wichtigen Verkehrswege, die Nähe der Provence und der Sitz der Provinzverwaltung in Aventicum bei. Im Gegensatz dazu scheint sich der lateinische «Geist» bei der nicht minder dichten Bevölkerung des Ostens und des gut besiedelten Rätiens nur mühsam durchgesetzt zu haben; darauf deuten etwa die spärlichen und vorwiegend offiziellen Inschriften dieser Gegenden hin. Immerhin wird es zu Ende des 5. Jahrhunderts nur wenige Bewohner Helvetiens und Rätiens gegeben haben, die das Lateinische nicht zumindest als Zweitsprache beherrschten. Der Großteil der Bevölkerung war zu jener Zeit einsprachig lateinisch geworden. Als *Romanen* werden sie denn auch später den germanische Sprachen sprechenden Eindringlingen entgegengesetzt.

Das Latein des Volkes

Wie aber sah das Lateinische aus, das die Romanen nun sprachen? In unseren Mittelschulen wird das kunstvolle Idiom Cäsars, Ciceros, Vergils und ihrer Zeitgenossen gelehrt; es ist die Sprache einer bestimmten Zeit (50 vor bis 50 nach Christus), bestimmter Gesellschaftsschichten (vornehme Stadtrömer) und bestimmter Verwendungsweisen (hohe Literatur). Die Rhetoriker und Grammatiker faßten diese Sprache der «goldenen Latinität» als vorbildlich auf, sie froren sie sozusagen auf einem bestimmten Entwicklungsstand ein und pflegten sie von nun an als Kulturgut in dieser unveränderlichen Form.

Daneben gab es selbstverständlich seit jeher die Sprache des täglichen Umgangs, die zur klassischen Zeit vor allem im Satzbau, aber auch in Grammatik, Wortschatz und Aussprache vom literarischen Sprachgebrauch abwich. Dieser *sermo vulgaris,* das «Vulgärlatein», war nicht etwa ungehobelte Sprache. Es stand anfänglich zum klassischen Latein etwa im selben Verhältnis wie die deutsche Umgangssprache zum ausstilisierten «Schriftdeutschen» – auch Cicero bediente sich des *sermo vulgaris,* wenn er sich privater zu äußern wünschte. Dagegen entwickelte sich das Vulgärlatein frei von schulmäßigen Zwängen, nur den Gesetzmäßigkeiten des natürlichen Sprachwandels unterworfen, immer weiter vom klassischen Latein weg, das die Rhetoriker unermüdlich weiterlehrten. Die beiden Sprachformen blieben aber jahrhundertelang als gesprochene und geschriebene Form der «gleichen» Sprache aufeinander bezogen. Bis zum 9. Jahrhundert wäre es niemandem eingefallen, vulgärlateinisch zu schreiben. Es gibt deshalb aus jener Zeit keine vulgärlateinischen Texte, es gibt bloß lateinische Texte mit mehr oder weniger starkem vulgärem Einschlag, je nach Bildungsgrad des Schreibers oder Offizialität des Textes.

Volkslatein im Mund der Kelten

Natürlich lernte die große Masse der anderssprachigen Bevölkerungen in den römischen Provinzen das gesprochene Vulgärlatein und nicht das klassische Schriftlatein. Die «Lehrer» der analphabetischen Kelten und Räter waren ja ihrerseits keine Sprachmeister, es waren vor allem Soldaten, Kaufleute und Beamte, zu denen sich gegen Ende des 3. Jahrhunderts die Verkünder der christlichen Armeleutereligion gesellten. Natürlich konnten sich die vornehmen Kelten gebildete Lehrer halten, aber ihr Vorbild war eher soziologisch wichtig, nicht sprachlich. Es zeigte dem Volk, daß die Zukunft bei der neuen Sprache lag. Aber die Sprache selber mußte die Masse auf einem Weg erlernen, den man heute als «ungelenkten Zweitspracherwerb» bezeichnen würde, und von Vorbildern, die sozial nur wenig über den Einheimischen standen – so etwa, wie unsere Fremdarbeiter Schweizerdeutsch lernen.

Daher erlitt das Vulgärlatein im Munde der «Schüler» viel radikalere Umgestaltungen, als dies bei der normalen Sprachveränderung über eine ungestörte Generationenfolge der Fall gewesen wäre. Für dieses keltisch imprägnierte Latein hat sich die moderne Bezeichnung *Galloromanisch* eingebürgert.

Die Sprachwissenschaft nennt eine verdrängte Sprache, die aber in der neuen Sprache ihre Spuren hinterlassen hat, ein *Substrat* («die Unterlage»). Verhältnismäßig problemlos sind Substrateinflüsse im Bereich des Wortschatzes zu erfassen: Es ist nicht allzu schwierig nachzuweisen, daß etwa das französische Wort *chêne* ‹Eiche› von einem latinisierten keltischen Wort **cassanus* abstammt. Allerdings ist auch hier Vorsicht am Platze: «Fremdwörter» sind in den meisten Fällen nicht Nachwirkungen eines Substrats, sondern Entlehnung aus Nachbarsprachen: Niemand wird das «französische» Wort *le week-end* aus einem englischen Substrat herleiten wollen! Auch im mehr oder weniger klassischen Latein der römischen Schriftsteller gab es keltische Fremdwörter, wie etwa *alauda* ‹Lerche›, das seinerseits zum französischen *alouette* geführt hat. In der modernen französischen Hochsprache sind die echten keltischen Substratwörter sehr selten und gehören vorwiegend dem ländlichen Wortschatz an; entsprechend häufiger sind sie denn auch in den französischen Mundarten.

Interessanter, aber sehr viel schwieriger zu fassen sind Einflüsse des Substrats auf die Laute, die Formen und den Satzbau. Wer je eine fremde Sprache gelernt hat, weiß, wie mühsam es ist, gerade in diesen Bereichen seinen «Akzent» loszuwerden, und er wird gerne glauben, daß es den Lateinisch lernenden Kelten nicht besser erging. Leider sind gerade auf diesen Gebieten die Substrateinflüsse kaum nachzuweisen. Wir wissen ja von der wirklichen Aussprache des Keltischen nichts, Formenlehre und Satzbau sind uns fast völlig unbekannt. Es mag aber lehrreich sein, die Argumentationsweise der Substrattheorie anhand eines berühmten Lautbeispiels kennenzulernen.

Ein Beispiel für keltisches Substrat

Recht früh fiel den Sprachwissenschaftlern auf, daß in Gallien, in der Gallia cisalpina und im stark keltisch überschichteten Rätien das alte lateinische *ū* als *ü* [y] ausgesprochen wird: MŪRUS ‹Mauer› lautet im Französischen *mur* [myʀ], in den Tessiner Dialekten und im Engadinischen *mür*. Diese Lautveränderung kommt also genau in den keltischen Stammlanden vor, und es lag nahe, das keltische Substrat dafür verantwortlich zu machen. Es galt nun also nachzuweisen, daß das Festlandkeltische in der Zeit der Romanisierung die gleiche Entwicklung *ū* > *ü* mitgemacht habe. Dies ist aber schon deshalb schwierig, weil die lateinische Schrift für den *ü*-Laut kein Zeichen kannte. Noch ungünstiger für die Theorie ist, daß die alten keltischen Inschriften in griechischen Buchstaben den *u*-Laut meist durch ου ausdrücken, obwohl hier der Buchstabe υ für den *ü*-Laut zur Verfügung gestanden hätte. Fand der geforderte Lautwandel erst in römischer Zeit statt? Wenigstens *eine* keltische Sprache kennt ihn, nämlich das mittelalterliche Walisische. Hier lautet z. B. der Abkömmling des keltischen *dūnum*, das wir als Ortsnamensuffix kennengelernt haben, *din*, und das *i* von *din* erklärt man als Weiterentwicklung eines alten *ü*. Nun ist eine Entwicklungsreihe *u* > *ü* > *i* tatsächlich in vielen Sprachen belegt, sie ist etwa anzusetzen für das Oberländer Rätoromanische, wo das lateinische MŪRUS über *mür*, wie es das Engadinische noch zeigt, zu *mir* geworden ist. Aber das Mittelwalisische, die Hauptstütze des Substratbeweises, ist so spät bezeugt, die Theorie fordert so viele unbeweisbare Annahmen, daß man heute nicht mehr so richtig daran glauben mag. Es ergibt sich die paradoxe Situation, daß der Substrateinfluß als allgemeines Prinzip nicht ernsthaft geleugnet, im konkreten Fall aber kaum je eindeutig nachgewiesen werden kann.

Dafür kann uns das gleiche Beispiel etwas anderes zeigen: Es deutet nämlich darauf hin, daß die romanischen Sprachen unseres Landes zumindest in bezug auf die Behandlung von lateinisch *ū* ein einheitliches Sprachgebiet bildeten. Auch wenn die römische Schweiz zu verschiedenen Provinzen gehörte, auch wenn viele Gebiete dünn besiedelt waren, so waren doch die Verbindungen so gut, die wirtschaftlichen, politischen und kulturellen Gemeinsamkeiten so groß, daß wir für das gesamte Gebiet mit einem recht einheitlichen Latein rechnen können. Neuerungen, wie der besprochene Lautwandel, vermochten, von Mund zu Mund weitergegeben, alle Sprecher zu erreichen. Ein weiteres

Beispiel alter Gemeinsamkeit könnte die Pluralbildung auf *-s* sein, die noch heute das Französische und das Rätoromanische so deutlich vom Italienischen unterscheidet (engadinisch *las chasas* gegen italienisch *le case* ‹die Häuser›).

Die Annahme, das Latein der römischen Schweiz sei verhältnismäßig einheitlich gewesen, bedeutet natürlich nicht, die Sprache sei überall völlig gleich gewesen – gesprochene Sprachen sind das nie. Verschiedenartige Substrateinflüsse und verschieden tiefgreifende Romanisierung müssen dazu geführt haben, daß das französisch-frankoprovenzalische, das alpinlombardische («italienische») und das rätoromanische Sprachgebiet seit jeher ihre Besonderheiten aufgewiesen haben; das gleiche ist für das später dem Lateinischen verlorengegangene Gebiet der heutigen Deutschschweiz anzunehmen.

Trotz aller Unterschiede im einzelnen ist es den Römern aber doch gelungen, die Schweiz für zwei, drei Jahrhunderte zu einem im wesentlichen einsprachigen Land zu machen. Die Zerstörung dieser römischen Errungenschaft ist das Werk germanischer Stämme, die in das lateinische Land einen anderssprachigen Keil trieben und damit die endgültige kräftige Auseinanderentwicklung der verbleibenden romanischen Sprachgebiete besiegelten.

Die Germanen kommen

Während der ganzen Kaiserzeit galt die Hauptsorge römischer Außenpolitik dem Schutze der Grenzen vor wilden Völkerschaften, die in Mitteleuropa rechts des Rheins und nördlich der Donau hausten und die von den Römern unter der Bezeichnung *Germanen* zusammengefaßt wurden.

Wie die keltischen sind auch die germanischen Dialekte Mitglieder der indogermanischen Sprachfamilie. Das wichtigste gemeinsame Lautmerkmal, durch das sie sich von der Vorsprache und den anderen verwandten Sprachen unterscheiden, ist die sogenannte erste oder germanische Lautverschiebung, in deren Verlauf unter anderem die alten Konsonanten *p, t, k* durch die Reibelaute *f, th* [θ], *h* ersetzt wurden: Den lateinischen Wörtern PATER, TRIA, CORNU mit den unverschobenen Lauten entsprechen deutsch *Vater,* englisch *three,* deutsch *Horn.* Dieses

Merkmal scheint zwischen 1500 und 1000 v. Chr. in der Sprache von Kulturgemeinschaften aufgekommen zu sein, die damals im norddeutsch-südskandinavischen Raum siedelten. In einer Jahrhunderte dauernden Südwanderung breiteten sich die nunmehr «germanisch» sprechenden Stämme über Mitteleuropa aus.
Vorerst vermochten die Römer sich dem germanischen Druck entgegenzustemmen, und zwar vor allem durch die gewaltige Grenzbefestigung, die Kaiser Domitian 83 n. Chr. zu bauen begann. Dieser *Limes* verband die Donau östlich von Ulm mit dem Rhein bei Bonn. Er schützte die in seinem Hinterland lebenden Kelten wirksam vor den Germanen, das ehemalige Grenzland Helvetien wurde zum Binnenland, das sich während mehr als anderthalb Jahrhunderten in völligem Frieden wirtschaftlich entwickeln und kulturell romanisieren konnte. In der Mitte des 3. Jahrhunderts überzogen Hunderte von Gutshöfen die besten Siedlungsgebiete des Mittellandes.

«Zusammengelaufenes Volk»

Unterdessen stauten sich germanische Völkerschaften vor dem Limeswall. Eine ganze Anzahl kleinerer Stämme vereinigte sich dort gegen Ende des 2. Jahrhunderts zu einem Stammesverband, der sich selber *Alemannen* (Alamannen) nannte; ein griechischer Autor deutete den Namen abschätzig, aber inhaltlich wohl nicht ganz falsch, als «zusammengelaufenes Volk». Dieser Zusammenschluß scheint in erster Linie politisch-militärische Zwecke gehabt zu haben. Anfänglich wohl gegen römische Übergriffe gerichtet, organisierte der Verband später lukrative Raubzüge in römisches Gebiet. Die Stämme, die sich da zusammenfanden, hatten ihrerseits in der Mehrzahl zu einer Gruppe von Völkerschaften gehört, von denen Cäsar unter dem Sammelnamen *Sueben* berichtet.
Ähnliche Verbände hat es bei den Germanen immer wieder gegeben, aber die Alemannen sind am frühesten schriftlich bezeugt. Der Name taucht erstmals in der griechisch geschriebenen Römergeschichte des Cassius Dio Cocceianus auf, der als Augenzeuge von einem Einfall der Alemannen ins Limeshinterland im Jahre 213 berichtet. Damals gelang es den Römern unter Kaiser Caracalla noch, die Eindringlinge über den Grenzwall zurückzuwerfen. Dann aber folgten sich die alemannischen Raubexpeditionen immer dichter. Eine stieß sogar weit in helvetisches Gebiet vor und zerstörte 259 die Hauptstadt Aventicum, die sich von

diesem Schlag nie mehr ganz erholte. Jetzt wurde klar, daß sich der Limes nicht mehr halten ließ. 260 wurde er aufgegeben, die Reichsgrenze wurde an den Rhein zurückgenommen, und von neuem verlegte Rom eine starke Besatzungsmacht nach Helvetien.
Die Alemannen nahmen sogleich das rechtsrheinische Hinterland des Limes in Besitz. In den folgenden anderthalb Jahrhunderten kam es immer wieder zu alemannischen Einfällen in das grenznahe rätische und helvetische Gebiet, das sich unter der ständigen Bedrohung und infolge eines allgemeinen Niedergangs der Verwaltung und des Wirtschaftslebens zu entvölkern begann. Die romanische Bevölkerung wanderte allmählich nach dem Westen und nach Oberrätien ab, die wenigen Zurückgebliebenen konzentrierten sich auf die Städte und Kastelle, das offene Land verödete.
Als um 401 alle römischen Truppen über die Alpen zurückgezogen werden mußten, zögerten die Alemannen noch fünfzig Jahre, bevor sie begannen, sich die leichte Beute anzueignen. Die erste germanische Ansiedlung auf schweizerischem Boden blieb so dem von weit her gekommenen Stamm der Burgunder vorbehalten, und seine Einwanderung nach Helvetien verlief streng im Rahmen römischer Legalität.

Die Ansiedlung der Burgunder

Im Jahre 443 wurde nach einem Eintrag in der «Gallischen Chronik» die *Sapaudia,* das ‹Tannenland›, den «Resten der Burgunder» zur Teilung mit den Einheimischen übergeben. Es steht mit einiger Sicherheit fest, daß der römische Feldherr Aëtius, damals faktisch Alleinherrscher über Nordgallien, diese Einquartierung veranlaßt hatte. Weniger sicher ist dagegen, ob jene Gäste tatsächlich die «Reste» der mittelrheinischen Burgunder gewesen sind, von deren Untergang unter hunnischem Schwert (436) viel später das Nibelungenlied berichtet. Auch die Lokalisierung der *Sapaudia* bietet Schwierigkeiten, es handelt sich aber höchstwahrscheinlich um Genf und die südlichen Gebiete links der Rhone.
Sicher ist, daß zunächst Genf zum Mittelpunkt eines burgundischen «Staates» wurde, sicher ist auch, daß die Neusiedler einen germanischen Dialekt sprachen. Die überlieferten Namen der Burgunderkönige, wie *Gundobad* ‹Kampf und Streit›, sowie die erhaltenen burgundischen Gesetze lassen daran keinen Zweifel.
Auch der Grund für die Ansiedlung der Germanen ist einigermaßen

klar. Das Fehlen einer regulären römischen Armee zwang die lokalen Machthaber dazu, sich aus den «wilden» Nachbarvölkern rekrutierte Söldnertrupps zu halten, die nach einem bewährten römischen Prinzip in eigentlichen Garnisonstädten auf Pikett standen. Zu ihrem Unterhalt hatten ihnen die Einheimischen Ackerland, Weide und Hörige als eine Art einmaliger Militärsteuer zu überlassen. Die Regelung war für die Romanen, die sich ihren Teil des Gesamtbesitzes aussuchen konnten, nicht unvorteilhaft.
Die Historiker schätzen, daß insgesamt 10 000 bis 25 000 burgundische Menschen ins Land kamen; die niedrigere Zahl scheint wahrscheinlicher. Dies erklärt denn auch, zusammen mit der besonderen Art der Ansiedlung, der ausdrücklich erlaubten Ehe zwischen Romanen und Burgundern und dem kulturellen Gefälle zwischen den beiden Bevölkerungsteilen, daß die Germanen ihre Sprache sehr bald aufgaben und im romanischen Volkstum aufgingen.

Der Untertan als Lehrer

Die unterworfenen Kelten hatten die Sprache ihrer römischen Herren übernommen, die herrschenden Burgunder dagegen übernahmen das Idiom ihrer romanischen Untertanen. Es scheint aber wahrscheinlich, daß das Burgundische im «burgundischen Romanisch» doch wenigstens einzelne Spuren hinterlassen hat. Eine Oberschichtsprache, die bis auf wenige Relikte in der Sprache der Untertanen aufgegangen ist, nennt man *Superstrat* («die Überlagerung»).
Man hat annehmen wollen, daß die frankoprovenzalische Mundartgruppe durch die Grenzen des alten Burgunderreichs umschlossen wird und daß sich in diesen Mundarten Einflüsse des Burgundischen im Bereiche der Laute, Wörter und vor allem der Ortsnamen finden lassen. Nun gibt es außer ein paar Namen in lateinischen Inschriften und Texten kein einziges sicheres burgundisches Sprachzeugnis. Man kennt also die Sprache, deren Superstrateinwirkungen man nachweisen will, kaum, und was man kennt, ist in latinisiertem Gewande überliefert. Man nimmt zwar an, das Burgundische habe zum ostgermanischen Sprachzweig gehört, der sich von den in Mitteleuropa gesprochenen westgermanischen Dialekten recht ohrenfällig unterschieden haben muß – diese Annahme beruht jedoch bloß auf stammesgeschichtlichen Rückschlüssen. Es ist deshalb ein zweifelhaftes Verfahren, wenn man zum «Beweis» burgundischer Einflüsse einfach die einzige bekannte

ostgermanische Sprache herbeizieht, nämlich das Gotisch der Wulfila-Bibel, die hundert Jahre früher am Schwarzen Meer entstanden ist.

Die Reste der burgundischen Sprache

Kronzeuge für das burgundische Superstrat ist noch immer das Ortsnamensuffix *-ens,* das im Westen der Waadt und in Welschfreiburg häufig belegt ist und das als gleichbedeutend mit dem verbreiteten alemannischen Suffix *-ingen* gilt. Das Suffix tritt an einen Personennamen und bezeichnet die Wohnstätte der Leute des Siedlungsherrn: *Amsoldingen* = **Answaldingun* ‹(bei den) Leuten des Answald›, *Gletterens* = **Liohthari-ing-?* ‹(bei den) Leuten des Liohthari›. Das alemannische Suffix *-ingun,* später *-ingen,* kann im Frankoprovenzalischen nicht gut zu *-ens* führen, schon weil ihm das *-s* fehlt, welches in den französischen Namen so gut belegt ist. Ein latinisiertes alemannisches *-ingen* aber, das nach einigen Belegen am ehesten *-ingas* lauten müßte und somit das gesuchte *-s* aufwiese, würde nach den frankoprovenzalischen Lautgesetzen ebenfalls nicht zu *-ens* führen, wohl aber eine Ausgangsform *-ingōs,* die aufgrund sprachvergleichender Überlegungen im Burgundischen existiert haben könnte.
Es würde zu weit führen, alle sprachlichen und vor allem die siedlungsgeschichtlichen Einwände gegen die burgundisch/gotische Erklärung des *-ens*-Suffixes diskutieren zu wollen. Obwohl die Deutung dadurch an Überzeugungskraft sehr verliert, bleibt sie der eleganteste Versuch, burgundisches Superstrat in der Sprache der Westschweiz nachzuweisen, denn der angeblich «burgundische» Wortbestand des Frankoprovenzalischen schmilzt mit jedem Forschungsjahr mehr zusammen.
Ebenso fragwürdig bleiben die Bemühungen, verschiedene Inschriften als direkte Zeugnisse der burgundischen Sprache zu deuten. Aus frühmittelalterlichen Gräbern der Westschweiz wurden zahlreiche Gürtelschnallen mit figürlichen Darstellungen zutage gefördert, von denen einige mit Buchstaben versehen sind, die sich zum Teil als Inschriften in zwar fehlerhaftem, aber doch eindeutigem Latein entziffern lassen. Andere Buchstabenreihen sind nicht deutbar, sei es, daß die Buchstaben unleserlich sind, sei es, daß ihre Aneinanderreihung keinen Sinn ergeben will. Obwohl diese Schnallen, die meist einen Daniel in der Löwengrube darstellen, nach Technik und Stil als romanische Arbeiten gelten müssen, hat man geglaubt, sieben der gut

lesbaren, aber vom Lateinischen her scheinbar «unsinnigen» Inschriften als burgundisch deuten zu können. Mit ebensoviel Ingenuität haben andere Forscher den «burgundischen» Inschriften aber auch einen lateinischen Sinn abringen können, so daß heute die Argumente der «Lateiner» über jene der «Burgunder» den Sieg davongetragen zu haben scheinen. Die berühmte Danielschnalle von Daillens (VD) möge als Illustration des Problems und als Anregung zu eigenem Knobeln dienen:

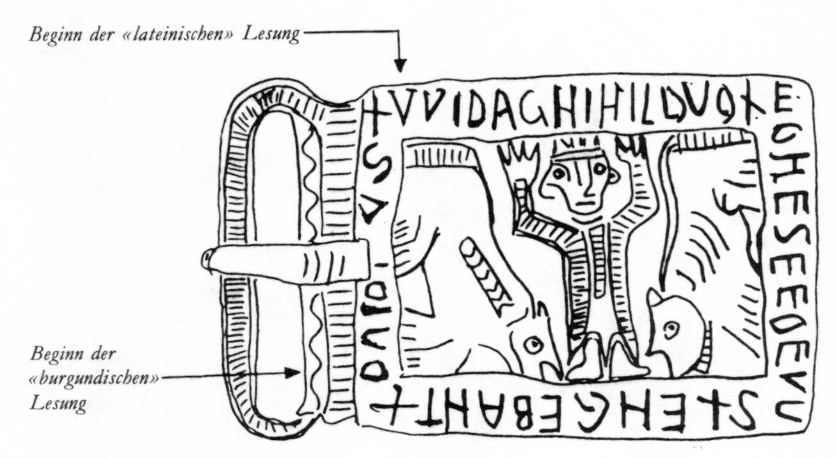

«Burgundische» Lesung:
DVIDIVS + VVIDAGNIHILDVOLE / DHESEEDEVV / SLENGEBANT + *duj diuz + wi Dagnihil, dvole / dhese e-devv/slen gebant* + ‹Hetze das Tier, heiliger Daniel, diesen Zauber dem Pferd-Gespenst gebend!›

«Lateinische» Lesung:
+ VVI DAGNINIL DVO LEONES EEDEVVS LENGEBANT + DARIVS + *vive Daniel, duo leones pedes eius lengebant* + *Darius* ‹Es lebe Daniel, zwei Löwen leckten seine Füße + Darius› (um 550)

Die politische Leistung der Burgunder
Bedeutungsvoller als der sprachliche Beitrag der Burgunder erwies sich für die Westschweiz ihre politische Leistung. Sie verstanden es, das Gebiet zu organisieren und vorerst nach Frankreich hinein auszudehnen. Zum katholischen Glauben übergetreten und romanisiert, wurden

die ehemaligen Germanen in der Folge zu einer wichtigen Stütze des Romanentums und der romanischen Sprache in der Schweiz.
Daran änderte die Eroberung des burgundischen Königreichs durch den germanischen Stammesverband der Franken im Jahre 534 nichts, denn sie bedeutete keine völlige Auflösung bestehender politischer Strukturen, noch weniger eine Auswechslung der Bevölkerung. Dies zeigt sich schon in der Übertragung des Namens «Burgund» auf eines der fränkischen Teilreiche und seine Nachfolgegebilde. Noch im 6. und 7. Jahrhundert scheinen die «Burgunder» zumindest ihre kulturelle, aber offenbar auch ihre politische Einflußsphäre in den schweizerischen Osten bis an die Aare und zeitweise darüber hinaus ausgedehnt zu haben. Die frühmittelalterlichen Grabbeigaben, vor allem wieder die Gürtelschnallen, lassen eine «burgundische» Ausbreitung bis ins 7. Jahrhundert erkennen, auch wenn man selbstverständlich aus einem Bestandteil der Tracht nicht unmittelbar auf Sprache und Volkszugehörigkeit des Trägers schließen darf.
Auf die von den Burgundern geschaffenen territorialen Verhältnisse dürfte es letztlich auch zurückzuführen sein, daß das «burgundische» Gebiet auf Schweizer Boden bei den verschiedenen fränkischen Reichsteilungen meist zu einem andern Reichsteil geschlagen wurde als die östliche Schweiz und daß 888 das selbständige Königreich Hochburgund entstehen konnte, das erst 1034 an das Deutsche Reich gelangte, um dann in verschiedene kleine Herrschaften zu zerfallen. Die lange Zugehörigkeit der heutigen Westschweiz zu eigenständigen Staatswesen zwischen Deutschland und Frankreich hat einerseits zum Schutz der romanischen Sprache dieses Gebiets vor den Alemannen beigetragen, andererseits aber auch den Grund für seine spätere Eingliederung in den Staat der Eidgenossen gelegt, indem dadurch eine feste Bindung an die französische Krone verhindert wurde.

Kurze Bemerkung über die Langobarden

An dieser Stelle mag eine Bemerkung über einen anderen germanischen Völkerstamm am Platze sein, der während einiger Zeit für unser Land von Interesse wurde, wenn auch mit geringen sprachlichen Folgen. Im Jahre 570 kam Oberitalien und damit der Südabhang der Alpen unter die Herrschaft der Langobarden, die von hier aus auch einige folgenlose Vorstöße ins Wallis unternahmen. Obwohl das langobardische Reich länger Bestand hatte als jenes der Burgunder und obwohl es auf einer größeren Volksgemeinschaft beruhte, verloren auch die «Langbärte» bis spätestens zum 10. Jahrhundert ihre dem Althochdeutschen nahe verwandte Sprache.

Das Langobardische ist nur aus einigen Einzelwörtern in lateinischen Texten sowie aus Orts- und Personennamen bekannt. Dagegen sind die Superstrat-Einwirkungen dieses germanischen Dialekts auf den Wortschatz der lombardischen (= ‹langobardischen›) Dialekte recht beträchtlich. Im Bereiche der Örtlichkeitsnamen beruhen etwa die häufigen Flurnamen auf *guald, guaud, vald* ‹Wald›, die auch in einzelnen Regionen des Tessin verbreitet sind, auf einem langobardischen Wort; ebenso verhält es sich mit dem häufigen Namenselement *gaggio* ‹Gehege, Forst›.

Langobardische Siedlungen sind im Tessin allerdings nur für das Sottoceneri und für die Gegend um Bellinzona wahrscheinlich. Nur hier, wo auch langobardische Fundgegenstände zutage getreten sind, können die Ortsnamen auf *-engo,* die italianisierte langobardische Entsprechung zum alemannischen *-ingen,* als Zeugen langobardischer Niederlassungen gewertet werden. Die Wörter langobardischer Herkunft im Wortschatz der Tessiner dagegen stehen in einem Zusammenhang, der weit über das Gebiet der Schweiz hinausreicht.

Die Landnahme der Alemannen

Ganz anders nach Verlauf und Auswirkung gestaltete sich die Landnahme der Alemannen. Seit dem Ende des 5. Jahrhunderts scheinen sie unter einem einzigen König gestanden zu haben, unter dessen Führung sich ihr Expansionsdrang nach dem Untergang des Römischen Reiches (476) zunächst nach Westen und nach Norden richtete. Dabei kam es zu Interessenkonflikten mit den Franken, die sich damals bereits Nordgallien (Frank-Reich!) angeeignet hatten. 496 besiegte der Frankenkönig Chlodwig die Alemannen und machte sie tributpflichtig. Fortan mußten die Alemannen darauf verzichten, sich in fränkisches Gebiet auszudehnen. Nur noch nach Süden hatten sie freie Bahn, und so überschritten sie seit dem Beginn des 6. Jahrhunderts den Rhein, diesmal nicht mehr als streifende Räuberbanden, sondern mit der Absicht, als Siedler zu bleiben. Haupteinfallstor und zugleich Zentrum

des Herzogtums war das Gebiet zwischen Bodensee und Klettgau. Trotz des heidnisch schlechten Rufs, der ihnen vorausging, verlief die Landnahme offensichtlich so unspektakulär, daß darüber keine schriftlichen Nachrichten erhalten sind. Archäologische Funde werden erst seit der Mitte des 6. Jahrhunderts häufiger, weil die Alemannen vermutlich erst seit jener Zeit in größerer Zahl aus dem bevölkerungsreichen Hinterland rechts des Rheins einwanderten.
Zum friedlichen Verlauf der Landnahme trug bei, daß sich die helvetischen Romanen und die Alemannen bereits seit längerer Zeit aneinander gewöhnt hatten. Schon früher, als der Rhein noch römische Grenze war, hatten die wichtigen Siedlungen der Alemannen den römischen Kastellen am helvetischen Ufer genau gegenüber gelegen. Daraus und aus den archäologischen Funden ist zu schließen, daß sich zwischen den beiden so verschiedenen Völkerschaften aus der langen Nachbarschaft ein Stil des vorsichtigen «Zusammenlebens» besonders im wirtschaftlichen Bereich ergeben hatte. Darüber hinaus gab es im damals nur noch sehr dünn besiedelten Osthelvetien auch in den besten Wirtschaftszonen Raum genug. Alles deutet darauf hin, daß die Alemannen ihre ersten Niederlassungen in respektvollem Abstand von den Kastellen der Romanen, aber doch in deren Nachbarschaft gegründet haben – ganz so, wie man es schon am Rhein gehalten hatte.

Bevölkerungsüberschichtung im Mittelland

Seit 500 bewohnte somit eine ständig wachsende heidnische Bevölkerung alemannischer Sprache das offene Land, während in den Städten und Kastellen wie Arbon oder Windisch die christliche romanischsprechende Bevölkerung noch bis gegen 700 ihre kulturelle und sprachliche Eigenständigkeit zu erhalten vermochte. Es gibt für die Zeit der Landnahme keine sicheren Anzeichen für eine romanische Massenflucht nach Rätien oder nach dem burgundischen Westen. Immerhin nimmt man an, daß Rätien, das wegen seiner abgeschlossenen Lage, seiner weiterfunktionierenden spätrömischen Organisation und der kirchlichen Zugehörigkeit zu Italien eine feste Burg des Romanentums war, damals einen beträchtlichen Zuzug mittelländischer Romanen erfuhr. Es ist sogar wahrscheinlich, daß die Bündner Alpentäler erst zu einer Zeit vollständig romanisiert wurden, als im Mittelland bereits die Alemannen herrschten.
Besonders im 7. Jahrhundert nahm die alemannische Bevölkerung

gewaltig zu. Die romanischen Enklaven konnten sich vor den zahlenmäßig überlegenen Neuankömmlingen auf die Dauer nicht abschirmen. Wie schon ihre keltischen Vorfahren gaben die Romanen schließlich ihre Sprache auf, diesmal allerdings zugunsten der Sprache der kulturell unterlegenen Barbaren, deren frühestes Zeugnis auf eine Fibel aus dem frühen 7. Jahrhundert geritzt ist, die in Bülach gefunden wurde. In Runen lesen wir da: *frifridil du ftmik* –

eine geheimnisvolle Botschaft, deren einziges sicher deutbares Wort *fridil* ‹Geliebter› so gar nicht zu den Vorstellungen paßt, die wir uns von jenen dunklen Jahrhunderten zu machen pflegen ...

In welcher Sprache predigte der heilige Gallus?

Setzten die Alemannen somit ihre Sprache durch, so nahmen sie andererseits die christliche Religion an – allerdings nicht von den einheimischen Romanen, deren Glaubenskraft unter den bösen Zeitläufen ziemlich gelitten hatte, sondern von den iro-schottischen Wandermönchen, die von den Frankenkönigen nach Alemannien entsandt worden waren. Der alemannische Herzog dürfte sich der Missionierung kaum entgegengestellt haben: Als Heide hätte er zwischen den beiden christlichen Reichsteilen Burgund und Franken nie jene Rolle spielen können, die er tatsächlich zeitweilig gespielt hat. Um 610 begann Columban aus Leinster mit seinen Begleitern, darunter Gallus, seine Tätigkeit in der Ostschweiz. Bei ihren Predigten in den Kastellorten fand sich eine gemischtsprachige Zuhörerschaft ein; Gallus, dessen Deutschkenntnisse von der Überlieferung speziell hervorgehoben werden, predigte natürlich auch lateinisch; umgekehrt beherrschte sein Schüler Johannes, der spätere Bischof von Konstanz, nachgewiesenermaßen das Alemannische, obwohl er ein Romane aus Rätien war.

Bereits um 700 galt Alemannien offiziell als bekehrt. Vermutlich um 612 hatte Gallus in der Einöde zwischen Säntis und Bodensee seine Zelle errichtet, an deren Stelle der alemannische Adlige Waltram 719 das Kloster St. Gallen gründete, eines der ältesten Klöster auf deutschem Sprachgebiet, damals aber in unmittelbarer Nähe der deutsch-räto-romanischen Sprachgrenze gelegen. Otmar, der erste Abt, war in Rätien ausgebildet worden, und unter den ersten Mönchen waren noch viele Romanen. Die Klostergründung war nicht bloß ein Werk der Gottesfurcht, sie sollte mit starkem rätischem Rückhalt auch der alemannischen Selbstbehauptung gegenüber der karolingisch-fränkischen Zentralmacht dienen.

Dem immer wieder aufbrechenden alemannischen Separatismus setzten die Karolinger 746 ein gewaltsames Ende. Sie ermordeten das Herzogsgeschlecht, zogen dessen Grundbesitz an sich und setzten fränkischen Adel ins Land. Damit erst wurde Alemannien fest ins Reich eingegliedert und verlor unwiderruflich Selbständigkeit und Zusammenhalt. Das Kloster St. Gallen aber wurde unter fränkischem Einfluß zu einem der wichtigsten Zentren der frühen deutschen Sprachkultur. In seiner Bibliothek ist uns das älteste deutsche Buch aus dem Ende des 8. Jahrhunderts überliefert, ein lateinisch-deutsches Wörterbuch in wesentlich bairischer Mundart, das beredtes Zeugnis ablegt für den Eifer, mit dem man sich an die Aneignung des christlich-spätantiken Geisteserbes machte, und für die weitgespannten Beziehungen zwischen den klösterlichen Kulturstätten im Reich der Karolinger.

Die Landnahme nach dem Zeugnis der Ortsnamen

Die alemannische Landnahme, deren Ergebnis die heutige Deutschschweiz ist, dauerte Jahrhunderte. Erkenntnisse über ihren Verlauf liefert vor allem die Ortsnamenforschung.

Wichtig für die zeitliche Durchleuchtung des Landnahmeprozesses ist die sogenannte zweite oder hochdeutsche Lautverschiebung. Durch diese Sprachveränderung wurden die Laute *t, p, k* des Germanischen je nach ihrer Stellung im Wort durch *s* oder *ts, f* oder *pf, ch* oder *kch* ersetzt, und altes *d* wurde zu *t* (Beispiele siehe in der Tabelle). Alle germanischen Dialekte, welche diese Lautentwicklung aufweisen, rechnet man zum Hochdeutschen: So gesehen hat die Lautverschiebung erst das Deutsche «geschaffen», und das Alemannische war wohl der erste germanische Dialekt, der durch sie zu einem «deutschen» Dialekt wurde.

Die verschiedenen Laute wurden zu verschiedenen Zeiten verschoben; zuerst wurde *t,* zuletzt *d* erfaßt. Die Tabelle ordnet die Lautverschiebungsstufen nach ihrer ungefähren Verlaufszeit und gibt für jede ein Beispiel:

Ungefährer Zeitraum der Veränd.	Germanische Laute mit englischen Beispielen			
	t *town, water*	*p* *pound, open*	*k* *cow, make*	*d* *day*
450–550	*t > ts: Zaun* *t > s(s): Wasser*	*p*	*k*	*d*
550–650	*ts, s(s)*	*p > pf: Pfund* *p > f(f): offen*	*k*	*d*
650–750	*ts, s(s)*	*pf, f(f)*	*k > kch > ch: Chue (alem.)* *k > ch: machen*	*d*
um 800	*ts, s(s)*	*pf, f(f)*	*(k)ch, ch*	*d > t: Tag*

Natürlich waren der Lautverschiebung nur Wörter unterworfen, die *vorher* bereits in der Sprache vorhanden waren. Dies gilt auch für die Ortsnamen, welche die Alemannen in Helvetien und Rätien von den Romanen übernahmen. Damit erhalten wir einen Hinweis auf den Zeitpunkt dieser Übernahme: Hat der Name die Lautverschiebung mitgemacht, dann muß er *zuvor* bereits übernommen worden sein, enthält er jedoch einen einschlägigen Laut unverändert, dann haben die Alemannen den Namen *nach* der betreffenden Lautverschiebung kennengelernt.

Vom Namen *Zürich* beispielsweise überliefern römische Zeugnisse die galloromanische Form: *Turīcum.* Die deutsche Namensform zeigt die älteste Lautverschiebung *t > ts,* woraus wir schließen können, daß die Alemannen den Namen spätestens in der ersten Hälfte des 6. Jahrhunderts übernommen haben müssen; daß in der Folge auch die junge Verschiebung *k > ch* wirksam werden mußte, versteht sich von selbst. Die französische und die italienische Namensform verraten übrigens durch ihre Lautung, daß die Welschen und die Tessiner den Namen von den Alemannen gelernt haben; die Rätoromanen dagegen behielten die alte Namensform in Erinnerung: *Turitg.*

Andere Namen lernten die Alemannen erst später kennen; *Toffen* bei Bern (< galloroman. **tofone*) zeigt durch sein unverschobenes *t-*, daß es erst nach Abschluß der *t*-Verschiebung in alemannischen Mund kam, also mindestens ein Jahrhundert später als *Zürich*.

Wer aus solchen Indizien auf die Zeit der alemannischen Besiedlung einer bestimmten Region schließen will, muß natürlich voraussetzen, daß ein Ortsname erst dann übernommen wurde, wenn die Alemannen dort ansässig wurden. Bei sehr vielen kleinen Orten, in deren Namen man die Wirkungen der Lautverschiebung studieren kann, darf dies tatsächlich angenommen werden. Vorsicht ist dagegen bei größeren Zentren am Platze: Der Name des Bischofssitzes *Chur* etwa (lat. *Cura, Curia*) zeigt in alemannischer Sprache die *k*-Verschiebung, obwohl die Stadt erst im 15. Jahrhundert deutsch wurde und obwohl die dort seither gesprochene Mundart selber die *k*-Verschiebung gar nicht kennt. Die rätische Hauptstadt war in ganz Alemannien ein Begriff, lange bevor weite Teile Rätiens zum Deutschen übergingen.

Mit der nötigen Behutsamkeit erlaubt es jedoch der Stand der Lautverschiebung in den ursprünglich romanischen Ortsnamen, den zeitlichen Verlauf der Landnahme wenigstens in groben Zügen aufzuhellen. Dabei ergibt sich, daß die fruchtbaren, schon zu römischen Zeiten dicht besiedelten Gegenden des Mittellandes vom Boden- bis zum Bielersee, die Haupttäler der Aare, der Reuß, der Thur und der Sitter Ende des 8. Jahrhunderts alemannisch besiedelt waren. Die ehemals romanischen Ortsnamen dieses Gebietes zeigen zumeist die *k*-Verschiebung. Die höher gelegenen Gebiete etwa des Luzerner Mittellandes, des Säntis-Vorlandes, das Senseland zwischen Aare und Saane, das Glarner Tal wurden später alemannisch, die übernommenen Ortsnamen in diesen Gegenden zeigen keine *k*-Verschiebung mehr: *Gormund* (LU), *Gurmels* (FR), *Glarus* (GL) usw.

Aber auch die rein deutschen Namen können Hinweise auf die zeitliche Staffelung der alemannischen Besiedlung geben, da sich auch in der Namengebung zeitbedingte Moden unterscheiden lassen. So sind von allen alemannischen Namen jene mit dem bereits erwähnten Suffix *-ingen* die ältesten; sie finden sich denn auch fast nur im alten galloromanischen Siedlungsgebiet des Mittellandes. Namen auf *-wil* und *-wiler* dagegen gehören dem 8. bis 11. Jahrhundert an und finden sich in Gegenden, die ihrer Höhe oder Abgelegenheit wegen vorher kaum besiedelt waren. Dies gilt noch ausgeprägter für Namen wie *Rüti, Schwendi,* die auf

Waldrodungen schließen lassen; sie finden sich in Gegenden, die erst im Hochmittelalter von den Deutschsprachigen gerodet worden sind. Dies führt zu einer wichtigen Feststellung: Die Alemannen fanden nicht bloß besiedeltes Gebiet vor, viele Teile des Landes waren siedlungsleer und wurden von den alemannischen Bauern erstmals erschlossen. Nachdem die romanischen Enklaven im Alemannenland zum Deutschen übergegangen waren, bestand zwar im Mittelland ein zusammenhängendes alemannisches Sprachgebiet, aber es endete zumeist nicht an Sprachgrenzen, sondern wurde durch menschenleere Wildnis begrenzt. Nur an wenigen Stellen stieß im frühen Mittelalter alemannisches unmittelbar an romanisches Sprachgebiet: Hier entstanden erste Sprachgrenzstücke und oft auch Mischzonen; es dauerte Jahrhunderte, bis diese Grenzstücke sich zur modernen Sprachgrenze zusammengefügt hatten – und auch diese scharfe Grenze der Verwaltungstechniker ist ja in Wirklichkeit auf beträchtliche Strecken keine «Linie», denn noch immer trennen breite, siedlungsleere Alpenkämme die deutschen Bewohner des Saanetals von den französischsprachigen Wallisern, die Urner von den Tessinern, die Glarner von den Bündner Oberländern.

Die Entstehung der Sprachgrenze

Die westliche Sprachgrenze: ein stabiles Ausgleichsergebnis

Von ihrem Einfallstor zwischen Bodensee und Klettgau aus wandten sich die Alemannen vorerst nach Westen, wo erschlossenes, fruchtbares Kulturland lockte. Ihr schneller Vorstoß kam kurz nach 600 offenbar recht abrupt im Gebiet des damals noch (und heute wieder) fruchtbaren Großen Mooses südlich des Bielersees zum Stillstand. Hier stießen die Eindringlinge nicht nur auf eine dichtere romanische Bevölkerung, hier wirkten sich auch die politischen Strukturen aus, die von den Burgundern aufgebaut worden waren. Im fruchtbaren Talgebiet war somit kaum Raum für neue Bewohner. In dieser Situation scheinen sich die Neuankömmlinge zum Teil den bisher kaum besiedelten Höhenzügen des Juras sowie des Gibloux und des Jorat zwischen Freiburg und Lausanne zugewandt zu haben: Manche Forscher neigen neuerdings wieder dazu, den dort massiert auftretenden «burgundischen» *-ens*-Namen eine alemannische Deutung zu geben, zumal alemannische

Funde in diesem heute französischsprachigen Gebiet nicht selten sind. Dies führte zu einer bevölkerungsmäßig und sprachlich gemischten Zone zwischen Bieler-, Neuenburger- und Genfersee bis in die Nähe von Lausanne. Für die Ausbildung einer linearen Sprachgrenze war nicht ohne Bedeutung, daß um 750 die Aare als Grenze zwischen dem «burgundischen» Bistum Lausanne, dem jungen «alemannischen» Bistum Konstanz und dem erneuerten Bistum Basel festgelegt wurde. Eine Grenze von wirklichem Einfluß konnte das Gewässer damals nur im Mittelland bilden, wo es durch volkreiches Gebiet floß. Als Folge dieser Grenzziehung, die insbesondere im Jura nicht auf Volkstumsgrenzen Rücksicht nahm, sind die Alemannen westlich davon in ihren abgelegenen Siedlungsnischen völlig in romanische Kirchen- und Verwaltungsstrukturen einbezogen und sprachlich wie kulturell romanisiert worden, während die Romanen des östlichen Teils des Mischgebietes das umgekehrte Schicksal erfuhren.
Die früh erreichte Sprachgrenze im Seeland und am Jurasüdfuß wurde in den folgenden Jahrhunderten nur noch unwesentlich nach Westen

Karte 1:
Romanen und Alemannen um 700

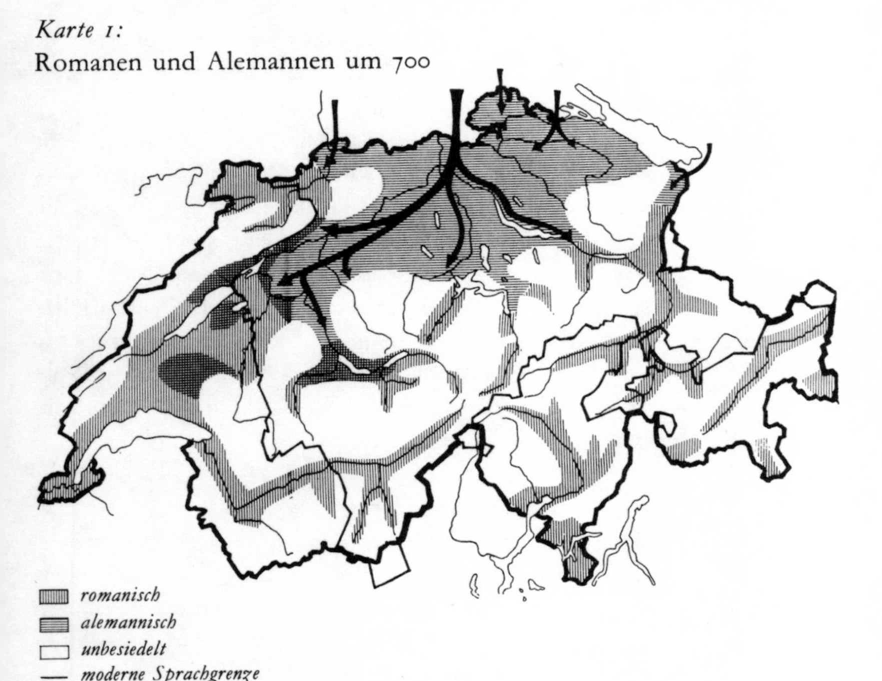

verschoben: Hatten die Alemannen in weniger als zweihundert Jahren das gesamte Mittelland von Schaffhausen bis zum Bieler See in Besitz genommen, so dauerte die «Germanisierung» des kleinen Stücks bis Murten volle tausend Jahre. Erst im 15. Jahrhundert wechselte das Landstädtchen zum Deutschen.

Anders verlief die Festlegung der Sprachgrenze im langen Abschnitt zwischen Murtensee und Alpenkamm. Zwar gab es auch in diesem Gebiet nach dem Zeugnis der Namen verstreute romanische Siedlungen, der größte Teil aber war von Urwald bedeckt. Erst im 10. Jahrhundert und verstärkt nach der Jahrtausendwende urbanisierten Alemannen vom Aaretal und Romanen vom Saanetal aus das bewaldete Hügelland. Die «Sprachgrenze» ergab sich sozusagen «natürlich» durch das allmähliche Aufeinanderzurücken der verschiedensprachigen Siedler. Ihre zunächst inselartigen Siedlungsräume stießen zuerst in den günstigen Geländeabschnitten aufeinander: Für den Beginn des 12. Jahrhunderts ist uns die Existenz eines Sprachgrenzstückes im Tal der oberen Saane (Pays d'Enhaut) überliefert – sein Verlauf hat sich seither kaum mehr verändert. Im 13. Jahrhundert war die Sprachgrenze zwischen Freiburg und Rougemont in ihrem heutigen Verlauf erreicht. Eine Veränderung ergab sich nur durch die Rückkehr von La Roche (Zurflüh) zum Französischen im 18./19. Jahrhundert.

Die Germanisierung des Juras zwischen Basel und Leberberg war nicht das Werk der «Mittelland-Alemannen», sondern ihrer Stammesgenossen aus der rheinischen Tiefebene. Triebkraft war hier der elsässische Herzog. Erst im 7. Jahrhundert rückten die Alemannen gegen das Delsberger Becken vor, wobei sie auf den entschiedenen Widerstand der einheimischen Romanen stießen. Auch hier war im Verlauf der Jahrhunderte nur wenig Gebiet dazuzugewinnen; daran vermochte auch die Tatsache nichts zu ändern, daß die Bischöfe von Basel als Landesherren mit wenigen Ausnahmen durch all die Jahrhunderte deutschsprachig waren.

Das unaufhaltsame Vorrücken der Sprachgrenze im Osten

Für die Alemannen, die am Nordende des Bodensees den Rhein überschritten, wurde der nördlichste Teil der Raetia Prima zwischen See und Thur zum politischen und bevölkerungsmäßigen Kernland, ein Gebiet also, das in römischer Zeit umgekehrt im verkehrsabgewandten «Niemandsland» zwischen der rätischen und der helvetischen Provinz

gelegen hatte. Vom Thurgau aus lag aber Helvetien offener vor den Eindringlingen als das übrige Rätien hinter dem unwegsamen Arboner Forst und dem abweisenden Säntismassiv. Zudem besaß die überlegene romanische Kultur in der geschützten Raetia Prima mit ihrer Bischofsstadt Chur einen festeren Rückhalt als im oft heimgesuchten Osthelvetien. Im Unterschied zum Westen war hier ein schneller Vorstoß den Alemannen weder erwünscht noch möglich. In der Raetia Prima verdrängte das Deutsche vielmehr in einem sehr langsamen, aber bis heute fortdauernden Prozeß die romanische Volkssprache, die schon gegen Ende des 1. Jahrtausends deutlich als Vorstufe des heutigen Rätoromanischen erkennbar war.
Einer der Gründe für diesen langsamen Verdrängungsprozeß liegt darin, daß Rätien, anders als der romanische Süden und Westen unseres Landes, sehr früh seine geistige Verbindung mit einem starken lateinischen Hinterland verlor. Bei der Reichsteilung von Verdun 843 wurde Rätien nicht nur politisch dem ostfränkischen Reich eingegliedert, was zu einer frühen Germanisierung des Adels führte, sondern auch kirchlich vom Erzbistum Mailand an jenes von Mainz übertragen. Losgerissen von der südlichen Latinität, entwickelte sich das Romanische Rätiens auch im Bewußtsein seiner Sprecher zu etwas «Eigenem» – aber gerade dieses Bewußtsein sollte später die Anlehnung an ein großes und starkes Sprachgebiet verunmöglichen und damit zur Bedrohung des allzu kleinräumig gewordenen Idioms beitragen.
Um 700 bildete sich je ein deutsch-romanisches Sprachgrenzstück im unteren Rheintal östlich des siedlungsleeren Säntisgebiets und westlich davon in der Linthebene. Von hier aus wurde bis zum Ende des 11. Jahrhunderts das rätoromanische Glarnerland germanisiert. Im 13. Jahrhundert stand die Sprachgrenze im Rheintal bei Sevelen, am Walensee bei Mols. Durch den Zuzug Deutschsprachiger in wichtige Ortschaften wie Sargans entstanden Germanisierungszentren auch mitten im romanischen Gebiet, so daß das Deutsche nun im Rheintal und im Walensee-Seeztal von zwei Seiten her vordrang.
Auch in Chur wurde Alemannisch allmählich zur tonangebenden Sprache, zumal der Bündner Adel des Hochmittelalters zu einem guten Teil aus dem schwäbischen Norden stammte. Als Chur im 15. Jahrhundert mehrheitlich deutsch wurde, verlor das rätoromanische Sprachgebiet sein natürliches Zentrum. Zur Kleinheit des Gebiets gesellte sich von nun an eine unüberbrückbare Sprachzersplitterung.

Nur im Thurgau spielte die Überschichtung der Vorbevölkerung durch alemannische Zuzüger für die Germanisierung eine entscheidende Rolle. In den gebirgigen Teilen Rätiens gaben die Rätoromanen «von selber» ihre Sprache zugunsten des höher geschätzten und nützlicheren Deutschen auf. Zwar kam es auch hier zeitweise zu massiven Einwanderungen Deutschsprachiger; die Romanen waren ihnen aber in ihren Stammlanden zahlenmäßig immer überlegen. Diese besondere Art der Germanisierung, vergleichbar mit der Romanisierung der Kelten, erklärt die lange Dauer des Vorgangs.

Noch heute zeugen die zum größten Teil romanischen Örtlichkeitsnamen des oberen Rheintals und des Walensee-Seeztals von der langen Zweisprachigkeit und der späten Aufgabe des Romanischen in diesen Gegenden. Auch bestimmte Eigenheiten der heutigen deutschen Mundarten jenes Gebiets, etwa ihre Vorliebe für Langvokale in offener Silbe: *Haafe, Oofe, Stuube,* werden oft auf das romanische Substrat zurückgeführt; aber wie alle Substrattheorien ist auch diese umstritten.

Die «natürliche» Sprachgrenze im Süden

Die Täler nördlich des Alpenkamms vom Glarnerland bis zum Saanetal wurden rascher germanisiert als Rätien, wobei es höchstwahrscheinlich zu einer starken Volksüberschichtung kam. Das kann nicht verwundern, sind doch diese Täler vom Mittelland her nicht nur leichter zugänglich als Rätien, ihre romanische Bevölkerung war zweifellos auch viel spärlicher. Die Sprachgrenze fiel somit zunächst mit dem natürlichen Hindernis des nördlichen Alpenkamms zusammen, der im Berner Oberland zu Beginn des 8., in Glarus erst zu Beginn des 11. Jahrhunderts erreicht wurde. Während er im Osten bis zum heutigen Tag Sprachgrenze blieb, gelang es den Alemannen im Westen, diese Grenze ein beträchtliches Stück auf den südlichen Alpenkamm vorzuverlegen. Bereits im Laufe des 8. Jahrhunderts drangen sie in offenbar ansehnlicher Zahl aus dem Berner Oberland über Grimsel und Gemmi ins Wallis vor. Die beiden Einwanderungswege spiegeln sich noch heute in Unterschieden zwischen den Mundarten oberhalb und unterhalb Mörels. Die gegenüber dem Goms zahlreicheren romanischen Örtlichkeitsnamen des unteren Deutschwallis lassen darauf schließen, daß die Einwanderer nur hier auf eine starke romanische Vorbevölkerung stießen, die sich erst nach einer längeren Zeit der Zweisprachigkeit assimilieren ließ. Mit dem Abschluß dieses Prozesses

war ein alemannischer Keil zwischen die westlichen, östlichen und südlichen Romanen unseres Landes vorgetrieben; durch die Germanisierung des rätoromanischen Urserntals im 12. Jahrhundert wurde er noch verstärkt.
Im hohen Mittelalter wurde das Deutschwallis zu einem letzten Herd alemannischer Expansion. Seit dem 12. Jahrhundert legten die «Walser», wie man die ausgewanderten Deutschwalliser nennt, als Spezialisten für Urwaldrodung nicht selten von fremden Fürsten ins Land gerufen, in den Tälern am Südhang der Alpen ihre «Kolonien» an, die erst in unseren Tagen romanisiert werden. Teils unmittelbar aus dem Haupttal, teils aus den ennetbirgischen Siedlungen gelangten die Walser in die bündnerischen Hochtäler, wo sie vorerst die von den Romanen nicht beanspruchten hohen und höchsten Zonen bewirtschafteten, damit aber für die Geschlossenheit des rätoromanischen Sprachgebiets zu einer «inneren» Gefahr wurden.

Kultur und Käse – oder: das Fortleben sprachlicher Traditionen

Am Beispiel der Örtlichkeitsnamen ist wiederholt auf das Fortleben sprachlicher Traditionen hingewiesen worden. Noch viel faszinierender scheint mir die Überlieferung gewisser handwerklicher und landwirtschaftlicher Fachterminologien zu sein, die von urzeitlichen Fachleuten auf ihre heutigen Berufskollegen übertragen worden sind und dabei oft mehrere Sprachwechsel überdauert haben.
Wieder ist es der Alpenraum, der die interessantesten Beispiele kultureller Kontinuität bietet. Auch dieser kargen Natur vermochten die Kelten mit ihrem ausgeprägten handwerklichen Geschick noch das Beste abzugewinnen. Ihre Alpwirtschaft war berühmt, ihr Käse erfreute sich eines exzellenten Rufs und wurde reichlich nach Italien exportiert – hie und da zum Verhängnis römischer Käseliebhaber wie des Kaisers Antoninus Pius, der nach übermäßigem Alpenkäsegenuß aus dem Leben schied. So ist es verständlich, daß der einschlägige Fachwortschatz im Verlaufe der Romanisierung nur teilweise durch lateinische Wörter ersetzt wurde. Lateinische Bezeichnungen erhielten vor allem die exportfähigen Fertigprodukte, z. B. das Wort *Käse* selber, lateinisch CĀSEUS; die Fachausdrücke der Käseherstellung dagegen blieben oft als keltische Substratwörter erhalten.
Diese Alpwirtschaftsterminologie wurde nicht bloß von den späteren romanischen Mundarten weitergeführt; auch die einwandernden Ale-

mannen übernahmen sie zusammen mit den Kniffen der Alpwirtschaft von den Ureinwohnern. Aus dem Keltischen stammt etwa die Bezeichnung für den Vorbruch, die geronnene Milch. Das Wort ist in romanischen Alpenmundarten als *bifo* (oder ähnlich) erhalten, in alemannischen als *Byyfer*. Gleiches gilt für die Benennung der Käseteilchen, die sich beim Umrühren des Käsebruchs zusammenballen und die in frankoprovenzalischen Mundarten *bretschi, bretsè* heißen, in bergschweizerdeutschen aber *Brischete, Bretsche*. Keltischen Ursprungs sind vielleicht auch *Nyydel, Ziger, Senn*, und zumindest *Nyydel* wäre dann ein keltisches Substratwort, das sich nur in den deutschen Alpenmundarten erhalten hat.
Natürlich gingen auch lateinische Fachausdrücke der Käserei auf die Alemannen über; als Beispiel genüge hier *Schotte* aus lateinisch *EXCOCTA. Die stark galloromanische Prägung des schweizerdeutschen alpwirtschaftlichen Wortschatzes zeigt, daß die Romanen die Lehrmeister der Alemannen in der Milch- und Alpwirtschaft waren, und dies setzt natürlich ein längeres, friedliches Zusammenleben der beiden Sprachgruppen in den Alpentälern voraus.
Aus den zahlreichen Alpenwörtern keltischen Ursprungs in den Dialekten sämtlicher vier Sprachgebiete hat man nicht bloß geschlossen, daß die Romanisierung in diesen abgelegenen Gegenden wesentlich oberflächlicher war als im Mittelland. Einige Forscher vermuteten gar, daß das Keltische hier als Sprache selbst die römische Zeit überdauert habe, wenn auch nur in der eingeschränkten Funktion als «Familien-Patois» der Sennen. Dann wäre es sogar denkbar, daß ursprünglich keltische Wörter wie *Nyydel*, die nur in den deutschen Mundarten überliefert sind, vom Keltischen direkt ins Alemannische übernommen wurden.

Von der Sprachgeschichte der Region zur Sprachgeschichte des Staates

Mit der Germanisierung eines Teiles der Alpen sind im hohen Mittelalter die Fundamente für die Mehrsprachigkeit der modernen Schweiz gelegt: Die vier Sprachgebiete stehen im wesentlichen fest, auch die romanischen Sprachen haben sich zu Mundartgruppen mit je verschiedenem und eigenständigem Gepräge auseinanderentwickelt. Aber die vier Sprachgebiete bilden weder im Innern noch untereinander eine politische Einheit, es sind vier Volksgruppen, die sich aufgrund der natürlichen Gegebenheiten des Alpengebirges und seines Vorgeländes und infolge historischer Zufälligkeiten gerade in diesem Raume begegnen, die aber alle in größeren Zusammenhängen mit «gleichsprachigen» Volksgruppen außerhalb der heutigen Landesgrenzen stehen. Das Zusammenwachsen der vier Völkerschaften zu einem gemeinsamen Staatsgebilde ist Gegenstand einer Sprachgeschichte des Staates.

Vom deutschsprachigen zum mehrsprachigen Staatenbund

Die alte Eidgenossenschaft, die gegen Ende des 13. Jahrhunderts zunächst durch die Leute von Uri, Schwyz und Unterwalden gegründet worden war, bildete einen Bund souveräner Staaten, der nicht durch einen einheitlichen Bundesvertrag, sondern durch eine Vielzahl verschiedenartiger Bündnisse zusammengehalten wurde. Neben den 13 vollberechtigten Ständen gab es die Zugewandten, die zur «gemeinen» Eidgenossenschaft gezählt wurden, in ihren Rechten den Vollmitgliedern jedoch nicht ganz gleichgestellt waren.

Wenn man von der Regierungsgewalt in den eidgenössischen Ständen ausgeht, dann blieb der Staatenbund bis 1798 rein deutschsprachig. Sowohl in den sechs demokratischen Landsgemeindekantonen, wo die oberste Gewalt bei der Gesamtheit der Bürger lag, wie in den sieben Städten, wo die Regierung anfänglich von den Stadtbürgern, dann vom Rat ausgeübt wurde, waren ausschließlich Deutschsprachige an der Regierung beteiligt. Die einzige und bloß teilweise Ausnahme bildete Freiburg. Nicht-deutschsprachige gab es in der alten Eidgenossenschaft nur als Untertanen oder als nicht gleichberechtigte Zugewandte.

So traf es zwar nicht zu, daß ein Partner dank seiner deutschen Sprache seine politische Stellung verbessern konnte (der Großteil auch der deutschsprachigen Bevölkerung lebte im Untertanenverhältnis), aber es scheint doch so gewesen zu sein, daß nur deutschsprachige Gemeinwesen Vollmitglied werden konnten.

Der Einbezug nicht-deutschsprachiger Partner in die Eidgenossenschaft läßt sich folgendermaßen zusammenfassen:

Jahr	*Zugewandter Ort*	*Untertanen*
1388	*Erguel (St. Immertal)*	⟶ *zu Biel*
1403	*(Saanen), Rougemont, Château d'Oex*	⟶ *zu Bern (1555)*
1406	*Neuenburg*	
1414	*Bellélay*	
1416/17	*Wallis (4 deutsche, 2 französische, 1 zweisprachiger «Zehnten»)*	
1427	*Valangin*	
1439		*Leventina (UR)*
1454	*Freiburg (teilw. frz.)*	
1476		*Burgundischer Besitz in der Waadt (Gemeine Herrschaft)*
1495		*Riviera (UR)*
1496	*Drei Bünde (je mit rätorom. und dt., zwei davon auch mit it. Gemeinden)*	
1496		*Blenio (Gemeine Herrschaft)*
1500		*Bellinzona (Gemeine Herrschaft)*
1512		*Lugano, Locarno, Verzasca, Maggia (Gemeine Herrschaft)*
1519	*Genf*	
1521		*Mendrisio und Balerna (Gemeine Herrschaft)*
1536		*Waadt (BE)*
1536		*Unterwallis (Oberwallis)*

Bei den tessinischen Vogteien ist das Jahr des endgültigen Anschlusses gegeben; später wieder verlorene Gebiete (Veltlin, Chablais usw.) und der komplizierte Gebietsausbau Genfs sind nicht verzeichnet.

Die Tagsatzung war die einzige gemeinsame Institution des Staatenbundes. Der Vorort Zürich führte die Kanzlei und den Vorsitz. Von den Zugewandten waren bloß Biel, der Abt von St. Gallen und die Stadt St. Gallen, also lauter Deutschsprachige, ständig vertreten, die anderen nur auf spezielle Einladung. Sprachprobleme konnten somit in dieser einsprachig deutschen Körperschaft keine entstehen. Die Korrespondenz wurde selbstverständlich auf deutsch geführt, auch mit den Zugewandten. Im Falle der drei Bünde ergab sich dies von selbst, da diese mehrsprachigen Gemeinwesen sich selber des Deutschen als

Lingua Franca bedienten. Im Wallis waren die deutschsprachigen Zehnten in der Mehrheit, und die Zweisprachigkeit hatte Tradition. Nur für die beiden Städte Neuenburg und Genf war die deutsche Sprache ihrer Verbündeten wirklich fremd.

Eidgenössische Sprachregelungen

Sprachliche Probleme würden wir also erst auf einer unteren Ebene erwarten, in jenen Fällen, wo ein deutschsprachiger Stand die Herrschaft über anderssprachige Untertanen ausübte. Aber auch hier ergaben sich kaum Komplikationen. Dies ist nur erstaunlich, wenn wir von unseren modernen Lebens- und Staatsformen aus urteilen. Die äußerst lockere, dezentralisierte Staatsform der alten Eidgenossenschaft, die eine unübersehbare Vielzahl von Bündnissen und Verfassungen kannte, ließ lokale Organisationsformen weitgehend unangetastet so bestehen, wie sie historisch gewachsen waren. Dies galt auch für die anderssprachigen Untertanengebiete, die ihre alten lokalen Freiheiten behielten, in der wirtschaftlichen Verwaltung weitgehend selbständig blieben und polizeiliche Rechte besaßen. Die Staatsmacht trat für den einzelnen im Normalfalle bloß in der Form der örtlichen Verwaltungsorgane in Erscheinung; deren Sprache aber war die lokale Sprache.

Die Obrigkeit wurde in den Untertanengebieten durch den Landvogt vertreten. Für Bern und Freiburg bot es kein Problem, Landvögte mit guten Französischkenntnissen einzusetzen, und dies galt auch für das Wallis. Größer waren die Schwierigkeiten im Tessin. Uri besaß allein die Leventina und gemeinsam mit Schwyz und Nidwalden drei weitere Vogteien. In diesen zweieinhalb Ständen vermochte sich mit der Zeit eine Tradition der Italienischkenntnisse zu bilden, so daß Sprachprobleme kaum aufkommen konnten. Die vier Vogteien aber, deren Landvogt reihum von zwölf Ständen gestellt wurde, mußten gewöhnlich mit einem Herrn vorliebnehmen, der nicht Italienisch konnte. Hier wurde der Landschreiber, der auch als Dolmetscher zu amten hatte, äußerst einflußreich, und gewisse Vogteien verstanden es, die sprachliche Isolation ihres Herrn weidlich auszunutzen.

In allen eidgenössischen Vogteien galt das uralte Prinzip, wonach sich der Fürst in der Sprache der Untertanen an diese wendet. So verkehrten zwar alle Obrigkeiten mit dem Landvogt auf deutsch, dieser aber hatte

dafür zu sorgen, daß die Verlautbarungen und Dekrete den Untertanen in ihrer Muttersprache bekanntgemacht wurden.
Auch in der umgekehrten Richtung kam es kaum zu Sprachproblemen, da der Untertan dabei selten so nahe an die Obrigkeit herankam, daß der Sprachunterschied sich bemerkbar gemacht hätte. Eine mögliche Ausnahme bildete das Appellationswesen. Freiburg und Bern hatten hier für ihre welschen Untertanen eigene Appellationskammern eingerichtet, während das Wallis bis ins 18. Jahrhundert die Gerichtsentscheide auf lateinisch eröffnete. Zu ernsthaften Problemen kam es wiederum in den Tessiner Gemeinen Herrschaften, wo ein «Syndikat» aus Gesandten der beteiligten Orte als Appellationsbehörde funktionierte, vor der deutsch verhandelt und geurteilt wurde. Zwar hatten unter diesen unbefriedigenden Verhältnissen nur wenige Untertanen zu leiden; dennoch bildeten sie natürlich ständig Anlaß zu Auseinandersetzungen.
Die komplizierten Rechts- und Sprachverhältnisse in den Drei Bünden können hier nicht nachgezeichnet werden. Fast jedes Dorf bildete ein souveränes Staatswesen, in dessen Gebiet selbstverständlich das einheimische Idiom den Vorrang hatte. Zwischen den Bundesgliedern und zwischen den Bünden war nach der relativ späten Ablösung des Lateinischen als Schriftsprache das Deutsche zur schriftlichen und mündlichen Verkehrssprache geworden, doch kamen in den mündlichen Verhandlungen gelegentlich auch das Italienische und das Rätoromanische zum Zuge; im 18. Jahrhundert gewann das Italienische auch als schriftliche Verkehrssprache an Bedeutung.
Mit der Ausnahme Freiburgs haben die eidgenössischen Obrigkeiten nie versucht, das tatsächliche Sprachverhalten ihrer Untertanen zu beeinflussen. Den eidgenössischen Ständen ging es um das Land, nicht um die Leute, die politisch wie kulturell möglichst unbehelligt blieben. In der Waadt und im Tessin verdankten die romanischen Volkssprachen den deutschen Herren sogar die Einführung als Urkundensprachen auf Kosten des Lateins.
Aber nicht in erster Linie dieser sprachlichen Toleranz (oder Uninteressiertheit) der Obrigkeiten war es zuzuschreiben, daß es in der alten Eidgenossenschaft keine Sprachkonflikte gab, sondern der Tatsache, daß die Voraussetzung dazu fehlte: die Kommunikation zwischen Verschiedensprachigen. Die Untertanen aller Sprachgebiete waren in ihre lokalen Verhältnisse eingebunden, sie nahmen nicht an der

Regierung teil, sie konnten meist weder lesen noch schreiben, und alle Verlautbarungen der Obrigkeiten wurden ihnen in ihrer Muttersprache mitgeteilt. Mehrsprachigkeit eines Staates wird erst zum Problem, wenn die verschiedenen Sprachträger als gleichberechtigte Bürger sich miteinander auseinandersetzen müssen.

Der politische Wert des Deutschen: Der Sonderfall Freiburg

Die Stadt Freiburg war schon kurz nach ihrer Gründung (1157?) durch die Zähringer zweisprachig geworden. Beim Eintritt in die Eidgenossenschaft (1481) war die Stadt wie ihr Patriziat mehrheitlich französischsprachig. Das damalige Untertanengebiet Freiburgs, die sogenannte Alte Landschaft, war zwar überwiegend deutsch, aber auf die Sprache der Untertanen kam es ja nicht an. Nachdem die Stadt mit ihrer gemischtsprachigen Bevölkerung und Regierung *«von den gnaden Gottes ein ort der eidgnoschaft worden [war], darin kein ander dan tütsche sprach gebrucht wird»,* sah sie sich veranlaßt, eine aktive Sprachpolitik zu betreiben, um den deutschen Charakter Freiburgs unter Beweis zu stellen. Zwar übten die Miteidgenossen keinerlei erkennbaren Druck auf Freiburg aus, aber es war bekannt, daß diese *frommen tütschen,* wie sie sich zu nennen liebten, nach den Burgunderkriegen allem Welschen mit Mißtrauen und Verachtung begegneten. Andererseits war gerade der französische König damals der wirksamste Förderer des eidgenössischen «Deutschtums». Angesichts der Bereitschaft des Königs, eidgenössische Söldner teurer als andere einzukaufen, und der anderen erheblichen Vergünstigungen, die Frankreich den Eidgenossen gewährte, war dem König daran gelegen, den Kreis der Nutznießer seiner *goodwill*-Geschenke klein und überprüfbar zu halten. So läßt der ewige Friede, den Franz I. am 29. November 1516 in Freiburg mit den Eidgenossen schloß, alle Bundesgenossen, die seit der letzten Kapitulation von 1499 in den Bund eingetreten waren, in den Genuß der gleichen Rechte kommen, *«doch usgeschlossen alle die, so vsserthalb den Marchenn der Eydtgnosschafft vnd einer andern Nation vnd Sprach, dann tütscher vnnd vnns Eydtgnossenn nitt vnderwurffig sind».* Wer also als Vollglied des Bundes von allen seinen Vorteilen profitieren wollte, der kam um gewisse sprachliche Zugeständnisse nicht herum, und Freiburg war bereit, sie zu machen.

Der Wechsel der offiziellen Sprache

Der *offizielle* Sprachgebrauch war leicht zu ändern. Infolge der alten Zweisprachigkeit war in den Ratsprotokollen, erhalten ab 1438, schon seit 1447 hie und da Deutsches aufgetaucht, manchmal in abenteuerlicher Mischung mit den häufigeren Protokollsprachen Lateinisch und Französisch. Ein typischer Eintrag des Stadtschreibers Bernhardt Faulcon unter dem 17. Dezember 1476 lautet:

Item Symon de Cleron scribsit a mons. P. de Wabern, per que dit, quod die Oberburgunder begerent, daz si gericht sient mit uns, quia posito [?] casu, quod dux nollet, si voluerint ipsi habere acort avez noz. Item venit une aultre lection [?] per quam constat, quod ipsi habend den wil von iren hern zů dem friden et affectant venir a journee mit 20 pferden.

Seit 1483 sind die Ratsmanuale deutsch; um die gleiche Zeit ändert die Sprache auch in den anderen offiziellen Schriften. Bekanntmachungen durften von der Kanzel nur noch deutsch verlesen werden, und schon 1495 wurden die französischen Privatschulen verboten.

Schwieriger war es, das Deutsche als *Gerichtssprache* in den welschen Teilen der Alten Landschaft durchzusetzen. Hier sprach die Regierung selber Recht und beharrte deshalb auf der deutschen Gerichtssprache. Für die Untertanen in den später erworbenen und von Vögten verwalteten welschen Gebieten galt selbstverständlich wie in der bernischen Waadt das Französische unangefochten.

Mißlungene Germanisierung des Privatlebens

Im *privaten* Bereich dagegen mußte die Germanisierungspolitik der Herren weitgehend versagen. Sie selber zwar waren sogleich nach dem Bundesbeitritt zum Deutschen übergetreten, was ihnen vermutlich nicht allzu schwer fiel, da viele von ihnen zweisprachig aufgewachsen oder gebildet waren. Einige Patrizierfamilien verdeutschten sogar ihre Namen, aber die gewöhnlichen Bürger folgten der Obrigkeit kaum, wenn sie ihnen 1527 riet, sie sollten *«die kinder im hus tütsch machen reden und nicht die grobe welsche sprach gewohnen»*. So wurde denn in der Stadt nicht nur weiter französisch geredet, sondern, was schlimmer war, nachts oft französisch gesungen: Dies war nicht bloß Nachtruhestörung, sondern mußte bei fremden Gästen auch den Eindruck erwecken, sie befänden sich in einer welschen Stadt, und konnte damit der *Eidgenossischen reputation* Freiburgs schaden. Deshalb wurde wiederholt (also offenbar erfolglos) verboten, französisch zu singen oder in den

Straßen Milch, Senf, Kutteln und andere Handelsgüter auf französisch auszurufen. Durch besondere Niederlassungsgesetze wurde versucht, den Anteil der Deutschsprachigen an der Stadtbevölkerung auf Kosten der Welschen zu erhöhen.
Die aktive Germanisierungspolitik Freiburgs im 16. Jahrhundert zeigt mit aller Deutlichkeit, wie sehr sich die damalige Eidgenossenschaft aus innen- und außenpolitischen Gründen ihres «Deutschtums» bewußt war. Seinen höchsten politischen Wert erhielt das Deutsche der Eidgenossen zu einer Zeit, als es auch eine gewisse äußere Selbständigkeit und innere Einheitlichkeit erreicht hatte. Die Glaubensspaltung versetzte dann aber dem eben errungenen Nationalbewußtsein der Eidgenossen und ihrem inneren Zusammenhalt einen schweren Schlag, der auch die Funktion und Geltung des Deutschen als einigender Staatssprache in Mitleidenschaft zog. In den westlichen Kantonen wurde das Französische zur bevorzugten Sprache der gehobenen Stände, der Wille auch zur sprachlichen Abgrenzung von Deutschland schwand; dies ermöglichte es der Deutschschweiz, sich den gesamtdeutschen Bemühungen um eine einheitliche Standardsprache anzuschließen.

Der Übergang zum modernen mehrsprachigen Staat

Die Regierungsverhältnisse in der Alten Schweiz hatten dafür gesorgt, daß Sprachprobleme kaum entstehen konnten. Dies änderte sich schlagartig, als die französische Revolutionsarmee 1798 aus allen Bewohnern der Eidgenossenschaft gewaltsam gleichberechtigte Bürger gemacht hatte. Die bürgerliche Gleichstellung verlangte zwingend die Gleichstellung der Sprachen. Da aber der neue Einheitsstaat ebenso extrem zentralistisch war wie die Alte Eidgenossenschaft extrem dezentralisiert gewesen war, mußte nun alles und jedes, was zentral reglementiert wurde, zumindest in den drei größeren Sprachen in gleicher Verbindlichkeit veröffentlicht werden. Dies bedingte eine große Übersetzungsarbeit, bot aber als vorwiegend technisches Problem keine unüberwindlichen Schwierigkeiten. Vor ihrer Veröffentlichung mußten hingegen die Beschlüsse der Zentralregierung in gemeinsamer Diskussion erarbeitet werden, und hier ergaben sich die eigentlichen Probleme.

Die helvetische Zentralregierung mit ihrer fünfköpfigen Exekutive und den zwei gesetzgebenden Räten war nämlich die erste Körperschaft in der Geschichte der Schweiz, in der sich Vertreter der eidgenössischen Sprachen gleichberechtigt gegenübertraten und in gemeinsamer Verhandlung zu einem Konsens finden mußten. Dies wurde dadurch erleichtert, daß bei der neuen Führungsschicht der Wille zur staatlichen Einheit und damit zur sprachlichen Toleranz vorausgesetzt werden konnte, hatten sich doch die Welschen und die Tessiner in freiwilligem Entschluß für diesen Staat entschieden: Daß die Eidgenossenschaft in ihren alten Grenzen und als mehrsprachige Nation erhalten blieb, ist das Werk und das Verdienst der romanischen Schweizer.
In der Exekutive stellten sich überdies dem Willen zur gleichberechtigten Mehrsprachigkeit auch kaum praktische Schwierigkeiten entgegen, da ihre Mitglieder ausnahmslos den gebildeten Schichten entstammten und über die nötigen Sprachkenntnisse verfügten. Dagegen ergaben sich in den gesetzgebenden Räten große Probleme, denn hier war wenigstens zu Beginn tatsächlich manch einfacher Mann vertreten, der nur seine Muttersprache beherrschte – es hätte den Gleichheitsidealen widersprochen, wenn man die Wahlfähigkeit durch die Forderung von Fremdsprachenkenntnissen eingeschränkt hätte. Gleich von Anfang an sorgte deshalb in beiden Räten ein Dolmetscher für die Übersetzung der Verhandlungen ins Französische oder ins Deutsche, und nach längerer Diskussion wurde dem Italienischen die gleiche Behandlung zugestanden. Die Rätoromanen allerdings sprachen deutsch.
Mit dem Scheitern der Helvetischen Republik verschwanden die meisten ihrer demokratischen Errungenschaften. Obwohl die französisch- und italienischsprachigen Schweizer (dank der Intervention fremder Mächte) nicht mehr zu Untertanen gemacht werden konnten, wurde nun die vorbildliche helvetische Regelung der Mehrsprachigkeit weitgehend überflüssig. Nach der Aufgabe der Bürgergleichheit konnten die zweisprachigen Kantone die Wahlfähigkeit in ihre Räte von der Beherrschung beider Sprachen abhängig machen, und als die Restauration den alten losen Staatenbund wiederhergestellt hatte, ließen sich die Sprachprobleme auf Bundesebene auf die Tagsatzung beschränken und pragmatisch lösen: Die sprachgewandten Aristokraten waren wieder unter sich, jeder konnte in seiner Sprache sprechen, ohne daß Dolmetscher gebraucht wurden. Allerdings bedienten sich die Tessiner meist des Französischen. Die «Abschiede»

waren prinzipiell deutsch, gaben aber die Standesvoten in der Originalsprache und ohne Übersetzung wieder. Die Reaktion scheute selbst vor geradezu groteskem Sprachverhalten nicht zurück, so wenn der Gesandte Berns in einer Sitzung französisch, der Gesandte Freiburgs aber deutsch sprach, beide mit dem gleichen Ziel, nämlich durch die Sprachwahl auszudrücken, daß die Zeit der Pöbelherrschaft endgültig vorbei sei...

Das Revolutionsjahr 1830 leitete eine neuerliche Demokratisierung ein, die schließlich zum Bundesstaat von 1848 führen sollte. Dieser Prozeß machte auch die Sprachenfrage wieder etwas aktueller, doch waren die eingespielten Verhältnisse so selbstverständlich, daß der Verfassungsentwurf von 1847 keine Bestimmungen über die schweizerischen Sprachen enthielt. Erst in der Diskussion schlug der Gesandte der Waadt einen Sprachenartikel vor: «Les trois langues parlées en Suisse, l'allemand, le français et l'italien, sont langues nationales.» Zumal da die Waadt erklärte, man verlange damit nicht die dreisprachige Abfassung der Parlamentsprotokolle, wurde ihr Vorschlag schließlich ohne Gegenstimme in die Verfassung aufgenommen, allerdings in der Formulierung der Redaktionskommission, die der Tatsache Rechnung trägt, daß es in der Schweiz nicht nur drei Sprachen gibt: «Art. 109: Die drei Hauptsprachen der Schweiz, die deutsche, französische und italienische, sind Nationalsprachen des Bundes.» (Heute Art. 116; vgl. S. 305 f.)

Mit dieser Verfassungsbestimmung war die alte Vorherrschaft des Deutschen endgültig beseitigt. Die Eidgenossenschaft war auch juristisch zum mehrsprachigen Staat geworden. Seither gehört es zu den Aufgaben unseres Volkes, den Buchstaben des Gesetzes mit Leben zu füllen.

WALTER HAAS

DIE DEUTSCHSPRACHIGE SCHWEIZ

DIE MUNDARTEN

Alemannen und alemannisch

Les alémaniques, «die Alemannischen» – so heißen die Deutschschweizer im Welschland, und der Dialektologe zählt die Mundarten der deutschen Schweiz zur alemannischen Dialektgruppe.
Tatsächlich gehen die deutschen Mundarten der Schweiz über eine ununterbrochene Tradition auf die alemannischen Einwanderer zurück, und ihr Verbreitungsgebiet ist durch die Sprachgrenze zum Romanischen zweifelsfrei abgesteckt.
Schwieriger zu beantworten ist die Frage, wie weit das Alemannische im Norden und im Osten über die Landesgrenzen hinausreiche. Der Rhein bildet nirgends eine Sprachgrenze, unsere Mundarten gehen ganz unmerklich in die deutschen Mundarten Frankreichs, der Bundesrepublik, Österreichs und Liechtensteins über.
Die ältere Dialektologie hat gehofft, aus den modernen Dialekten das Siedlungsgebiet der alten germanischen Stämme wie der Franken, Baiern und eben der Alemannen rekonstruieren zu können. Man glaubte, die heutigen Dialektunterschiede gingen im wesentlichen auf ehemalige Stammesunterschiede zurück. Die Dialektgeographie hat diesen Glauben gründlich zerstört. Wir wissen zwar, daß die historischen Alemannen auch nördlich und östlich unseres Staatsgebiets gesiedelt haben. Wir kennen aber den Verlauf der alten Stammesgrenzen nicht genau, und wir können sie aus modernen Mundartgrenzen nicht erschließen. Die Dialektologen haben deshalb willkürlich festlegen müssen, welche deutschen Dialekte sie außer den schweizerischen noch der alemannischen Mundartgruppe zuzählen wollen, und sie haben dies mittels Mundartmerkmalen getan, die leicht zu handhaben sind (deshalb hat man gern lautliche Grenzen gewählt) und die historisch nicht ganz unwahrscheinlich sein sollten (deshalb wählte man Merkmale, deren heutige Verbreitung ungefähr dem vermuteten Siedlungsraum der alten Stämme entspricht, was bei der Menge der verfügbaren Merkmale gar kein besonderes Problem darstellt). Eine der

gängigen Einteilungen der oberdeutschen Mundarten sieht – sehr schematisch vereinfacht – folgendermaßen aus:

Karte 1

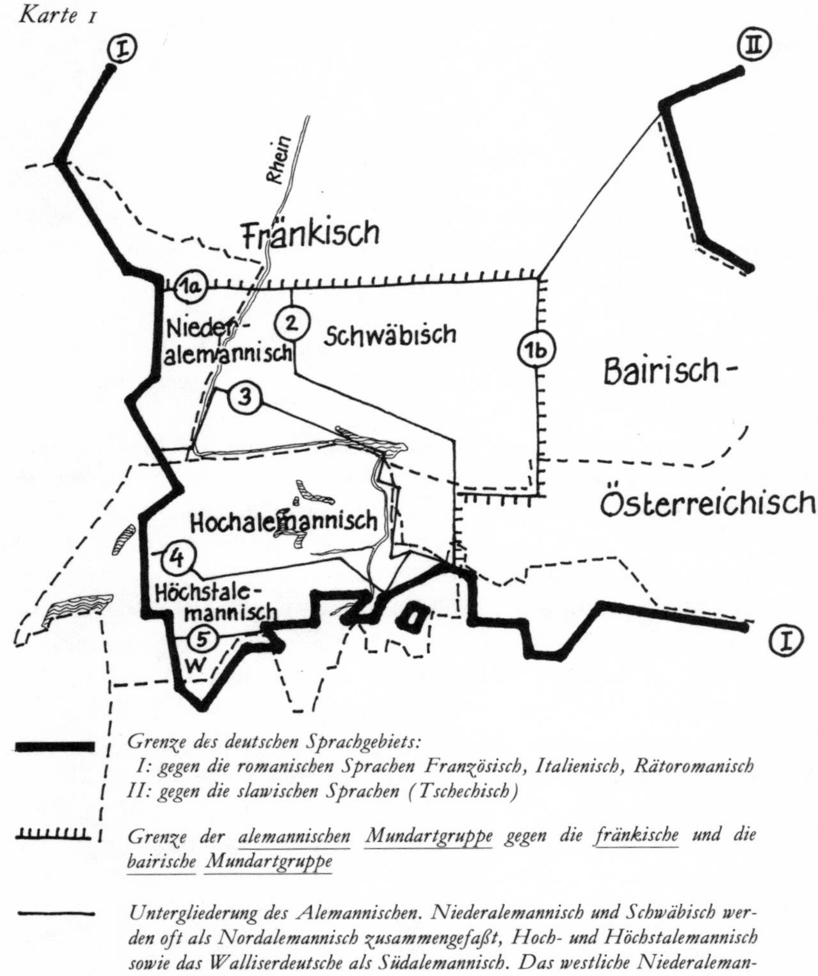

Grenze des deutschen Sprachgebiets:
I: gegen die romanischen Sprachen Französisch, Italienisch, Rätoromanisch
II: gegen die slawischen Sprachen (Tschechisch)

Grenze der alemannischen Mundartgruppe gegen die fränkische und die bairische Mundartgruppe

Untergliederung des Alemannischen. Niederalemannisch und Schwäbisch werden oft als Nordalemannisch zusammengefaßt, Hoch- und Höchstalemannisch sowie das Walliserdeutsche als Südalemannisch. Das westliche Niederalemannisch wird oft Oberrheinisch genannt.

Staatsgrenzen

Diese Mundarteinteilung beruht auf den folgenden sprachlichen Merkmalen:

1a: «Neuhochdeutsche Monophthongierung»: Das Fränkische hat einen einfachen Langvokal in *Bruder*, das Alemannische hat einen

Diphthong: *Brueder*. Ungefähr die gleiche Grenze trennt nördliches *biegen* [i:] und *führen* von südlichem *biege, füere*. Das Bairische geht mit dem Alemannischen.

1b: Personalpronomen der 2. Person Plural: Das Bairische hat ein besonderes Pronomen *enk*, die übrigen deutschen Dialekte haben *euch, üüch* u. ä.

2: «Neuhochdeutsche Diphthongierung»: Das Schwäbische hat, wie die übrigen hochdeutschen Mundarten, einen Diphthong in *Eis*, das übrige Alemannische hat einen Langvokal: *Yys, Yysch*. Ungefähr die gleiche Grenze trennt *Haus* und *Häuser* von *Huus* und *Hüüser*.

3: Anlautendes altes *k*- lautet nördlich und östlich *kh-: Khopf*, südlich *Chopf*, selten *Kchopf*.

4: «Hiatusdiphthongierung»: Die nördlichen Mundarten haben einen Diphthong in Wörtern wie *schneien*, die südlichen einen Langvokal: *schnyye*. Ungefähr die gleiche Grenze trennt *boue, nöi* von *buue, nüü*.

5: Pluralendungen des Verbs: Die nördlichen Mundarten haben bloß eine oder zwei Pluralendungen: *mier mached, ier mached, syy mached* bzw. *mier mache, ier mached, syy mache*. Das Walliserdeutsche hat drei: *wier mache, ier machet, schi machunt* (vgl. S. 77 und Karte 3).

Es ist leicht zu zeigen, daß diese Einteilung zumindest sprachlich mit den alten germanischen Stämmen nicht viel zu tun hat. So ist beispielsweise die mitteldeutsche Mode, *Bruder* statt *Brueder* zu sagen, erst im Hochmittelalter aufgekommen. Von allen hier vertretenen Grenzmerkmalen reicht bloß das bairische *enk* in die Völkerwanderungszeit zurück.

Eines geht aus der Karte mit aller Deutlichkeit hervor: keine der für die Mundarteinteilung gewählten Merkmalgrenzen folgt genau der schweizerischen Staatsgrenze. Tatsächlich ist kein Mundartmerkmal auffindbar, das *allein* auf das Gebiet der Deutschschweiz beschränkt wäre, dabei aber das *gesamte* Gebiet umfassen würde. Entweder gilt ein Mundartzug auch außerhalb des Landes, oder er gilt nur für einen Teil unseres Gebiets. Am ehesten noch könnte das Schweizerdeutsche mit dem «Südalemannischen» identifiziert werden (südlich der Grenze 3), aber abgesehen davon, daß auch Teile Badens zu diesem Mundartgebiet gehören, muß aufgrund des *k*-Merkmals das untere St. Galler Rheintal davon ausgeschlossen werden, und die Stadt Basel bildet gar eine niederalemannische Sprachinsel.

Noch eine Überraschung hält die Karte bereit: Nicht einmal die Behauptung, es werde überall in der deutschen Schweiz alemannisch gesprochen, ist richtig! Die unterengadinische Talschaft Samnaun, die bis in die Mitte des 19. Jahrhunderts zum rätoromanischen Sprachgebiet gehört hatte, hat seither die bairisch-österreichische Mundart ihrer nächsten Nachbarn, der Tiroler, übernommen.

Kein einig Volk von Alemannen: Die mundartliche Einteilung der Deutschschweiz

Entgegen der Meinung vieler Ausländer bildet das «Schwyzertütsch» keine Einheit – wie viele Mundarten es aber gibt, das weiß auch der Schweizer nicht zu sagen. Gewöhnlich benennt er seine Mundart nach dem Herkunftskanton, was für eine ungefähre Charakterisierung genügen mag.

Tatsächlich gibt es unzählige Mundartgrenzen, die auf eine kürzere oder längere Strecke einer Kantonsgrenze folgen (ein Extremfall ist die Grenze zwischen *Bränte* und *Tause* auf Karte 3), und auch starke Isoglossenbündel sind an Kantonsgrenzen nicht selten, besonders wenn gleichenorts eine konfessionelle oder eine starke natürliche Grenze verläuft.

Eigentlich ist dies nicht verwunderlich. Die meisten politischen Grenzen der Deutschschweiz sind sehr alt. Viele haben sich seit der Eroberung des Aargaus (1415) nicht mehr verändert, auch wenn das Gebiet selber, wie gerade der ehemalige bernische Aargau, inzwischen unter andere Oberhoheit gekommen ist. Während dieser langen Zeit konnten sich viele mundartliche Unterschiede an diesen alten Grenzen «stauen», und zwar auch solche, die bereits vorher bestanden hatten, deren Grenzen aber noch anderswo verlaufen waren. Es darf deshalb sicher behauptet werden, daß der heutige Verlauf der Mundartgrenzen weitgehend von der territorialen Einteilung der alten Eidgenossenschaft bestimmt wird. Dadurch haben sich zwar keineswegs einheitliche Mundartgebiete innerhalb der einzelnen Kantone herausgebildet, aber es ergaben sich doch hie und da Kombinationen von Mundartmerkmalen, die für viele Teilmundarten innerhalb eines Kantons gelten.

Dennoch bleiben selbstverständlich genug Isoglossen, die sich nicht um Kantonsgrenzen kümmern. So zeigt etwa der Kanton Zug eine auffallende Dialektvielfalt, die sich allerdings zum Teil auch auf alte politische Grenzen geringerer Stärke zurückführen läßt. Wenig verwunderlich ist die sprachliche Kleinkammerung der Ostschweiz: Die Kantone Thurgau und St. Gallen fassen ja als Nachfolgestaaten mehrere kleinräumige Gebiete mit sehr verschiedener politischer Geschichte zusammen. Hier und auch im Aargau verlaufen die Mundartgrenzen nicht selten entlang politischer Grenzen, die längst keine Realität mehr sind.

Politische und andere außersprachliche Grenzen können allerdings nur erklären, warum eine bestimmte Mundartgrenze gerade hier und nicht anderswo verläuft. Sie sagen nichts über die Ursachen und die Art der sprachlichen Unterschiede aus. Auch hier können uns die Isoglossen weiterhelfen. Wenn wir sie in ihrem gegenseitigen Verhältnis betrachten, fällt auf, daß zahlreiche Isoglossen zwar nicht am gleichen Ort verlaufen, aber bevorzugt zwei Richtungen folgen: Eine große Anzahl verläuft von Westen nach Osten, wobei besonders viele im Voralpengebiet massiert sind. Dadurch wird das Sprachgebiet in eine nördliche und eine südliche Hälfte geteilt. Eine noch bedeutendere Gruppe läuft von Norden nach Süden, zumeist durch die Kantone Aargau und Luzern, und teilt das Sprachgebiet in eine westliche und eine östliche Hälfte.

Der Gegensatz zwischen dem Norden und dem Süden

Den Nord-Süd-Gegensatz haben wir bereits auf der schematischen Karte über die Einteilung der alemannischen Mundarten angetroffen. Die Merkmale 4 (Hiatusdiphthongierung) und 5 (Verbalplural) zeigen dabei ein Charakteristikum dieses Gegensatzes: im Süden tritt jeweils der altertümlichere Sprachzustand auf. In althochdeutscher Zeit sagte man nämlich im ganzen deutschen Sprachgebiet *schnyyen,* heute nur noch im Höchstalemannischen. Ebenso galt noch im Mittelhochdeutschen ein dreiformiger Verbplural, heute nur noch im Walliserdeutschen. In beiden Fällen haben wir es also mit altdeutschen Überresten zu tun. Die allgemeine Deutung dieser Verhältnisse ist klar: Der Süden des Alemannischen ist ein «konservatives» Sprachgebiet, das Neuerungen aus dem Norden und Osten nicht gern aufnimmt. Diese Konservativität gilt nicht bloß für das Alemannische auf Schweizer Boden, sondern in geringerem Maße für das Gesamtalemannische.

Die sprachliche Konservativität des Gesamtalemannischen mag darin begründet liegen, daß dieses Gebiet nie politisch führend war, und die Konservativität des Schweizerdeutschen mag zudem durch den früh

Karte 2
Nord-Süd-Gegensatz

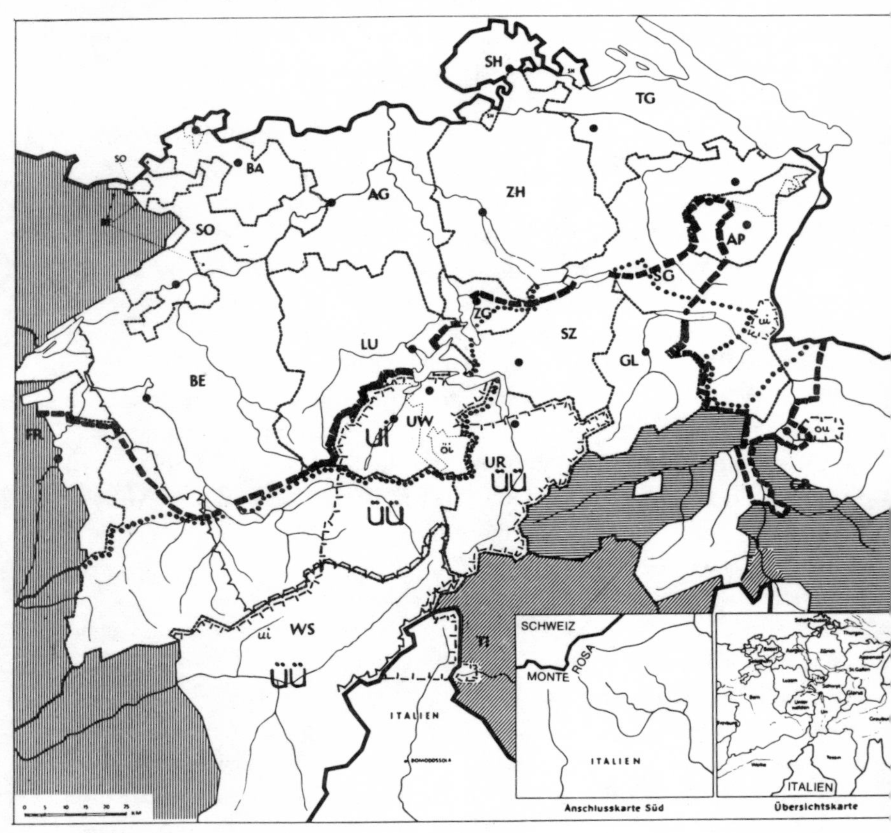

schneie / *schnyye* — «*Hiatusdiphthongierung*»

Horn / *Hore* — *-rn* > *re*

«Alpine Sonderentwicklungen»
Beispiel: Entwicklung von *uu* in *Muus* ‹Maus›

«Alpine Romanismen»
Beispiel: *Trütsche* ‹Zopf›

eingeschlagenen politischen Alleingang bestimmt sein. Die besondere Altertümlichkeit des Höchstalemannischen ist hingegen weitgehend auf die Verkehrsabgelegenheit dieses alpinen Sprachgebietes zurückzuführen, die auch besondere politische, ökonomische und soziale Strukturen erzwingt.

Lange Zeit galt daher den Dialektologen das Gebirge als «jungfräuliche Burg des altertümlichen Lautes» (Fritz Staub); hier pflückte man althochdeutsche Relikte aus dem Munde der Hirten. Man übersah dabei, daß sich andererseits im Alemannischen selber seit dem Mittelalter unzählige Neuerungen entwickelt haben, die dem übrigen Deutschen fehlen, die aber kaum je in weitere Gebiete «exportiert» werden konnten – auch dies eine Folge der Verkehrsabgelegenheit. In manchen Fällen aber erschraken die Alemannen wohl selbst über ihre Progressivität und kehrten reumütig zum Sprachgebrauch ihrer vorbildlicheren Nachbarn zurück; auch jetzt waren es vor allem wieder die Alpenmundarten, die den alemannischen Neuerungen die Treue hielten. Dadurch konnte es im Höchstalemannischen zu einer zweiten Reliktschicht kommen, diesmal bestehend aus «altalemannischen Relikten». Ein Beispiel dafür ist die Aussprache der Endung *-rn* als *-re,* etwa in *Hore* ‹Horn›, deren Verbreitungsgebiet auf Karte 2 dargestellt ist. Gegenüber dem Althochdeutschen ist diese Aussprache eine Neuerung; daraus, daß sie im *ganzen* Alpenraum vorkommt, schließt man auf ehemals weitere Verbreitung auch im Mittelland.

Während also Neuerungen von außen nur schwer in die Täler des Alpengebiets eindringen können, gelingt es umgekehrt Neuerungen von innen nur selten, das gesamte Alpengebiet oder gar das Alpenvorland zu erreichen. Sie haben deshalb im allgemeinen ein beschränktes Verbreitungsgebiet, dessen Nordgrenze ähnlich verläuft wie die Reliktgrenzen. Ein Beispiel für eine solche alpine Sonderentwicklung ist die *üü*-Aussprache des alten langen *uu: Hüüs, Müüs* ‹Haus, Maus› (Karte 2).

Der Lebensraum der höchstalemannischen Mundarten deckt sich erstaunlich genau mit jenem Gebiet, das von den Alemannen zuletzt besiedelt wurde. Die altertümlichste alemannische Mundart wird heute also auf dem jüngsten Siedlungsgebiet gesprochen. Der Zusammenhang ist natürlich bloß sekundär: Die gleiche verkehrsfeindliche Natur, die eine Besiedlung vorerst wenig verlockend erscheinen ließ, verhinderte später auch das Eindringen von sprachlichen (und anderen)

Neuerungen. Dennoch hatte die späte und zögernde Besiedlung auch direkte sprachliche Folgen. In diesem Raume mußte es zu lange dauerndem Kontakt zwischen den beiden Sprachgruppen kommen. Es überrascht deshalb nicht, daß es im Höchstalemannischen recht viele sprachliche Besonderheiten gibt, die als romanische Beeinflussung gedeutet werden müssen. Ob es sich dabei im Einzelfall um Substrateinfluß handelt oder aber um Zeugnisse der hier auch nach der Germanisierung besonders engen Beziehung zwischen den Sprachgruppen, ist oft nicht einfach zu entscheiden. Unsere Karte 2 bringt als Beispiel für romanischen Einfluß auf die westlichen Alpenmundarten die Verbreitung des Wortes *Trütsche* (u. ä.) ‹Zopf›.
Altdeutsche Relikte, altalemannische Relikte, alpine Neuerungen, romanische Einflüsse – diese Unterscheidungen mögen für den Sprachgeschichtler wichtig und interessant sein. Für die heutigen alpinen Mundarten selber haben sich jedoch alle jene Erscheinungen in gleicher Weise ausgewirkt: Sie haben dazu geführt, daß sich die Alpenmundarten stark von den mittelländischen Dialekten unterscheiden und selber wiederum in sehr unterschiedliche Kleinmundarten zerfallen.

Der Gegensatz zwischen West und Ost

Die ältere Dialektologie glaubte, die deutschschweizerische Sprachlandschaft werde am tiefsten durch den Nord-Süd-Gegensatz geprägt. Diese Ansicht muß heute revidiert werden. Westliches und östliches Schweizerdeutsch unterscheiden sich viel stärker und in wichtigeren Merkmalen, als man bisher angenommen hat. Dazu gehört etwa der Gegensatz zwischen östlichem Einformenplural und westlichem Zweiformenplural beim Verb (s. Karte 3). Die entsprechende Grenze verläuft ungefähr entlang einer Linie vom Grimsel über den Brünig und den Napf zur unteren Aare und Reuß. Sie ist der Forschung seit langem bekannt und gilt als eine Art «Rückgrat» aller Isoglossen, die westliche von östlichen Dialektmerkmalen scheiden.
Im Unterschied zu den alpinen Relikten und Sonderentwicklungen haben Mundartmerkmale, die am Ost-West-Gegensatz teilhaben, oft ein Verbreitungsgebiet, das sich über das Schweizerdeutsche, ja über das Alemannische hinaus fortsetzt. Dabei erweist sich das schweizerdeutsche Mundartgebiet als «Treffpunkt» östlicher (schwäbischer, bairischer) und nördlicher (oberrheinischer, fränkischer) Spracheinflüsse.

Karte 3

West-Ost-Gegensatz

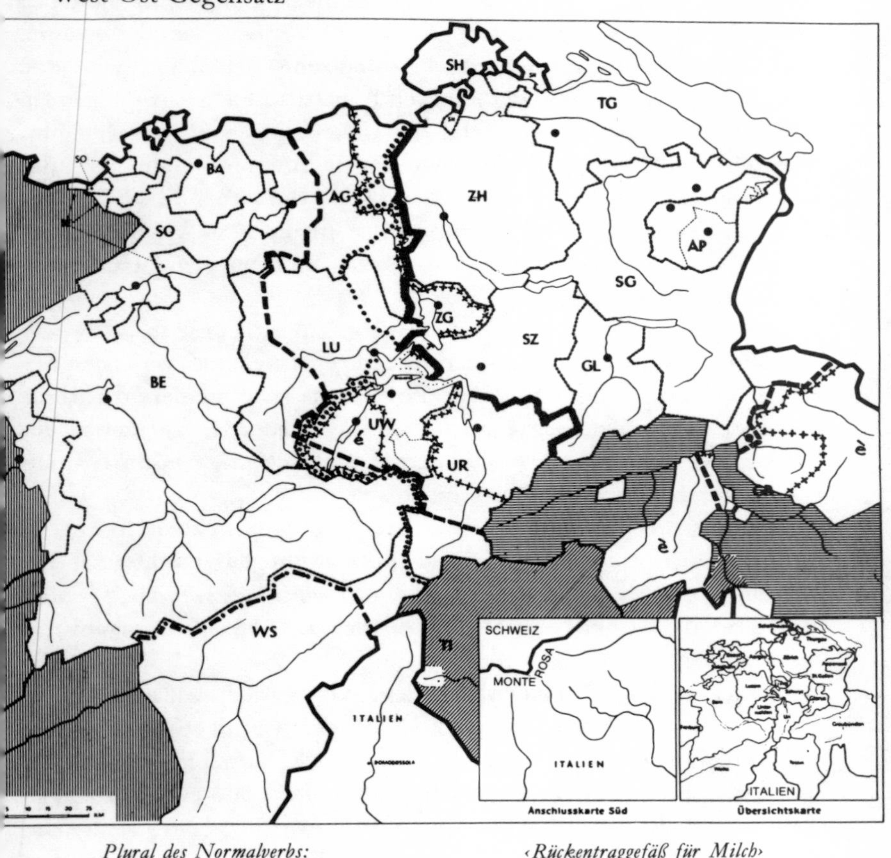

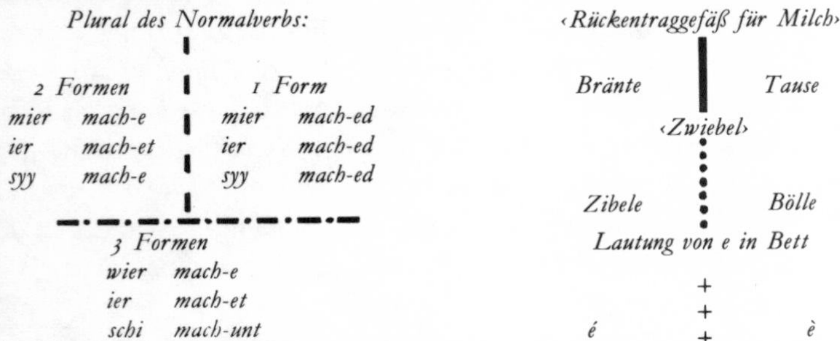

Wallis und die Walsermundarten setzen sich gegen den Norden ab: Das Wallis hat dreiformigen, die Walsermundarten haben zweiformigen Verbalplural; beide haben den Typ Kübli *für das ‹Rückentraggefäß›.*

Einige der östlichen Spracheinflüsse lassen sich weit über unser Gebiet hinaus verfolgen. So vermochte etwa das unscheinbare und heute fast vergessene Alltagswort *seechten* ‹mit Aschenlauge waschen› das gesamte oberdeutsche Sprachgebiet von der deutsch-slawischen bis wenige Dutzend Kilometer vor der deutsch-französischen Sprachgrenze zu erobern: An der Brünig-Napf-Reuß-Linie blieb *seechten* stehen, im Westschweizerdeutschen war weiterhin *buuchen* im Gebrauch, das seinerseits bis zur Ostsee in den deutschen Mundarten gilt. In diesem Falle hat also die östliche Neuerung ein «altdeutsches» Wort gegen die Sprachgrenze zurückgedrängt – in der Westschweiz entstand ein «altdeutsches» Reliktgebiet.

Das bekannteste Beispiel für östlichen Einfluß ist aber wohl *Wiese*, ein «gemeindeutsches» Wort, das erst im hohen Mittelalter von Osten her in die Schweiz eindrang und das alte alemannische Sonderwort *Matte* bis über den Zürichsee zurückdrängte. Wieder erhalten wir ein Reliktgebiet, diesmal für das altalemannische *Matte,* das im Norden noch heute bis über Straßburg hinausreicht.

Natürlich stehen die meisten östlichen Einflüsse nicht in so weiten Zusammenhängen. Auch inneralemannische Gegensätze können aus dem Schwäbischen in die Ostschweiz eindringen: *Bölle* ‹Zwiebel› gehört dazu und der Einheitsplural auf *-ed*, der auf das Ostalemannische beschränkt ist.

Genau wie im Falle des Nord-Süd-Gegensatzes haben wir es auch hier mit eindringenden Neuerungen zu tun, die den Rest des Sprachgebiets, der an der lokal älteren Form festhält, als «Reliktgebiet» erscheinen lassen. Der grundlegende Unterschied zum Nord-Süd-Gegensatz liegt aber darin, daß auch in das westliche «Reliktgebiet» zahlreiche Neuerungen von außen eingedrungen sind, diesmal allerdings über den Jura aus dem Norden. Dazu gehört das Wort *Trübel* ‹Trauben(büschel)›, das im ganzen alemannischen Westen von Straßburg bis in die Walserkolonien am Monte Rosa gilt, während der Rest des deutschen Sprachraums mit Einschluß der Ostschweiz *Traube, Truube* u. ä. sagt. Es handelt sich hier also um eine «oberrheinische» Neuerung, die von den Alemannen westlich der Brünig-Napf-Reuß-Linie vor rund 1000 Jahren angenommen worden ist.

Allerdings vermochten sich nicht alle derartigen Neuerungen im ganzen Westen der Deutschschweiz durchzusetzen. So gilt zwar das Wort *Wage, Wagle* ‹Wiege› ungefähr auf dem gleichen Gebiet wie *Trübel,* aber es hat das Wallis nicht mehr erreicht. Zum Ost-West-Gegensatz tritt hier, wie oft, zusätzlich der Nord-Süd-Gegensatz. Die Kombination vermag vielleicht etwas über das Alter der entsprechenden Sprachveränderung auszusagen. Einige der nördlichen Neuerungen sind bereits auf den Jurahöhen zum Stehen gekommen, andere trieben bloß einen «Keil» über den Jura vor, ohne die Sprachgrenze im Westen zu erreichen.

Woher nun auch die Neuerungen importiert sein mögen, ob aus dem Osten oder aus dem Norden, im schweizerischen Mittelland stoßen Neuerungen und alte Formen fast immer im selben Landstrich aufeinander: entlang der Brünig-Napf-Reuß-Linie. Auf Karte 3 stecken die Verbalpluralgrenze und die *Bränte-Tause*-Grenze ungefähr die Breite dieses Landstrichs ab, der vielen Dutzenden von West-Ost-Gegensätzen als «Schwingungsbereich» dient.

Schon diese Anhäufung sprachlicher Grenzen auf so engem Raum ist erstaunlich. Zusätzlich «stauen» sich hier auch kulturelle Gegensätze: Hier endet das westliche Gebiet, wo die «Weihnachtsbescherung» an Neujahr stattfand und das *Weihnachtskind*, nicht das Christkind, die Gaben bringt; hier stößt westliche Fasnachtabstinenz auf östliche Fasnachtbegeisterung; bis hierher jaßt man mit französischen Karten; bis hierher gebrauchte man den Viehkummet, während die Kühe im Osten unter dem Halsjoch gingen, usw., usw. Es scheint, daß die Brünig-Napf-Reuß-Linie die einzige wirklich einschneidende Kulturgrenze der Schweiz sei, viel bedeutender als die Sprachgrenze, da die «westlichen» Bräuche allesamt sowohl für die französische wie für die deutsche Westschweiz gelten.

Natürlich hat man sich gefragt, worauf diese Grenze zurückzuführen sei. Man glaubte etwa an einen Gegensatz zwischen burgundischem und alemannischem Volkstum; das Westschweizerdeutsch wäre dann nichts anderes als ein «alemannisiertes» Burgundisch. Allerdings fehlen für diese Burgundertheorie die bevölkerungsgeschichtlichen Grundlagen und die sprachlichen Beweise.

Andere verlegten den sprachlichen Gegensatz bis in die Zeit der alemannischen Landnahme zurück: Danach hätten jene Stammesgruppen, die aus dem Oberrheingebiet kamen, und jene, die in der Gegend von Schaffhausen den Rhein überschritten, bereits verschiedene Mundarten mitgebracht; spätere Gegensätze hätten sich dann an der Siedlungsgrenze der beiden dialektverschiedenen Stammesgruppen

gehäuft. Nun lassen zwar auch die heutigen süddeutschen Mundarten einen Ost-West-Gegensatz erkennen, wobei der Schwarzwald die Grenze bildet. Aber abgesehen davon, daß es immer problematisch ist, heutige Mundartunterschiede auf so ferne Zeiten zurückzuführen, will der Anschluß jener «Schwarzwald-Schranke» an die Brünig-Napf-Reuß-Linie nicht recht gelingen, weil viele Gegensätze, welche die «Schwarzwald-Schranke» bilden, in der Schweiz ausgerechnet *nicht* der Brünig-Napf-Reuß-Linie folgen und umgekehrt.
Bedeutungsvoller für das Zustandekommen jener auffälligen Sprach- und Kulturscheide dürfte gewesen sein, daß hier immer auch politische Grenzen verlaufen sind: jene zwischen dem mittelfränkischen und dem ostfränkischen Reich, jene zwischen dem Königreich Hochburgund und dem Herzogtum Schwaben, endlich jene zwischen verschiedenen eidgenössischen Ständen: Über die Jahrhunderte hinweg stießen hier östlicher und westlicher Einflußbereich aufeinander, wuchsen spätere Grenzen in frühere Grenzziehungen hinein.

Die großen Züge und die kleinen Räume
Durch die beiden Hauptgegensätze wird die Deutschschweiz theoretisch in vier Sprachzonen aufgeteilt (s. Karte auf S. 85).
In den Rahmen, der dadurch abgesteckt wird, ordnen sich die zahllosen kleinräumigeren Sonderentwicklungen ein, die für die Buntheit der schweizerdeutschen Mundartlandschaft verantwortlich sind. Ein gutes Beispiel dafür ist die Verbreitung der verschiedenen Ausdrücke für den ‹Mumps›, vereinfacht dargestellt auf Karte 4. Typisch sind die beiden großen Einheitsgebiete auf dem Territorium des Staates Bern und im Einflußbereich Zürichs, die hier den Ost-West-Gegensatz vertreten. Typisch ist auch die Kleinkammerung der Ostschweiz und des Juras, das «kantonale Eigenleben» der Urschweiz und die Absetzung des Wallis. Der Nord-Süd-Gegensatz zeigt sich auch hier, allerdings beweist der Süden sein «Eigenleben» nicht durch eine innere Einheit, sondern durch seine Ablehnung der nördlichen Ausdrücke. Wenig typisch ist dagegen die Einheitlichkeit Graubündens, denn auf zahllosen andern Karten stellen wir in Abschnitt IV unseres Schemas eine «Störung» des Grundmusters fest: Hier finden wir häufig deutsche Mundarten, die ein *südliches* mit einem *westlichen* Merkmal kombinieren, die also etwa, um bei unserem Beispiel zu bleiben, *schnyye* und *Bètt* aufweisen und somit «typologisch» in den Quadranten III gehören.

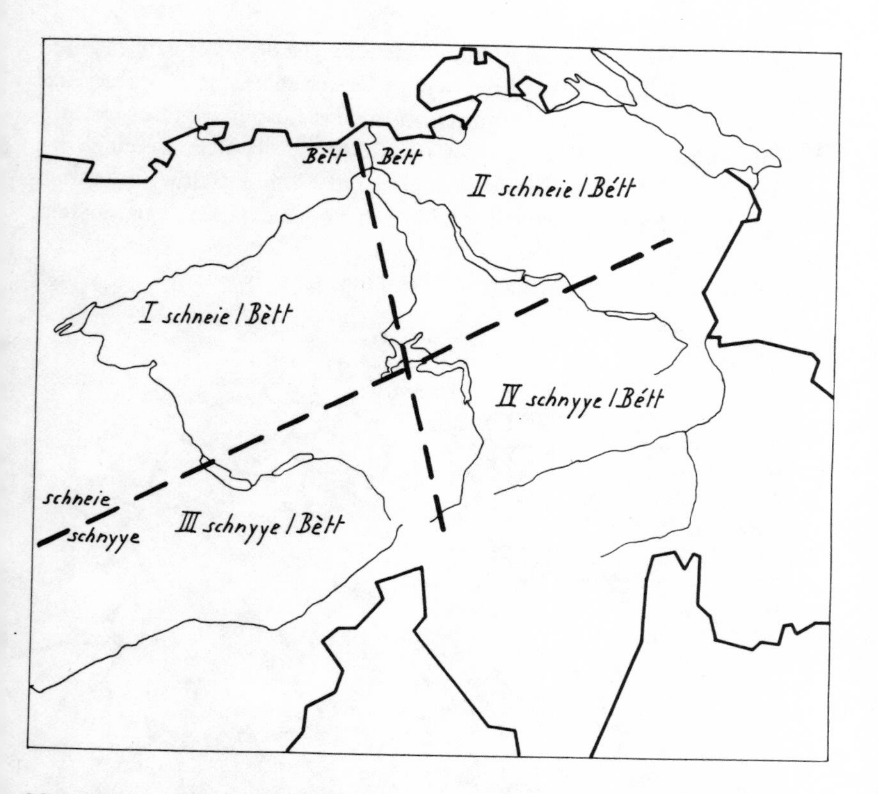

Nun wissen wir tatsächlich aus der Geschichte, daß diese Dialekte seit dem 13. Jahrhundert von Einwanderern aus dem Wallis, den Walsern, in die abgelegenen Bündner Hochtäler gebracht worden sind. Im Falle der Walser ist die westliche Mundart jener «tütschen Lüt» mit den Sprechern gewandert, wie 700 Jahre vorher die Alemannen ihre Sprache nach Helvetien getragen hatten. Das nichtwalserische Deutsch dagegen kam durch Sprachwechsel der einheimischen Rätoromanen ins Bündnerland, die ihr sprachliches Vorbild im Nordosten und bei schwäbischen Beamten fanden. In ihren Mundartmerkmalen waren sich somit nichtwalserisches und walserisches Bündnerdeutsch «diametral» entgegengesetzt.

Die beiden so verschiedenen Mundartgruppen stießen erst recht spät aufeinander, zuerst wohl im Schanfigg nach der Germanisierung Churs um 1450, dann gegen Ende des 16. Jahrhunderts im Prättigau, wo das Davoser Walserisch und die Rheintaler Mundart in Schiers aufeinandertrafen, nachdem sie das Rätoromanische zwischen sich aufgesogen hatten. In Mittelbünden sind die beiden Gruppen erst in jüngster Zeit miteinander in Kontakt gekommen. Seit dem Bestehen dieses räumlichen Zusammenhangs ist das Walserdeutsche in den Bereich des ostschweizerischen Mundartkontinuums einbezogen. Seither beginnen sich die ehemaligen scharfen sprachlichen Gegensätze zu verwischen:

Karte 4

Die schweizerdeutschen Ausdrücke für den ‹Mumps›

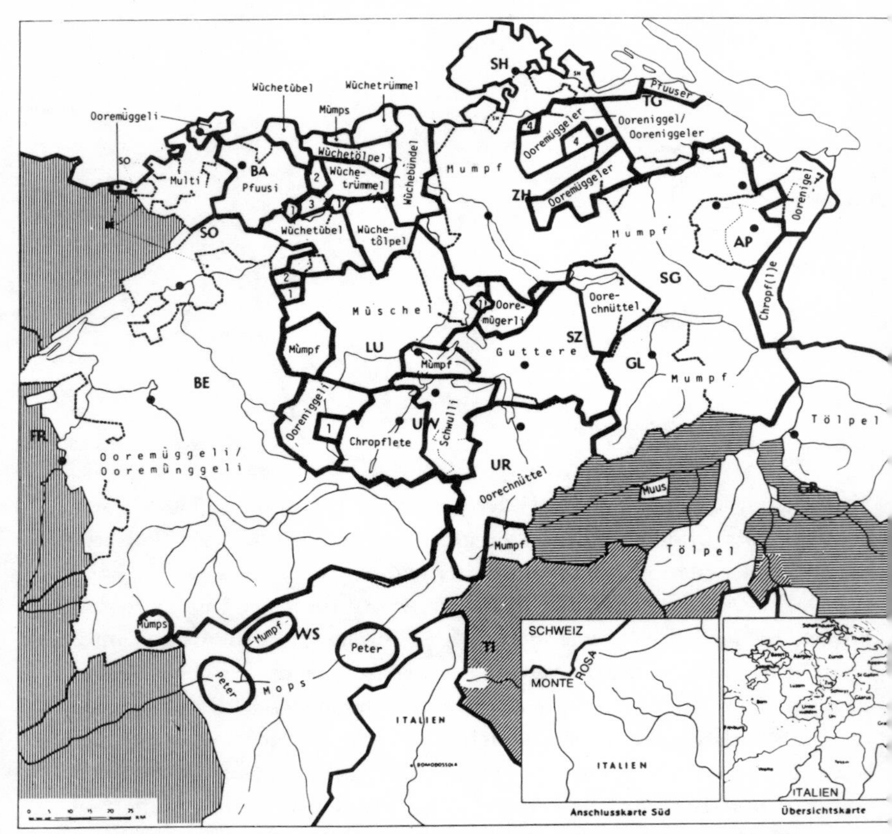

Stark vereinfacht nach dem Sprachatlas der deutschen Schweiz Bd. IV, Bern 1969, Karte 55.
Die Ziffern in den Kleinstgebieten bedeuten:

1: Mumpf — *3: Wùchetrümmel*
2: Wùchebündel, -püntel — *4: Oorenüggeler*

Muus in Obersaxen ist Lehnübersetzung aus dem Surselvischen, wo der ‹Mumps› *miur, eigentlich ‹Maus›, heißt.*

Der einheitliche Name für den ‹Mumps›, von dem wir ausgegangen sind, ist ein Beispiel dafür.
Auch in diesem Falle erweist sich die Sprachgeschichte Graubündens als lehrreich. Hier können wir historisch und linguistisch nachprüfbar einen Vorgang verfolgen, der sich während der Völkerwanderungszeit oftmals abgespielt haben muß, nämlich wie durch Wanderungen ganzer Volksgruppen schroffe Mundartgegensätze aufgerissen und anschließend durch die Entwicklung neuer Gemeinsamkeiten allmählich wieder zugedeckt werden können.
Doch die bündnerische Sprachgeschichte ist ein Ausnahmefall. Seit der Völkerwanderungszeit bis in die neueste Zeit, in der sich mit der erhöhten Mobilität wieder ein Wandel abzeichnet, wandern in unserm Sprachgebiet nicht mehr die Sprecher, sondern die Sprachgewohnheiten, bis sie auf Sprecher stoßen, die sie nicht mehr übernehmen wollen. Auf diese Weise kamen die zahllosen Isoglossen zustande, die unsere Sprachlandschaft durchkreuzen.
Dies bringt uns zurück zur Frage nach der Anzahl der schweizerdeutschen Mundarten. Laien wie Dialektologen sprechen *dann* von verschiedenen Mundarten, wenn zwischen eng verwandten Sprachformen Unterschiede bestehen.
Die Zahl der Mundarten hängt also von der Zahl der Unterschiede ab, die wir berücksichtigen wollen. Dabei kommen wir nicht ohne Willkür aus. Die Dialektologen haben deshalb die Willkür zum Prinzip erhoben und einfach festgelegt, daß südlich der *schneie/schnyye*-Linie das Höchstalemannische beginne, und die Laien sprechen nach wie vor von *dem* Berndeutschen – willkürlich, unpräzis, aber praktisch.

«Kantonsmundarten»

Die meisten Beispielsätze der folgenden kurzen «Steckbriefe» sind konstruiert, um möglichst viele und aussagekräftige Merkmale der betreffenden Mundarten zu illustrieren. Aus Texten stammen der jiddische, samnaunische, walliserdeutsche, gurinerdeutsche, jenische und mattenenglische Satz.
Die Schreibweise soll die verschiedenen Laute möglichst einfach und vergleichbar wiedergeben. Einzelbuchstabe bezeichnet den kurzen, Doppelbuchstabe den langen Laut. Offene Hauptsilbenvokale erhalten den «accent grave»: *Bèck, Ròck, strèèle* (ZH), *gsùnd, sùbe* (FR), *schòòn* (BE), *Stùùbe* (UR) usw., Buchstaben ohne Akzent bezeichnen geschlossene

oder halboffene Vokale: *See* (ZH) gegen *Sèè* (BE), *Stròòss* (BE-Nord) gegen *Strooss* (Bielersee) usw. Eine Sonderregel betrifft den *i*-Laut: hier bezeichnet *y* den geschlossenen, *i* den offenen Laut: *trynke* (SG) gegen *tringge* (GR). Aus Gründen der Lesbarkeit wird die Buchstabenreihe *i, ù, ǜ* zum Ausdruck zweier Lautreihen benützt: Im Westen klingen die entsprechenden Vokale wie ganz geschlossene *e, o, ö,* im größten Teil des Sprachgebiets wie offene *i, u, ü: trinke* in BE, LU phonetisch wie [treŋkxə], in ZH wie [trɪŋkxə]; in TG würde das Wort [triŋkxə] lauten und entsprechend *trynke* geschrieben. – In unbetonten Silben treten in den meisten Fällen die gewöhnlichen Grundzeichen ein.

AARGAU: Merkmal fast aller Mundarten dieses uneinheitlichen Gebiets ist die Kombination von *händ* ‹haben› und *Hòòr* ‹Haar›: *D Chatze händ Hòòr glòò.* – In Endingen und Lengnau (Surbtal) bestanden vom 17. bis ins 20. Jh. die einzigen ländlichen Judengemeinden der Schweiz, in denen ein westjiddischer Dialekt gesprochen wurde: *Mit der Zait is es uns bèidi blèid wòre, aaber mer hen nid dèrfe esse, bis der Rebe Chupe Ggedusche ggeebe hot* ‹Mit der Zeit ist es uns beiden elend geworden, aber wir haben nicht essen dürfen, bis der Rabbiner die Eheschließung (hebr.) vollzogen hat›.

APPENZELL: *Hèt Stẽẽ ond Gäässe sönd nüd tnueg zom Lèbe ond zom Stèèbe.* Nur in Appenzell heißt ‹sind› *sönd,* nur in Innerrhoden fehlt das *r* im Wortinnern häufig (*hèt* ‹hart›, *Stèèbe* ‹Sterben›). Typisch ist ferner die nasale Aussprache vieler Vokale: *Stẽẽ* ‹Steine›.

BASEL-LAND: *Mer wäi d Chind nid all Daag mit seebe schweere Frooge blooge.* Zu *Daag, seebe, Frooge* siehe JURA. *Wäi, Chind, schweere* unterscheiden Basel-Land von Basel-Stadt *(wänn, Khind, schwäär)* und Solothurn *(wèi, Ching, schwäär).*

BASEL-STADT: *Dr Bappe schänggt em Khind e Graisel und e dyytsch Biechli.* Zu *Bappe, Graisel* siehe JURA. *Kh* in *Khind, gg* in *schänggt, G* in *Graisel* sind niederalemannische Merkmale. Der Diphthong *ai* unterscheidet Basel-Stadt zusätzlich von der Landschaft *(äi).*

BERN: Als typisches «Berndeutsch» gilt das Mittelbernische: *Vorem nöi Huus hèi ds Ching ù dr awt Chnächt d Fùchs schöön ùber d Straass gsèè lòuffe.* Charakteristisch sind die offenen Langvokale *(gsèè);* die Stadt sagt im Unterschied zur Landschaft *Chind, alt, ùnd, ùber.* Im nördlichen Kantonsteil heißt es *Stròòss,* am Bieler See wie im Jura *Strooss.* Das Oberland spricht *nüü* für *nöi* und *Fùggs* für *Fùchs.* Jedes Tal hat

Besonderheiten: Hasli und Grindelwald sprechen das Schluß-*n: sie hèin gsèèn löiffen,* beide Gebiete haben Entrundung: *Figgs, schèèn,* Hasli zusätzlich «Palatalisierung»: *Hüüs, löiffen.* Das Simmental hat «*ich*-Laut» in *Chind, Chnächt.* (Zum «Mattenenglisch» vgl. SONDERSPRACHEN.)
FREIBURG: *Mier hee dier sübe Maal bü der Lina wui gséè ghääbe.* Typisch sind die Rundungen *(sübe),* der Gebrauch des Dativs für den Akkusativ (*dier* ‹dich› und ‹dir›) und der Schwund des *d* nach *n (Lina).* Die Monophthongierung *hèi* zu *hee* war früher auch fast im ganzen Bernbiet üblich, wird dort aber heute vermieden.
GLARUS: *Si wäid em ä nùch der Lùù drugge.* Auf Glarus beschränkt sind *wäid* für ‹wollen› und *nùch* für ‹noch›. *Lùù* und *drugge* finden sich auch in den benachbarten Regionen St. Gallens und Graubündens.
GRAUBÜNDEN: Die deutschsprachigen Bündner sprechen entweder einen walserischen oder einen Ostschweizer Dialekt. Für den zweiten typisch ist die Mundart von Chur: *Z Khuur èssend und tringgend s z Òòbed gèère gueti Saha.* Auf Graubünden beschränkt ist *h* in *Saha; Kh* für *Ch* in *Khuur* kann als niederalemannisch gedeutet werden; andere denken an rätoromanisches Substrat. Im ganzen Alpengebiet endet *gern* auf *-e,* kennzeichnend für Graubünden ist die Kombination mit *èè: gèère.* Zu den Walsermundarten vgl. WALLIS. Im früher rätoromanischen *Samnaun* spricht man seit dem Ende des 19. Jahrhunderts die Mundart der Tiroler Nachbarn; es ist das einzige Gebiet der Schweiz, wo ein bairischer Dialekt gesprochen wird: *Dò sain emòul e pòr Puewe in e Paurehaus in Hòangerscht gwöst* ‹Da sind einmal ein paar Burschen in einem Bauernhaus zu Abendsitz gewesen›.
«JURA»: Die Mundarten von Basel-Stadt, Basel-Land, Solothurn und jene des Aargauer Fricktals, des deutschen Teils des Berner Juras und der einzigen deutschsprachigen Gemeinde des Kantons Jura (Ederswiler) haben viel gemeinsam: geschlossenes *oo* in *Froog* ‹Frage›, «weiche» Konsonanten in *Daag, Bappe,* lange Vokale z. B. in *aabe* ‹hinunter›, *seebe* ‹sieben›. Früher galt im ganzen Gebiet auch die Entrundung, die heute nur noch im konservativen Stadt-Baseldeutsch und der nächsten Umgebung vorkommt: *dyytsch, Biechli.* Zu den «jurassischen» Mundarten gehörte früher auch der Stadtdialekt von Biel, der im Laufe des 19. Jahrhunderts vollständig durch das Stadtbernische ersetzt wurde: Man könne, meinte 1843 der Bieler Pfarrer Molz, die Sprache seiner Stadt *«vo andere dytsche Mundarte unterscheide a zwee Teen, wo me-n-eigentlich mit keine Buechstabe recht cha uusdrigge, und wo*

kei fremde Mentsch im Stand isch, recht nochez'mache: ysi O und Y!».

LUZERN: Infolge seiner Stellung zwischen Ost- und Westschweizerdeutsch zeigt der Kanton eine große Mundartvielfalt. Charakteristisch ist die Mischung zwischen östlichen und westlichen Merkmalen: *Si hèd es rüüdig es schööns, aber vöw z änggs Chùttali aaghaa. Chùttali* mit dem offenen *ù* und *vöw* mit dem vokalisierten *l* zeigen westliche, *schöön* mit dem geschlossenen *öö, hèd* mit seinem *-d* östliche Merkmale. Weitgehend auf Luzern beschränkt ist die Verkleinerungssilbe *-ali* (als normale Form), *ängg* mit dem Doppel-*gg* und die Verwendung von *rüüdig* als Verstärkungswort – übrigens eine Neuerung der letzten 40 Jahre, vorher galt als ebenso typisch luzernisch in der gleichen Bedeutung *ùsinnig*.

SANKT GALLEN: Als typisch für dieses uneinheitliche Gebiet gilt die Mundart der Stadt: *Gyb de zwee Manne am Òòbet e Stuck Brood, hèisse Chèès und öppis z trynke*. Wie in allen ostschweizerischen Mundarten werden *y, ü, u* und *e, ö, o* sehr geschlossen ausgesprochen. Diese «gemäßigte» Mundart erobert heute auch das Fürstenland, wo *Manne* früher als *Mane, Stück* als *Stugg, hèisse* als *haasse, Chèès* als *Chääs, öppis* als *nèbis, trynke* als *tryngge* ausgesprochen wurden. Typisch für das Oberland und das Rheintal sind auffällige Diphthonge: so heißt *Òòbet* im Oberland *Oubet, Brood* und *Chèès* aber *Broud* und *Cheis;* im Rheintal werden *zwee, Brood* und *hèiss* als *zwéè, Broed* und *hoass* ausgesprochen; hier auch heißt es *z trynggid* für *z trynke*. Im Toggenburg spricht man ähnlich wie in der Stadt, aber *hèisse* ist hier *häässe* oder (neuer) *häisse, Chèès* ist *Chääs* und *öppis* heißt *nämis*.

SCHAFFHAUSEN: *D Fròu hèd underem braate Bòmm d Zyyting glèse*. Wie in vielen Ostschweizer Mundarten fehlt der *ä*-Laut, z. B. in *glèse*. Nur in Schaffhausen gibt es die Endsilbe *-ing (Zyyting)*. *Fròu* unterscheidet Schaffhausen und Thurgau von Zürich, wo man *Fräu* sagt; *braat* ‹breit› kommt auch in Thurgau und St. Gallen vor, ist aber heute am Verschwinden.

SCHWYZ: *Wänn s schnyyt, synd d Stròusse schöin wyyss vum Schnéè*. Die Zwielaute in *Stròusse, schöin, Schnéè* kommen rund um Schwyz nicht vor (vgl. aber ST. GALLEN!), zusammen mit *schnyyt* charakterisieren sie die Mundart von Schwyz unverwechselbar; gerade weil sie so auffällig sind, verschwinden aber die Diphthonge allmählich.

SOLOTHURN: *Mer wèi d Ching nid aw Daag mit seebe schwääre Frooge blooge*. Zu *Daag, seebe, Frooge, blooge* vgl. JURA. *Wèi, Ching, aw* sind wichtige

Unterscheidungsmerkmale zu Basel-Land und Gemeinsamkeiten mit Bern. *Schwäär* heißt im Osten von Solothurn *schweer;* gegen Norden («Schwarzbubenland«) nehmen die Gemeinsamkeiten mit Basel-Land zu.

TESSIN: Bosco-Gurin, die einzige deutschsprachige Gemeinde des Kantons Tessin, ist ihrer altertümlichen Walser-Mundart wegen bekannt. Ein Guriner Rezept gegen Bauchweh: *Wènn em hèt dar Büich wee tàà, heindsch em Ggaffè ggmàchud un hein na zweimààl gsotta un hein Ààcha* (‹Butter›) *dre gsotta un Muschggarnuss, un tàs hèt s em ggràt ggeet* (‹genommen›); *gee* ‹nehmen› ist ein typisches Südwalser Wort).

THURGAU: *S schnait uf die braate Stròòsse, me cha nünt me sèche.* Die «breite» Aussprache des *ei (schnait)* ist für einen Teil des Kantons charakteristisch, *nünt* ‹nichts› und *sèche* ‹sehen› sind für Thurgau typisch.

UNTERWALDEN: *Dr Schnyyder hed nyd es scheens Huis.* Zur Kennzeichnung genügt *ui* in *Huis* zusammen mit der Entrundung *(scheens).* Nur im Halbkanton Nidwalden heißt es, fast «schriftdeutsch», *Schnéider.*

URI: *Am häiterä Tagg faat dr Getti e gryysligi Müüs i dr scheenä Stùùbe.* Kennzeichnend sind einsilbige Wörter mit Kurzvokal und hartem Schlußkonsonant *(Tagg),* während zweisilbige Wörter oft einen langen Vokal haben, wo anderswo Kurzvokal steht: *Stùùbä.* Wie andere Alpenmundarten hat auch Uri die Palatalisierung von altem *uu* (*Müüs,* Einzahl!) und Entrundung *(Getti, gryysligi, scheenä).* Auffällig, aber nicht auf Uri beschränkt sind die «breiten» *äi* und die offenen Schluß-*ä* *(häiterä).*

WALLIS: Hier zeigen die Mundarten so viele Besonderheiten, daß sie unschwer erkannt werden können, andererseits so viele lokale Unterschiede, daß eine einfache Beschreibung unmöglich ist. Ein Beispiel aus dem Saastal: *Der Püür ischt miede chù ùnd sètzt schy es chleis Bytzji uf e Baich fer es Pfyyffetji z rö̀iku; spèèter hèt er ö̀i es Glass Wyy gytrüüche.* Die Besonderheiten des Wallis kommen zum Teil auch in anderen Alpendialekten vor, so die Palatalisierungen *(Püür, rö̀iku, ö̀i, gytrüüche),* die Entrundungen *(miede, fer),* ‹müde kommen› statt ‹werden›, flektiertes Adjektiv (*miede* ‹müder›) in dieser Stellung, die besonderen Lautungen in *Baich* ‹Bank› und *chleis* ‹kleines = ein wenig›, der Kurzvokal in *Glass* (siehe URI) usw. Typisch ist aber die Häufung in einem einzigen Mundartgebiet zusammen mit vielen Besonderheiten der Formenbildung und des Wortschatzes. Ausschließlich Walliser- und Walserdeutsch ist das häufige *sch*, wo anderswo *s* steht: *schi* ‹sich›, ebenso die Verkleinerungssilbe in *Bitz-ji* und *Pfyyffe-tji* und die Vorsilbe in *gy-trüüche*.

ZUG: Trotz seiner Kleinheit hat der Kanton keine einheitliche Mundart. Die Stadt erkennt man an der seltenen Kombination *òò* und *schnyye: Es schnyyt uf d Stròòs;* in Cham *schnèit s ùf d Stròòss,* in Ägeri *schnyyt s uf d Straass* und in Baar *schneits uf d Straass.*

ZÜRICH: Als typisch gilt die Mundart der Stadt und ihrer Umgebung: *Er hät de àlte Màne nüd wèle d Hààr strèèle.* Kennzeichnend für den ganzen Kanton sind *hät* ‹hat› und das kurze *l* in *wèle.* Typisch für das Hauptgebiet sind die dumpfen *à* und *àà (Màne, Hààr).* Das Oberland unterscheidet sich davon durch geschlossenes *oo* in *Hoor*, um Winterthur lautet *nüd* wie *nyd,* im Knonauer Amt sagt man *òlt* für *àlt.*

SONDERSPRACHEN sind nicht eigenständige «Sprachen», sondern gewöhnliche Mundarten, die von bestimmten Gesellschaftsgruppen in besonderer Weise verwendet und mit oft grotesken Wortbildungen und Entlehnungen «verfremdet» werden. Eine Sondersprache par excellence ist das *Jenische,* die Sprechweise der Fahrenden (Scherenschleifer, Schirmflicker, Hausierer), das nur Eingeweihten verständlich sein soll: *I Jògg bi mit mym Pheetres tschaant gò Breeme verplùmpe* ‹Ich bin mit meinem Vater gegangen Pfannen verzinnen›. Ein sozusagen «seßhaft» gewordenes Jenisch war das *Mattenenglisch,* die Sondersprache des Berner Mattenquartiers vor der «Sanierung»: *Der Myggu cha nòbis tòòf jänisch tiibere* ‹Miggel kann nicht gut mattenenglisch sprechen›. Ansätze zur Sondersprache zeigte auch die «Hösch-Sprache» der Kleinbasler Rheingasse, in welcher die Serviertochter *Alkohoolverschlòiderigsmascheene* hieß, oder der Zürcher Niederdorf-Spezis, welche die Serviertochter *Saaltöff* nennen. Sondersprachliche Schöpfungen sind oft raschlebig; vielleicht sind einige der genannten bereits ersetzt.

Der sprachliche «Abstand»

Die schweizerdeutschen Mundarten unterscheiden sich von der Standardsprache auf allen sprachlichen Ebenen. Allerdings ist dieser Abstand nicht in allen Dialekten gleich groß. So sind die Mundarten am linken Bodenseeufer und jene des Churer Rheintals für ihre «Nähe» zum Standarddeutschen bekannt, und tatsächlich entspricht etwa churerisches *Knèht* viel eher dem standarddeutschen *Knecht* als dem «normalschweizerdeutschen» *Chnächt*.
Eine auch nur einigermaßen umfassende Darstellung des sprachlichen Unterschieds zwischen den Mundarten und dem «Schriftdeutschen» ist somit ausgeschlossen. Ich beschränke mich deshalb auf einige wenige Beispiele, die allerdings möglichst allen sprachlichen Ebenen entnommen sind und für einen Großteil unserer Mundarten gelten dürften. Für die konkrete Lautgestalt der Beispiele wähle ich in der Regel meine eigene Mundart, das Luzerndeutsche.

Laute

Die ausgeprägtesten Unterschiede zwischen dem Schweizerdeutschen und dem Standarddeutschen finden sich zweifellos auf der Ebene der *Laute,* und sie betreffen sowohl die Art wie auch die Anzahl der Laute. So fehlen dem Schweizerdeutschen etwa die stimmhaften Konsonanten, es bildet den Unterschied zwischen *b, d, g* und *p, t, k* oder *s-* und *ss* allein durch die «Artikulationsstärke». Dagegen besitzen unsere Mundarten mehr Vokale und Diphthonge, etwa das *ä* in *Bäär,* die offenen Langvokale *èè, òò* und *ö̀ö̀* in *Rèèd* ‹Rede›, *Ròòt* ‹Rat› und *Rö̀ö̀t* ‹Räte› oder die Diphthonge *ie, ue, üe* in *zie* ‹ziehen›, *Fuess* ‹Fuß›, *grüen* ‹grün› . So kommt es, daß die schweizerdeutschen Mundarten oft gegen 60 Laute (Phoneme) aufweisen, während man im Standarddeutschen mit 40 auskommt.
Wichtig für den unterschiedlichen Lauteindruck ist auch die Verteilung der Laute in offensichtlich verwandten Wörtern: Einem standard-

deutschen *Maus* entspricht *Muus,* aber einem standarddeutschem *Rauch* ganz ähnlich klingendes *Rauch,* während schweizerdeutsch *ruuch* einem standarddeutschen *rauh* entgegentritt. Meist sind die schweizerdeutschen Wörter auch kürzer als ihre standarddeutschen Verwandten: *gesungen – gsùnge, Frage – Fròòg, Steine – Stäi.* Diese Eigenschaft teilt das Schweizerdeutsche mit vielen vorwiegend gesprochenen Sprachen.

Formen

Die *Formenbildung* (Flexion) des Standarddeutschen gilt als altertümlich und kompliziert. Die Verhältnisse im Schweizerdeutschen sind wesentlich einfacher, wenn sie auch (noch) nicht die Einfachheit des Englischen erreicht haben.

Beim *Substantiv* legt das Schweizerdeutsche großen Wert auf die Unterscheidung von Singular und Plural, die durch verschiedene Mittel ausgedrückt wird:

Gascht	– Pl. *Gèscht*	Umlaut
Frau	– Pl. *Fraue*	Endungen
Bild	– Pl. *Bilder*	
Tòchter	– Pl. *Tö̀chtere*	Umlaut und Endungen
Glaas	– Pl. *Glèser*	zusätzlich Vokallänge

Einige Dialekte besitzen zusätzliche Endungen oder gar zusätzliche Bildungsmöglichkeiten; so kennen alpine Mundarten einen Endungswechsel, der an die Verhältnisse in den frankoprovenzalischen Nachbarmundarten erinnert; ein Beispiel aus dem Freiburgischen:

Chappa – Pl. *Chappe* ‹Kappe›, vgl. frprov. *fènna* – Pl. *fènne* ‹Frau›

Die Tendenz des Schweizerdeutschen zur Kürze ließ alte Pluralendungen verschwinden. Dadurch wurden Singular und Plural vieler Wörter formgleich. Diesen ärgerlichen Zustand heilte die Sprache nicht selten mit Hilfe des Umlauts, auch dort, wo er historisch nicht «berechtigt» ist:

Taag – Pl. *Tääg,* vgl. stdt. *Tag* – *Tage*
Hùnd – Pl. *Hǜnd,* vgl. stdt. *Hund* – *Hunde*

Dem gleichen Zweck dient in der unmittelbaren Gegenwart die Übertragung der früher sehr seltenen Pluralendung *-ne* auf Wörter, die auf Vokal ausgehen und im Singular und Plural formgleich waren:

Windjagge – Pl. *Windjagge,* heute schon oft: *Windjagge* – Pl. *Windjaggene.*

Ältere Sprecher und konservativere Mundarten kennen noch einen «sächsischen» Genitiv Singular für Personen: *s Vatters Huus,* und einen

Dativ Plural: *de Hünde z frässe gää.* Heute werden beide durch präpositionale Fügungen ersetzt: *s Huus vom Vatter* oder *im Vatter sis Huus; i de Hünd z frässe gää.*

Jeder Deutschlernende fürchtet sich vor den Tücken der standarddeutschen *Adjektivflexion.* Die schweizerdeutschen Verhältnisse sind etwas einfacher, aber immer noch so kompliziert und in einigen Mundarten gegenwärtig dermaßen stark im Umbau begriffen, daß sie hier nicht näher beschrieben werden können. Immerhin mag auf das flektierte prädikative Adjektiv der höchstalemannischen Mundarten hingewiesen werden; so heißt es etwa in Deutschfreiburg: *är isch alta, si isch alti; äs isch jüngs.* Die Dialektologen streiten sich, ob hier die Verallgemeinerung eines bereits im Althochdeutschen hie und da belegten Bauplans vorliegt oder aber romanischer Einfluß.

Das schweizerdeutsche *Verb* kennt weniger Kategorien als das standarddeutsche. Das *Imperfekt (ich kam* usw.) ist spurlos verschwunden, das Futur nie entstanden. So wird die «Vergangenheit» durch das sogenannte Perfekt ausgedrückt *(i bi choo)*, und «Zukünftiges» wird durch das Präsens mitausgedrückt, wenn nötig durch ein Zeitadverb verdeutlicht: *i chome morn.* Statt eines Plusquamperfekts *(er war gekommen)* besitzt das Schweizerdeutsche eine Art *passé surcomposé: er isch choo gsii,* das dem Standarddeutschen fehlt, aber im Volksfranzösischen eine Parallele besitzt: *il a été venu.*

Im Unterschied zum Standarddeutschen unterscheiden die schweizerdeutschen Mundarten die beiden Konjunktive in allen Personen durch eindeutige Formen:

	standarddeutsch:	*schweizerdeutsch:*
Indikativ Präsens:	*ich schaue*	*i luege*
Konjunktiv I:	*ich schaue*	*i luegi*
Indikativ Präteritum:	*ich schaute*	– *(i ha gluegt)*
Konjunktiv II:	*ich schaute*	*i luegti*

Dank dieser formalen Eindeutigkeit erhält sich in den Mundarten der «regelrechte» Konjunktivgebrauch; dies scheint andererseits auch den standardsprachlichen Konjunktivgebrauch der Schweizer zu beeinflussen. Wird der Konjunktiv umschrieben, dann dient im Schweizerdeutschen meist *tun* und nicht *werden* als Hilfsverb: *i täät luege – ich würde schauen.*

Die schweizerdeutsche Konjugation des Verbs unterscheidet sich von der standarddeutschen vor allem in der Form und der Anzahl der Pluralendungen aller Modi. Die Mundarten sind in dieser Beziehung aber nicht einheitlich, die Bildungsweise des Plurals ist denn auch ein wichtiges dialektgeographisches Merkmal, das auf Karte 3 dargestellt ist.
Besonders komplizierte Flexionsverhältnisse zeigen die vielgebrauchten sogenannten «Kurzverben» wie *haa* ‹haben›, *syy* ‹sein›, *gòò* ‹gehen›. Hier haben mannigfaltige Beeinflussungen und Lautentwicklungen zu einer fast unübersehbaren Formenvielfalt geführt: der Sprachatlas verzeichnet nicht weniger als 150 verschiedene Paradigmen für ‹gehen›!

Wortbildung

Auch in der *Wortbildung* hat das Schweizerdeutsche einige vom Standarddeutschen abweichende Möglichkeiten entwickelt oder erhalten. Unter den Suffixen zur Bildung von Substantiven ist *-i* eines der wichtigsten. Es bildet Verkleinerungsformen von Namen, wie *Röbi, Anni,* wobei Männernamen den männlichen Artikel behalten *(de Röbi),* Frauennamen den sächlichen annehmen *(s Anni). -i* bildet ferner Substantive, die einen Handlungsträger bezeichnen, etwa *Sùdli* ‹einer, der sudelt›, *Stöferi* ‹einer, der ziellos herumstreunt›; alle diese Wörter sind abwertend. Endlich bildet *-i* auch feminine Ableitungen von Verben wie *Suechi* ‹Suche› oder mit konkreterer Bedeutung *Bsètzi* ‹Pflästerung› und von Adjektiven wie *Güeti.* In dieser letzten Verwendungsweise stimmt die schweizerdeutsche Ableitungssilbe etymologisch mit standarddeutsch *-e* in *Güte, Größe* überein; im Schweizerdeutschen ist nicht bloß die alte Vokalqualität, sondern auch die Lebendigkeit als Ableitungssilbe erhalten geblieben.
Unter den Suffixen zur Bildung von Verben ist *-ele* erwähnenswert, das von Substantiven und Adjektiven Verben ableitet, die eine Ähnlichkeit des Geschmacks oder Geruchs ausdrücken: *bräntele* ‹nach Angebranntem riechen›, *böckele* ‹wie ein Bock riechen› usw. Überdies lassen sich mit *-ele* auch Verben «verkleinern», eine Möglichkeit, die dem Standarddeutschen abhanden gekommen ist: *schäffele* ‹ein wenig arbeiten›, *schneiele* ‹schwach schneien›.

Satzbau

Der Vergleich zwischen mundartlicher und standardsprachlicher *Syn-*

tax wird oft dadurch verfälscht, daß man die Syntax *gesprochener* Mundarttexte mit derjenigen *geschriebener* Standardtexte vergleicht. Dies birgt die Gefahr in sich, daß manches als Besonderheit des mundartlichen Sprachsystems betrachtet wird, was eigentlich bloß eine Besonderheit des mündlichen Sprachstils darstellt. Ich beschränke mich deshalb auf drei Eigentümlichkeiten der mundartlichen Syntax, die mit Sicherheit zum System der Mundart gehören.

Bekannt und wenig spektakulär ist der abweichende Gebrauch mancher Präpositionen: *Letzten Freitag fuhren wir nach Zürich; in Zürich nahmen wir die Bahn und fuhren auf den Üetliberg* – dieser Satz lautet in meiner Mundart: *Am lètschte Fryytig simmer ùf Züri, z Züri hèmmer s Päändli gnoo ùnd sind ùf e Üetlibärg ue gfaare.*

Das zweite Beispiel stammt aus der Nebensatz-Syntax. Die meisten schweizerdeutschen Dialekte knüpfen Relativsätze mit der unveränderlichen Partikel *wo, wa* (u. ä.) an:

de Maa / *d Frau* / *s Chind*	*WO*	*gèschter choo isch* / *si ggrüesst hènd*	*der Mann* / *die Frau* / *das Kind*	*der/die/das* *gestern kam* / *den/die/das* *sie grüßten*
d Lüüt,	*WO*	*gèschter choo sind* / *si ggrüesst hènd*	*die Leute, die*	*gestern kamen* / *sie grüßten*

Diese einfache Verknüpfungsweise erfordert allerdings dann etwas umständlichere Konstruktionen, wenn das Relativum als Präpositionalobjekt funktionieren soll: *de Maa, won i von em verzèllt ha, ...* ‹der Mann, von dem ich erzählte›, *de Maa, wo d Frau von em das chlyyne Läädeli hèd, ...* ‹der Mann, dessen Frau den kleinen Laden besitzt›. Im ersten Fall weicht man oft in die schriftsprachliche Konstruktion aus, was allerdings als besonders schlechte Mundart verpönt ist: *de Maa, vo dem i verzèllt ha;* im zweiten Fall wirkt sich die Notwendigkeit, den Genitiv umschreiben zu müssen, zusätzlich erschwerend aus; weitere Ausdrucksmöglichkeiten sind: *de Maa, wo sini Frau das chlyyne Läädeli hèd,* oder («schlechter») *de Maa, dem sini Frau das chlyyne Läädeli hèd,* und endlich («abscheulich») *de Maa, dèsse Frau das chlyyne Läädeli hèd.*

Die Wortstellungslehre liefert mir das dritte Beispiel. Konstruktionen, die Hilfs- und Modalverben kombinieren, verlangen im Schweizerdeutschen eine andere Wortfolge als im Standarddeutschen: *Er hat ein Haus kaufen wollen* heißt in der Mundart *er hèd es Huus wèlle chauffe* oder *er hèd wèllen es Huus chauffe.* Im westlichen Schweizerdeutschen verlangen auch Nebensätze mit nur einem Hilfsverb eine vom Standarddeutschen abweichende Wortfolge: *der Mann, den er gesehen hat,...* lautet noch in Luzern: *de Maa, won er gsee hèd,* in Bern aber: *de Maa, won er hèt gsèè.*

Wortschatz

Der von Mundartliebhabern oft beschworene märchenhafte Reichtum des schweizerdeutschen Wortschatzes gilt nur, wenn man die Wörter aller Dialekte zusammennimmt. Ein einzelner Dialekt ist natürlich viel «ärmer»: Das noch unvollendete schweizerdeutsche Wörterbuch kommt nur dank unzähliger lokaler Synonyme, etwa der rund 75 regionalen Ausdrücke für den Marienkäfer, auf seine tatsächlich erstaunliche Zahl von rund 100 000 Wörtern. Ein Vergleich mit der Standardsprache und gar ein Ausspielen gegen sie ist wenig sinnvoll, da als standardsprachlich jedes Wort gilt, das im Schrifttum mit einiger Regelmäßigkeit verwendet wird, möge es nun aus München oder aus Hamburg «stammen».

Andererseits kann die Armut der Mundart an Wörtern des abstrakten, wissenschaftlichen Bereichs nur von jemandem behauptet werden, für den die Mundart nicht die tatsächlich gesprochene Sprache ist, sondern die Sprache einer bestimmten Bevölkerungsschicht zu einer bestimmten Zeit. Wenn ein Mediziner von *wyysse Bluetkörperli* spricht – um das geläufige Beispiel zu nehmen –, dann haben wir es hier selbstverständlich mit einem mundartlichen Wort zu tun – womit denn sonst? Jede Sprache, die sich um die Gebote und Verbote der Sprachreiniger kümmern wollte, müßte flugs aussterben.

Auch das Schweizerdeutsche hat genau so viele Wörter, wie seine Sprecher brauchen, und es stellt ihnen Techniken zur Verfügung, um jene Wörter zu entlehnen, lautlich anzugleichen oder neu zu bilden, für die ein neues Bedürfnis entsteht.

Für die meisten der häufig gebrauchten schweizerdeutschen Wörter gibt es im Standarddeutschen ein nach Inhalt und Form entsprechendes Wort. Was abweicht, sind oft bloß lautliche Einzelheiten. Im *Erbwortschatz* haben die jedem der beiden Idiome eigenen Lautgesetze zu diesen Abweichungen geführt: Sowohl standarddeutsch *Blume* wie schweizerdeutsch *Blueme* sind durch diese Gesetze aus althochdeutsch *bluoma* entstanden.

Bei den *Lehnwörtern* entstehen die lautlichen Abweichungen durch Anpassung der übernommenen Wörter an das schweizerdeutsche Lautsystem. Diese Umsetzung wird durch einfache Adaptionsregeln

bewerkstelligt, die ihrerseits aus dem Vergleich verwandter Wörter gewonnen werden:
standarddeutsch *k* → schweizerdeutsch *kch,*
weil stdt. *wecken* : swzdt. *wèkche* usw.
standarddeutsch *st* → schweizerdeutsch *scht,*
weil stdt. *Wurst* : swzdt. *Wüürscht* usw.
Diese beiden Regeln überführen beispielsweise stdt. *Kunst* in swzdt. *Kchùnscht,* während die «lautgesetzliche» Entwicklung des mittelhochdeutschen Worts *kunst* zu schweizerdeutsch *Chùnscht, Chuuscht* oder *Chouscht* geführt hätte – Formen, die übrigens mit der Bedeutung ‹Kachelofen› tatsächlich existiert haben, dann aber mit der Sache fast ausgestorben sind – der wiederentdeckte Kachelofen heißt *Chachelofe.* Nicht selten, das Beispiel *Chuuscht* ‹Kachelofen› ist dafür bezeichnend, entwickelte sich nicht bloß die Lautform, sondern auch die Bedeutung in den beiden Idiomen verschieden. Die heutige Fortsetzung von mittelhochdeutsch *springen* lautet (abgesehen vom Wegfall des *-n*) im Standarddeutschen und im Schweizerdeutschen praktisch gleich – aber das Standardwort bedeutet dasselbe wie französisch ‹sauter›, das Mundartwort jedoch ‹courir›. Aus dem mittelhochdeutschen *vërne* entstanden das standarddeutsche *fern* und das schweizerdeutsche *färn/fèrn,* jenes bedeutet jedoch ‹weit weg›, dieses ‹letztes Jahr›.
Im Normalfall besteht nur eine geringe Tendenz, formähnliche, aber bedeutungsverschiedene Wörter aus der Standardsprache zu übernehmen. Die Notwendigkeit ergibt sich aber in den vielen Fällen, wo ein entsprechendes standardsprachliches Wort in eine Neubildung zur Bezeichnung einer neuen Sache eingeht. Ein Beispiel ist die Zusammensetzung *Fernseher.* Nun existiert *sehen* im Schweizerdeutschen überhaupt nicht, und *fèrn/färn* hat eine andere Bedeutung. Aber gerade der Umstand, daß ein formähnliches Wort besteht, erleichtert natürlich die unbesehene Übernahme als lautlich angepaßtes *Färnseeer, Fèrnseeer.* Aber dieses Wort ist nicht mehr im selben Maße «durchsichtig» wie das standarddeutsche, und es kann auch nicht wieder in eine verbale Fügung aufgelöst werden: Sätze, die dem standarddeutschen *Vater sieht gerade fern* entsprächen, lassen sich aus dem schweizerdeutschen Lehnwort nicht gewinnen. Die Undurchsichtigkeit und Isoliertheit führen dazu, daß auch für den Apparat immer mehr die kürzere, aber noch weniger «motivierte» Bildung *s* (oder gar *de*) *Färnsee* bevorzugt wird, und jener Satz heißt also: *De Vatter tued Färnsee luege.*

«Idiotismen»

Die Erb- und Lehnwörter bilden den großen gemeinsamen Wortbestand der beiden Idiome. Daneben gibt es eine beträchtliche Anzahl schweizerdeutscher Wörter, die im Standarddeutschen keine Entsprechung finden, die sogenannten «Idiotismen». Sie gehören vor allem zur land- und hauswirtschaftlichen sowie handwerklichen Terminologie und zum affektiven oder gassensprachlichen Wortschatz. Nach ihrer Herkunft kann es sich dabei um alte germanische Wörter handeln, die im Standarddeutschen ausgestorben sind, wie etwa *timmer* ‹düster›, es kann sich um alemannische Eigenschöpfungen handeln, wie etwa das gassensprachliche *tschùmple* ‹gehen›, oder endlich um Entlehnungen aus fremden Sprachen, die auf das Schweizerdeutsche beschränkt geblieben sind. Die Wörter der letzten Gruppe können vor mehr als tausend Jahren entliehen worden sein, wie etwa *Bränte* ‹Rückentraggefäß für Flüssigkeiten›, das aus dem Keltischen über das Galloromanische zu uns gekommen ist; andere können sehr viel jüngeren Datums sein, wie etwa *tschutte* ‹Fußball spielen›, das über volksfranzösische Vermittlung auf englisch *to shoot* zurückgeht.

Die «Idiotismen» des affektiven Bereichs sind oft «lautsinnliche» Ausdrucksmittel, wie die berndeutschen Verben zur Bezeichnung von Geräuschen und Stimmen, von denen Otto von Greyerz einen veritablen Katalog zusammenstellt: *chräschle, sprätzle, chirble, pfuse, gyyre, gyxe, guxe, chlèpfe, räble, chlèfele, rätsche, tschädere, tätsche, topple, popple, brätsche, chutte, pfùrre, plodere, pflùdere, pfladere, plantsche; ääke, chääre, bääge, chlööne, mö̀ögge, gaagge, byyschte, bärze, räägge, chäfle, chädere, trätsche, schnädere, schnadele, blafere, pradle, waschle, schwable, schaldere, pralaagge, haleegere, hobuleete* usw., usw. Natürlich hat kein einzelner Berner je von diesem gesamten Angebot Gebrauch gemacht, er wäre denn Mundartschriftsteller gewesen.

Sammlungen der Gassen- und Schülersprache zeigen, daß der affektive Wortschatz großen Wandlungen ausgesetzt, aber keineswegs bedroht ist. Gefährdet dagegen sind die ausgeprägten Terminologien.

Wortschatzausgleich

Im allgemeinen verschwinden Idiotismen mit den bezeichneten Sachen, standardsprachliche Synonyme dagegen scheinen ihnen weniger gefährlich zu werden. Doch können auch hier, wie im Falle der formverwandten Wörter, standardsprachliche Neubildungen zum

«Trojanischen Pferd» werden: So wird schweizerdeutsch *Stääge* kaum durch standarddeutsch *Treppe* bedroht – mit dem Lehnwort *Ròlltrèppe* ist das fremde Wort jedoch eingeschleppt worden. Vielleicht wird es sich einmal aus der Zusammensetzung lösen, um die *Stääge* zu konkurrenzieren. Verglichen mit der Menge der bloß lautlich angepaßten Lehnwörter des *Ròlltrèppe*-Typs, sind eigentliche Lehnübersetzungen aus dem Standarddeutschen selten; Mundartfreunde, die die Mode nicht generell verachten, konnten sich kürzlich über die *Rüeblitschyyns* freuen, da sie sich an die *Tschyyns* selber ja längst gewöhnt haben.

Durch diese Entwicklungen verlieren die Dialekte einen Teil ihrer besonderen Wörter und erwerben gleichzeitig einen großräumigen Wortschatz. Nicht immer hat die Nivellierung der Gegensätze zwischen den Dialekten automatisch eine Annäherung an die Standardsprache zur Folge. So hat etwa unter den gut zwanzig schweizerdeutschen Wörtern zur Bezeichnung des ‹Hügels› der *Hòger* große Chancen, die übrigen zu verdrängen; das Lehnwort *Hügel* macht nur in der Ostschweiz gewisse Fortschritte.

Allerdings muß zugegeben werden, daß diese Fälle in der Minderheit bleiben und daß im allgemeinen das standarddeutsche Wort siegt. Die Dialekte gleichen sich aneinander an und nähern sich gleichzeitig dem Standarddeutschen.

Man hält diese Entwicklungen oft für Anzeichen des drohenden Untergangs der Mundarten und vergißt dabei, daß der Wortschatz aller modernen Sprachen vergleichbaren Ausgleichsprozessen unterworfen ist. Die Wortschatzveränderungen, von denen wir gesprochen haben, erhalten die Funktionstüchtigkeit der Mundarten, damit aber erhalten sie die Mundarten selber. Die Dialekte bewahren sich auf allen sprachlichen Ebenen genügend Eigenarten, um auch in Zukunft denen, die sie sprechen, wie denen, die sie nicht sprechen, als etwas Besonderes zu erscheinen.

Die Verwendung von Mundart und Standardsprache

Mundart und Standardsprache stehen in der deutschen Schweiz in einem typischen Diglossie-Verhältnis: Jede Sprachform wird in ihrem besonderen Geltungsbereich verwendet.

Noch im letzten Jahrhundert war in allen Sprachgebieten Europas, auch in Deutschland, die Diglossie die Normalsituation. Im Unterschied zur modernen Deutschschweiz nahmen aber damals viele, vielleicht die meisten Menschen bloß «passiv» an der Diglossie teil, da sie die Hochsprache kaum aktiv beherrschten. Dies begann sich bei uns erst nach 1830 zu ändern, als die allgemeine Schulpflicht in allen Kantonen eingeführt war.
Dennoch bestand ein ausschlaggebender Unterschied: In der Deutschschweiz gab es auch unter den gehobenen Schichten keine Gruppe, welche die Standardsprache zu ihrer spontanen Umgangssprache gewählt hatte. Dies erstaunte fremde Besucher immer wieder: «So unangenehm dieser Deutsche Dialekt gleich klingt und so schwer ihn ein geborner Deutscher versteht, so ist es doch als eine Folge der allgemeinen Gleichheit und des größern republikanischen Stolzes in diesem Theile der Schweiz anzusehen, daß alle, von der Regierung bis zu dem Geringsten im Volke herab, diese Sprache reden», schrieb ein Däne 1791. Mag seine Begründung nun stimmen oder nicht – die Weigerung der «Vornehmen und Aufgeklärten», die Standardsprache im Alltag zu reden, hat für die Sprachsituation der deutschen Schweiz Folgen gehabt.

Problemlose Diglossie

Bis gegen Ende des 19. Jahrhunderts wurde die deutschschweizerische Diglossie nur wenigen zum Problem. Man schrieb die Standardsprache, und bei Gelegenheiten, die den «gehobenen» mündlichen Ausdruck verlangten – öffentliche Rede, Predigt, parlamentarische Diskussion, Vereinsverhandlungen, ja selbst beim dienstlichen Gespräch unter Offizieren –, sprach man sie auch. In solchen Situationen traten damals fast nur Angehörige gehobener Schichten als Sprecher auf. Einzige Ausnahme war die Schule, und hier entbrannte bezeichnenderweise ein heftiger Kampf, als einige Pädagogen das Hochdeutsche als Unterrichtssprache auch an der Elementarschule forderten. Auf den höheren Schulen war die Standardsprache seit den ersten Jahrzehnten des Jahrhunderts als Unterrichtssprache unbestritten. Sie wurde fraglos als sozial höhere Variante anerkannt, gerade auch von jenen Schichten, die sie kaum zu sprechen vermochten. Nicht umsonst haben noch zu Beginn unseres Jahrhunderts gerade die Sozialdemokraten großen Wert auf die hochdeutsche Versammlungssprache gelegt: Soziale

Emanzipation umfaßte damals ganz selbstverständlich auch die Übernahme der bürgerlichen Bildungswerte.

Anders als heute gingen jedoch zu Beginn des 19. Jahrhunderts gesprochene Standardsprache und gesprochene Mundart sehr viel freier ineinander über. Immer wieder wird berichtet, die «Schriftsprache» werde in Predigten und Vorträgen «im volksthümlichen Akzent und nicht rein geredet», und der Zürcher Meyer von Knonau spricht 1846 geradezu von «dreierlei Deutsch», nämlich der «Volkssprache, dem reinen Deutsch und einer so geheißenen Kanzel- oder Geschäftssprache, die von den meisten Predigern und Geschäftsleuten, doch nur in ihrer amtlichen Stellung, oft auch gegen Deutsche mit deutschen Worten in volkstümlicher Aussprache geredet wird». Diese «Kanzelsprache» mag ungefähr so geklungen haben, wie Jakob Stutz 1836 einen Zürcher Stadtherrn sprechen ließ:

Der Fremde:
Großvater! Eure Güete freut mich sehr.
Und wenn ich säge, daß 's mer da, bi Euh,
Recht heimelig und traulih ist, so gschehť's
Us Überzügig. Glaubed nüd,
Großvater! daß de trurig Vorfall z'Uster
Mich etwa fürchten mach vor Euh.
Wol han ich die Zit her so viel, ach ja
So viel lieblose Urtheil ghört,
Und zwar vo Lüte, die noh Bildig händ.
Zum Tadlen ist der Mensch halt ebe gneigt,
Und leicht ist's dem, der nicht hinab
Will schauen auf die Ursach, auf den Grund,
Wie und warum die oder diese That
Begegnet und zur Reife kommen sei.
Niemandem z'lieb, Niemandem z'leid
Red ich. Nur ein Punkt fasse ich ins Aug,
Wenn ich den Brand in Uster überdenk.
Und wer das Lebe dieser Bergbewohner
Hier näher kennt und billig denkt, der wird
Mit mir der glychen Ansicht si.
[...]
Babel (für sich):
De predigt schier wie-n-en Heer.

Bei näherer Betrachtung stellt sich diese «Kanzel- oder Geschäftssprache» nicht als eine «dritte Sprache», sondern als ein Kontinuum zwischen den beiden Polen Mundart und «Schriftsprache» heraus. Je nach Inhalt nähert sich «der Fremde» dem einen oder andern Pol. Ist die Anrede an den Großvater noch recht mundartlich, so steigert sich der Sprecher bis zur rein standardsprachlichen Sentenz: «Und leicht ist's dem, der nicht hinab / will schauen auf die Ursach, auf den Grund», um dann wieder in die zwar immer noch sentenziöse und standardnahe, aber doch mundartlichere «Kanzelsprache» zu verfallen, die denn auch von der Zuhörerin als solche erkannt und entsprechend kommentiert wird.

Die Erfindung der «reinen» Mundart

Wir wissen, daß Stutz in sprachlichen Dingen ein vertrauenswürdiger Zeuge ist, und dennoch fällt es uns heute schwer, an die tatsächliche Existenz einer solchen Mischsprache zu glauben, so sehr widerspricht sie sowohl der Ideologie wie der Praxis unseres modernen Sprachlebens. In der ersten Hälfte des 19. Jahrhunderts waren «reine Sprache» und «Schriftsprache» noch gleichbedeutende Wörter. Die Erkenntnis, daß die Mundart eine Sprachform eigenen Rechts sei, daß auch hier im sprachwissenschaftlichen Sinne von «Reinheit» gesprochen werden könne, setzte sich im Gefolge der aufkeimenden Sprachwissenschaft nur langsam und zuerst bei den Gebildeten durch.

Die Begründer des «Schweizerischen Idiotikons» haben zwar, als sie sich 1862 an die Sammlung des vermeintlich baldigem Untergang geweihten Mundartwortschatzes machten, das Konzept der «reinen Mundart» auch nicht entwickelt, aber sie haben sehr viel für seine Popularisierung in der Schweiz getan: Jeder Gebildete, jeder Lehrer lernte nun, daß es neben einer «reinen» Standardsprache auch eine «reine» Mundart gab, die man für den praktischen Gebrauch durch möglichste Standardferne definierte. 1874 forderte ein Luzerner Gymnasiallehrer, der «gebildete» Mann habe Mundart und Standardsprache gleichermaßen «rein» und unvermischt zu sprechen – eine Forderung, die bis heute von den meisten unserer Sprachpädagogen unterschrieben würde.

Seit den sechziger Jahren des letzten Jahrhunderts kam es zu einem ersten großen Aufschwung der Mundartliteratur. Bereits 1882 konnte Otto Sutermeister eine Anthologie der schweizerdeutschen Mundartdichtung beginnen, die bis 1890 auf rund 2000 Seiten angewachsen war. Die neue Forderung nach sprachlicher Reinheit wurde natürlich auch gegenüber der Mundartliteratur erhoben und durch die Germanisten kontrolliert. 1885 hatte der Luzerner Josef Roos noch sorglos folgendermaßen gereimt:

Es Möntschehärz de Blueme glycht
Uf Weiden und uf Wiese:
Im Sunneschyn, do gönd si uf,
Im Räge tüend s si schliesse.

Für eine spätere Auflage (1907) mußte Roos, auf Drängen seiner gelehrten Gönner, eine völlige Neubearbeitung anfertigen, die nun zweifellos besser den Reinheitsidealen entsprach:

Es Härz heds grad wi d'Bluemen au
Uf Matten und a Wäge:
Im Sunneschyn gönd bedi uf,
Tüend d'Auge zue bim Räge.

Wir stellen also fest: Seit etwa 1860 setzte sich in der Deutschschweiz die Idee durch, daß Mundart und Standardsprache Sprachen eigenen Rechts seien, die beide für sich den Anspruch erheben dürfen, in ihrem Geltungsbereich «rein» gesprochen zu werden. In dieser Zeit verlor die alte Mischsprache jedes gesellschaftliche Ansehen. Mundart und Schriftsprache standen sich von nun an sprachlich unvermittelt gegenüber.

Die Diglossie wird zum Problem

Natürlich haben die hier skizzierten wissenschaftlichen, literarischen und pädagogischen Phänomene diese Entwicklung nicht *bewirkt*. In ihnen kommt bloß eine Grundströmung zum Ausdruck, die das geistige Leben der deutschen Schweiz jener Zeit durchzog.

Die Trennung von Mundart und Schriftsprache, die Möglichkeit, sich in beiden kultiviert ausdrücken zu können, wenn man nur die Reinheitsforderung beachtete, kam einem tiefen sprachkulturellen Bedürfnis entgegen. Sie erlaubte es, das Dilemma zwischen nationalpolitischer und gefühlsmäßiger Mundartbejahung einerseits und der Notwendigkeit einer internationalen Kultur- und Handelssprache andererseits zu überwinden und eine eigenständige deutschschweizerische Sprachkultur zu begründen.

Die Forderung, zwei nah verwandte Sprachformen gleichermaßen «rein» zu beherrschen, ist anspruchsvoll. Schon um 1900 warnten

Sprachwissenschaftler davor, daß das Volk in seiner Masse sich nicht dafür werde gewinnen lassen, es werde eine der beiden als unnütz aufgeben, und dieses Schicksal werde zweifellos die Mundart treffen. Tatsächlich schien damals einiges für diese Ansicht zu sprechen. Vor dem Ersten Weltkrieg war die Mundart in größern Städten, vor allem in Zürich, in einigen Gesprächsbereichen bedroht: In gewissen Geschäften wurde die Kundschaft hochdeutsch begrüßt, und Schweizer begannen, Unbekannte hochdeutsch anzusprechen. Der Grund lag in der Anwesenheit zahlloser Deutscher in gehobenen Positionen, die in gewissen Städten bis zu 20 Prozent der Bevölkerung ausmachten. Der Erste Weltkrieg korrigierte dieses demographische Ungleichgewicht, und die Niederlage des Kaiserreichs kostete Deutschland viele Sympathien.

Seither entwickelte sich die Verteilung der beiden Idiome immer mehr auf eine rein «mediale Diglossie» hin, das heißt, die Wahl der einen oder andern Sprache hängt heute fast nur noch vom Ausdrucksmedium ab: Wer spricht, wählt Mundart, wer schreibt, wählt die Standardsprache. Die Standardsprache ist somit in Gefahr, jene wenigen Bereiche des gesprochenen Worts, die ihr lange unangefochten überlassen waren, zu verlieren.

Ansprachen aller Art werden heute wohl mehrheitlich in Mundart gehalten, und am Radio bestreitet sie rund 50 Prozent alles Gesprochenen; etwas geringer ist ihr Anteil am Fernsehen. Mundart wird immer mehr Kirchensprache, nicht nur für Jugend- und Abendgottesdienste; politische Gesprächsrunden bedienen sich meist, öffentliche Diskussionen immer der Mundart. Selbst an höhern Schulen hat die Standardsprache außerhalb des Deutschunterrichts einen schweren Stand, und in Hochschulseminaren geben manche Studenten ihre Voten in Mundart ab. Diese Verdrängung einer Standardsprache aus fast dem gesamten gesprochenen Bereich durch lokale Mundarten ist ein recht unerhörter Vorgang – zumindest in neuerer Zeit und in unserm Wirtschafts- und Kulturkreis. Der Vorgang widerspricht nicht nur manchen kulturellen Vorstellungen, sondern auch der Tendenz zur Rationalisierung durch Normierung und allen soziolinguistischen Erfahrungen. Aufgrund dieser starken Stellung der Mundart im mündlichen Bereich müßte das Schweizerdeutsche in der Terminologie von Hans Kloss als «Ausbaudialekt» gelten – zur Ausbau*sprache* allerdings fehlt ihm die wichtigste aller standardsprachlichen Funktionen, nämlich jene der *Schrift*sprache.

Wer rührt die «Mundartwellen» auf?

Die wirklichen Gründe für die geschilderte Entwicklung sind unbekannt, und es können hier nur ein paar summarische Vermutungen geäußert werden. Manche Darstellungen der neueren Sprachgeschichte der deutschen Schweiz verweisen auf drei «Mundartwellen», die seit 1900 über unser Land hingeschwappt seien. Die erste datiert man ins erste Jahrzehnt, als der Heimatschutzgedanke sich von Bern aus verbreitete und auch die Mundart in die zu kultivierenden Heimatwerte einbezog. Diese erste «Welle» zeitigte eine beträchtliche und noch heute äußerst volkstümliche Mundartliteratur. Die zweite «Mundartwelle» mit Zürich als Ausgangspunkt steht mit der «Geistigen Landesverteidigung» zur Zeit des Nationalsozialismus im Zusammenhang. Auf ihrem Höhepunkt wurde von Extremisten, die selber faschistischem Gedankengut fatal nahestanden, die Schaffung einer alemannischen Standardsprache gefordert. Die dritte «Mundartwelle», in der wir noch immer bis zum Halse stecken, läßt man gegen Ende der sechziger Jahre beginnen, als in Bern die erste moderne, experimentelle Mundartdichtung entstand.

Es wäre allerdings verfehlt, jene «Wellen» für die immer stärkere Ausbildung der «medialen» Diglossie verantwortlich zu machen; zumal es sich dabei stets um ein Anliegen gebildeter Städter gehandelt hat, die damit gerade die weniger gebildeten und ländlichen Schichten kaum erreichten. Im Grunde haben diese «Wellen» bloß symptomatischen Charakter. Die «wirklichen» Ursachen für die zunehmende Verdrängung der Standardsprache aus allen mündlichen Bereichen haben mit Heimatschutz, Mundartliteratur, Drittem Reich und Kellertheatern nur sehr mittelbar zu tun.

Der Sonderfall und das Allgemeingültige

So seltsam es klingen mag: Die Deutschschweizer Sprachsituation hat sich durchaus nicht so unabhängig von allgemeinen, internationalen Sprachtendenzen entwickelt, wie unser Glaube an den Sonderfall Schweiz uns gern annehmen läßt. Natürlich scheint die hiesige Diglossie auf den ersten Blick unvergleichbar mit bundesdeutscher oder französischer «Einsprachigkeit». Bei näherem Zusehen können wir aber auch dort eine ganz analoge Verschiebung verfolgen, die sich als Bevorzugung eines «tieferen» Stils in Situationen äußert, in denen früher ein «gehobener» Stil angemessen war. Der Germanist Hans

Eggers hat auf solche Vorgänge im modernen Standarddeutschen aufmerksam gemacht. Er konnte nachweisen, daß die geschriebene Sprache immer stärker durch Mittel geprägt wird, die früher vorwiegend dem mündlichen Ausdruck vorbehalten waren. Das bedeutet nichts anderes, als daß die gesprochene Umgangssprache zum Vorbild des geschriebenen Worts wird.
Solche Stilverschiebungen sind natürlich in der Schriftsprache am einfachsten zu verfolgen. Es dürfte aber unschwer nachzuweisen sein, daß auch in mündlicher Rede ehemals tiefer bewertete Stile heute in Situationen verwendet werden, in denen sie früher undenkbar gewesen wären. Darin zeigt sich eine wohl weltweite Abkehr von formaler Sprache, eine Bevorzugung der alltäglichen, gewöhnlichen und gewohnten Ausdrucksweise in möglichst allen Situationen.
Diese moderne Tendenz muß in der deutschen Schweiz zwangsläufig zu einer Bevorzugung der Mundart führen, da «alltägliche, gewöhnliche und gewohnte Ausdrucksweisen» uns nur in der Mundart zur Verfügung stehen. Die seit über hundert Jahren propagierte strikte Trennung von Mundart und Schriftsprache hat ja die Zwischenstufen zerstört, die eine viel weniger auffällige Verschiebung zugunsten der Alltagssprache erlaubt hätten. Mit der erfolgreichen Durchsetzung des Verbots der Sprachmischung wurden im 19. Jahrhundert endgültig die Weichen für eine Entwicklung gestellt, die zwangsläufig zur heutigen Situation führen mußte.
Hans Eggers erklärt das Vordringen umgangssprachlicher Muster mit dem Aufstieg unterer sozialer Schichten seit 1870, denen die Volksschule jene geistigen Traditionen nicht mehr vermitteln konnte, auf denen die stilistischen Besonderheiten der älteren Schriftsprache beruhten: Ihnen blieb als Vorbild bloß die Umgangssprache. Ähnliches ist wohl für die deutsche Schweiz anzunehmen, wo sich das anspruchsvolle Konzept der doppelten «Reinheit» nur so lange aufrechterhalten ließ, wie sozial gehobene Redesituationen vorwiegend durch humanistisch Gebildete bestritten wurden, die auf ganz bestimmte sprachliche Traditionsmuster eingefuchst waren.
In diesem Sinne hat die heutige Tendenz zu vermehrtem Mundartgebrauch durchaus etwas mit «Demokratisierung» und sozialen Veränderungen zu tun. Daß untere soziale Schichten noch eher bereit sind, die Standardsprache als höhere Sprachform zu achten, widerspricht dem nicht – im Gegenteil. Veränderungen des Sozialverhaltens gehen

nicht von jenen Gruppen aus, die in den traditionellen Mustern verharren, sondern von jenen, die in Bewegung geraten sind.

Die elektronischen Komplizen des Volksmunds

Durch die modernen Massenkommunikationsmittel hat das Schreiben viel von seiner Bedeutung für das Alltagsleben eingebüßt. Das Telefon erlaubt es, vieles mündlich mitzuteilen, was früher notwendigerweise schriftlich festgehalten werden mußte. Radio und Fernsehen haben dem geschriebenen Wort das Monopol für die Verbreitung von Sprache über große Entfernungen längst entrissen, und Tonaufzeichnungen konkurrenzieren die Schrift sogar bei der zeitüberdauernden Konservierung von Sprache.

Das alltäglich gesprochene Wort, dem hier neue Bereiche eröffnet wurden, war in der deutschen Schweiz seit jeher gleichbedeutend mit der Mundart. Da man weniger schreiben muß, verringern sich nicht nur die Gelegenheiten, die Standardsprache anzuwenden, es schwindet offensichtlich auch die Bereitschaft, ihre traditionellen Muster zu erlernen. Doch die Klagen über eine wachsende Sprachverwilderung sind ebenfalls nicht auf die Schweiz beschränkt; auch hier muß es sich um Auswirkungen des «modernen Lebens» handeln.

Natürlich hatte die herkömmliche Funktionsverteilung zwischen den beiden Sprachformen auch sozialpsychologische Folgen: Die Standardsprache wurde von vielen, gerade wegen des Werts, der ihr von der Schule beigemessen wird, als Werkzeug der «Domestifizierung» und der schulischen Auswahl empfunden. Dies wiederum mobilisierte Widerstände gegen die Standardsprache und verlieh der Mundart einen gewissen «antiautoritären» Symbolwert. Man brauchte sie nur am «falschen Ort» zu verwenden, um bereits dadurch ein rebellisches Zeichen zu setzen. Dieser Symbolwert müßte sich eigentlich mit jeder Situation verringern, in der nun umgekehrt *Mundart* gesprochen werden *muß* (was bereits nicht selten der Fall zu sein scheint). Die jüngsten Versuche einiger Erziehungsdirektoren, mit Verordnungen und Vorschriften die «Mundartwelle» aufzuhalten, dürften sich dagegen aufgrund derselben Mechanismen vor allem zugunsten der Mundart auswirken ...

Zweifellos stellt die heutige Sprachsituation der deutschen Schweiz die Sprachpädagogik vor schwierige Aufgaben. Es kann jedoch nicht darum gehen, irgendwelchen «verlorenen» kulturellen Werten wieder zu ihrem «Recht» zu verhelfen. Vielmehr müßte man den Mut haben, sehr radikale Fragen zu stellen, etwa danach, ob die grundsätzliche Trennung von Mundart und Standardsprache weiterhin zu vertreten sei, oder danach, wieviel und welche Standardsprache die Deutschschweizer brauchen und wollen.

Mundartverwendung und Mundartausgleich

Der Berner Germanist Roland Ris hat wiederholt darauf hingewiesen, daß der allgemeine Mundartgebrauch zu einem sozialen Gefälle zwischen den Mundarten führen könnte: Die Sprecher abgelegener Dialekte würden gezwungen, sich eine «geläufigere» Mundart als «Subsidiärdialekt» anzueignen, wenn sie beim Gespräch mit anderen Deutschschweizern unauffällig bleiben und verstanden werden wollten. Früher sei diesen Sprechern der Ausweg in die neutralere Standardsprache offengestanden, sie hätten nicht ihre eigene Mundart einer anderen Mundart unterordnen müssen. Heute aber führe der soziale Zwang, Mundart zu sprechen, zur Diskriminierung und damit paradoxerweise schließlich zum Untergang der «Mundarten mit beschränkter regionaler Reichweite».
Diese ernstzunehmende Argumentation übersieht allerdings, daß die Einebnung der Randmundarten seit langem stattfindet und viel eher auf die stärkere Einbeziehung jener Regionen in den überregionalen Kommunikationsprozeß als auf den vermehrten Mundartgebrauch in der deutschen Schweiz zurückzuführen ist. Die rasche Veränderung der Lebensverhältnisse, die in den Randgebieten verspätet und darum besonders dramatisch verläuft, bringt einen Verlust an alter sprachlicher Substanz mit sich. Durch diesen Aderlaß wird andererseits die allgemeine Verständlichkeit der Randmundarten erhöht und damit die Voraussetzung geschaffen, daß auch ihre Sprecher immer häufiger auf den «Subsidiärdialekt» verzichten können – eine Entwicklung, die beispielsweise bei der jüngeren Generation der Walliser und Freiburger voll im Gange ist. Überhaupt muß man sich wohl fragen, ob nicht die sprachliche Angleichung der Mundarten untereinander auch zu den Voraussetzungen der heutigen «medialen» Diglossie zählt. Ohne die mühelose gegenseitige Verständlichkeit der Mundarten wäre ihr allgemeiner Gebrauch gar nicht möglich.

Zur Verwendung der Mundart als Schriftsprache

Die deutsche Schweiz hat seit 1800 eine reiche Mundartliteratur hervorgebracht. Darunter sind Werke von literarischem Rang, obwohl die meisten Autoren die alte Bindung der Mundartliteratur an idyllisch-ländliche Themen beibehalten haben. Diese Bindung schien so unauflösbar, daß der Basler Germanist Adolf Socin um 1895 meinte, die Mundartdichtung werde die Jahrhundertwende kaum überleben, da die Zeit der Idylle endgültig vorbei sei. Tatsächlich setzte der Aufschwung der Mundartdichtung erst *nach* 1900 richtig ein, als die Berner Rudolf von Tavel (1866–1934) und Simon Gfeller (1868–1943) die große epische Form in Mundart bewältigten, als das Mundarttheater, besonders durch das Wirken Ottos von Greyerz (1863–1940), den Bauernschwank überwand und Lyriker wie Meinrad Lienert (1865–1933), C. A. Loosli (1877–1959), Josef Reinhart (1875–1957) und Sophie Hämmerli-Marti (1868–1942) dem Mundartgedicht neue Gefühle und Formen erschlossen. Auch diese Literatur spiegelte weitgehend noch ein regional gebundenes, «volkstümliches» Weltbild wider, das in der Folge mehr oder weniger epigonenhaft immer wieder beschworen wurde. Die Ausnahme bildet der wohl größte schweizerdeutsche Epiker, Albert Bächtold (1891–1981).

In den sechziger Jahren entstand auch bei uns eine Mundartliteratur, die die bisherige enge Bindung von Sprache – Thema – Gestaltung oft recht radikal und provokativ aufgab. Zu nennen wäre die dokumentarische oder experimentelle Lyrik von Kurt Marti (*1921) und Ernst Eggimann (*1936). Seither gibt es neben der noch immer oder wieder neu beliebten konservativeren Heimatdichtung einen recht ansehnlichen Strom thematisch und formal «moderner» Mundartliteratur. Zu den einflußreichsten «modernen» Werken gehören, für die «mediale» Diglossie bezeichnend, auffällig viele, die nicht als gedruckte Bücher, sondern auf «akustischem Wege» verbreitet werden: die als Schallplatten erhältlichen Chansons und Popsongs, von Mani Matter (1936–1972) bis Polo Hofer (*1945), aber auch die Dramen von Hansjörg Schneider (*1938) oder Urs Widmer (*1938) und die Filme von Kurt Gloor (*1942), Thomas Hostettler (*1946) und mancher anderer.

Die Vorzugsstellung gerade der ungedruckten Literatur zeigt, daß die Mundart sich nicht als geschriebene Sprache durchsetzen kann, solange die entsprechenden Verschriftlichungstechniken nicht allgemein gelehrt werden. Dafür aber besteht heute offenbar kein Bedürfnis.

Geschriebene Mundart bleibt im wesentlichen auf literarische Texte beschränkt, und sie spielt eine gewisse Rolle in der verwandten Gattung des Werbetextes. Sie hat jedoch keine Chancen, das Sachschrifttum zu erobern, das ja für die Geltung einer Standardsprache von ausschlaggebender Bedeutung ist. Die deutsche Standardsprache in ihrer geschriebenen Form ist hierzulande nicht in Gefahr.

Die Besonderheiten des «Schweizer Hochdeutsch»

«... Der im Kanton Zürich immatrikulierte Autocar verweigerte dem Velofahrer den Vortritt und drängte ihn über das Strassenbord hinaus. Der Velofahrer, ein Ausläufer der Konfiserie Müller, trug eine Hutte und erlitt deshalb beim Sturz Verletzungen. Der Carführer wurde gebüsst; sein Anwalt gelangte aber an die höhere Instanz. Er machte geltend, dass der Gebüsste wegen den beidseitig parkierten Autos und Camions sowie den Bretterbeigen vor der Sägerei Lorenz den Burschen nicht rechtzeitig habe sehen können. Ausserdem hätten Kinder, die bei der Papeterie Meyer Trottinett fuhren, die Aufmerksamkeit des Chauffeurs erheischt, ebenso eine Gruppe von Wehrmännern, die sich eben beim Lebhag rechts von der Strasse besammelte. Nach Ausweis des Fahrtenschreibers sei der Car in Tat und Wahrheit bloss mit fünfzig und nicht, wie von Zeugen behauptet, mit siebzig Stundenkilometern gefahren.
Die ausgefällte Busse sei deshalb übersetzt. Da die Angelegenheit das Strassenverkehrsgesetz beschlägt, ist der Bezirksammann zuständig, der vom Anwalt eingeladen wurde, die Angelegenheit beförderlich zu behandeln und nicht, wie hierzulande gang und gäbe, zu vertrödeln. Der Anwalt wandte sich auch dagegen, dass man seinen Mandanten für eine Busse betrieben habe, über deren Rechtmässigkeit man sich in guten Treuen streiten könne und über die noch kein definitiver Entscheid getroffen worden sei ...»

Der unbefangene Deutschschweizer wird diesen Text kaum als besonders «helvetisch» empfinden: ihm scheint hier ganz gewöhnliche «Schriftsprache» vorzuliegen, die sich sogar eines besonders papierenen Stils bedient, der nur geschrieben möglich ist. Mit Mundart gar hat diese Sprache nichts zu tun.

Und dennoch: Der (zugegebenermaßen konstruierte) Bericht wimmelt von «Helvetismen» aller Art. Unter einem *Helvetismus* verstehe ich sprachliche Erscheinungen, die nur in standardsprachlichen Texten schweizerischer Herkunft verwendet werden, in unserer Standardsprache aber durchaus üblich sind. Wenn dagegen der *Schweizerische Beobachter* von *«schmürzeligen* Erträgen» der Sparhefte schreibt (Nr. 16,

1981), dann handelt es sich bei *schmürzelig* offensichtlich um ein mundartlich-schweizerisches Wort, nicht jedoch um einen eigentlichen Helvetismus, da die Verwendung von *schmürzelig* in unserer Standardsprache (noch) nicht üblich geworden ist; gerade deshalb kann der Redaktor es bewußt einsetzen, um gewisse stilistische Wirkungen zu erzielen («typisch schweizerische Knausrigkeit»). Das Cabaret Cornichon und viele Autoren von Gotthelf bis Thomas Hürlimann setzten je für ihre stilistischen Zwecke mundartliche Wörter ebenso gerne ein wie der BLICK, dem anläßlich des Staatsbesuchs der britischen Königin die ingeniöse Schlagzeile «*Grüezi* Queen!» einfiel.
Die schweizerischen Besonderheiten unseres Textes dagegen sind durchwegs eigentliche Helvetismen – dies merkt man schon daran, daß sie den Deutschschweizern kaum auffallen. Ihre Besprechung soll uns eine Ahnung davon geben, mit welch mannigfachen Abweichungsmöglichkeiten gegenüber dem «binnendeutschen» (bdt.) Sprachgebrauch wir rechnen müssen.

«Helvetismen» im Wortschatz

Am leichtesten zu erkennen sind die *lexikalischen Helvetismen,* d. h. jene Wörter, die ausschließlich in der Schweiz vorkommen. Sofern es sich dabei um deutsche Wörter handelt, gehören sie oft auch den schweizerdeutschen Mundarten an. Beispiele aus unserem Text sind *Hutte, Beige, Lebhag.* Allerdings gibt es auch Helvetismen, denen man dies kaum ansieht, entweder weil sie aus «höheren» Lebensbereichen stammen (z. B. *Ammann*) oder eine bloß in der Schweiz übliche Wortbildung aus geläufigen deutschen Elementen darstellen (z. B. *besammeln* statt *versammeln*). Je mundartnäher ein Wort ist, desto eher wird es deshalb der hochsprachbewußte Schreiber meiden; so wird man ein Wort wie *Hutte* unbedenklicher verwenden als ein auch lautlich so typisch schweizerisches Wort wie *Gnagi* – obwohl die meisten Schweizer in beiden Fällen um ein binnendeutsches Synonym verlegen sein dürften: Wer kennt hierzulande *Bütte* und *Eisbein?*
Schon weniger leicht zu erkennen sind jene Helvetismen, die ersichtlich aus fremden Sprachen stammen. In unserem Text gehören dazu *Autocar* (bdt. [*Omni*]*bus*), *Camion* (bdt. *Lastkraftwagen, LKW*), *Konfiserie* (bdt. *Konditorei*), *Papeterie* (bdt. *Papierwarenhandlung*), *Trottinett* (bdt. *Tretroller*), *Velo* (bdt. [*Fahr*]*rad*). Hierher gehört auch *parkieren* (bdt. *parken*), das zum gleichen Abweichungstyp gehört wie die deutsche Ableitung

besammeln. Diese Liste könnte stark erweitert werden. Viele der in der Schweiz noch üblichen Fremdwörter waren früher auch in Deutschland verbreitet, fielen dann aber der Eindeutschung zum Opfer.
Die lexikalischen Helvetismen sind sowohl nach Form wie nach Bedeutung Besonderheiten der deutschen Standardsprache der Schweizer. Sehr viel zahlreicher sind jene Wörter, die ihrer Form nach gesamtdeutsch sind, die aber in der Schweiz eine abweichende Bedeutung besitzen, sogenannte *semantische Helvetismen.* Unter den deutschen Wörtern unseres Textes gehört etwa *Ausläufer* hierhin, das nur in der Schweiz die Bedeutung ‹Botenjunge› besitzt. Daneben kann das Wort auch in der Schweiz die gemeindeutsche Hauptbedeutung ‹auslaufender Teil, z. B. eines Berges› aufweisen: *ein Ausläufer des Pilatus.* Es ist charakteristisch für semantische Helvetismen, daß die gemeindeutschen Bedeutungen in der Schweiz gewöhnlich auch vorkommen, oft aber, wie bei *Ausläufer,* durch die schweizerische Bedeutung ganz in den Hintergrund gedrängt werden.
Weitere semantische Helvetismen unseres Textes sind etwa [*Strassen-*] *bord* (bdt. nur ‹Wandbrett› und ‹oberer Rand eines Schiffes›), *Busse* (bdt. dafür *Geldstrafe* oder, wenn es um den Betrag geht, *Bußgeld*), *jemanden büssen* (bdt. wird *büßen* nicht mit persönlichem Objekt gebraucht: *er büßte seine Sünden,* aber *man belegte ihn mit einer Geldstrafe*); *Vortritt* (bdt. kann man, wie in der Schweiz, zwar einer älteren Dame beim Einkaufen *den Vortritt lassen,* im Straßenverkehr aber gewährt man *Vorfahrt*). Unser Text enthält noch eine ganze Reihe weiterer einschlägiger Wörter: *Carführer, Einsprache, beförderlich, übersetzt, gelangen an, betreiben, ausfällen, einladen, beschlagen* – der Leser mag die mehr oder weniger starken Bedeutungsunterschiede gegenüber dem Binnendeutschen selber eruieren; der Rechtschreibduden gibt meist die nötigen Hinweise.
Ganz in die Nähe der semantischen Helvetismen gehören zahlreiche Redewendungen, die sich zwar aus gemeindeutschen Wörtern aufbauen, als feste Verbindungen mit eigener Bedeutung jedoch nur in der Schweiz geläufig sind. Unser Text bietet davon *in Tat und Wahrheit* ‹in Wirklichkeit› und *in guten Treuen* ‹im guten Glauben›.
Lexikalische und semantische Helvetismen, die ausschließlich in Schweizer Texten auftauchen, könnte man als «absolute Helvetismen» bezeichnen. Es ist selbstverständlich, daß sie sehr viel zur Besonderheit des schweizerischen Standarddeutschen beitragen. Ähnlich bedeutsam sind sprachliche Besonderheiten, die man *Frequenzhelvetismen* nennen

könnte: sprachliche Elemente, die zwar an sich gesamtdeutsch sind, in schweizerischen Texten jedoch besonders häufig vorkommen. Unser Beispieltext bietet dafür das Wort *Entscheid,* das binnendeutsch in erster Linie das Resultat des Entscheidungsprozesses bedeutet, während der Prozeß selber *Entscheidung* genannt wird. Natürlich verwischt sich auch im Binnendeutschen der recht subtile Bedeutungsunterschied nicht selten; in der Schweiz jedoch wird für beide Bedeutungen fast ausschließlich das Wort *Entscheid* verwendet. Unterschiede dieser Art, obwohl sie schwierig zu fassen sind – man müßte dafür große Textmengen auszählen –, sind doch vermutlich prägend für den besonderen Stil einer bestimmten Region, den man, wie es heißt, bloß «erfühlen», aber kaum genau definieren kann.

Frequenzhelvetismen brauchen selbstverständlich nicht auf Einzelwörter beschränkt zu sein. Es können auch bestimmte Redewendungen oder syntaktische Fügungen sein. Unser Text bietet die Partizipialkonstruktion *wie von Zeugen behauptet;* in dieser absoluten Verwendung scheinen Partizipialkonstruktionen in der Standardsprache der deutschen Schweiz besonders häufig aufzutreten.

Woher kommen die Schweizer Wörter?

Innerhalb der Sprache ist der Wortschatz der beweglichste Teil. Ständig entstehen neue Wörter, und alte verschwinden oder nehmen neue Bedeutungsnuancen an. Kein Mensch kennt alle Wörter seiner Sprache, kein Mensch kennt genau gleich viele und genau dieselben Wörter wie sein Nächster, jeder Mensch hat seine eigenen Vorlieben im Wortgebrauch. Der Wortschatz ist ein «offenes System». Es ist deshalb nicht verwunderlich, daß sich in diesem Bereich die markantesten Unterschiede auch zwischen Gruppen von Sprechern und damit auch zwischen verschiedenen nationalen Ausprägungen der Standardsprachen ergeben können.

Der Wortschatz widersteht deshalb Standardisierungsbemühungen viel stärker als etwa die Grammatik und die Rechtschreibung, denen wir uns später zuwenden wollen. Zwar hat es auch im Deutschen nie an solchen Versuchen gefehlt, einige sind auch recht erfolgreich gewesen. Aber schon wegen der traditionellen politischen Zerrissenheit gelang im deutschen Sprachgebiet doch nicht jene rigorose Vereinheitlichung des Wortschatzes, wie sie im zentralistisch regierten Frankreich möglich war, wo seit dem 17. Jahrhundert zahllose Wörter, die als regional,

sozial oder inhaltlich kompromittiert galten, aus dem schriftlichen Sprachgebrauch verschwunden sind.
Im Deutschen dagegen konnte sich auch in der Schrift die natürliche Tendenz des Wortschatzes zu Sonderentwicklungen aller Art stets in einem gewissen Ausmaße durchsetzen. Für die «Regionalisierung» besonders anfällig ist natürlich der Wortschatz jener Lebensbereiche, die in literarischen Werken nur selten oder bloß am Rande zur Sprache kommen: Sehr alltägliche und sehr technisch-spezielle, aber auch «vulgäre» Wörter haben im modernen Standarddeutschen noch immer zahlreiche regionale Synonyme. Bekannt ist etwa, daß es im Deutschen für viele Berufe noch immer keine allgemein geltende Bezeichnung gibt: Der schweizerisch-österreichische *Spengler* nennt sich anderswo *Klempner, Flaschner, Blechner* oder neuerdings *Installateur;* unser *Metzger* ist anderswo ein *Schlachter, Fleischer, Selcher, Fleischhauer* oder gar ein *Fleischhacker.* Ähnliches gilt für Speisen, für Tier- und Pflanzennamen, für Kinderspiele usw. Typisch ist, daß viele dieser Wörter im Deutschen als gleich «offiziell» gelten und deshalb gleiche «Schriftrichtigkeit» beanspruchen – eine Vielfalt, die im Französischen (heute noch) undenkbar ist.
Zahlreiche Helvetismen verdanken somit ihr Überleben der schwächeren Tendenz des Deutschen zur Wortschatznormierung. Sprachgeschichtlich gesehen sind verschiedene Möglichkeiten zu unterscheiden, wie ein Wort zum Helvetismus werden kann. Die erste Gruppe bilden Wörter wie *Hutte,* die aus einer schweizerdeutschen Mundart stammen und nur hierzulande schriftsprachliche Geltung erlangen. Umgekehrt können Wörter, die früher überall als standardsprachlich galten, heute in den übrigen deutschsprachigen Ländern ausgestorben sein, wie das Wort *Wehrmann.* Zu dieser Gruppe gehören viele Fremdwörter wie beispielsweise *Trottoir* und *Perron.* Endlich ist es denkbar, daß ein Wort auch außerhalb des Schweizerdeutschen in den Mundarten vorkommt, aber bloß in der Schweiz mehr oder weniger regelmäßig auch schriftsprachlich verwendet wird; dazu gehören *Gülle* und *Finken.* Daß diese Wörter nur in der Schweiz als standardsprachlich gelten, erklärt sich daraus, daß die Landesgrenze eine äußerst klare «pragmatische Sprachgrenze» bildet, die sehr gegensätzliche Verwendungsweisen von Hochsprache und Mundarten und unterschiedliche Schulsysteme voneinander abgrenzt.

Die Herstellung von Helvetismen
Wir haben uns bisher mit Wörtern befaßt, die sozusagen «natürlich», d. h. aufgrund allerhand kultureller, historischer und sozialer Zufälligkeiten, zu Helvetismen geworden sind. Es gibt aber eine umfangreiche Kategorie von Wörtern, die deshalb Helvetismen sind, weil sie von irgendwelchen zentralen Instanzen ausdrücklich für diesen Staat geschaffen und oft auch verbindlich erklärt wurden. Für die sprachliche Form dieser «nationalstandardisierten» Helvetismen ist typisch, daß es sich im allgemeinen um Zusammensetzungen und Ableitungen handelt, denen gewöhnliche gemeindeutsche Elemente zugrunde liegen. Man sieht ihnen deshalb von außen den Helvetismus nicht an.
Hierher gehören einmal all jene Wörter, die ausschließlich schweizerische Begriffe bezeichnen: *Nationalrat, Ständerat, Einzelinitiative, Referendum, Kanton, Franken, Alters- und Hinterlassenenversicherung* usw. Einige dieser Wörter sind ihrer Form nach altererbt, wenn sie auch ihre heutige Bedeutung meist neuerer Definition verdanken; Beispiele dafür sind *Ammann, Schultheiss, Landsgemeinde* oder *Weibel.*
Einen Grenzbereich betreten wir mit jenen «helvetischen Fachausdrücken», die der Form nach auch in Deutschland bekannt sind, dort aber eine andere Definition erhalten haben: Die Schweizer nennen bekanntlich ihre Exekutive *Bundesrat,* während die Deutschen mit dem gleichen Ausdruck ihre Länderkammer bezeichnen, und der *Bundeskanzler* ist in der Schweiz bloß der Sekretär, in Deutschland und Österreich immerhin der Chef der Regierung.
Aber auch «nationalstandardisierte» Ausdrücke können zu eigentlichen Helvetismen werden, wenn beispielsweise durch den Gesetzgeber oder andere staatliche Institutionen Begriffe aus den verschiedensten Lebensbereichen juristisch verbindlich definiert und benannt werden. So ist amtlich festgelegt worden, daß die gleiche Ausweiskategorie in der Schweiz *Identitätskarte,* in der Bundesrepublik aber *Personalausweis* heißen soll. Und wenn ein schweizerisches Kaffee-Etikett *koffeinfreien* Kaffee verspricht, die deutsche Anschrift aber dieselbe Ware als *entkoffeiniert* bezeichnet, so stehen dahinter nicht verschiedene Mundarten, sondern verschiedene Lebensmittelgesetzgebungen. Genau das gleiche gilt von den Terminologien der Eisenbahn, der Post, des Militärs und zahlreicher Lebensbereiche, die gesetzlicher Regelung unterworfen sind.
Nicht bloß der Staat kann «nationalstandardisierend» wirken. Im

Resultat durchaus vergleichbar sind die terminologischen Bemühungen der einheimischen Verbrauchsgüterindustrie und der landesweit präsenten Detailhandelsketten. Seit im ganzen Lande die *Rösti* (frz./it. *roesti*) in Büchsen erhältlich ist, hat dieser Helvetismus nicht nur seine Schriftgeltung verstärken können, sondern auch die anderen mundartlichen Bezeichnungen derselben Speise weitgehend verdrängt: Die Büchsenrösti mag ich erst, seit ich vergessen habe, wie unsere *Bröisi* geschmeckt haben ...

Die öffentliche wie die private «Nationalstandardisierung» wirft in der Schweiz mit ihrer nationalen Mehrsprachigkeit zusätzliche interessante Probleme auf. Die einschlägigen Bemühungen führen oft in mehr als einem, hie und da sogar in allen Sprachgebieten der Schweiz zu Helvetismen, so daß hier ein Bestand schweizerischer Nationalwörter entsteht, deren Gemeinsamkeit vorwiegend negativ zu bestimmen ist: Die betreffenden schweizerischen Bezeichnungen weichen in allen drei Sprachgebieten von den im je gleichsprachigen Ausland geläufigen ab (vgl. S. 247 ff.).

Die meisten Deutschschweizer sind sich der semantischen wie der lexikalischen Helvetismen kaum bewußt. Erst wenn sie längere Zeit in Deutschland verbringen, merken sie allmählich, wie sehr ihre Standardsprache (oder was sie bis dahin dafür gehalten haben) gerade in den alltäglichen Bereichen von jener Deutschlands abweicht, denn (um noch einmal ein paar Beispiele Revue passieren zu lassen) wenn *Urs* aus Zürich *sich gewohnt war,* jeden *Samstag* um *Viertel vor zwölf* dank seines *preisgünstigen Abonnements* das *Fitness*-Center aufzusuchen, um sich im *Solarium* ein *eisenfreies Mineralwasser* zu genehmigen, so besucht sein neuer Freund *Udo* aus Braunschweig jeden *Sonnabend* um *dreiviertel zwölf* mit seiner *kostensparenden Mehrfachkarte* das *Trimm-Dich*-Center und genießt dort auf der *Bräunungsliege* einen *enteisenten Sprudel* ...

Des Schweizers Grammatik

Anders als beim Wortschatz zeigt die deutsche Standardsprache im Bereich der Grammatik im gesamten Sprachgebiet nur sehr geringe Abweichungen. Dies war nicht immer so. Die Durchsetzung einer einheitlichen Grammatik gehört zweifellos zu den wichtigeren Ereignissen in der Kulturgeschichte der deutschsprachigen Völker.

Zwar kann in einer lebendigen Sprache auch die Grammatik nicht vollständig einheitlich sein. Es wird immer Regeln geben, die gerade in

Veränderung begriffen sind und deren neue Form noch nicht von allen Sprechern und im gesamten Sprachgebiet akzeptiert worden ist. Trotzdem ist damit zu rechnen, daß sich solche Veränderungen künftig rasch und großräumig durchsetzen.

Ein Beispiel für Veränderungen im grammatikalischen Bereich ist die neue Regel, wonach *brauchen* wie andere Modalverben ohne die Partikel *zu* mit einem Infinitiv verbunden wird: Immer mehr Sprecher sagen (und schreiben) *du brauchst nicht kommen,* genau wie *du mußt nicht kommen.* Diese Regel hat sich noch nicht überall durchsetzen können, viele Deutsche und Österreicher lehnen sie noch ab, und kaum ein Schweizer dürfte sie anwenden.

Als Helvetismus im Bereiche der Formenlehre gilt die Bevorzugung starker Beugung bei gewissen Substantiven: *das Haus des Bauers, ich sage es dem Bauer, ich sehe den Bauer,* wo die Schulgrammatik eigentlich *des/dem/den Bauern* verlangen würde. Diese Neigung zur starken Deklination ist aber nicht auf die Schweiz beschränkt, sondern im Oberdeutschen recht weit verbreitet.

Überhaupt handelt es sich bei den meisten Abweichungen im Bereiche der Grammatik um «Frequenzregionalismen». Ein aufschlußreiches Beispiel ist die Verwendung der Konjunktive im schweizerischen Standarddeutschen. Im binnendeutschen Sprachgebrauch sind in bestimmten Fällen Konjunktiv I *(er komme)* und Konjunktiv II *(er käme)* praktisch funktionsgleich und damit austauschbar geworden oder als eigene Formen überhaupt verschwunden. Viele Sprecher können somit unterschiedslos sagen: *du behauptest, er komme morgen ~ du behauptest, er käme morgen ~ du behauptest, er kommt morgen.* In Norddeutschland sind auch Konjunktiv II und Präteritum in gewissen Kontexten zusammengefallen: *ich freue mich, wenn er käme ~ ich freue mich, wenn er kam.* Diese Gebrauchsunsicherheiten sind in der Schweiz praktisch unbekannt, vermutlich deshalb, weil die Konjunktive in der Mundart sich formal eindeutig vom Indikativ unterscheiden, in meiner Mundart etwa heißt es: Indikativ Präsens: *i chome,* Konj. I: *i chömi (i chöim),* Konj. II: *i chääm (i chiem),* wobei die Nebenformen den Unterschied formal nur noch deutlicher werden lassen. Auch die fast durchgehend «korrekte» (traditionelle) Verwendung der Konjunktive stellt einen Frequenzhelvetismus im Schweizer Standarddeutschen dar.

Diese Beispiele zeigen, wie subtil die Unterschiede zwischen verschiedenen regionalen Ausprägungen der deutschen Standardsprache im

Bereiche der Grammatik heute geworden sind. Mit so eindeutigen Gegensätzen wie *Gnagi – Eisbein,* die beim Wortschatz noch recht häufig sind, ist in der Grammatik beim heute erreichten Vereinheitlichungsgrad der Standardsprache nicht mehr zu rechnen.

Die Kunst des Buchstabierens

Im Grunde genommen gehört die Rechtschreibung gar nicht mehr zur Sprache, sondern zur Verschriftlichungstechnik. Techniken können durch willkürliche Entscheide leicht normiert und verbindlich festgelegt werden, zumal dann, wenn diese Normierungen bloß das geschriebene Wort und nicht die lebendige Rede, das gesprochene Wort, betreffen. Während eine deutsche Einheitsaussprache auch heute noch, trotz hundertjähriger Bestrebungen, nicht verwirklicht ist, zeigt die Rechtschreibung, nach ebenfalls hundert Jahren Vereinheitlichungsbemühungen, in den deutschsprachigen Staaten kaum mehr nennenswerte Verschiedenheiten. Allerdings bleibt auch diese Regel nicht ohne Ausnahme: Die deutsche Schweiz hat das Schriftzeichen *ß* heute weitgehend aufgegeben und schreibt *Busse,* wo es nach Duden *Buße* heißen müßte. Wir verdanken die Befreiung von diesem in den meisten Fällen tatsächlich überflüssigen Zeichen und seinen komplizierten Verwendungsregeln wohl der Deutschschweizer Schreibmaschinentastatur, die den freigewordenen Platz für die französischen und italienischen Sonderzeichen (Akzente, *ç*) dringend benötigte. Daß dem gleichen Raumbedürfnis auch die Umlaut-Majuskeln *Ä, Ö, Ü* zum Opfer fielen, ist bedauerlicher, und daß die Ersatzschreibungen *Ae, Oe, Ue* oft auch von Druckern verwendet werden, denen die Umlaut-Majuskeln zur Verfügung stünden, ist unverständlich.
Andere Abweichungen von der verbindlichen deutschen Orthographie sind weder regelmäßig noch der Rede wert. Dies wäre auch erstaunlich, gehörten doch die Schweizer zu den ersten Anhängern Konrad Dudens, die seine Rechtschreibregeln schon 1892 in ihrer Bundeskanzlei einführten – lange vor Preußen und Bayern.

Können wir überhaupt deutsch?

Es mag sonderbar klingen – aber die am tiefsten sitzende Besonderheit der deutschen Standardsprache der Schweiz beruht nicht auf den eben geschilderten Abweichungen vom binnendeutschen Sprachgebrauch. Das Gesicht unserer deutschen Standardsprache wird am heimlichsten, aber unausweichlichsten davon gezeichnet, daß die Standardsprache bei uns in erster Linie geschriebene Sprache geblieben ist. Während sie in Deutschland und auch in Österreich von großen Kreisen der Bevölkerung auch im täglichen Leben als einzige oder doch als natürliche Sprache verwendet wird, ist dies hierzulande nicht der Fall. Selbst jene Schweizer, die alle Register der geschriebenen Sprache beherrschen, haben Mühe, ganz alltägliche mündliche Situationen angemessen zu bewältigen – etwas überspitzt gesagt: Viele Schweizer sind zwar fähig, gelehrte Vorträge in gutem Standarddeutsch zu schreiben, aber sie finden den richtigen Ton nicht, wenn sie in der gleichen Sprache eine Anekdote erzählen oder ein Bier bestellen sollen. Der Schweizer, der nicht längere Zeit im deutschsprachigen Ausland gelebt hat, hat nie Gelegenheit gehabt, jene Stile zu lernen, die eine Sprache am unmittelbarsten als nützliches Kommunikationsinstrument erlebbar werden lassen. Die Schule ist kaum in der Lage, diesen Zustand zu beheben: Unser Standarddeutsch bleibt, was die Stilvielfalt anbelangt, notgedrungen eine ärmere Sprache als das Binnendeutsche, es bleibt «Schriftsprache».

Es fehlen uns die mündlichen Satzbaupläne, die «redeleitenden» Partikel (vgl. *na!*); überdies, und das hat mit unserem «schweren» alemannischen Akzent nur mittelbar zu tun, neigen wir zu einer buchstabengetreuen Aussprache: *Sehen* heißt bei uns oft [sehɛn] und nicht [ze:ən], *Vater* würden wir nicht als [fa:tɒ] aussprechen, selbst wenn wir's könnten, und durchaus geläufige Verkürzungen wie *ich hab* vermeiden wir ängstlich. Dies alles, besonders aber der trotz des Mundarteinflusses allzu «unmündliche» Satzbau, macht unsere gesprochene Rede nicht «eigentlich besser» als jene der Deutschen (was schon behauptet worden ist), sondern ganz einfach «papieren», das heißt stilistisch unangebracht und im Verein mit dem provinziellen Akzent irgendwie unbeholfen – selbst wenn wir frei «schriftdeutsch» sprechen, lesen wir sozusagen ab. Dieses «Schweizerdeutsch» mag dem Deutschen Anlaß zu wohlwollender oder hämischer Belustigung sein – in beiden Fällen wird das sprachliche Wohlbefinden des Schweizer Sprechers durch das Bewußtsein, sich auffällig auszudrücken, erheblich gestört. Wir besitzen somit nicht einfach eine abweichende mündliche Standardsprache, wir besitzen in der Standardsprache überhaupt kein mündliches Register, in welchem wir uns selber wohl fühlen würden.

Falls die vielbeschworene, aber noch nie empirisch genau beschriebene

Abneigung des Deutschschweizers, standarddeutsch zu sprechen, tatsächlich existiert, dann muß sie in diesen Verhältnissen ihre Ursache haben. Die mutmaßlichen sozialpsychologischen Gründe, die den Deutschschweizer und seine Schule daran hindern, alles zu unternehmen, um diese Registerlücke auszufüllen, sind anderswo kurz zur Sprache gekommen.

Das Fehlen mündlicher Stile wirkt auch auf die Form der geschriebenen Standardsprache zurück. Der Einfluß des gesprochenen auf das geschriebene Deutsch, der in Deutschland in diesem Jahrhundert so ausgeprägt feststellbar ist, muß in der Schweiz sehr indirekt bleiben. Was bei uns an unmittelbarer, lebendiger Sprachschöpfung geschieht, geschieht zum überwiegenden Teil in der Mundart, also in einer andern Sprachform. Schon allein dadurch ist ihm der Zugang zur Schrift außerordentlich erschwert. Dazu kommt, daß viele gebildete Deutschschweizer an einer provinziellen Helvetismen-Furcht leiden und dazu neigen, als «mundartlich» abzulehnen, was zufällig mundartähnlich klingt: *gang und gäbe, vertrödeln* und *rechts von der Straße* sind einschlägige Beispiele. Wenn das Standarddeutsche Synonyme zur Verfügung stellt, hält man mit einiger Regelmäßigkeit den mundartferneren norddeutschen Ausdruck für den einzig richtigen. Wir glauben, «richtig» deutsch sei bloß *es klingelt!,* obwohl es auch in Österreich und im Oberdeutschen wie bei uns *läutet;* wir gehen schriftsprachlich lieber *nach Hause,* obwohl man im hochdeutschen Sprachgebiet auch *heimgeht.* Charakteristischerweise werden von dieser Helvetismen-Furcht vor allem Wörter betroffen, die Begriffe aus dem alltäglich-«volkstümlichen» Lebensbereich bezeichnen: Ein Wort wie *Gülle* wird eher als Helvetismus eingestuft (obwohl es gesamtoberdeutsch ist) als ein Wort wie *äufnen* (obwohl wir es hier tatsächlich mit einem Helvetismus zu tun haben). Dies wirft ein bezeichnendes Licht auf unser Verhältnis zur «Schriftsprache», die für uns noch immer vor allem «Hochsprache» ist, den alltäglichen Sphären weit enthoben. Besonders aber tragen diese Verhältnisse von neuem dazu bei, daß das Standarddeutsch der Schweizer oft weiter als nötig von ihren Mundarten abweicht und in der Regel konservativer ist als die binnendeutsche Variante.

Es ist ein schwacher Trost, daß hie und da ein ehemaliger Helvetismus in die gemeindeutsche Standardsprache aufgenommen wird. Dem Paradebeispiel *Putsch* ‹Umsturz› würde man die Herkunft aus der stabilen Eidgenossenschaft nicht unbedingt zutrauen, dagegen dürfte sich niemand über den gesunden alpenländischen Ursprung des *Müsli* (z. B. *Birchermüsli*) wundern; beide kanonisierten Helvetismen haben leider unserem sprachlichen Selbstbewußtsein keinen besonderen Auftrieb verleihen können.

KURZE GESCHICHTE DER DEUTSCHEN SCHRIFTSPRACHE IN DER SCHWEIZ

Die Anfänge der geschriebenen Volkssprache

Im Jahre 789 erließ Karl der Große Vorschriften über die Volksmission und hielt darin fest: «Ein jeder Priester soll der ihm anvertrauten Gemeinde das Gebet des Herrn und das Glaubensbekenntnis sorgfältig einprägen.» Die Mönche des jungen Klosters St. Gallen hatten schon vorher die deutsche Sprache hie und da verwendet, um einzelne schwierige Wörter in ihren lateinischen Handschriften zu übersetzen; sie waren jetzt die ersten, die der königlichen Aufforderung nachkamen. Schon um 790 übersetzten sie die beiden Gebete zum Nutzen ihrer Gläubigen in deren alemannische Volkssprache. Und so klingt das St. Galler Vaterunser, der älteste selbständige Text, der uns in der Sprache der deutschen Schweiz überliefert ist:
Fater unseer, thu pist in himile, uuihi namun dinan, qhueme rihhi din, uuerde uuillo diin, so in himile, sosa in erdu. Prooth unseer emezzihic kip uns hiutu. Oblaz uns sculdi unseero, so uuir oblazem uns sculdikem, enti ni unsih firleiti in khorunka, uzzer losi unsih fona ubile.
[Zu einigen Wörtern: *uuihi* ‹heilige deinen Namen›; *wīch* ‹heilig› steckt noch in nhd. *Weihnacht* und *Weihwasser* und natürlich in *weihen* mit spezieller Bedeutung. *emezzihic* ‹fortwährend›, das Wort steckt hinter unserem *emsig. khorunka* ‹Prüfung› von *chorōn* ‹kosten, prüfen, versuchen›; das Verb existiert noch im Wallis: *choru* ‹kosten einer Speise›.]
Rund zwei Jahrhunderte später unternahm der St. Galler Mönch Notker Labeo (ca. 950–1022) den großartigen Versuch, das heimische Alemannische als pädagogisches Hilfsmittel einzusetzen. Notker schuf zu diesem Zweck zweisprachige Redaktionen lateinischer Schulklassiker und des Psalters, die von einer großen Sensibilität für das bisher kaum gepflegte «barbarische» Idiom zeugen. Auch in seinen lateinischen Werken liebte er es, Beispiele in der Volkssprache anzuführen, wie etwa das folgende Sprichwort, das diesem «ersten Meister der Fachprosa» in einem logischen Grundkurs als Beispiel gedient hat:

Târ der íst ein fúnt úbelero féndingo, Tár nist nehéiner guot;
Unde dâr der íst ein hûs follez úbelero lîuto, Târ níst nehéiner chústic.
[‹Unter einem Pfund schlechter Pfennige ist keiner gut, und in einem Haus voll böser Menschen taugt keiner was›, vermutlich etwa «Sage mir, mit wem du gehst, und ich sage dir, wer du bist». Die engl. Geldeinheit *Pfund* erinnert an die Sitte, kleine Münzen gesamthaft zu wägen. *chustic* ‹auserwählt, tüchtig, gut›, noch im mundartlichen *chüschtig* ‹kräftig von Geschmack›. Zu *follez* vgl. S. 94/95.]

Liebesdichtung und Kaufverträge

Vor und nach Notker sind nicht nur im Alemannischen, sondern im ganzen deutschen Sprachraum die Zeugnisse der Volkssprache spärlich. Der Neubeginn in der zweiten Hälfte des 12. Jahrhunderts wirkt wie ein Ausbruch und zeigt eine völlig veränderte Szene. Eine neue soziale Gruppe verwendet eine radikal veränderte Sprache zu ganz anderen Textsorten. An Stelle der geistlichen Katecheten treten adlige Laien, die nach französischem und provenzalischem Vorbild deutsche Heldenromane und Liebesgedichte schaffen. Zentrum dieser neuen Literatur wurde bald Schwaben, wozu auch der Großteil der heutigen Deutschschweiz zählte, und der Beitrag der «Schweizer» zur ritterlichen Dichtung ist denn auch nicht gering – Hartmann von Aue beispielsweise, der erste der drei großen mittelhochdeutschen Epiker, soll aus Eglisau stammen –, und schon damals vermittelten die «Schweizer» über die Sprachgrenzen: Rudolf von Fenis, zweisprachiger Graf von Neuenburg, sang als erster deutsche Lieder im provenzalischen Stil. Im Laufe des 13. Jahrhunderts brachte fast jedes der vielen Rittergeschlechter des schweizerischen Mittellandes «seinen» Lyriker hervor, von denen freilich nur wenige den Durchschnitt überragen.

Heide vn̄ anger vn̄ dú tal
dú hat der winter aber val
gemacht vn̄ die owe
vnde ouch dar zů den grvͤnen walt
der ê mit froͤiden was beſtalt
da mac man inne ſchŏwen
vil kalden rifen der kan vogel ſweigen
ir sv̊ſſen ſanges ſvnder wan.
nv mv̊s ich kvmber mit in han
dú liebe welle minen kvmber neigen.

Heide und anger und diu tal
diu hât der winter aber val
gemachet und die ouwen,
und ouch dar zuo den grüenen walt,
der ê mit fröiden was bestalt;
dâ mac man inne schouwen
vil kalden rîfen, der kan vogele sweigen
ir süezen sanges sunder wân.
nu muoz ich kumber mit in hân,
diu liebe enwelle mînen kumber neigen.

[Neben der genauen («diplomatischen») Umschrift des Handschriftentextes steht die Umsetzung des Herausgebers in die leichter lesbare, aber von den modernen Germanisten erfundene «normalisierte Schreibung». Die Strophe ist folgendermaßen zu übersetzen: «Heide und Fluren und die Täler / hat der Winter wieder farblos / gemacht, ebenso die Wiesen / und dazu den grünen Wald, / der vorher einen Saum von Freude trug; / dort drin sieht man / viel kalten Rauhreif, der die Vögel vom / süßen Gesang abbringen kann. / Nun muß ich mit ihnen trauern, / wenn die Geliebte meinen Kummer nicht beendet.» Vgl. *sweigen* mit swzdt. *schwäigge* ‹zum Schweigen bringen›.]

Graf Kraft von Toggenburg (gest. um 1250), der hier nach hundertfach bewährter Manier zur Einleitung seiner Liebesklage Feld und Wald besingt, besaß auch der wirklichen Felder und Wälder viele – und von Zeit zu Zeit handelte er auch ganz prosaisch damit:

Wir Vͦlrich Probſt vnd der Conuent des Huſes vͦnſer frôwen ze Rúti haben mit gottes helf geledegot von den Hocherbornen vn̄ edelen herren Grauen [...] von Toggenburg die Lúte vn̄ das Dorf daſ genemt ist Verrich mit aller rechtung vn̄ vogtey ſo die ſelben Herren von Toggenburg dar an hatten · umb achtzig March ſilbers. Vnd hant die ſelben Lúte ze Verrich mit gemeinem gunſt v̄n willen frilich geben vͦnſerm Gotzhus ze Rúti dem vorgenanten alle ir ligenden Gůter · akker · wiſen · welde · Holtzer · berge · vnd tal · vnd Veld ze rechtem eigen. Vnd hant ſú ſich vnd ir nachkomen verbunden mit geſwornen eiden · das alſus ſtête ze habenn · vnd vngekrenket.

Heute ist Ferrach *(Verrich)* nur noch ein Dorfteil von Rüti, aber mit der Urkunde über den Verkauf des unscheinbaren Weilers im Jahre 1238 haben die Toggenburger für die Sprachgeschichte der deutschen Schweiz einen bedeutsameren Markstein gesetzt, als es ihrem Gentleman-Dichter mit seinen modischen Reimen gelang: Es ist die erste erhaltene Urkunde der Schweiz in deutscher Sprache. Noch traute man der Volkssprache nicht ganz; man stellte gleichzeitig eine lateinische Fassung aus und brachte damit das allmähliche Vortasten der deutschen Sprache in einen Bereich hinein zum Ausdruck, der bisher dem Latein anvertraut war. Schon hundert Jahre später war das Deutsche in der Schweiz ausschließliche Urkundensprache geworden.

Das sogenannte «Mittelhochdeutsche» der höfischen Dichter ist, im Gegensatz zum «Althochdeutschen» der Mönche, über ein großes Gebiet hinweg erstaunlich einheitlich. Zwar kann vermutet werden, daß damals die Unterschiede zwischen den oberdeutschen Mundarten

noch geringer waren als heute, dennoch ist es erstaunlich, wie wenig Hinweise auf die Herkunft ihrer Verfasser aus der Sprache der ritterlichen Dichtung gewonnen werden können. Wir haben es hier mit einer aufs feinste stilisierten Sprache zu tun, die mit der gesprochenen Sprache nur wenig gemein haben konnte.
Etwas anders dagegen stand es mit der Sprache der Urkunden. Auch hier handelt es sich natürlich um geschriebene Sprache mit den entsprechenden Besonderheiten. Es ist aber eine Sprache, die keinen überregionalen Kulturidealen verpflichtet ist, sondern im Gegenteil möglichst präzis zu fassenden lokalen Realitäten. Deshalb lassen sich die Urkunden auch leichter als die Dichtung aufgrund ihrer Sprache heimweisen.
Die Urkundenschreiber mußten sich offenbar ihre Schreibregeln nicht völlig neu schaffen; vielleicht griffen sie auf die «Regeln» zurück, die zuerst für die Niederschrift von Dichtungen entwickelt worden waren, aber es lassen sich auch ältere, von der Dichtersprache gemiedene Besonderheiten feststellen. Unser Text bietet dafür Beispiele mit den vollvokaligen Endsilben etwa in *geledegot*, das in der Literatursprache als *geledeget* ‹ledig gemacht› erscheinen würde. Auch die Urkundensprache zielte auf überregionalen Ausgleich, aber die entstehenden Schreibdialekte galten für je kleinere Gebiete als die Dichtersprache. Ihre Nähe zur Mundart hing besonders auch vom Bildungsstand der Schreiber ab. Gleichzeitig muß angenommen werden, daß gerade ins 13. und 14. Jahrhundert die entscheidende Auseinanderentwicklung der schweizerdeutschen Mundarten fällt; aus diesem Grunde werden sich die Mundarteinflüsse auf die geschriebene Sprache dieser Jahrhunderte stärker bemerkbar machen.

Dichter und Bürger

Seit etwa 1300 geht die relative sprachliche Einheitlichkeit auch in der Dichtung verloren, die immer ausschließlicher zum Zeitvertreib von Stadtbürgern wird. Die Städter fühlen sich nicht einem internationalen Stand und seinen Kulturidealen verpflichtet, sie bedienen sich als Bürger ihrer Stadt selbstbewußt der lokalen Schreibform, die ihnen aus Mangel an höherer Bildung wohl auch als einzige zugänglich war. Als Beispiel solcher Poesie zitiere ich den Anfang eines Liedes, das den Streit der beiden Städte Freiburg und Bern um das kleine Reichsstädtchen Gümmenen beschreibt (1331–1333). Es ist das älteste der sogenannten «historischen Volkslieder» unseres Landes und mit seiner kecken Einkleidung des Streits in eine Bärenjagdszene auch eines der beschwingtesten Beispiele einer Gattung, die später unter den Eidgenossen zu besonderem Ansehen und zu manchmal epischem Umfang gedieh. Die Unterschiede zur höfischen Dichtersprache und Dichtungsauffassung treten besonders deutlich hervor, wenn man das Original mit dem modernen Versuch einer «Rückübersetzung» in klassisches Mittelhochdeutsch vergleicht:

Ein jeger der hies friburger	*Ein jeger, der hiez Friburger,*
der sach daz ein mechtig ber	*der sach, daz ein mehtic ber*
vor jm gieng vf einer gůten weide.	*vor im gienc ûf einer guoten weide.*
Der jeger sprach also von Zorn:	*Der jeger sprach alsô von zorn:*
Mötzli jch han von dir verlorn	*«Müzlîn, ich hân von dir verlorn*
fründ vñ mag daz sol dir komen ze leide.	*friund unde mâge: ez sol dir kon ze leide.*
Kan jch dir allein nüt angewünnen,	*Kan ich dir allein niht angewinnen,*
So weis jch starker hunden vil	*so weiz ich starker hunde vil,*
die jch vber dich hetzen wil.	*die ich über dich hetzen wil:*
Die können dich wol vachen vñ öch bißen.	*die künnen dich wol vâhen unde bîzen.*

Die Zeit vom späten 13. bis zum Ende des 16. Jahrhunderts wird in der Literaturgeschichte als Zeit des «Übergangs» nicht besonders hoch eingeschätzt. Das Urteil mag berechtigt sein, wenn wir als Richtschnur unsern modernen Geschmack wählen, der nach Walther von der Vogelweide tatsächlich jahrhundertelang kaum mehr auf seine Rechnung kommt. Für die Zeitgenossen aber gibt es keine Übergangsepochen, es gibt bloß die mehr oder weniger rasche Abfolge von Neuerungen – und gerade auf dem Gebiet von Sprache und Literatur brachte jene Zeit des Spätmittelalters sehr folgenreiche Neuerungen hervor.

Dichterische Prosa

Die Zahl der Schreibenden und Lesenden nahm stetig zu, damit auch die Themen und Textsorten des Geschriebenen. Zugleich setzten sich in der Sprachbehandlung wichtige Neuerungen durch. Außer Urkunden, Predigten und einigen kleinen Formen wie Rezepte und Gebete hatte man vor 1400 praktisch alles Geschriebene, das mit einem gewissen Anspruch auftrat, gereimt. Im 15. Jahrhundert beginnt man umgekehrt, selbst belletristische («fiktionale») Texte immer häufiger in Prosa abzufassen. Zu den Pionieren gehören der Aargauer Nikolaus von

Wyle (ca. 1410–1478) und der Berner Thüring von Ringoltingen (ca. 1413–1483); der Humanist von Wyle führte mit Übersetzungen, vorwiegend aus dem Italienischen, die gehobene Prosanovelle in die deutsche Literatur ein, während Ringoltingen sich dem trivialeren Prosaroman widmete. Auf dem Gebiet der Fachliteratur entstanden damals in rascher Folge die zahlreichen altschweizerischen Chroniken. Diese Chroniken erscheinen uns heute oft etwas verworren. Stellenweise aber wirkt ihr wortkarger, lakonisch anreihender Stil auf uns wie ein Holzschnitt von elementarer Kraft. Auch die Sprachform der Chroniken trägt zum ästhetischen Eindruck auf den modernen Leser bei: Es ist eine Sprache, die in ihrem alemannischen Lautstand und Wortschatz eigenartig vertraut wirkt; aber die unsern Mundarten abhanden gekommenen Wörter bei gleichzeitig noch erhaltenen Fällen und Vergangenheitsformen verschaffen dieser Sprache eine zwar altertümliche, aber zweifellos hochsprachliche Würde. Ich zitiere aus dem *Weißen Buch von Sarnen* (um 1450?):

Nu was uf Sarnen einer von landenberg vogt zu des Richs handen, der vernam das einer jm melchi were, der hetti ein hübschen zugg mit ochsen. Da fur der her zu und schigt ein sin knecht dahin und hies die Ochsen entwetten [‹ausspannen‹] *und imm die bringen und hies dem arm man segen, puren solten den pflug zien und er wölti die ochsen han. Der Knecht der tett das jnn der herr geheissen hat und gieng dar und wolt die ochsen entwetten und die gan sarnen triben ...*

Eines war klar: Obwohl der Wegfall von Reim- und Verszwang den Unterschied zwischen gesprochenem und geschriebenem Stil verringerte, konnte es für denjenigen, der in geformter Sprache würdig schreiben wollte, nicht darum gehen, in der Schrift das gesprochene Wort nachzuahmen. Auf der Suche nach dem angemessenen, würdigen, dem auch ohne Reim dichterischen Stil hielten sich die Prosaisten zu Beginn an den rhetorisch durchgebildeten lateinischen Stil, von dem man sich erst spät wieder zu lösen begann. Hinter der «Kompliziertheit» der alten deutschen Prosa steht mehr künstlerischer Wille, als sich der rasche Leser träumen läßt, während die alten Chroniken wohl gerade da, wo wir sie als besonders zupackend empfinden, auf den Zeitgenossen unkünstlerisch gewirkt haben dürften.

Die tütsch, eidgnossisch Landsprach

Der Berner Chronist Valerius Anshelm († 1546) berichtet, die Eidgenossen hätten im Jahre 1510 beschlossen, allen ausländischen Herren, auch dem französischen König und dem römischen Papst, nur noch in *gůter, eidgnossischer sprach* zu schreiben. Nicht einfach *tütsch* wollte man schreiben, sondern in einem Idiom, das man als *eidgnossisch* begriff. Anshelms Formulierung steht nicht allein. Der Zürcher Humanist Konrad Gesner (1516–1565) spricht von einer *lingua Germanica communis vel Helvetica* und der Luzerner Stadtschreiber Renward Cysat (1545–1614) von einer *tütschen vnd eydtgnossischen, helvetischen landsprach*. Die Zeugnisse ließen sich mühelos vermehren. Aus allen geht hervor, daß die Schweizer des 16. Jahrhunderts sich im Besitze einer Art Nationalsprache wähnten.

Eine Nationalsprache muß der Nation in zweierlei Beziehungen «eigen» sein: Sie muß allen ihren Gliedern gehören, das heißt also, sie muß im Innern einigermaßen einheitlich sein. Andererseits darf sie aber gleichzeitig nicht auch den «Fremden» gehören; sie muß sich also von der Sprache der Nachbarn deutlich unterscheiden. Diese Bedingungen scheint die eidgenössische Landsprach des 16. Jahrhunderts tatsächlich erfüllt zu haben – mit der einen wichtigen Einschränkung: sie galt nicht für die romanischen Untertanen und Verbündeten.

Das Bewußtsein der Eidgenossen vom sprachlichen Unterschied

Im Frieden von Basel trennten sich die Eidgenossen 1499 faktisch vom Deutschen Reich. Diesem Ereignis war eine lange Zeit der Entfremdung nicht nur der Regierenden, sondern auch und besonders der Bevölkerungen links und rechts des Rheins vorangegangen. Zwar waren die Bewohner der grenznahen eidgenössischen Landschaft rechtlich ebenfalls «Untertanen», aber die lokalen Freiheiten blieben ihnen weitgehend erhalten, und sie nahmen als Krieger voll und ganz teil am eidgenössischen Kriegsleben und Schlachtenruhm. Diese eidgenössische Freizügigkeit und das gewalttätige Abenteurertum blieben den schwäbischen Nachbarn versagt; dafür brachten sie es unter einer strafferen feudalen Herrschaft zu einer moderneren und einträglicheren Landwirtschaft. Gegenseitiges Mißtrauen, Neid, ja Haß waren die Folgen dieser Entfremdung – schon lange vor dem Krieg.

Auch mit ihrer deutschen Schriftsprache hatten sich die Eidgenossen bis um 1500 von ihren Nachbarn abgesetzt, und zwar nicht durch aktive Sprachgestaltung, sondern durch die Weigerung, gewisse reichsdeutsche Entwicklungen mitzumachen. Allerdings konnte auch im Reich damals nicht von einer einheitlichen Schriftsprache die Rede sein, es gab

vielmehr eine Vielzahl von Schreibdialekten, die aufgrund ihrer Ähnlichkeiten zu verschiedenen Schreiblandschaften zusammengefaßt werden können. In Oberdeutschland herrschte von Wien im Osten bis Straßburg im Westen und bis Mainz und Bamberg im Norden eine Schriftform, die man schon damals als *Gemeines Deutsch* (‹allgemeines Deutsch›) bezeichnete und die unter aktiver Anteilnahme Kaiser Maximilians eine gewisse innere Einheitlichkeit erlangt hatte. Im östlichen Mitteldeutschland mit dem Zentrum Leipzig hatte sich schon etwas früher eine überregionale Schreibform herausgebildet, welche die oberdeutsche an Einheitlichkeit übertraf und nach ihrer Kernlandschaft *Meißnisch* genannt wurde. Norddeutschland besaß schon seit geraumer Zeit eine anerkannte niederdeutsche Verkehrssprache, die eine Zeitlang den Rang einer Weltsprache hatte und doch im 16. Jahrhundert zugunsten des lutherischen Mitteldeutschen aufgegeben wurde. Die Zeitgenossen unterschieden zwischen *Niederdeutsch* und *Hochdeutsch,* und das Erkennungszeichen war die Aussprache der alten Konsonanten *p, t, k,* die sich im Niederdeutschen unverschoben erhalten hatten: *open* ‹offen›, *water* ‹Wasser›, *maken* ‹machen›.
Im Gemeinen Deutsch und im Meißnischen hatte sich bis 1450 überall eine weitere Lautveränderung durchgesetzt, nämlich die sogenannte «neuhochdeutsche Diphthongierung»: die drei alten Langvokale *ī, ū, ǖ* wurden zu Zwielauten: *îs* zu *Eis, hûs* zu *Haus, hüser* zu *Häuser.* Dieser Entwicklung versagte sich die eidgenössische Landsprach und setzte sich damit vom Oberdeutschen ab, eben zu einer Zeit, als man sich auch politisch um eine scharfe Trennung bemühte. Bereits 1526 nannte der Zürcher Drucker Christoffel Froschouer das Gemeine Deutsch die *ußlendische gemeine spraach,* und wenn Renward Cysat gegen Ende des 16. Jahrhunderts die Eidgenossen *jren Nachpuren, den Hochtütschen,* entgegensetzt, dann ist für ihn der Austritt aus der hochdeutschen Sprachgemeinschaft recht weitgehend vollzogen.
Wichtigstes Unterscheidungsmerkmal der eidgenössischen Landsprach und des «Hochdeutschen» waren also die Diphthonge. Immer wieder wird darauf angespielt, sei es als objektive «völkerkundliche» Feststellung, wie bei Ägidius Tschudi oder Konrad Gesner, sei es satirisch, wie bei Niklaus Manuel (1484–1530), der die Sprache des bairischen Gegenreformators Dr. Eck parodiert, indem er die Diphthonge auch dort setzt, wo sie nicht hingehören: *Lass meich ungefatzt! dass deich sant Veltins arbeit besteh, els bůben! eich hab sunst gnůg, das meich betrübt, woltst du*

meich erst gespoien? Aber selbstverständlich gab es neben diesem Lautmerkmal weitere Unterschiede genug, und so setzte etwa Konrad Gesner eine ganze Liste «helvetisch-schwäbischer Gegensätze» auf: *Öpfel – Apfel; gsyn – gwäsen; Kilch – Kirch; losen – horchen; Anken – Schmalz* oder *Butter.*

Hans Rudolf Manuel (1525–1571), der Sohn des Niklaus, mag uns die Gegenüberstellung der beiden Sprachformen liefern. 1547 schuf er ein Holzschnittpaar, einen eidgenössischen Krieger und einen deutschen Landsknecht darstellend; zu jedem der beiden traditionellen Kriegsgegner schrieb er einen Spruch in der passenden Sprachform:

Eidgenosse:

Biß mir willkommen brůder Vyt
Mir ist ich gsäch was dir anlyt /
Gwußlich bist nåcht gsin aber vol
Bschynt sich an deinen kleidern wol /
Am wamest doch insonderheit /
Daß sovil lem̄pen an jm treit
Lāg kurtz ouch breit vn̄ etlich schmal
Es ist zerlumpet überal /
Nit mag ich wüssen was dschuld ist
Daß du so gar zerhudlet bist /
Es wil mich aber schier beduncken
Du heigst mit voll[em] zapffen trunck[en] /
Sy heigind ouch an dir nüt gspart
Dann ich erkenn vast wol jr art /
Die hand sy wol an dir probiert
Vn̄ dich mit gantz[em] flyss gschrafiert /
In summa gar nüt uberhupfft
Den kabis dir mit trüwen brupfft /
Das gsähn ich an den kleidern fryg
Lieber sag mir obs also syg.

Landsknecht:

Horch mein schweytzer ich wil dirs sag[en]
Ich hab mit solchen leüten gschlagen /
Ain stolzer Kärle wolt ich seyn
Do lüffends zsamen wie die schweyn /
Mit pfleglen / gaislen vnd mistgablen
Da halff kain sperren noch kain zablen /
Kain boch[en] schwerr[en] noch laut schreyen
Ich glaub daß sy vol teüflen seyen /
Die haben mich mit jn̄ beschissen
Drum̄ ist mein klaid so seer zerrissen /
Vermaint ich moͦcht nit vor jn̄ gnåsen
Bin doch vor offt im hader gwåsen
Mit schlahen / hauwen / beyssen / kratzen
Als dann bezeügt mein lamer thatzen /
Deßgleych ich aber nie gesach
Als mir von disen lauren bschach /
Sy hand mir auff mein ayd nit gfålt
Die leüß gar sauber abgestrålt /
Den beltz nur gwåschen sauber rain
Mein schweytzer halt es gilt dir ain.

Anders als sein Vater parodiert Hans Rudolf das Deutsch des Landsknechts nicht, er schreibt ganz einfach das Gemeine Deutsch, und zwar nicht bloß in den Lautungen. Beide Sprüche beginnen mit einem typischen Wort: das *biß!* des Schweizers ist fast bloß hochalemannisch, und das *horch!* des Deutschen findet sich unter Gesners Beispielen für das Schwäbische. Auch in den Verbformen des Deutschen erweist sich Manuel als guter Kenner der *ußlendischen gemeinen spraach,* wie etwa *die haben* des Deutschen gegen *die hand* des Schweizers oder *sy seyen* gegen *es syg* zeigen; vermutlich ist es auch kein Zufall, daß nur in der Rede des Landsknechts Präteritumsformen vorkommen, dann aber geradezu in Massen: *wolt, lüffend, halff, vermaint, gesach, bschach.* Manuel beachtet im Landsknechtspruch auch die oberdeutsche Schreibregel, wonach der alte und neue *ei*-Laut in der Schrift unterschieden werden müssen: *mein klaid, mein ayd.* Andererseits ist aber Manuels eigene Landsprach nicht ganz gegen die *ußlendische* immun: Wenn er den Eidgenossen *deinen kleidern* sagen läßt, dann kündet sich in diesem diphthongierten *deinen* eine «Unterwanderung» der einheimischen Schriftsprache an, die im Verlaufe des nächsten Jahrhunderts dem Landsknecht wenigstens sprachlich zum Sieg über die Eidgenossen verhelfen wird.

Wie einheitlich war die Landsprach?

Der deutliche Unterschied des «Helvetischen» gegenüber dem Deutsch der Nachbarn war also eine Tatsache, und sie war den Zeitgenossen durchaus bewußt. Wie einheitlich aber war die Landsprach der verschiedenen eidgenössischen Stände untereinander?

Es darf behauptet werden, daß der Abgrenzung gegen außen tatsächlich eine gewisse Einheitlichkeit im Innern entsprach, und auch sie war nicht in erster Linie durch sprachliche Aktivität, etwa durch den Anschluß an einen vorbildlichen Autor oder Schreibort, zustande gekommen, sondern durch *Kompromiß* und *Konservativität.* So bemühten sich die Basler, die Walliser und die Innerschweizer weiterhin – wenn auch oft mit geringem Erfolg –, von *schönen Hüsern* zu schreiben, als sie in ihren Mundarten längst von *scheenen Hyysern* redeten. Ebensowenig wie jene «Entrundungen» hatten in der Schriftsprache die verdumpften *Jòòr, spòòt* etwas zu suchen, welche die Mundarten zwischen Napf und Bodensee charakterisieren: Getreulich schrieb man *jar* und *spat.* In bernischen und freiburgischen Schriftstücken findet man kaum eine Spur jener Lautentwicklung, die aus altem *ei, öi, ou* die geschlossenen Langvokale *ee, öö, oo* entstehen ließ (*Leetera, Frööd, Oog* ‹Leiter, Freude, Auge›), und auch die thurgauische und schaffhausische *Laatere* findet nur selten ein Echo in der Schrift. Die genannten Besonderheiten gelten mundartlich auf recht großen Gebieten, wenig verbreitete Sonderentwicklungen hatten selbstverständlich noch weniger Aussichten, aufs Papier zu gelangen: Die Reihe der schriftunwürdigen Mundarteigentümlichkeiten könnte somit leicht vergrößert werden.

Allerdings reichte Konservativität zur Vereinheitlichung nicht aus. Auch *Kompromisse* zwischen lokalen Schreibtraditionen waren notwendig, was natürlich dazu führte, daß in gewissen Gebieten der Abstand zwischen den Mundarten und der Schriftsprache nochmals vergrößert wurde. So kennen etwa die modernen berndeutschen Mundarten noch immer zwei verschiedene Endungen im Verbalplural: *mier/syy mach-E, ier mach-ET,* während etwa die Zürcher nur noch eine Endung haben: *mier/ier/syy mach-ED* (vgl. Karte 3). Die einfacheren Verhältnisse des Ostens galten schon für die Landsprache des 15. und 16. Jahrhunderts, nur daß damals die Einheitsendung *-end* lautete, wie heute noch im Bündnerdeutschen: *wir/ir/sy machend.* Diesen schriftsprachlichen Einheitsplural nach östlichem Vorbild akzeptierten nun auch viele Berner, obwohl ihre Mundart ja ganz andere Verhältnisse zeigte. In Niklaus Manuels Fastnachtspiel *Der Ablaßkrämer* (1525) finden sich etwa die folgenden Beispiele:

Wolan wier armen můͤßend vnß tucken (149)
So findend jer doch dörtt üwer straf
die jer verdienend an gotteß schaf (153f.)
Wen̄ sy das horttend so was wyb vnd man
erschrocken si můͤchtend sich btrußlett han (359f.)

Selbst der mächtigste und volkreichste Stand der Alten Eidgenossenschaft trug also durch solche Entscheide gegen die eigenen Mundarten zur Vereinheitlichung der schweizerischen Schriftsprache bei.

Selbstverständlich kann «Einheitlichkeit» in jener Zeit nicht strikte Normierung bedeuten. Nach wie vor unterschieden sich die einzelnen Schreiborte, wobei vor allem der alltägliche Wortschatz fast ganz auf der örtlichen Mundart beruhte. Auch lautliche Unterschiede kamen mehr oder weniger häufig zum Ausdruck: Die Basler zeigten eine Neigung, alte lange *â* und *ô,* die in ihrer Mundart zusammengefallen waren, durch *o* wiederzugeben: *schlofftrunck* ist ein Beispiel für diese «Unsitte», der die konservative *a*-Schreibung zeitweise fast zum Opfer fiel. Auch die einzelnen Schreiber besaßen ihre Besonderheiten: Noch galt die uniformierte Orthographie nicht als eines der höchsten abendländischen Bildungsgüter. Kein Schreiber konnte oder wollte dasselbe Wort immer gleich schreiben, selbst die Grammatik war nicht unantastbar: Manuel beispielsweise verwendet zwar häufig die östliche Einheitsendung (um bei diesem Beispiel zu bleiben), aber nicht immer, und in der Lautung sind ihm hie und da sogar «grob mundartliche» Monophthonge wie *hopt* für *houpt* ‹Haupt› willkommen, wenn er dadurch zu einem guten Reim gelangen kann (Barbali 1314). Lokale Färbung der Landsprach war somit zwar kaum absichtlich erwünscht, aber praktisch unvermeidlich.

Die Schriftsprache des «gemeinen mans»

Natürlich gewährten weniger gebildete Schreiber der Mundart auch in ihrer Schreibsprache ungewollt einen größeren Einfluß. Unterschiede dieser Art waren den Zeitgenossen durchaus bewußt: *«dann ouch jm reden vnd schryben vil vnderscheids, sonderlich by den beläsnen vnd geleerten, die harinn allwegen bessere ciuilitet bruchent, dann der gemein man»*, erklärte Renward Cysat, und erhaltene Schreiben von wenig gebildeten Menschen lassen erkennen, welch große Spannweite damaliger «Schriftsprache» eigen war. Folgendermaßen beschreibt der Sarner Hans Stockmann ein Erlebnis auf seiner Jerusalemfahrt im Jahre 1606:

Darnach siind mier durch die statt uszogen, und usett der statt vorem dor dingetten mier ein fek [‹Fährmann›], *uber den bas* [‹Durchgang›; Kanal mit Schleuse!] *aben zuo faren bis zum mer. Diser bas loufft an der statt aben; ist ein grosen, breitten baß, wol versicherett, dan er ist wol an dryen ortthen beshlosen, wunderbarlich, dan wo ein schiff uffen oder aben fart, so muoß eis wartten, bis das man die dor uff duotth; dan sy kenend das waser hinder sich shwellen, ungloublich zuo sächen. Und als mier an das mer kamend, ettwan ein stund nachts, hatt uns der shiffman in das shiff beshlossen die gantz nacht, dan das shiff deckt was und gerist, das man es zuobeshliesen kan. Hand also ein lange nacht ghan, dan das shiff was gar vol folch, das mier die gantze nacht hand also uff einanderen miesen stotzen und nit kenen drus komen bis z dag.*

Schon Gesner hat darauf hingewiesen, daß das Pronomen *mier* den Mundarten angehöre, nicht aber der Schriftsprache; mundartlich sind auch die zusammengezogenen Präpositionen *usett* ‹außerhalb›, *vorem* und die Adverbien *aben, uffen;* der berufsmäßige Schreiber hätte hier *wir, usser, vor dem, hinab, hinuff* geschrieben. Aus Stockmanns Mundart stammen auch die Obwaldner Entrundungen: *kenend* ‹können›, *gerist* ‹gerüst(et)›, *miesen* ‹müssen›. Schon damals waren in der Mundart Nominativ und Akkusativ zusammengefallen, deshalb schreibt der

Jerusalempilger *ist ein grosen, breitten baß;* gleichzeitig aber beweist er damit, daß er eigentlich Schriftsprache schreiben will, denn in der Mundart hieß es schon damals *e groosse, bräite Pass,* also mit abgeschwächtem Artikel und mit weggefallenem Schlußkonsonanten – auch diese Erscheinungen bezeugt uns Konrad Gesner als volkssprachlich, und Stockmann tut etwas dagegen: er hängt ein Schluß-*n* an, womit er zwar danebengreift, aber seinem Bericht schriftsprachliche Würde verleiht. Auch die Vergangenheitsformen, die der Pilger teilweise verwendet, dürften in der Mundart jener Zeit nicht mehr besonders lebendig gewesen sein: *dingetten, kamend, was* verraten also wieder des Schreibers Bemühungen um die Schriftsprache.
Abgesehen von den genannten Präpositionen und Adverbien, deren «Mundartlichkeit» in erster Linie in der lautlichen Verkürzung besteht, ist auch Stockmanns Wortschatz nicht einfach als mundartlich aufzufassen. Während wir heute aufgrund unseres «diglossischen» Sprachgefühls versuchen, zwischen mundartlichem und schriftsprachlichem Wortschatz scharf zu unterscheiden, bestand für alle, auch die gebildetsten Schreiber damals dieser Zwang nicht: Ihnen stand der gesamte mundartliche Wortschatz zur Verfügung, aber selbstverständlich lösten sie beim Schreiben sprechsprachliche Verschmelzungen auf, übersetzten die Laute in die traditionellen Zeichensymbole und versahen die Wörter wenn nötig mit den notwendigen Flexionsendungen: Wörter wie *fek* [wohl *ferg* ‹Fährmann›] oder *stotzen* gehörten zweifellos auch der Mundart an, ebenso aber der Schriftsprache – vorausgesetzt man beachtete die Schreibtraditionen (bei *stotzen* etwa die Schreibung *tz*) und nahm die nötigen Anpassungen vor (indem man *stotzen* mit einem Infinitiv-*n* versah). In diesem Sinne war die Landsprach nichts anderes als die nach gewissen Regeln verschriftlichte Mundart, und je nachdem, ob die Verschriftlichungsregeln strikter oder larger angewandt wurden, konnte man (unfreiwillig bei den Ungebildeten, absichtlich bei vielen Dichtern) eine mehr oder weniger mundartnahe Sprache schreiben; es bestand also keine scharfe Trennung der beiden Idiome, sie waren durch ein «stufenloses» Kontinuum miteinander verbunden.
Auch wenn die Landsprach viel Raum für landschaftliche und individuelle Besonderheiten bot, darf man deswegen nicht glauben, damalige Schreiber hätten nicht zwischen richtig und falsch unterschieden. Als vorbildlich galt die traditionellere, lautlich vollere, durchsichtigere und dem lateinischen Lautsystem nähere Form. Die

humanistisch gebildeten Vorsteher der größeren Kanzleien strebten auch nach einer gewissen Regelmäßigkeit der Orthographie und einer nicht ganz kunstlosen Syntax. Die besten Werke der damaligen Literatur, besonders das Drama, das im 16. Jahrhundert in hoher Blüte stand, zeigen eine starke, eindrückliche Sprache, die von einer geschmeidigen Norm gelenkt, aber kaum beengt wird.

Diese Toleranz zierte selbst einen Schulmeister wie den Basler Johann Kolroß (gest. 1558), der 1530 eine Rechtschreiblehre der Schweizer Schriftsprache veröffentlichte, dabei aber immer auf Abweichungen der anderen Schreibdialekte hinwies mit dem Vermerk: *«was eim yeden zů siner språch dienstlich, welle er annemen.»*

Eine schweizerische Nationalsprache?

Der Beschluß der Eidgenossen, sich nur noch in ihrer Sprache an die Potentaten dieser Welt zu richten, zeugt von einem recht gesunden sprachlichen Selbstbewußtsein. Er fällt kaum zufällig in die Zeit der Großmachtpolitik nach dem Sieg über das Reich. Nachdem ein päpstlicher Nuntius die Eidgenossen 1521 erstmals als «Nation» bezeichnet hatte, galt es nun, sich dieses Titels würdig zu erweisen, und dazu gehörte neben dem eigenen Recht und den eigenen Sitten auch die eigene Sprache.

Dies aber war eine schwierige Aufgabe, denn einerseits war die eidgenössische Sprache in Gottes Namen deutsch, ja der Sprache der verhaßten Schwaben peinlich ähnlich, so daß man oft für deren Brüder gehalten wurde. Andererseits umfaßte die Eidgenossenschaft damals bereits zahlreiche nichtdeutsche Gebiete, wenn auch nicht als vollwertige Mitglieder, so doch als Untertanen oder Zugewandte – immerhin war der Schwabenkrieg offiziell wegen tirolischer Angriffe auf die romanischsprachigen Engadiner ausgebrochen. Zur ungenügenden sprachlichen Abgrenzung gegen außen gesellte sich also zusätzlich eine offensichtliche sprachliche Uneinheitlichkeit im Innern. Diese Tatsachen waren nicht wegzuleugnen, aber man konnte sie als Zufälligkeiten erklären, die eine tieferliegende nationale Einheit bloß an der Oberfläche verbargen. Niemand war berufener, diesen Nachweis zu führen, als Ägidius Tschudi (1505–1572), damals der beste Kenner der Schweizer Geschichte.

Tschudis Landsprach ist nicht eben leicht verständlich; ich will deshalb seine wesentlichsten Argumente kurz zusammenfassen. Aus Cäsars

Schriften weiß Tschudi, daß die Eidgenossenschaft und Frankreich in vorrömischer Zeit von *Galliern* bewohnt waren, während rechts des Rheins *Germanen* hausten. Er setzt nun voraus, daß sich an dieser Verteilung der «Nationen» bis zu seiner Gegenwart nichts geändert habe, für ihn gibt es also in Gallien wie in Germanien eine Kontinuität des Blutes, eine ununterbrochene und ungestörte Generationenfolge seit vorrömischer Zeit: Die Eidgenossen sind blutsmäßig Helvetier, also Gallier.

Bei den Sprachen dagegen rechnet Tschudi mit verschiedenen Traditionsbrüchen: Die Gallier Frankreichs und jener Teil der Helvetier, der in der Westschweiz wohnt, haben ihre *tütsche spraach* aufgegeben und unter dem Einfluß der Römer begonnen, lateinisch zu radebrechen, aber so schlecht, daß das Französische, *«ein zerbrochne latin vnnd zerhudlete spraach»*, heute noch seine ursprünglich *tütsche* Natur durchblicken läßt: Von den Helvetiern sind also nur die Deutschschweizer der alten, *tütschen* Sprache der Vorväter treu geblieben!

Gleiche Traditionsbrüche führten dazu, daß auch die Gallier auf der Alpensüdseite und in Rätien ihre *tütsche spraach* zugunsten eines Möchtegern-Lateins aufgaben. Daß sie aber ursprünglich ebenfalls *tütsch* gesprochen haben, das beweisen für Tschudi die deutschen Sprachinseln im Maiental (Bosco Gurin), im Pomatt oder im Hinterrheingebiet, also die Orte, die wir heute als Walserkolonien auffassen.

Die Theorie von der Kontinuität des Blutes und der Diskontinuität der Sprachen erlaubte es Tschudi, alle eidgenössischen Sprachgruppen als *eine* Nation zu verstehen und die Idee zu begründen, daß auch verschiedensprachige Menschen eine Nation bilden können. Es kann vermutet werden, daß Tschudis Sprachtheorie einzig und allein dieser nationalpolitischen Absicht zu dienen hatte, denn er wußte natürlich von den Alemanneneinfällen. Er spielte jedoch ihre Folgen herunter, er weigerte sich, die Alemannen als Vorfahren der Deutschschweizer anzuerkennen. Denn dies hätte seinen nationalpolitischen Absichten widersprochen. Es galt ja nicht bloß zu beweisen, daß die im Bunde der Eidgenossen zusammengeschlossenen Volksgruppen historisch gesehen trotz ihrer verschiedenen Sprachen *eine* Nation bildeten, es galt auch zu beweisen, daß die Eidgenossen *nicht* zur deutschen Nation gehörten, trotz der unverkennbaren sprachlichen Ähnlichkeit.

Tschudis Argumentation ist einfach. Es kann nicht bezweifelt werden, daß sich die Sprache der Eidgenossen von jener der Deutschen unterscheidet: Der wichtigste Unterschied tritt ja schon in der Sprachbezeichnung selber zum Vorschein: *tütsch* gegen *teutsch!* Gerade daran sieht man aber auch, daß sich die beiden Sprachen auch ähneln, wie sich die beiden Völker auch in den Sitten gleichen. Dies aber ist eine uralte Tatsache, die schon den Römern aufgefallen ist: eben weil die Völker des rechten Rheinufers den Galliern in Sprache und Sitte so glichen, nannten sie die Römer *Germani,* dieses lateinische Wort bedeutet aber *Bruder,* und die Römer meinten damit, die Germanen seien Brüder der Gallier.

Damit glaubte Tschudi gezeigt zu haben, daß Menschen verschiedener Sprache dennoch eine einzige «Nation» bilden können und daß Menschen ähnlicher Sprache dennoch zu verschiedenen «Nationen» gehören können: Sprache und Nation brauchen nicht übereinzustimmen. Faktisch war dies in der Eidgenossenschaft ja so; Tschudis waghalsige Spekulationen waren nur nötig, weil man damals (wie gewisse Leute noch heute) die Nation nicht in erster Linie als Zweckverband definieren mochte, sondern als etwas schicksalhaft Gegebenes, und so wagte Tschudi den Versuch, die tatsächliche Zweckgemeinschaft seines Staates als Blutsgemeinschaft zu legitimieren.

Sozusagen als Nebenprodukt konnte Tschudi gleichzeitig das eidgenössische Deutsch zur ehrwürdigsten Sprache des Bundes erklären; auch ohne diese ideologische Absicherung war das Deutsche ja de facto die einzige Staatssprache der Eidgenossenschaft, aber es ist immer gut, wenn sich die Realität würdig begründen läßt...

Ein filtzicht, zotticht deütsch

Leider teilte außerhalb der Landesgrenzen niemand den eidgenössischen Stolz auf die Landsprach. Für die Nachbarn mußte dieses *pirgig und frayssam* (‹furchtbare›) *volck,* dem der Chronist Schedel selbst Menschenfresserei zumutete, zwangsläufig auch ein grobes, rauhes Idiom reden.

Abgesehen von diesen negativen Einstellungen führte der sprachliche Unterschied tatsächlich zu Kommunikationsschwierigkeiten, und zwar diesseits wie jenseits des Rheins. Dies aber wirkte sich zu Anfang des 16. Jahrhunderts viel störender aus, als noch hundert Jahre zuvor. Die Buchdruckerei hatte den Sprachschranken den Kampf angesagt. Das neue Gewerbe, um die Mitte des 15. Jahrhunderts aufgekommen, war darauf angewiesen, seine Produkte in möglichst großer Zahl absetzen zu können.

Schon vor der Reformation bemühten sich deshalb die Drucker um eine Vereinheitlichung der Schreibdialekte. Fast gleichzeitig mit der neuen Kunst übernahmen die Oberrheiner das Gemeine Deutsch. In diesem alemannischen Gebiet war vorher ungefähr die gleiche Sprache geschrieben worden wie in der Eidgenossenschaft. Erst jetzt eigentlich fanden sich die Schweizer mit ihrer Landsprach völlig isoliert.

Noch kurz vor Basels Eintritt in den Bund (1501) hatte die neue Sprachform 1490 die berühmten Druckereien der Stadt erreicht und beherrschte sie bald vollständig.

Trugen so die Drucker aus Geschäftsinteresse zur Überwindung der äußeren Sprachhemmnisse bei, so führte die gewaltige geistige Erschütterung der Reformation zu einem ungeheuren Lesehunger bei breiten Massen und zu einer entsprechenden Verringerung des Analphabetismus. Die Schriften Martin Luthers wurden nicht bloß in Hunderttausenden von Exemplaren abgesetzt und leidenschaftlich diskutiert; seine «meißnische» Sprache wurde zu einem Vorbild, dem große Teile des deutschen Volkes zu folgen bereit waren, auch wenn es Mühe kostete. Der Sprache der Reformation zuliebe gaben die Niederdeutschen sogar ihre alteingeführte Schriftsprache auf. Die Voraussetzungen für das Entstehen einer einheitlichen deutschen Standardsprache wurden jetzt gelegt.

Bereits im Dezember 1522, drei Monate nach Erscheinen der Erstauflage von Luthers Übersetzung des Neuen Testaments, brachte der Basler Adam Petri einen Nachdruck heraus. Jetzt zeigte es sich, daß die Schwierigkeiten der Oberdeutschen und besonders der Schweizer mit Luthers Sprache nicht in erster Linie am Lautstand lagen, man hatte ja in Basel schon längere Zeit die neuen Diphthonge gedruckt. Viel größere Mühe bereiteten die fremden Wörter, und so entschloß sich Petri, seinem nächsten Raubdruck, der schon im März 1523 nötig wurde, ein eiligst verfertigtes Wörterverzeichnis beizugeben:

Lieber Christlicher Leser / So ich gemerckt hab / das nitt yederman verston mag ettlich wörtter im yetzt gründtlichen verteutschten neuwen testament / doch die selbigen wörtter nit on schaden hetten mögen verwandlet werden / hab ich lassen dieselbigen auff vnser hoch teutsch außlegen vnd ordenlich in ein klein register / wie du hie sihest / fleißlich verordnet.

Aus Petris «Register» erfahren wir, daß seinen Lesern beispielsweise die folgenden Wörter fremd waren (in Klammern jeweils Petris oberdeutsche Entsprechungen): *betagt (alt/hat vil tage), brausen (rauschen/sausen), deutlich (offentlich/mercklich), ernten (schneiden), flicken (bletzen), Lippen (lefftzen).* Wie sehr auch unsere Mundarten inzwischen vom «Lutherdeutschen» beeinflußt worden sind, ersehen wir aus einigen von Petris Erklärungen: Damals mußte man etwa *Heuchler* noch mit dem heute ausgestorbenen *gleißner* erklären; wenn der schweizerdeutsche *Glyyssner* in unserem Land dennoch weiterlebt, dann nur deswegen, weil ihn die Rätoromanen rechtzeitig als *il glisner* entliehen und davon sogar *il glisnerem* ‹die Heuchelei› und *glisnergiar* ‹heucheln› abgeleitet haben. Die Schweizer versuchten also, Luther zu verstehen; Luther dagegen sah zum Gegenrecht verständlicherweise kaum Veranlassung, umso weniger, als Zwinglis reformatorischer Extremismus nicht dazu angetan war, das ungünstige Schweizerbild des Reichsdeutschen zu korrigieren. Luther nannte Zwinglis Sprache ein *«filtzicht, zotticht deütsch»,* das kaum zu verstehen sei. Wenn ihn schon Zwinglis Schriftsprache derart zum Schwitzen brachte (wie er sich ausdrückte), so können wir uns vorstellen, wie harmonisch die mündliche Verständigung der beiden Kontrahenten 1529 in Marburg verlaufen mußte! Tatsächlich wird uns ein Mißverständnis überliefert: Als Luther mit einer bestimmten Bibelstelle sein Argument untermauern wollte, widersprach Zwingli: *«Nein, Nein, das ort* [die Bibelstelle] *bricht ůch, H. Doctor, den halß ab!»* Luther kannte diese drastische Redensart nicht und reagierte äußerst pikiert: man sei hier in Hessen und nicht in der Schweiz, wo man offenbar sehr leicht Gefahr laufe, um Kopf und Kragen zu kommen. Zwingli mußte nun die Eidgenossenschaft als Rechtsstaat in Schutz nehmen und seine Ausdrucksweise als harmlose, landläufige Redensart erklären. Allerdings gaben nicht *sprachliche* Mißverständnisse den Ausschlag, daß Luther und Zwingli sich nicht einigen konnten; die weiterbestehende Kluft hatte dagegen nicht zuletzt auch sprachliche *Folgen.*

Die Sprache der Bibel als Vorbild

Die Kluft zwischen Luther und Zwingli hatte zur Folge, daß die Zürcher ein eigenes Bibelwerk herausgaben. Dabei stützte man sich zwar weitgehend auf Luthers Übersetzung, aber man änderte nicht bloß die theologisch anstößigen Stellen, sondern übersetzte Luthers Deutsch in Lautung und Wortschatz in die eidgenössische Landsprach. Ein

Vergleich mag das gegenseitige Verhältnis der beiden Ausgaben illustrieren:

Luther *1. Auflage 1523, hier nach der sprachlich kaum veränderten Ausgabe letzter Hand von 1545* *1. Buch Mose 11, 6–9*	*Zürcher Bibel* *Ausgabe 1525*
Vnd der HERR sprach / Sihe / Es ist einerley Volck vnd einerley Sprach vnter jnen allen / vnd haben das angefangen zu thun / sie werden nicht ablassen von allem das sie furgenomen haben zu thun. Wolauff / lasst vns ernider faren / vnd jre Sprache da selbs verwirren / das keiner des andern sprache verneme. Also zerstrewet sie der HERR von dannen in alle Lender / das sie musten auffhören die Stad zu bawen / Da her heisst jr name Babel / das der HERR daselbs verwirret hatte aller Lender sprache / vnd sie zerstrewet von dannen in alle Lender.	*Vnnd der HERR sprach: Sihe / es ist einerley volcks / vnd einerley spraach vnder inen allen / vñ habend das angefangē zethůn / sy werdend nit ablassen von allem das sy fürgenommen habē zethůn. Wolluff / lassend vns hårab stygen / vnnd jre spraach da selbs verwirren / das keiner des andern spraach vernem̄e. Also zerströwet sy der HERR von dannen in alle lender / das sy vffhöretend die statt zebuwen. Dahår heißt jrer nam Babel / daß der HERR da selbs verwirret hatt aller lender spraach vnnd sy zerströwet von dannen in alle lender.*

Nun war zwar Froschouer, Zwinglis Drucker, ein glühender Anhänger des Reformators. Er war aber auch Geschäftsmann, und als solcher konnte ihm Zwinglis Beitrag zur babylonischen Sprachverwirrung nicht gefallen, so *einvaltig unnd schlecht* ‹einfach und schlicht› Zwinglis Deutsch sein mochte. Wenn man diese Sprache sogar als *gar Landtlich,* also als verständlich, weil einheimisch, lobte, dann mußte gerade diese Qualität sich auf den Absatz der Bibeln hinderlich auswirken.

Deshalb druckte Froschouer 1527 die bisher erschienenen Teile der Bibel nochmals nach, diesmal aber mit den Diphthongen des *Gemeinen Deutsch,* und so sah dieser neue Text aus:

Vnd der HERR sprach: Sihe / es ist einerley volcks / vnd einerley spraach vnder jnen allen / vnd habent dz angefangen zetůn: sy werdent nit ablassen von allem dz sy fürgenom̄en habend zetůn. Wolher lassen vns herab steigen / vnd jre spraach daselbst verwirren / dz keiner des andren spraach verstande: Also zerströwet sy der HERR von dannen in alle lånder / dz sy aufhöretind die statt zebauwen. Dahår heyßt jr nam̄ / Babel / das der HERR daselbst verwirret hat aller lånder spraach / vnd sy zerströwt von dannē in alle lånder.

1529 vollendeten die Zürcher mit den Propheten und den Apokryphen ihre Bibelübersetzung. Froschouer druckte die neuen Teile gleich in drei Fassungen: in einer behäbig-großformatigen in eidgenössischer Sprache für die einheimischen Kanzeln und Bürgerstuben und in zwei kleineren, leichter zu transportierenden Exportausgaben mit den gemeindeutschen Diphthongen. Es war das letzte Mal, daß Froschouer die Bibel mit den alten eidgenössischen Langvokalen gedruckt hatte.

Die Konkurrenz auf dem Bibelmarkt war hart, zumal sich die übrigen Schweizer Reformierten nicht für die Zürcher Fassung entscheiden konnten. Basel blieb Luther treu, an den man sich gewöhnt hatte, und auch Schaffhausen entschied sich endlich für ihn. Vielleicht blieb man in diesen grenznahen Städten nicht unbeeinflußt vom reichsdeutschen Gespött über die «ungeschlachte Schweizerbibel», der man fälschlicher- und boshafterweise Perlen wie die folgende andichtete: *«Du schmierest min grind mit schmeer und schenkest mir gschwiblet gschwablet voll in.»* Die Berner benutzten neben der Zürcher öfter Luthers Bibel, um dann 1684 die deutsche reformierte Übersetzung Johann Fischers (genannt Piscator) offiziell einzuführen – eine peinlich genaue Verdeutschung, deren umständliche, hölzerne Sprache das Deutsch der Berner Geistlichkeit bis zu Gotthelf beeinflußt haben soll. Und so lautet die Geschichte der babylonischen Sprachverwirrung bei Piscator (ich zitiere die Ausgabe von 1736):

Dann der HERR sagte: Sihe, es ist ein einig volck, und sie haben alle nur eine sprach, und diß ists das sie haben angefangen zu thun. Nun aber solten sie nicht abgewendet werden von allem das sie fürgenommen haben zu thun? Wolauf, laßt Uns hinab steigen, und laßt Uns ihre sprach daselbst vermengen; daß keiner des andern sprach vernemme. Also hatte sie der HERR von dannen zerstreuet auf den gantzen erdboden, und sie hatten auffgehöret, dieselbe stadt zu bauen. Daher hat man sie genennet Babel, dieweil der HERR daselbst vermenget hat aller länder sprache, und sie von dannen zerstreuet auf den gantzen erdboden.

Mit dem Zitat aus der Piscator-Bibel haben wir vorgegriffen. Aber auch zu jener Zeit galt noch, was vom 16. Jahrhundert gesagt werden kann: Die Bibel war das einflußreichste und verbreitetste Buch; aus ihr hörte das Volk vorlesen, an ihr lernte man lesen. Die gebildetsten Männer der reformierten Stände bemühten sich um die Orthodoxie und damit zwangsläufig auch um die Sprachgestalt der Übersetzungen, deren Druck bald zur vornehmen Aufgabe der Obrigkeit wurde. Der Einfluß

der Bibelsprache auf die deutsche Schriftsprache der reformierten Schweizer war darum außerordentlich groß.
Auch an der Sprache der Katholiken ging die Reformation nicht spurlos vorüber, ihr Einfluß war jedoch indirekter und nicht so breit. In der Reformationszeit begann, vorerst fast unmerklich, das Ende der eidgenössischen Landsprach, kaum war sie zu einigermaßen allgemeiner Geltung gelangt.

Von der Landsprach zur Haubtsprache

Zwischen 1550 und 1800 fand in der deutschen Schweiz der «Übergang zur neuhochdeutschen Standardsprache» statt; so zumindest steht es in vielen Büchern, und tatsächlich tauchen, wie wir gesehen haben, um 1530 in binnenschweizerischen Drucken jene Diphthonge auf, die als «Leitmerkmale» des «Neuhochdeutschen» gelten; und um 1800 unterschied sich die Schriftsprache gebildeter Schweizer kaum mehr von der Schriftsprache gebildeter Deutscher. Dennoch, die Redeweise vom «Übergang» kann falsche Vorstellungen erwecken, denn um 1530, als er angeblich begann, existierte das Neuhochdeutsche noch gar nicht. Die Schweizer konnten also nicht einfach von ihrer Landsprach zu einem fertigen «Neuhochdeutsch» übergehen. Entscheidend war nicht die Übernahme einer anderen Sprache, sondern die Tatsache, daß auch die Schweizer von nun an das Vorbild für «gute» Sprache nicht mehr im eigenen Lande suchten, sondern sich dem Strom der sprachlichen Entwicklung in ganz Deutschland eingliederten.
Die neuhochdeutsche Schriftsprache wurde von den Schweizern nicht verspätet aufgenommen, sondern während sie entstand; in geringem Maße konnten sie sich sogar an ihrer Schaffung beteiligen. Es ging nicht in erster Linie um einen Ablösungsprozeß, sondern vielmehr um eine allmähliche Umorientierung nach neuen Normen, die selber erst im Entstehen waren, und diesen Prozeß mußten sämtliche deutschen Sprachlandschaften durchlaufen.
Für die Diphthongschreibung konnte noch das benachbarte Oberdeutschland unmittelbares Vorbild sein. Im Verlauf des 17. Jahrhunderts richtete sich aber auch Oberdeutschland selber immer stärker nach einem fremden sprachlichen Vorbild, dem sogenannten «Meißnischen»; manche sprachlichen Erscheinungen aus dieser Gegend erreichten deshalb die Schweiz über oberdeutsche Vermittlung. Die

Hauptzüge dieser überaus verwickelten Prozesse sollen im folgenden äußerst summarisch skizziert werden.
Das 17. Jahrhundert brachte entsetzliche Heimsuchungen über Deutschland. Aber gerade die existentielle Bedrohung des Volkes und die Mißachtung seiner Sprache durch die eigenen Eliten mobilisierten die Gegenkräfte. Im Schlesier Martin Opitz (1597–1639) erstand ein moderner Dichter, der, auf der Luthersprache aufbauend, eine poetische Schreibart zu verwirklichen suchte, die sich an den höchsten lateinischen und französischen Vorbildern maß. Eine ganze Reihe meist akademisch gebildeter bürgerlicher Dichter folgte Opitz nach; in Sprachgesellschaften zusammengeschlossen, bemühten sie sich nicht bloß um den gehobenen dichterischen Stil, sondern auch um seine Voraussetzung, die «richtige» deutsche Sprache.

Die Rolle Meißens

Aus verschiedenen Gründen entstanden die aktivsten Sprachgesellschaften in «Meißen», und ihre bedeutendsten Mitglieder waren Niederdeutsche, die selber zuerst «meißnisch» hatten lernen müssen und schon daher an grammatischen Fragen besonders interessiert waren. Die Suche nach der Norm und ihre Propagierung standen in einer ständigen Wechselwirkung, denn fast alle, die sich an dieser Arbeit beteiligten, waren gleichzeitig Dichter, die ihre sprachlichen Vorstellungen sogleich in ihren Werken konkret verwirklichten. Die Schreibenden lernten voneinander, ihre Schriftgewohnheiten glichen sich gegenseitig an.
Oberdeutschland zeigte sich weder an der «Spracharbeit» noch an der akademisch orientierten Dichtung besonders interessiert. In den sprachlichen Bemühungen erblickten manche Katholiken und nicht wenige Reformierte ein Stück lutheranischer Heimtücke, und in der Literatur verfolgte Oberdeutschland Strömungen, die sich später als Nebengeleise herausstellen sollten und die deshalb die Sprachentwicklung kaum beeinflussen konnten. Ein großer Teil der süddeutschen Literatur, zumal unter den Katholiken, war nämlich für das Theater und zum «sofortigen Verbrauch» bestimmt; nur wenig davon hatte künstlerischen Ehrgeiz, fast nichts wurde gedruckt.
All dies führte dazu, daß das Ostmitteldeutsche seine alte Geltung als vorbildliche Sprache noch ausbauen konnte, besonders nachdem die Niederdeutschen diese Sprache übernahmen und so ihren Benutzerkreis

gewaltig vergrößerten. Zwar hatte schon Opitz die Meinung vertreten, und die meisten Grammatiker folgten ihm nach, daß keine einzelne Sprachlandschaft und schon gar kein einzelner, konkret gesprochener Dialekt den Vorrang vor allen anderen haben dürfe. Die neue Schriftsprache sollte eine *Haubtsprache* sein, die sich über alle Dialekte stellte, wie das Haupt über die Glieder. Man war überzeugt davon, daß es eine sozusagen vorgegebene «Grundrichtigkeit» der Sprache gebe, die unter dem Schutt der mundartlichen Sprachverderbnis zu suchen sei. Dabei konnte einmal jener, ein anderes Mal dieser Dialekt das Grundrichtige bewahrt haben. Faktisch wurde aber doch in vielen Fällen das «Richtige» mit dem «Meißnischen» gleichgesetzt, schon weil die meisten anerkannten Dichter diesem Sprachbereich angehörten.

Eine Norm wird gefunden

Wie ging man nun bei der Spracharbeit vor? Zuerst galt es, was dem Belesenen nicht allzu schwer fiel, alles Derbmundartliche zu meiden. Schon schwieriger war das Gebot, den vorbildlichen Schriftstellern zu folgen, da auch sie oft nicht übereinstimmten. In diesem Falle suchte man das «Grundrichtige» über analogische Schlüsse zu finden: So wurden etwa die historisch «falschen» Vergangenheitsformen *ich sahe, nahme, liesse, ware* bei den starken Verben bevorzugt, weil auch die häufigeren schwachen Verben die entsprechenden Präteritumformen auf *-e* bilden: *ich sagte; ich sahe, nahme* usw. galt deshalb als «grundrichtig» – allerdings nur eine Zeitlang. Als der Berner Albrecht von Haller diese Formen noch um 1730 brauchte, wurde er von den sächsischen Grammatikern ausgelacht, weil er die neuerliche Veränderung des «Grundrichtigen» nicht mitbekommen hatte. Das Beispiel zeigt, daß die Norm nicht auf einen Schlag, sondern über eine lange Auseinandersetzung erreicht wurde.

Aber die Norm wurde erreicht. Bereits um 1700 schrieben die Gebildeten des ganzen deutschen Sprachraums eine Schriftsprache, die orthographisch und in ihren grammatikalischen Formen recht einheitlich war und mit dem dannzumaligen «meißnischen» Brauch übereinstimmte; Unterschiede bestanden vor allem noch im Wortschatz. Ebenso wichtig war aber ein anderer, außersprachlicher Unterschied: Während die neue Sprachnorm in gewissen Gegenden schon sehr vielen geläufig war, war sie es anderswo (etwa in der Schweiz) nur wenigen Gebildeten – die Sprachlandschaften unterschieden sich also darin, wieviel Bildung zur Beherrschung der neuen Sprachnorm nötig war. In der Tat hing das Maß der Angleichung an die neuen Normen seit jeher sehr viel stärker von sozialen als von geographischen Bedingungen ab. Dies gilt auch für die schon oft erwähnten Diphthonge, mit deren Aufnahme die Schweizer im 16. Jahrhundert das erste Zugeständnis an den gemeindeutschen Sprachgebrauch machten. Anhand dieses Leitmerkmals will ich die verschiedenen Bedingungen, denen der Normenwandel unterlag, und seine Chronologie kurz abstecken.

Ein Beispiel für Normwandel

Die Annahme der «neuhochdeutschen» Diphthonge bildete kein geringes Zugeständnis, wenn man die Rolle bedenkt, die diesem Lautmerkmal für die Abgrenzung von Schwaben zugemessen wurde! Überall aber und für sämtliche Schreiber war dies der erste und entscheidende Schritt: Wer die Diphthonge nicht hatte, der war auch nicht bereit, andere Normangleichungen aufzunehmen, und bis etwa 1600 beschränkte sich der Angleichsprozeß fast ausschließlich auf die Diphthonge.

Die neue Mode, alte *y, u* und *ů* mit je zwei Buchstaben als *ei, au* und *eu* wiederzugeben, tauchte, wie wir gesehen haben, zuerst in Drucken auf. Unter den Schweizer Druckorten kam Basel dabei die Führung zu, unter den Druckwerken zumindest in Zürich der Bibel. Alles Handschriftliche dagegen blieb noch lange beim alten Brauch; die staatlichen Kanzleien machten da keine Ausnahme. Aber auch unter ihnen war diejenige von Basel die fortschrittlichste. Schon 1600 schrieb sie fast nur noch Diphthonge; zehn Jahre später war Schaffhausen soweit. In Zürich, Bern, St. Gallen und Luzern konnten sich die Kanzleien erst um 1680 endgültig für die neue Mode entscheiden.

Die Kanzleien pflegten einen mittleren, weder zu fortschrittlichen noch zu konservativen Schreibgebrauch. Daneben gab es die Schreibweisen der «privaten» Schriftkundigen, und hier zeigen sich unglaubliche Schwankungen, die von der Ausbildung, dem Ausbildungsort, der Konfession, der Mundart und vielen andern individuellen Merkmalen der Schreiber abhängen. So gab es in den reformierten Städten schon im 16. Jahrhundert überall einige wenige Gebildete, welche die Diphthonge schrieben. Der St. Galler Reformator Joachim von Watt (1484–1551) beispielsweise soll sich noch im Alter der neuen Mode angepaßt haben. Am andern Ende der Skala stehen manche «einfache

Leute» wie jener subalterne Beamte aus der Luzerner Landschaft, der noch um 1800 nichts von den Diphthongen weiß: *«Betreffent vff dem gemein schachen, so Noch studen vnd holtz steht, soll der Eggli Recht haben zu hauwen vnd in die wuohr zu bruchen.»*
Nun sind aber die Diphthonge nur eines von unzähligen sprachlichen Merkmalen. Wenn wir die Sprachsituation des 17. Jahrhunderts verstehen wollen, dann dürfen wir uns deshalb nicht auf die «großen Züge» beschränken, wir müssen zumindest einige der individuellen Möglichkeiten anhand individueller Texte kennenlernen.

Die Sprache eines Basler Druckers
Im gleichen Jahre 1624, in dem Opitz seine einflußreiche *Deutsche Poeterey* veröffentlichte, erschien in Basel eine ziemlich dürftige Geschichtskompilation, eines Johann Jakob Grassers *Schweitzerisch Helden Bůch,* das aber immerhin den ersten Hinweis auf die Dreisprachigkeit der Eidgenossenschaft enthält (das Rätoromanische ist dabei allerdings vergessen):
Es erstreckt sich aber der Helvetier Landtschafft heutiges tags viel weiter / dann zu der alten Römer zeiten / sintemal nun mehr zu den Helvetiern / vnd rechten alten Schweitzern / auch andere vmbligende starcke Völcker getretten / alß die Rhaetier / oder Bündtner / die Wallisser / die Rauracher / oder Baßler / Item die Schaffhauser / Rotweiler / vnd Müllhauser / wie dann auch die Lauyser / Locarner / Mendrisianer / Mainthaler etc.
Also das heutiges Tags drey Sprachen / alß Teutsch / so der alten Helvetier Můttersprach / Italiänisch vnd Frantzösisch / jnnerhalb gemeiner Eydgnoßschafft gebraucht werden.
Obwohl Autor wie Drucker Basler sind, findet sich in unserm Text keine Spur von den auffälligen Merkmalen des Stadtdialekts: Weder der Zusammenfall von *aa* und *oo (s root Roothuus)* noch die Entrundung *(scheeni grieni Hyyser)* können sich einschleichen. Dies ist beim hohen Stand des Basler Druckgewerbes um jene Zeit bereits selbstverständlich. Die Sprache unseres Textes ist, aus heutiger Sicht, in einigem sogar «moderner» als das damalige «Meißnische». Der Basler Drucker setzt nach oberdeutscher Aussprache *erstreckt, gebraucht,* während etwa Opitz und seine Nachfolger nur die vollen Endsilben gelten lassen wollten: *erstrecket, gebrauchet;* auch das *zu* des Baslers unterscheidet sich auffällig vom *zue,* das Opitzens Breslauer Drucker verwendet. Der Basler ist auch orthographisch dem Breslauer überlegen; er ist einfacher, konse-

quenter (wenn auch nicht ganz: *heutiges tags – heutiges Tags*) und verwendet bereits weitgehend die Großschreibregeln, die sich heute durchgesetzt haben. Dagegen setzt der Basler noch die alten Diphthonge in *Bůch* und *Můttersprach*. Der Hauptunterschied zu Opitz besteht im einfachen Stil Grassers, den man damals wohl als kunstlos empfunden hat. Auch anhand des *Helden Bůchs* kann gezeigt werden, daß die heutigen Normen der Standardsprache nicht einfach «meißnisches» Deutsch fortsetzen, sondern daß tatsächlich nach längerem Hin und Her schließlich auch die Beiträge anderer Schreiblandschaften, vor allem des Oberdeutschen, eine Chance hatten, allgemein akzeptiert zu werden.

Die Sprachen eines Obwaldner Pfarrers und eines Zürcher Prädikanten

In auffälligem Kontrast zur kultivierten Basler Druckersprache steht das Idiom, in dem der katholische Obwaldner Pfarrer Peter Spichtig (gest. 1673) im Jahre 1658 sein *Dreikönigsspiel* verfaßte, aus dessen Vorwort ich zitieren möchte:

Gutt hertziger, günstiger, wohlmeinender Leser, wie dass kein holtz so glückselig, dass es nit etwan ein krump, spahlt oder ast habe; kein frucht so auserlesen, dass selbe nit mit einem wurmbretschen, tipf oder Mackel behafft seye: also kan ich gar wol muhtmaßen, das düse frucht meiness einföltigen hirns auch sein amligen [?] Mangel undt fehler habe, deren sich dan so wol der gelehrte alss gemeine zu tadlen sich understehen möchte. ...

Die composition dan betreffende ist selbige nit ein luters fop und fabelwerk, auch nit ein lautere cathonische gravitet, wol wissend, dass die scharpfe ernsthaftigkeit ein verdruss, dass stöhte foppenwesen eyn eytelkeit und unnutzliche ybung gebürt, so hab ich in der Sprach mich in den fanten der grobheit, in den ernsthaften dingen der gemeinen jetzlaufenden Theutschen sprach beflissen, damit ich iedem kopf ein Taugenden hut auflegte und mich derselben wörteren gebrauchte, die von meinen actoren könten ausgesprochen und von den zuherern verstanden werden. Im ybrigen, so dihr etwas geföllig ist, wöllest du dasselbige zu Deiner lustbarkeit und fromen geniessen, was aber einföltig und schlecht, nach Deiner fründlichkeit entschuldigen und meiner allzeit in gutem gedenken.

Spichtig, der als sehr gelehrt galt, hat sich also über die Sprache Gedanken gemacht, und dies brachte ihn sogar dazu, die Mundart nach stilistischen Kriterien einzusetzen – darauf wird zurückzukommen sein. Sonst aber will er sich der damals modernen *(jetzlaufenden)* «Gemeinsprache» bedienen, und er gebraucht auch tatsächlich die neuhochdeutschen Diphthonge (selbst wenn ihm hie und da, wie bei *luter* ‹lauter, rein›, ein Versehen unterläuft), er bemüht sich, das *e* in den Vor- und Nachsilben nicht zu häufig wegzulassen, er flektiert das Verb auf neuhochdeutsche Weise usw. Daneben hat er aber auch große Mühe mit seiner Mundart, die wie das Baseldeutsche entrundet. Was aber für die Basler, wie wir gesehen haben, kein Problem mehr zu sein scheint, läßt den Obwaldner ständig stolpern: Zu Beginn des Vorworts gelingen ihm *günstig* und *glückselig*, aber bei *düse* ‹diese› wie später bei *stöhte*, *geföllig*, *einföltig* und wohl auch bei *gebürt* ‹gebiert› (?) schießt er übers Ziel hinaus. Später wird er nachlässig: *ybung*, *ybrigen*, *zuherern* zeigen den obwaldnerischen Lautstand. *Fründlichkeit* endlich übersteigt sein Umsetzungsvermögen: Dem mundartlichen *frintli* entspricht in der *jetzlaufenden Theutschen sprach* ausnahmsweise kein *ü*, sondern ein *eu* – was nun wirklich zu weit geht! Daß Spichtig sich mit *krump* ‹Krümmung›, *wurmbretschen* und *tipf* (‹Fleck›) nicht eben eines «meißnischen» Wortschatzes bedient, bedarf keines besonderen Hinweises.

Seine Mundart stellte Spichtig besondere Fallstricke. Dadurch werden aber bloß die Schwierigkeiten deutlicher, die damals die meisten, auch die gebildeteren Schweizer mit der Aneignung der Standardnorm hatten. Stellt man jene typisch obwaldnerischen Tücken in Rechnung und sieht man von der typisch oberdeutschen Orthographie-Wirrnis einmal ab, dann ist Spichtigs Sprache zumindest grammatikalisch dem «Neuhochdeutschen» seiner Zeit überdurchschnittlich nahe. Dies fällt besonders kraß in die Augen, wenn man mit Spichtigs Sprache jene eines jüngeren protestantischen Amtsbruders vergleicht: 1651 schrieb der Zürcher Prädikant Hans Ulrich Brennwald (1620–1692) eine Anekdoten-Sammlung, die sich trotz der offenkundigen Belesenheit und Gelehrtheit ihres Verfassers durch eine recht altertümliche Sprache auszeichnet:

Etliche Burger von Wyl im Thurgaüw die werdend in ein Dorff zue einer Hochzyt brüefft. Als sie kommen, war mann in der Kilchen. Sie göhnd gstracks ins Wirtzhauss, wartend da und trinckend. Von denen sagt einer: «D'Wyler habend Storckenardt; die nistend nach umb d'Kilchen umben, kömmend aber nie gar [‹ganz›*] dryn ynen.»*

Offensichtlich muß der Einfluß der Konfession auf die Schreibgewohnheit differenziert gesehen werden: Weniger gebildete Reformierte konnten zwar eher schreiben als Katholiken mit gleicher Ausbildung, aber ein gut gebildeter Katholik konnte es andererseits zu einer dem

deutschen Brauch näherstehenden Schriftsprache bringen als ei
Protestant. Vermutlich ist auch hier die Bibelsprache wieder bedeut
sam: Die Zürcher Bibel war für Brennwald wohl das wichtigste Buch
und die ihm zur Verfügung stehende Ausgabe pflegte noch viel
Besonderheiten der alten Schweizer Sprache, so etwa den Einheitsplura
auf *-end*. Das einst sprachlich führende Druckwerk zeigte um 1650 eine
veralteten Sprachstand. Die Katholiken dagegen waren auf Druck
werke, v. a. Andachts- und Predigtbücher, aus Oberdeutschland an
gewiesen, da die Buchdruckerei in den katholischen Orten erst spät Fu
faßte und den Bedarf nicht zu decken vermochte. Die Schweize
Katholiken lernten daher die Schriftsprache vorwiegend aus ausländi
schen Drucken. Nun war zwar die Einstellung der Oberdeutschen de
«meißnischen» Spracharbeit gegenüber nicht besonders günstig, abe
wieder bewährte sich der Realitätssinn der Drucker (*Es gilt gelt!* meint
Luther), welche klare Regeln gar keinen Regeln vorzogen und di
verwirrliche Orthographie ihrer «lutherfeindlichen» Autoren nac
meißnischen Regelbüchern modernisierten.

Der Einfluß eines Opitz-Schülers

Nicht immer war der «meißnische» Einfluß so indirekt. Einige wenig
Opitz-Schüler gab es auch bei uns, und dem wichtigsten von ihnen, den
Zürcher Theologen und Lyriker Johann Wilhelm Simler (1605?–1672)
gelang es, die Sprache seiner Landsleute dem «meißnischen» Brauch ei
gewaltiges Stück näherzubringen. Allerdings nicht durch seine Gedich
te, obwohl Simler als der bedeutendste barocke Lyriker der Deutsch
schweiz gilt; vielmehr war es wieder die Bibel, die Simlers vorbildlich
Sprache unters Volk brachte.

Als um 1660 ein Neudruck der Zürcher Bibel nötig wurde, entschie
sich die Kirche für eine vollständige Neubearbeitung. Dabei übertru
man Simler die sprachlich-stilistische und orthographische Endredak
tion. Simler verlieh der 1665 und 1667 erschienenen Ausgabe seh
weitgehend die damals in Mitteldeutschland geläufige Sprachform
Ihren besonderen Einfluß auf die Schreibgewohnheiten der Zürche
gewann das Werk aber dadurch, daß es bald nach Erscheinen zur
verbindlichen Vorbild für den Schreibunterricht an den Schulen erklär
wurde.

So gelangten die Deutschen und mit ihnen die gebildeten Deutsch
schweizer aller Kantone und Konfessionen um 1700 doch zu eine

formal recht einheitlichen *Haubtsprache*. Aber das neue Schreibidiom war eine Gelehrtensprache: Niemand *sprach* so, wie man schrieb. Erst im 18. Jahrhundert wurde die Kunstsprache lebendig, indem sie sich zuerst im akademischen Bürgertum Sprecher gewann; die Höfe folgten nur zögernd. Auch die Entstehung einer mehr oder weniger einheitlichen Aussprache des Neuhochdeutschen war ein äußerst komplizierter Prozeß, der vor allem durch eine immer engere Anpassung der Aussprache an die Schreibung gekennzeichnet war. Damit aber brauchen wir uns hier nicht zu beschäftigen; es ist ja gerade das wichtigste Charakteristikum der deutschschweizerischen Sprachsituation, daß hier die Schriftsprache sich keine Sprecher erworben hat.

Gesprochene und geschriebene Sprache trennen sich

Die Kluft zwischen geschriebenem und gesprochenem Sprachsystem, die heute unsere Sprachverhältnisse prägt, tat sich ganz allmählich auf. Mit den Diphthongen übernahm man im 16. Jahrhundert bloß eine neue Schreibmanier; vermutlich wurde davon nicht einmal die Lesesprache betroffen (noch im 19. Jahrhundert soll es auf dem Land Leute gegeben haben, die geschriebenes *Haus* als *Huus* vorlasen). Grammatik und Wortschatz blieben von der Neuerung völlig unberührt. Als der Zürcher Josua Maaler 1561 das erste deutsche Wörterbuch veröffentlichte, das diesen Namen verdient, da breitete er trotz seiner Diphthongschreibung einen völlig schweizerischen, ja zürcherischen Wortschatz aus:

Küngele *(das)* Cuniculus. *Künele.* ¶ *Küngele / oder ochsenoͦugle / Ein gar klein voͦgelin mit einem goldfarben flaͦcken auff dem kopff / Ein Streüßle / Ein Goldhendlin.* Regulus auis.

Im Verlaufe des 17. Jahrhunderts wurde die Entsprechung zwischen geschriebener und gesprochener Sprache immer mehr gelockert, so daß die Sprachformen, die man beim Schreiben, und jene, die man beim Sprechen verwendete, erstmals als zu verschiedenen Idiomen gehörig empfunden wurden. Erst jetzt waren besondere Bemühungen um die Aufzeichnung der wirklich gesprochenen Mundart denkbar: Eine Mundartliteratur konnte entstehen. Bei Spichtig haben wir erfahren, wofür die Mundart eingesetzt wurde – für Possen. Im 16. Jahrhundert hatte man in solchen Stellen besondere Stilmittel eingesetzt, jetzt begann man, das ganze Sprachsystem zu wechseln.

Das Aufkommen der Mundartliteratur im 17. Jahrhundert signalisiert den Wechsel zu einer neuen soziolinguistischen Situation, nämlich den Übergang vom Mundart-Standardsprache-Kontinuum zur echten Diglossie. Natürlich kann bei diesen ersten Mundarttexten von philologisch genauer Wiedergabe des Dialekts nicht die Rede sein. Allzusehr geraten alte und neue Schreibtraditionen und die Besonderheiten des mundartlichen Sprachstands den meist eiligen Verfassern und Drukkern in die Quere. Gewöhnlich ist die gemeinte Mundart nicht genau zu lokalisieren, oft auch wird offensichtlich versucht, eine andere Mundart nachzuahmen; daß aber Mundart gemeint ist, das steht jeweils außer Zweifel. Als Beispiel diene eine Probe aus dem ältesten erhaltenen ganz in Mundart geschriebenen Text; es ist seiner Form nach ein Dialog zwischen einem protestantischen Wirt und einem katholischen Bauern, dem Inhalt nach eine katholische Propagandaschrift im Vorfeld des 1. Villmergerkrieges, die 1655 mehrmals gedruckt wurde:

Jockle: *Grüß di Gott, Nochber Barthel. Muß ämol sehn, ob noch nuffer bist. Die zyt ist mir nemes grüsele lang, vnd geyt ebe allerley grillen von Zittigen. Wyl du dennethin frembd Lüth vnd Gastunge, bitte trüly, wanns di nüt sumpt, mir ein kly etwas sägen. Min Frow jähet, daß vor ein klyne wyl ein Träger durgangen: will schier jüchten, als wollens in Ländern Kriegerisch syn, vnd sät min Frow, der Träger hab ein stotzen Wyn by dir gno. Wirst wol etwas von wissen.*

Barthel, Würth: *Aha, willko, Nochber Jockle. Bist mir schier ein seltzamer Gast in mim Huß. Ja Gottsene, ich han dir wol von Zittigen zusägen. La dir ein halbs inschencken, biß mine Gäst ze ruh gangen. Iß dann s Müßle mit mir, will dir nöwe seltzame Bisen verjähen.*

[*nuffer* ‹wohlauf›; *grillen von Zittigen* ‹seltsame Gerüchte›; *dennethin* hier etwa ‹ja, übrigens›; *Gastunge* ‹Gäste›, im Nebensatz fehlt das Verb; *sumpt* ‹versäumt›; *jähet* ‹sagt›; *jüchten* wohl etwa ‹versprechen, den Anschein machen›; *Ländern* ‹Urkantone›; *sät* ‹sagt›, Versuch, das Thurgauerische nachzuahmen; *stotzen* ‹eine Maß›; *seltzam* ‹selten›; *Müßle* ‹Mus› (Abendmahlzeit)]

Die endgültige «Ausputzung» der deutschen Sprache

Wenn um 1700 die Schriftsprache der Gebildeten im ganzen deutschen Sprachraum auch eine relative Einheitlichkeit der Formen erreicht hatte, so blieb doch in zwei Beziehungen noch sehr viel, ja das Entscheidende zu tun: Auf sprachlichem Gebiet mußten die letzten formalen Differenzen beseitigt werden, und Wortschatz sowie Stil mußten zu allen denkbaren Funktionen geschickt gemacht werden. In

soziologischer Beziehung ging es darum, zumindest alle Gebildeten und Vornehmen um die gleiche Schriftsprache zu scharen.
An diesem Prozeß hatte die deutsche Schweiz einen entscheidenden Anteil. Dem Berner Arzt und Universalgelehrten Albrecht von Haller (1708–1777) gelang mit seinem *Versuch Schweizerischer Gedichten* (1732) eine Lyrik, die den Bombast des ausgehenden Barocks überwand und dennoch die nüchterne Plattheit der beginnenden Aufklärung vermied. Das neue Naturgefühl Hallers begeisterte seine Zeitgenossen ebensosehr wie die kraftvolle Gedrängtheit und das edle Pathos seiner Ausdrucksweise; mit folgenden Versen preist er die Armut der Hirten seiner Heimat:

Glückseliger Verlust von schadenvollen Gütern!
Der Reichthum hat kein Gut, das eurer Armuth gleicht;
Die Eintracht wohnt bei euch in friedlichen Gemüthern,
Weil kein beglänzter Wahn euch Zweitrachtsäpfel reicht;
Die Freude wird hier nicht mit banger Furcht begleitet,
Weil man das Leben liebt und doch den Tod nicht hasst;
Hier herrschet die Vernunft, von der Natur geleitet,
Die, was ihr nöthig, sucht und mehrers hält für Last.
Was Epictet gethan und Seneca geschrieben,
Sieht man hier ungelehrt und ungezwungen üben.

Hallers Gedichte fanden als neues Vorbild für die deutsche Lyrik sogleich viele Bewunderer. Unter ihnen war auch der Leipziger Professor Johann Christoph Gottsched (1700–1766), der sich als Erneuerer der deutschen Sprache und Dichtung im aufklärerischen Sinne bereits einen Ruf erworben hatte. Noch immer war die Beschäftigung mit der Sprache eine Unterabteilung der Poetik. Sprach- und Dichtungstheorie sind deshalb in jener Zeit nicht säuberlich voneinander zu trennen. Dieselben Prinzipien lenkten denn auch Gottscheds Arbeit auf beiden Gebieten: «Vernünftigkeit» oder Klarheit, Natürlichkeit, Verständlichkeit.
Dies führte in der Poetik zur Verdammung von «unvernünftigen» Wundergeschichten, ja selbst von bildlichen Vergleichen, da sie das unmittelbare Verständnis erschwerten; in der Sprache verlangte dasselbe Prinzip die Ablehnung mundartlicher, veralteter und fachsprachlicher Wörter; die Verdammung der Fremdwörter war dagegen eher nationalpolitisch begründet.
Gottscheds vorwiegend negative Forderungen strebten nach Verein-

heitlichung der Sprache; er betrieb, wie wir heute sagen würden, Sprachstandardisierung – eine Tätigkeit, deren die deutsche Sprache jener Zeit unzweifelhaft dringend bedurfte. Natürlich drohte dabei die Gefahr, daß die Sprache durch allzu radikale Einschränkungen verarmen könnte.

Der Widerstand gegen Gottscheds Theorien entzündete sich denn auch an der poetischen, nicht an der sprachlichen Seite seiner Theorien. Niemand stellte damals den Vorrang der «meißnischen» Sprachform ernsthaft in Frage, aber seiner ledernen Dichtungstheorie erstanden immer mehr Gegner, als deren unbestrittene Führer sich die beiden Zürcher Johann Jakob Bodmer (1698–1783) und Johann Jakob Breitinger (1701–1776) profilierten. Vehement verteidigten sie das Recht des Wunderbaren, des Phantastischen, des Gefühlsmäßigen in der Poesie, und erst von da aus gelangten sie auch zu einer Kritik an Gottscheds Sprachreinigung. Denn der Dichter, der ihnen vorschwebte, lebte von der Vielzahl der nuancenreichen Wörter, da nur sie ihm den treffenden Ausdruck seiner Gefühle ermöglichten – und warum sollten nicht jene verachteten provinziellen oder veralteten Wörter oftmals sein Empfinden am machtvollsten ausdrücken können?

Wenn Gottsched also den Gesichtspunkt der *Standardisierung,* der Reduktion des sprachlichen Überflusses vertrat, so kämpften die Zürcher für den *Ausbau* der Sprache, um sie für alle (auch poetische) Situationen tauglich zu machen, dies aber bedeutete notgedrungen die Vermehrung ihrer Mittel, und auch dies hatte die deutsche Sprache jener Zeit dringend nötig.

Die beiden scheinbar entgegengesetzten Ziele sind nur über einen dialektischen Prozeß miteinander zu vereinbaren. In der Literaturfehde zwischen den Zürchern und Gottsched, die schließlich in offenen Haß umschlug, personifizierte sich sozusagen dieser Prozeß, an dem die gesamte Sprachgemeinschaft beteiligt war.

«... die deutsche Sprache ist mir fremd»

Auch Haller wurde mit hineingerissen. Hatte Gottsched dem Berner früher noch bestätigt, daß seine «Verse vor einen Schweizer überaus flüssig und rein» seien, so fanden nun weder Hallers poetische Leistung noch seine Sprache vor den Augen des Leipzigers Gnade: Schon der Titel der Erstauflage mit dem befremdlichen Genitiv *schweizerischer Gedichten* zeigte ja einen der ältesten und unausrottbarsten helvetischen

«Barbarismen» (vgl. das Gümmenen-Lied: *starker hunden vil,* und Tschudis *vß zwang der Rômern;* Bodmer und Breitingers Zeitschrift hieß *Die Discourse der Mahlern!*). Daß man Hallers Sprache erst jetzt, nach dem Ausbruch des Literaturkriegs, rügte, zeigt, daß sie so schlimm auch wieder nicht gewesen sein konnte. Aber Haller war sich bewußt, daß er nicht ganz den meißnischen Regeln gemäß zu schreiben verstand, schon das Wort *Versuch* auf seinem Titelblatt war entschuldigend gemeint. Im Vorwort zur vierten Auflage seiner Gedichte schrieb Haller den oft zitierten Satz: «Ich bin ein Schweizer, die deutsche Sprache ist mir fremd, und die Wahl der Wörter war mir fast unbekannt. Der Überfluß der Ausdrücke fehlte mir völlig, und die schweren Begriffe, die ich einzukleiden hatte, machten die Sprache für mich noch enger.» Aber dieses «Bekenntnis» des inzwischen berühmt gewordenen Autors verrät eher Stolz denn Bescheidenheit: So spricht einer, der weiß, was er erreicht hat, der sogar ein bißchen mit seiner Herkunft kokettiert. Aus dem Zitat geht auch hervor, daß Haller seine Schwierigkeiten vor allem im Wortschatz sah. Natürlich war Hallers Sprache nicht frei von Provinzialismen. Manche Wörter fehlten ihm bestimmt nur deswegen, weil er den «meißnischen» Ausdruck nicht kannte oder ihn nicht idiomatisch richtig einzusetzen vermochte. Nicht ganz selten unterlaufen ihm deshalb Helvetismen wie *die Heitre* oder *der Fürsprech.* Die formalen Abweichungen seiner Sprache hielten sich dagegen durchaus im damals üblichen Rahmen: Die genannte Genitivbildung gehört hierher, dann gab es Abweichungen im Geschlecht der Wörter (Haller schrieb z. B. *das Quell, das Teil, der Überlast* usw.), Schwierigkeiten mit der Beugung der Adjektive, veraltete Vergangenheitsformen wie *ich ware* oder «falsche» Plurale wie *die Knechten.*

Haller war zu sehr Aufklärer, als daß er sich der «vernünftigen» Aufforderung zur Sprachvereinheitlichung hätte widersetzen können. Von Auflage zu Auflage feilte er deshalb mit Hilfe eines norddeutschen Freundes an der Sprachform seiner Gedichte herum; allerdings betrafen die meisten Änderungen Stilistisches und Rhythmisches und nicht eigentlich Sprachliches – denn, wie gesagt, so «unmöglich», wie man aus seinem Vorwort schließen könnte, war Hallers Standardsprache nicht.

Etwas unerwarteter ist vielleicht, daß auch Bodmer und Breitinger ebenso selbstverständlich bereit waren, sich dem «meißnischen» Sprachgebrauch anzupassen; auch sie ließen ihre Schriften von einem

Deutschen durchsehen. Dies aber lag durchaus in der Logik jenes dialektischen Prozesses, von dem wir gesprochen haben: In allen formalen Dingen, wo die Vereinheitlichung schon weit vorangeschritten war, wurde «Meißens» Vorrang ohne große Diskussion anerkannt. Der Kampf beschränkte sich auf den Wortschatz, und auch hier ging es in erster Linie um den Wortschatz der Poesie, dem engstirnige Reglementierung verderblich sein muß. In diesem Sinne ist die Entwicklung denn auch verlaufen: Im Grammatischen hat sich Gottscheds Reglementierung, wie er sie in seiner erfolg- und einflußreichen *Deutschen Sprachkunst* (zuerst 1748) niedergelegt hat, weitgehend durchgesetzt. Im Stilistisch-Poetischen und damit in der Freiheit des Wortgebrauchs setzten sich dagegen die Zürcher durch.

Eine alemannische Standardsprache?

Freilich, auf der Höhe des Streits hat Bodmer auch einmal ausgerufen: «Lasset uns dernwegen alle Furcht für den Sachsen bei Seite setzen und unseres Rechtes und Eigenthums uns mit der Freiheit und der Geschicklichkeit bedienen, daß unser Dialekt durch die Ausputzung und Erweiterung seines glücklichen und von Alters hergebrachten Schwunges zu einer für sich selbst bestehenden und für sich zulänglichen Sprache werde» (1746). Durch Standardisierung («Ausputzung») und Ausbau («Erweiterung») sollte also unser Dialekt eine Standardsprache werden, die sich durch sprachlichen Abstand («für sich selbst bestehend») von anderen Sprachen unterscheidet und allen Anforderungen genügt («für sich selbst zulänglich»). Basis dieser Arbeit ist für Bodmer der «von Alters hergebrachte Schwung» unserer Mundarten, Vorbild sind für ihn die Holländer, deren Sprache seiner Meinung nach vordem auch «nur eine deutsche Mundart gewesen war».

Bodmers Verhalten zeigt, daß der Aufruf zur sprachlichen Unabhängigkeit nicht gar so ernst gemeint war. Im schweizerischen Rahmen jedoch sind seine Ansichten über die Mundarten für die Entwicklung unserer diglossischen Sprachsituation zweifellos entscheidend geworden. So sehr wirkt Bodmer nach, daß selbst sein schiefer Vergleich mit den Holländern immer wieder auftaucht.

Tatsächlich haben sich die Niederlande nicht von der deutschen Schriftsprache getrennt, sondern sich ihr nie angeschlossen; sie haben ihre eigene Schrifttradition fortgeführt, die so alt ist wie die deutsche. Die Eidgenossenschaft hatte dagegen seit dem 16. Jahrhundert die

Tradition ihrer Landsprach aufgegeben, Bodmers gedankliche Spielerei lief auf den anachronistischen Vorschlag hinaus, einen bereits erfolgreich vollzogenen Anschluß wieder rückgängig zu machen.
Als folgenreich hat sich Bodmers Berufung auf den «von Alters hergebrachten Schwung» der Mundarten erwiesen. Seit längerem schon beschäftigte er sich damals mit deutschen Schriftwerken des Mittelalters. Dabei hatte er festgestellt, daß viele mittelhochdeutsche Wörter in seinem Zürichdeutsch noch vorkamen. Die Erkenntnis war nicht ganz neu, selbst Leibniz hatte auf das hohe Alter schweizerischer Wörter hingewiesen. Für Bodmer aber, der als Pionier mittelhochdeutsche Dichtungen aufspürte und veröffentlichte, wurde die Vermutung zur begeisternden Gewißheit, die er anhand vieler Beispiele belegen konnte. Bodmers Gleichsetzung von Mundart und alter Sprache leitete die Aufwertung der Dialekte und besonders des Schweizerdeutschen ein: Ohne sein Gedankengut ist die Entwicklung, die das Verhältnis zwischen Mundart und Standardsprache in der Schweiz genommen hat, nur schwer denkbar.
Diese Saat konnte aber erst aufgehen, als auch Bodmers Begeisterung für jene «abscheulichen mittleren Zeiten» (wie sich Haller noch 1771 ausdrückte) Allgemeingut der geistigen Eliten geworden war, als sich die Sprachgemeinschaft wieder die Bewunderung des Altertümlichen leisten konnte. Im 18. Jahrhundert aber mußten Einigung und Ausbau der deutschen Sprache den Vorrang haben, und dies waren zukunftsgerichtete Tätigkeiten.

Noch einmal die Schriftsprache des gemeinen Mannes

Seit Haller nimmt die deutsche Schweiz gleichberechtigt an der deutschen Literatur teil, und es war einem Schweizer vorbehalten, der deutschsprachigen Literatur auch in Frankreich zum Durchbruch zu verhelfen: Mehr als hundert französische Ausgaben erreichten die Werke des Zürcher Idyllikers Salomon Geßner (1730–1788); er war der erste deutschsprachige Autor, den die Franzosen nicht bloß lasen, sondern auch begeistert nachahmten. Aber nicht Geßners vergänglicher dichterischer Ruhm interessiert uns hier, sondern seine Sprache, die kaum mehr einen Hauch des Helvetischen verrät und uns eindrücklich zu zeigen vermag, daß zu Ausgang des 18. Jahrhunderts die Schweizer gleichzeitig mit den Autoren des Reichs die einigende Sprachform endlich errungen hatten; mit dem Ende der Alten Eidgenossenschaft ist auch die eigene Schrifttradition endgültig überwunden:

Da sah er Phillis; ein Seufzer drängte sich durch seine Brust und eine Röthe stieg ins Gesicht; sein Aug blieb bey ihr stehen; sie sah ihn an, da sank sein Blick zur Erde; sie gieng zurück, und sah ihn schamhaft wieder an; da zitterte Daphnis, sein Herz bebte, er sah ihr schmachtend nach, voll Angst, er werde sie unter der Menge verlieren; aber sie verlor sich nicht, sie stuhnd da und sprach mit ihren Gespielen; oft flog ihr Blick zum Daphnis, aber schüchtern sank er schnell wieder ins Gras vor ihren Füssen; oft stuhnd im Gedräng' ein längeres Mädchen vor Phillis hin, dann ward Daphnis böse, und wenn es zurück trat, dann lachte sein Auge ihr wieder feuriger zu. So lachen die Fluren, wenn der Mond aus Wolken hervorgeht. (*Daphnis,* zuerst 1754.)

Hatte so das 18. Jahrhundert die Sprachbildungsarbeit vollendet, so blieb dem 19. Jahrhundert eine nicht minder gewaltige sprachliche Bildungsarbeit zu leisten. Denn noch zu Ende des 18. Jahrhunderts glaubten viele, wie Albrecht von Haller es ausdrückte, «der gemeinste Mann lernt nur allzuviel, zu seinem und des Staates Schaden, Lesen und Schreiben, der blos seine Hände brauchen sollte».

Von den Bemühungen um die sprachliche Bildung des Volkes war in anderem Zusammenhang zu berichten. Immmerhin mag ein letzter Text (er steht auf einer Votivtafel von 1816) dem «gemeinsten Mann» das Wort erteilen und so gleichzeitig eine Ahnung von der Aufgabe vermitteln, die auf die Sprachpädagogik wartete:

Kund und zuo wüse wie das Ein knab Joseph Fäner vuon Escholzmat mit Einer Schwäre krankheit behaftet hat er Seini zuflucht zu Gott dem allmächtig und Seiner Liebste muoter Maria Hilf In Freiburg genome durch Jre fürbit Sei gott dank und gebrise Jn ewikeit MDCCCXVI – FOTUM.

PIERRE KNECHT

DIE FRANZÖSISCHSPRACHIGE SCHWEIZ

DIE MUNDARTEN

Im Gegensatz zu den drei anderen Sprachregionen ist in der französischsprachigen Schweiz die lokale Sprachtradition zum größten Teil verlorengegangen. Als einziger schweizerischer Sprachraum hat sie sich in ihrem gesamten Sprachverhalten fast völlig dem ihre Schriftsprache bestimmenden Ausland angepaßt. Dies war, angesichts der streng zentralisierten Sprachlenkung, wie sie von Paris bisher ausgeübt wurde, gewissermaßen der Preis, den sie für ihre Zugehörigkeit zum französischen Sprachgebiet entrichten mußte. Zu dieser Sprachlenkung gehören das unerbittliche Streben nach Sprachreinheit in Grammatik und Wortschatz, aber auch die Bekämpfung der Mundarten.

Allerdings wurde diese Anpassung von Paris nie ausdrücklich gefordert oder kontrolliert. Sie war und ist durchaus spontanen Ursprungs und hängt in erster Linie mit dem weltweiten Prestige zusammen, das die französische Sprache als Symbol raffinierter Kultur und Instrument des Fortschritts überhaupt seit dem 18. Jahrhundert bis in die erste Hälfte des 20. Jahrhunderts genoß. Es fällt auch ins Gewicht, daß die rein welschen Kantone erst zu Anfang des 19. Jahrhunderts gleichberechtigte Eidgenossen geworden sind. Damals war die Geringschätzung der Mundarten bei der welschen Elite schon zu ausgeprägt, um noch durch das deutschschweizerische Sprachverhalten beeinflußt zu werden. Als einziger Identitätsfaktor gegenüber der alemannischen Mehrheit kam nur die gemeinfranzösische Sprache und Kultur in Frage.

Somit ist jede Darstellung der Mundarten der welschen Schweiz weitgehend Vergangenheitsbeschreibung. Auf die Gegenwart trifft sie bloß zum geringen Teil zu. Andererseits ist eine sinnvolle Schilderung der stark differenzierten sprachlichen Lokaltradition in der welschen Schweiz nur möglich, wenn man die heute ausgestorbenen Mundarten mit einbezieht. Was wir davon wissen, verdanken wir interessanterweise nicht so sehr Texten alter Mundartliteratur, sondern vor allem der riesigen, zu Anfang des 20. Jahrhunderts zusammengestellten Materialsammlung des Parallelunternehmens zum «Schweizerischen Idiotikon»: dem «Glossaire des patois de la Suisse romande».

Langue d'oïl und langue d'oc

Die Romanisten pflegen den galloromanischen Sprachraum, der zur sogenannten «Westromania» gehört, in zwei Hauptgebiete zu unterteilen: *Nordfranzösisch* («langue d'oïl») und Südfranzösisch oder *Provenzalisch* («langue d'oc», die zur heute gebräuchlichen Bezeichnung *Okzitanisch* geführt hat). Diese Abgrenzung ist nicht nur wissenschaftlich fundiert; sie entspricht einem seit dem 12. Jahrhundert ausgeprägten Identitätsbewußtsein, dessen Wurzeln in der Entwicklung der beiden verschiedenen großen Literatursprachen, *Altfranzösisch* und *Altprovenzalisch,* zu suchen sind.
Im Gegensatz dazu wurde ein dritter galloromanischer Sprachraum, der des *Frankoprovenzalischen,* erst in der zweiten Hälfte des 19. Jahrhunderts aufgrund rein sprachwissenschaftlicher Kriterien umschrieben. Eine frankoprovenzalische Literatursprache hat es nie gegeben, ebensowenig ein sprachliches Identitätsbewußtsein aller frankoprovenzalischer Mundartsprecher. Vielmehr ist im Osten das Identitätsgefühl immer kleinräumig geblieben, geprägt durch die Gegensätze zu den Nachbarmundarten.
Daß das Frankoprovenzalische trotzdem eine Sonderstellung innerhalb des Galloromanischen einnimmt, ist jedoch unbestritten. Vereinfacht gesagt, handelt es sich dabei um einen Sprachraum, der sich erst nachträglich vom Nordfranzösischen abtrennte.
Die Trennung des Nordfranzösischen vom Okzitanischen geht bereits auf das 6. und 7. Jahrhundert zurück. Sie erfolgte dadurch, daß grundlegende Lautveränderungen des neuerungsfreundlichen Nordfranzösischen sich in Südfrankreich nicht verbreiteten. Dabei spielt die Behandlung des lateinischen A eine zentrale Rolle: In betonter Stellung nach Palatallaut wurde A im Norden zu *ie:*

	Norden	*Süden*
TALIARE ‹spalten›	*taillier*	*talhar*
CARRICARE ‹laden››	*chargier*	*cargar*

In unbetonter Endsilbe wurde gedecktes A (-AS, -AT) zu *e* reduziert:

	Norden	*Süden*
TERRAS ‹Erde› *(Akk. Pl.)*	*terres*	*terras*
DONAT ‹er gibt›	*done*	*dona*

Der nachmalige frankoprovenzalische Raum hat diese Lautveränderungen ebenfalls mitgemacht. In dieser ersten Phase kann also von einem eigentlichen frankoprovenzalischen Gebiet nicht die Rede sein, denn altfrankoprovenzalisch *taillier/terres* stimmen mit altfranzösisch *taillier/terres* überein, im Gegensatz zu okzitanisch *talhar/terras*.

Das Frankoprovenzalische gehört nicht zum Provenzalischen

Die Trennung erfolgte erst nach 700 in einer zweiten Phase. Damals veränderten sich sämtliche betonten, in offener Silbe stehenden A-Vokale zu *e* (PRATU ‹Wiese› > *pre,* PORTARE ‹tragen› > *porter),* jedoch fand diese Lautverschiebung nur in einem Teilbereich des nordfranzösischen Sprachraums statt. Den Südosten erfaßte sie nicht. Es entstand somit der Gegensatz zwischen altfranzösisch *pré/porter* und altfrankoprovenzalisch *pra/portar*.

Ein weiterer Gegensatz leitete sich aus der altfranzösischen Abschwächung von -A in unbetonter offener Endsilbe zu *-e* her: (TERRA > *terre*), während das Altfrankoprovenzalische bei *-a* bleibt.

seit		*altfranz.*	*altfrprov.*	*okzitanisch*
8. Jh.	TERRA *(Sg.)*	*terre*	*terra*	*terra*
6./7. Jh.	TERRAS *(Pl.)*	*terres*	*terres*	*terras*

Erst von dieser Zeit an darf von einem frankoprovenzalischen Sprachraum gesprochen werden; seine Eigenart besteht zunächst in der Bewahrung ursprünglicher nordfranzösischer Lautstände. Das Frankoprovenzalische nimmt damit eine Zwischenstellung gegenüber dem Nordfranzösischen und dem Okzitanischen ein.

Darüber hinaus gibt es noch eine Reihe weiterer Merkmale, die das Frankoprovenzalische vom Nordfranzösischen und natürlich auch vom Okzitanischen unterscheiden:

Die Bewahrung der Stützvokalqualität in FABRU̲ ‹Schmied› > *favro* (im Gegensatz zu nordfrz. *fevre* und okzit. *fabre*); INTRO̲ ‹ich trete ein› > *entro* (im Gegensatz zu nordfrz./okzit. *entre*).
Vor Nasal wird betontes lateinisches Ū zu *-on:* LUGDŪ̲NUM > *Lyon* (im Gegensatz zu nordfrz. VĪRODŪ̲NUM > *Verdun* und okzit. LUGUDŪ̲NUM *Lauzun*).
Im Hiat wird vortoniges *e* zu *i* : ME̲DULLA ‹Mark› > *miola* (im Gegensatz zu altnordfrz. *meole* und okzit. *me(z)ola*).

Die welsche Schweiz zwischen Frankoprovenzalisch und Nordfranzösisch

Daß diese Ausgliederung für die welsche Schweiz grundlegend ist, zeigt die geographische Umschreibung des Frankoprovenzalischen. Dieses umfaßt in *Frankreich* den Süden der Freigrafschaft, Ain, Lyonnais, Forez, Dauphiné und Savoyen, in *Italien* das Aostatal sowie den oberen Teil der piemontesischen Täler zwischen Aosta und Susa und in der *Schweiz* die Kantone Genf, Neuenburg, Waadt, die romanischen Gebiete der Kantone Freiburg und Wallis sowie einen Teil des Berner Südjuras.
Der Rest des Südjuras sowie der Kanton Jura gehören hingegen zum nordfranzösischen Mundartgebiet. Damit ist auch die wichtigste Mundartgrenze innerhalb der welschen Schweiz genannt, nämlich die Scheidelinie zwischen Frankoprovenzalisch und Nordfranzösisch.
Die südliche Grenze, die das Frankoprovenzalische vom Okzitanischen trennt, ist im ganzen ziemlich klar zu erkennen; im Norden liegen die Verhältnisse komplizierter. Es ist verständlich, daß eine mundartliche Subzone wie jene des Frankoprovenzalischen, die trotz einer konservativen Grundhaltung mit dem Nordfranzösischen immer verbunden blieb (von Anfang an hatte ja hier im schriftlichen Gebrauch nur die nordfranzösische Koine Geltung), im Norden keine eindeutige Scheidelinie haben kann. Trotz erheblicher Forschung, die auf diesem Gebiet geleistet worden ist, bleibt die Geschichte dieser Abtrennung zum Teil noch im dunkeln. Wenn man die einzelnen Unterscheidungskennzeichen kartographiert, ergibt sich eine ausgedehnte Übergangszone, wo praktisch jedes Merkmal seine eigene Grenzlinie aufweist. Dies deutet

Karte 1
Langue d'oïl, langue d'oc und Frankoprovenzalisch

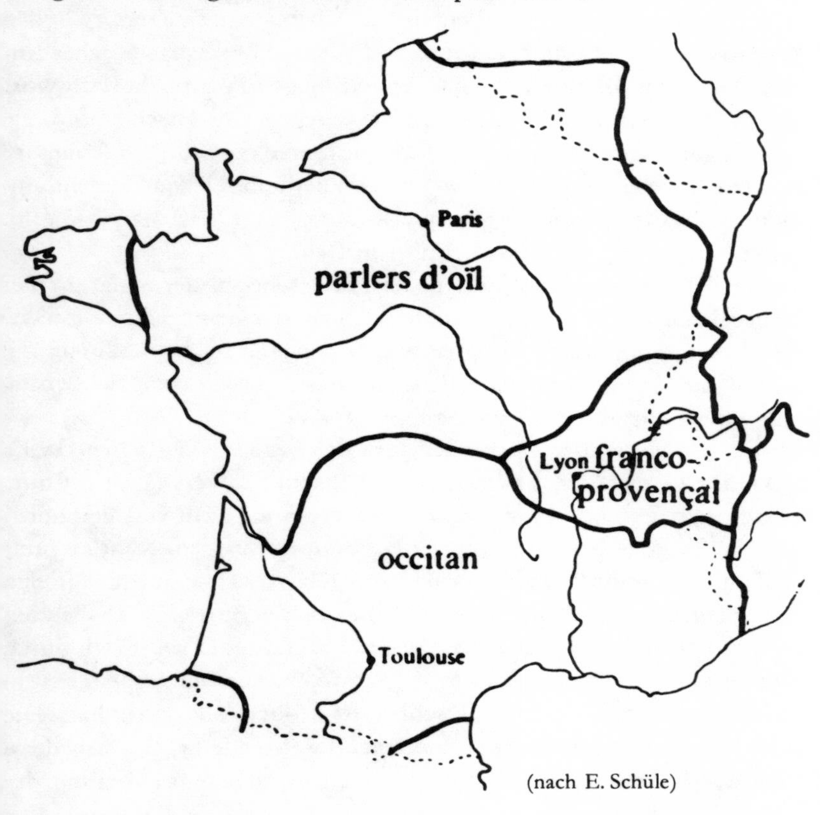

(nach E. Schüle)

darauf hin, daß es sich um einen Jahrhunderte dauernden Prozeß handelt, den man sich wohl am besten als eine schrittweise Umorientierung einzelner Regionen vorstellt.

So ist es wahrscheinlich, daß die Trennungslinie zwischen Frankoprovenzalisch und Nordfranzösisch ursprünglich viel weiter nördlich und westlich verlief als in der Zeit unmittelbar vor dem Aussterben der Mundarten. Man findet beispielsweise in dem heute zum nordfranzösischen Mundartgebiet gehörenden Besançon urkundlich *cumon* (< COMMU̲NE) statt *commun, chescon* statt *chascun* belegt, beides also typisch frankoprovenzalische Formen. Weitere Reste frankoprovenzalischer Lautgestaltung finden sich im Norden des Kantons Jura: auf PRATA

‹Wiesen› zurückgehende Ortsnamen *Pran,* die durch die frankoprovenzalische Bewahrung des auslautenden -A erklärt werden.

In der Morphologie gibt es ebenfalls alte Übereinstimmungen zwischen dem östlichen Nordfranzösisch und dem Frankoprovenzalischen. Erwähnt seien die Bewahrung einer weiblichen Form beim Zahlwort *deux, leur* als betontes Fürwort (statt *eux*) sowie eine Erscheinung, die schon in die Syntax hineingreift: *Je suis eu, tu es eu* usw. als Passé composé von *être* anstelle von *j'ai été, tu as été.* Von den zahlreichen Gemeinsamkeiten im Wortschatz sei das Beispiel RANUNCULA ‹Frosch› > *renoille* (im Gegensatz zu frz. *grenouille*) herausgegriffen.

Später breiteten sich jedoch nordfranzösische Neuerungen immer weiter nach Südosten aus, um schließlich die heute angenommene Nordwestgrenze des Frankoprovenzalischen zu erreichen. Man nimmt an, daß die Stadt Besançon bei dieser mittelalterlichen Neuorientierung eine maßgebliche Rolle gespielt hat.

In der *Schweiz* werden im Berner Jura der Bezirk von La Neuveville sowie die Gemeinden La Ferrière und Renan-Convers (Bezirk Courtelary) dem Frankoprovenzalischen zugerechnet, während der nordöstliche Teil des Bezirkes Moutier (zusammen mit dem Kanton Jura) eindeutig zum nordfranzösischen Raum gehört. Dazwischen liegt eine Übergangszone, die den Rest des Bezirkes Courtelary sowie den südwestlichen Teil des Bezirkes Moutier umfaßt. Sie weist sich durch ihren grundsätzlich nordfranzösischen Sprachcharakter aus; ein gewisser frankoprovenzalischer Einschlag ist jedoch unverkennbar. Die Bewahrung alter frankoprovenzalischer Lautstände erklärt sich denn auch durch die nach der Reformation erfolgten Umorientierung des Südjuras nach Bern und Neuenburg.

<table>
<tr><td colspan="4">Ein Beispiel zum Lautlichen: Berner Jura</td></tr>
<tr><td></td><td>frankoprovenzalisch
(Bez. La Neuveville + La Ferrière, Renan-Convers)</td><td>Übergangszone
(Bez. Courtelary, SW Bez. Moutier)</td><td>nordfranzösisch
(NO Bez. Moutier, Jura)</td></tr>
<tr><td>PANE ‹Brot›</td><td colspan="2">pan</td><td>pin</td></tr>
<tr><td>BESTIAS ‹Tiere›</td><td>bétè</td><td colspan="2">bét</td></tr>
</table>

(Die Mundartwörter werden hier soweit als möglich der frz. Schreibweise ange-

paßt, d. h. wenn jeweils keine besonderen Angaben stehen, sollen die Mundartformen so ausgesprochen werden, als handle es sich um frz. Wörter.)
Nur zwischen den Gemeinden La Ferrière (Bez. Courtelary) und Les Bois (Kt. Jura) gibt es auf einer ganz kurzen Distanz eine scharfe Mundartgrenze, die sprachlich bedeutendste in der welschen Schweiz. Siedlungsgeschichtlich läßt sich jedoch nachweisen, daß diese Grenze erst seit dem 15. Jahrhundert besteht und somit keine eigentliche Ausnahme zum Prinzip der Übergangszone darstellt.

Karte 2

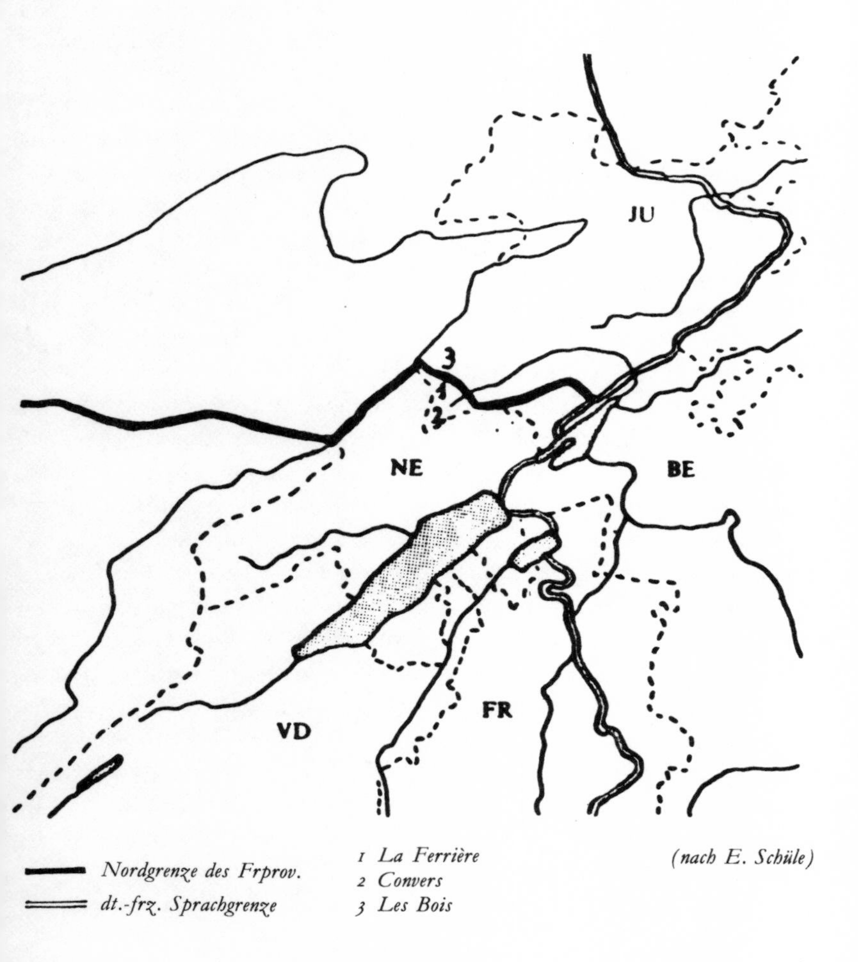

Nordgrenze des Frprov.
dt.-frz. Sprachgrenze

1 La Ferrière
2 Convers
3 Les Bois

(nach E. Schüle)

Sonderräume innerhalb der frankoprovenzalischen Schweiz

Nur bei zwei Kantonen, Jura und Genf, darf von relativ einheitlichen Kantonsmundarten gesprochen werden. Die übrigen größeren Kantone sind im Inneren recht zersplittert; die Mundarten ihrer Randgebiete stimmen vielfach mit jenen benachbarter Kantone überein. Gemeinsamkeiten lassen sich u. a. feststellen zwischen den Bezirken Aigle (Waadt) und Monthey (Wallis); Pays d'Enhaut (Waadt) und Gruyères (Freiburg); Nyon (Waadt) und dem Kanton Genf; Grandson (Waadt) und dem Südwesten des Bezirks Boudry (Neuenburg); Neuveville (Bern) und Neuenburg.

Andere Gebiete haben wenig mit benachbarten schweizerischen Mundarten gemein, weisen aber eine Verwandtschaft zu der Mundart anstoßender französischer Gebiete auf, wie z. B. die Vallée de Joux (Waadt) oder der Westen des Neuenburger Val-de-Travers. Beziehungen zur Mundart des italienischen Aostatals zeigen die auf der Straße zum Großen Sankt Bernhard liegenden oberen Dörfer des Walliser Val d'Entremont. Daneben gibt es eigentliche Sprachinseln wie Ormont-Dessus (Waadt), Ayent und Isérables (Wallis), Le Cerneux-Péquignot und Le Landeron (Neuenburg).

Darin spiegeln sich sowohl alte politische Grenzen weltlicher wie kirchlicher Herrschaft als auch zahlreiche lokalhistorische Sonderorientierungen wirtschaftlicher oder ideologischer (beispielsweise konfessioneller) Natur, die zeitweise zu einem intensiveren Austausch zwischen einflußreichen Persönlichkeiten oder Bevölkerungsgruppen führten, als es die heutigen Verwaltungsgrenzen erkennen lassen. Sprachinseln sind andererseits nicht immer auf geographische Abgelegenheit (wie z. B. Isérables) zurückzuführen. Eine unterschiedliche Ursache legt ein anderes Beispiel nahe: Die Vallée-de-Joux wurde relativ spät besiedelt, wahrscheinlich vorwiegend vom Süden her. Für die Spätsiedlung zeugt die ungewöhnliche Artikeldichte bei den Ortsnamen: *Le* Pont, *L'*Orient, *Le* Chenit, *Le* Sentier, *Le* Brassus usw., im Gegensatz zu Ortsnamen, die aus galloromanischer Zeit stammen und alle artikellos sind. Obwohl dies auch bei Le Cerneux-Péquignot und Le Landeron der Fall ist, erklärt sich deren Sprachinselcharakter aus anderen Gründen: Le Cerneux kam erst 1819 zur Schweiz, und Le Landeron widerstand zusammen mit Cressier im 16. Jahrhundert der Einführung der Reformation.

Die wohl deutlichste Sprachgrenze innerhalb der frankoprovenzalischen Schweiz trennt das ehemals savoyische Unterwallis (talaufwärts bis zum Bezirk Conthey) vom ehemals bischöflichen Zentralwallis (Bezirke Sitten, Hérens und Anniviers). Diese Grenze stimmt im großen und ganzen mit der im 14. Jahrhundert festgesetzten politischen Grenze zwischen dem Herrschaftsbereich Savoyens und demjenigen des Bistums Sitten überein. Als wichtigstes Merkmal des bischöflichen Wallis gilt die Bewahrung der Lautqualität des lateinischen Ū, also z. B. CRŪDU ‹roh› > Zentralwallis *krou* (sprich: *kru*), gegenüber Unterwallis *kru* (sprich: *krü*). Nur verschwindend kleine Restgebiete der Galloromania haben diesen archaischen Lautstand bis heute bewahrt.

An zweiter Stelle sei die Dreiteilung der frankoprovenzalischen Schweiz erwähnt, die durch die verschiedenen Lautveränderungen von lateinisch C vor A entstanden ist. So ergibt CAMPU ‹Feld›:

tsan (*ts* wie dt. *z*):	Kantone Wallis, Freiburg, Waadt (mit Ausnahme des Westzipfels des Bezirkes Nyon), Béroche und westlicher Teil des Val-de-Travers (Kt. Neuenburg)
than (*th* wie engl. *think*):	Kanton Genf und Westzipfel des Bezirkes Nyon (Kt. Waadt)
tchan (*tch* wie dt. *tsch*):	Kanton Neuenburg (ohne Béroche und westlichen Teil des Val-de-Travers), Bezirk Neuveville sowie La Ferrière, Renan (Kt. Bern)

Parallel dazu stehen die Resultate von lat. G vor A: GALBINA ‹gelb› (weibl. Form) ergibt in den gleichen Gebieten je *dzôna* oder *dzâna* (*dz* wie ital. *zero*); *dhôna* (*dh* wie engl. *th* in *those*); *djôna, djâna* (*dj* wie engl. *job*). Dieser Dreiteilung liegen keine politisch-historischen Herrschaftsverhältnisse zugrunde, sie ist das Ergebnis spontaner Lautentwicklungen. Interessant ist auch die Weiterentwicklung von lateinisch -ST-. Im frankoprovenzalischen Sprachraum wurde daraus *th* (z. B. FESTA ‹Fest› > *fîtha*). Diesem Lautwandel begegnet man im größten Teil des Kantons Freiburg; bis zur Reformation war er vermutlich auch in großen Teilen der Waadt verbreitet. Mit der neuen Konfession übernahmen die Waadtländer (mit Ausnahme der Bewohner des abgelegenen Pays d'Enhaut) das französische *t* (z. B. in *fête*) und schufen hiermit eine Lautgrenze zum Freiburger Gebiet. In der Broye beispielsweise, wo es Enklaven der Kantone Freiburg und Waadt im jeweils anderen Kantonsteil gibt, galt die Aussprache *fîtha* oder *fîta* als regelrechtes Kantons- und Konfessionsmerkmal. Wie sich Louis Gauchat 1904 ausdrückte: «Der Laut *th* kann also in dieser Gegend als ein katholischer Laut bezeichnet werden.»

Erstaunlicherweise gibt es in der welschen Schweiz fast keine nichtgeographischen Bezeichnungen für Mundarten. Eine Ausnahme ist der Name *kouètso,* der für die Mundart der Freiburger Bezirke Glâne und Saane gebräuchlich ist. Das Wort, seit 1710 belegt, ist nach E. Schüle ursprünglich ein Übername (Greyerzer Ursprungs?) für die Bewohner der Ebene und bedeutet «Weichling». Von den Bewohnern auf ihre Sprache übertragen, gilt es heute als neutrale Mundartbezeichnung genau wie *gruyérin* und *broyard.*

Eine Lautgrenze innerhalb der nordfranzösischen Schweiz

Auf die komplizierte Situation im Südjura wurde bereits hingewiesen. Im Gegensatz dazu bilden die Mundarten des nordöstlichen Teiles des Bezirkes Moutier zusammen mit denjenigen des Kantons Jura eine relative Einheit.

Die einzige bemerkenswerte Unterteilung ist diejenige, die auf Lautverschiebungen der lateinischen Konsonantengruppen -RT- und -RD- zurückgeht. In der Ajoie, den Freibergen sowie in einem schmalen Streifen im Westen des Bezirkes Delsberg (Pleigne, Bourrignon, Glovelier) wurde daraus *-tch-* bzw. *-dj.* : PORTA ‹Türe› > *pôetch,* SURDU ‹taub› > *soûèdj* (dieselbe Entwicklung findet sich auch in den oberen Bezirken des Kantons Neuenburg sowie in Gebieten Ostfrankreichs), während im restlichen Gebiet des nordfranzösischen Mundartraumes diese Konsonantengruppen unverändert erhalten blieben.

Auffallende Eigenheiten welscher Mundarten

Eine Anzahl Laute, die im modernen Französisch nicht existieren, geben den welschen Mundarten ein fast exotisches Gepräge. Ich erwähnte bereits die englischen *th* in *fîtha,* frz. *fête* ‹Fest› und in *dhôna,* frz. *jaune* ‹gelb›, sowie die Affrikate *tch, ts* in *tchan, tsan,* frz. *champ* ‹Feld› und *dj, dz* in *djôna, dzôna* ‹gelb›. Zwei davon sind Überreste altfranzösischer Aussprache: Man sagte bis ins 12. Jahrhundert *tchose* statt modern *chose* und *djambe* statt *jambe.*

Auffallend sind auch die verschiedenen *h/ch*-Laute, die dem deutschen *h* sowie den Varianten a*ch* und i*ch* entsprechen. Hier handelt es sich allerdings um Sonderentwicklungen und nicht um Bewahrung älterer Ausspracheformen. Weder das lateinische *h* (z. B. in HOMO ‹Mensch›) noch das altfranzösische *h* (germanischer Herkunft, z. B. in *honte* ‹Schande›) haben sich erhalten. In greyerzer. *hou* ‹diese› beispielsweise ist *h* eine Weiterentwicklung der Konsonantenverbindung *sl-* (< *celour*). In Blonay (Waadt) lautet das Zeitwort ‹sein› *éihrè* (altfrz. *estre,* neufrz. *être*), und zwar wird hier *h* wie dt. *ch* in *ach* ausgesprochen. Das *ch* entstand also aus der Konsonantenverbindung *-st-*. Im Unterwallis findet man für ‹Flamme› *hlanma* (wobei *h* für dt. *ch* in *ich* steht), auch dies eine Weiterentwicklung aus lateinisch FLAMMA. Trotz allem Anschein sind also diese Laute in den welschen Mundarten keine Geschenke der alemannischen Nachbarn.

Ferner wäre auf Nasale und Diphthonge hinzuweisen, die das moderne Französische nicht mehr kennt: Da gibt es ein nasales *i* (z. B. in jurassisch *în,* frz. Artikel *un*), ein nasales *u* (z. B. in zentralwallis. *oun,* frz. Artikel *un*) sowie ein nasales *ü* (z. B. in jurassisch *foûetchünn,* frz. *fortune* ‹Vermögen›).

Der Vokal *a* geht mit allen anderen Vokalen Diphthongverbindungen ein (diese Möglichkeiten werden natürlich nie alle in ein und derselben Mundart durchexerziert): *ao, aou, au* (sprich: *aü*), *ae, ai.* So lautet z. B. ‹Ellbogen› (frz. *coude*) in vielen Mundarten *kaodo,* in anderen *kaoudo,* in Blonay (Waadt) *kaudo,* und ‹Dach› (frz. *toit*) in Boudry (Neuenburg) *taè,* in Vernier (Genf) *taé,* in St-Gingolph (Wallis) *tai.* Besonders häufige, dem Französischen unbekannte Diphthonge sind *œu* und *oou* (*kœudo* im Unterwallis, *kooudo* im Zentralwallis).

Der sprachliche Abstand zum Französischen offenbart sich natürlich auch in vielen morphologischen und syntaktischen Eigenheiten sowie in der Wortbildung. Wie im Lautlichen findet man nebeneinander Bewahrung lateinischen oder altfranzösischen Erbes und Neuschöpfungen.

So gibt es z. B. im Zentralwallis noch die altfranzösische Deklination beim Artikel im Singular:

	Nominativ	Akkusativ
männlich	*li*	*lo*
weiblich	*li*	*la*

Es heißt also dort: *li tsan è lârzo*, frz. *le champ est large* (‹das Feld ist breit›), im Gegensatz zu: *travercha lo tsan*, frz. *traverser le champ* (‹das Feld überqueren›), und *li porta è klyoucha*, frz. *la porte est fermée* (‹die Türe ist geschlossen›), gegenüber: *klyou la porta*, frz. *ferme la porte* (‹mach die Türe zu›).

Im Kanton Freiburg wurde eine sehr feine Unterscheidung der Ortsadverbien entwickelt. Während in den meisten Sprachen drei- oder zweigradige Systeme vorherrschen (vgl. toskanisch *qui/costí/lí* oder *qua/costà/là*, frz. *ici/là* ‹hier/dort›), kennt der Freiburger Mundartsprecher vier Stufen. Er verwendet:

che wenn sich ein Gegenstand in seiner unmittelbaren Nähe befindet;
ché der Gegenstand ist in seiner Nähe, aber nicht unmittelbar greifbar;
inke der Gegenstand ist weit vom Sprecher entfernt, aber sichtbar;
lé der Gegenstand ist weit entfernt, außer Sichtweite.

Im Gegensatz zum Neufranzösischen, wo Neologismen mittels Präfix- und Suffixableitungen sowie Wortzusammensetzungen wegen erheblicher Normeinschränkungen nicht frei gebildet werden können, verfügen die Mundarten über ein reiches Kompositionsregister, wie das auch im Altfranzösischen weitgehend der Fall war.

Der sprachliche Abstand nicht nur zum Französischen, sondern auch zwischen den welschen Mundarten ist jedenfalls im Wortschatz am augenfälligsten. Als Beispiel diene die Vielfalt der Bezeichnungen für «Karotte» in den Westschweizer Mundarten. Auf dieser Karte sind, wie auf Seite 175 ersichtlich, auch die an die Schweiz angrenzenden galloromanischen Mundartgebiete mitberücksichtigt.

Welsches Küchenlatein und alte Mundarttexte

Vor dem 16. Jahrhundert gibt es in der welschen Schweiz keine geschriebenen Texte, die bewußt und in gewolltem Gegensatz zum Französischen in der Mundart verfaßt wurden.

Es gibt allenfalls mundartlich gefärbte Urkunden: Die anvisierte Sprache war und blieb die nordfranzösische Norm. Dies gilt seit den ältesten französisch abgefaßten Urkunden in der welschen Schweiz: Die ältesten erhaltenen Texte stammen im Jura von 1244, in Moudon (Waadt) von 1250, in Neuenburg von 1251, in Genf von 1260 (erst 1319

Karte 3

Bezeichnungen für «Karotte», d. h. *carotte*, in den Westschweizer Mundarten

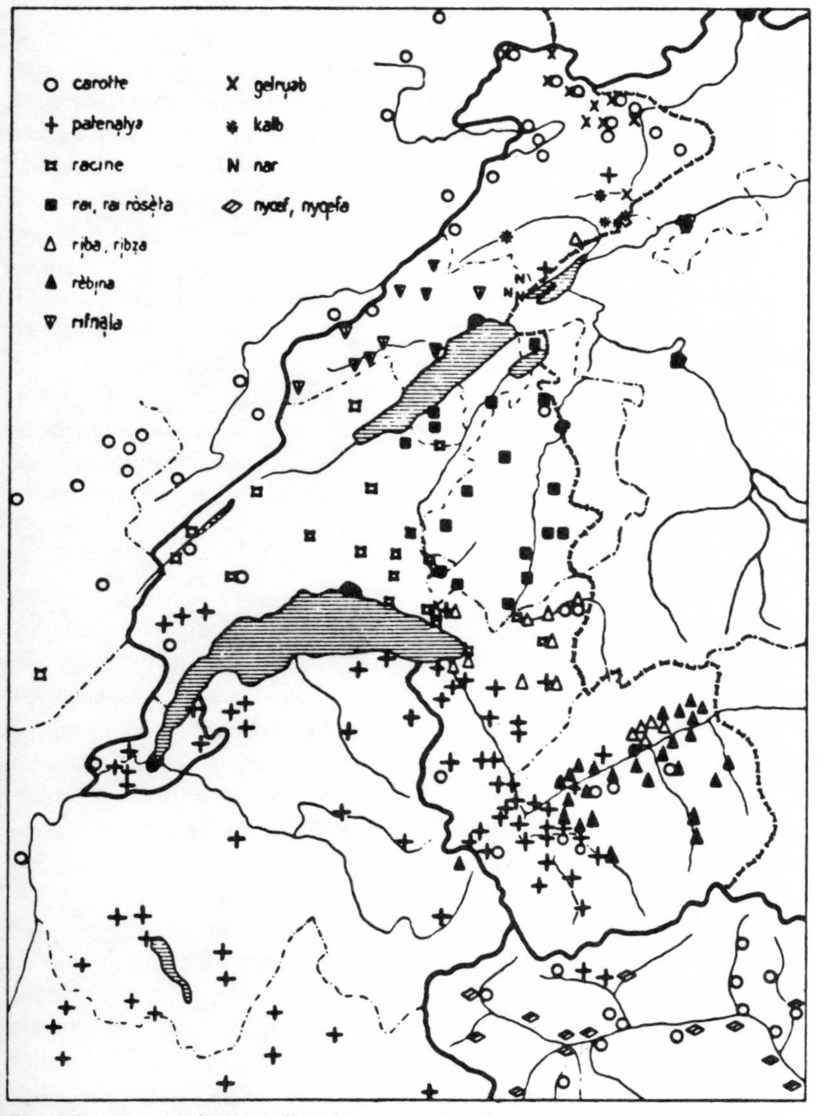

Zit. nach: «Glossaire des patois de la Suisse romande», III, S. 103

verzeichnet man den ältesten französischen Text im Kanton Freiburg, im Wallis noch ein halbes Jahrhundert später).

Als im Jahre 1414 die Freiburger Stadtkanzlei die Pflichten und Rechte des Küsters der Kathedrale St-Nicolas schriftlich niederlegte, entstand ein Text, bei dem fast in jedem Satz mundartliche Formen durchschlagen (hier halbfett gekennzeichnet):

«Item quant l'on soune eis bonnes festes et **tricoudonnes atot** *la* **grossa clochi,** *monsegniour l'***encurei** *doit* **donnar** *eis* **waites** *desus* **lo clochie** *dos solz et un pot de vin.» (Desgleichen, wenn zu kirchlichen Feiern mit der großen Glocke das Glockenspiel geläutet wird, muß der Herr Pfarrer den Wächtern auf dem Glockenturm zwei Goldmünzen und einen Topf [hier Mengenbezeichnung] Wein geben.)*

Nicht nur in französische Texte dringen Mundartwendungen ein, auch in lateinische. Der folgende Auszug stammt aus einem Kücheninventar, das durch das Hospiz auf dem Großen Sankt Bernhard im Jahre 1447 erstellt wurde (Mundartliches halbfett):

«Item unum **pochonum** *et unam* **pochiam ferri.** *Item tria* **lenderia** *ad substinendum ligna in foco. Item unam* **gratuire.** *Item unam* **estaminam de lothono.** *Item duas magnas* **calderias.**» *(Desgleichen einen großen Schöpflöffel und einen eisernen Schöpflöffel; drei Feuerböcke, um das Holz im Feuer zu stützen; eine Reibe; ein Sieb aus Messing; zwei große Heizkessel.)*

Etwas ganz anderes sind Texte, die sich ganz bewußt und zu bestimmten Zwecken der gesprochenen Sprache bedienen. Sämtliche Autoren von Mundarttexten waren natürlich seit jeher auch der französischen Schriftsprache mächtig. In der welschen Schweiz kann von einer eigentlichen Mundartliteratur mit fortlaufender Tradition (wie etwa in Wallonien) kaum gesprochen werden. Es ist eher eine Gelegenheitsliteratur, die sich auf gewisse Genres beschränkt: Theaterstücke (vor allem Schwänke), lustige Gedichte, Kampflieder, Anekdoten, Kurzgeschichten, Pamphlete und erstaunlicherweise auch Privatbriefe.

Die ältesten bekannten Mundarttexte stammen in den Kantonen Waadt und Genf aus dem 16. Jahrhundert, in den übrigen Kantonen jedoch erst aus dem 18. Jahrhundert.

Als Textbeispiel diene der Anfang eines Plakats, das Jacques Gruet am 27. Juni 1547 an der Kanzel der Kathedrale St-Pierre in Genf heimlich mit Wachs festkleben konnte:

«Gro panfar, te et to compagnon gagneria miot de vot queysi! Se vot not fade

enfuma, i n'y a persona que vot gardey qu'on ne vot mette en ta lua qu'epey vot mouderi l'oura que james vot saliete de votra moennery.»
(Frz.: *Gros pansu, toi et tes compagnons feriez mieux de vous taire! Si vous nous poussez à bout, il n'y a personne qui vous garde qu'on ne vous mette en tel lieu que peut-être vous maudirez l'heure que vous sortîtes jamais de votre moinerie.)*
(Dickbauch, du und deine Genossen, ihr würdet besser schweigen! Wenn ihr uns zum Äußersten treibt, kann euch niemand davor bewahren, an einen Ort geführt zu werden, wo ihr vielleicht die Stunde verflucht, in der ihr euer Kloster verlassen habt.)
Die Drohung richtete sich gegen den ehemaligen Franziskanermönch Abel Poupin, einen Franzosen aus dem Anjou, der seit 1543 als reformierter Pfarrer in Genf wirkte. Die Härte des Calvin-Regimes verursachte damals in der Stadt Genf ständige Unruhen. Vor allem das berüchtigte «Consistoire», ein Sittengericht, das 1541 eingesetzt wurde, löste bei vielen alteingesessenen Genfern heftigen Widerstand aus. Besonders seit 1545 wurden traditionelle Sittenfreiheiten unerbittlich verfolgt. Die Mundart symbolisiert hier die Lokaltradition gegen die zahlreichen, von Calvin eingeführten französischen Theologen. Einen Monat später mußte Jacques Gruet, Sohn eines Notars, nicht etwa ein konservativer Katholik, sondern ein Freidenker, diese Tat mit seinem Leben bezahlen. Er wurde nach einem Prozeß, in dessen Akten das Originalplakat erhalten blieb, zum Tode verurteilt und am 26. Juli hingerichtet.

Wer spricht heute noch Mundart und wo?

Wie bereits angedeutet, stellt der welsche Landesteil in der Schweiz insofern einen Sonderfall dar, als hier die Mundarten nur in kleinen Restgebieten gesprochen werden. Da genaue Statistiken fehlen, kann man die Situation nur schätzungsweise erfassen. Jedenfalls dürfte die Anzahl der heutigen Mundartsprecher kaum mehr als ein bis zwei Prozent der Bevölkerung der welschen Schweiz ausmachen. Dabei gibt es nach Geschlecht und Alter wichtige Unterschiede: In den Restgebieten sind es vor allem ältere Männer, die die Mundart noch fließend sprechen.

Eine im Jahre 1966 für den *Atlas der Schweiz* organisierte Umfrage ergab folgende geographische Verteilung:
Am besten haben sich die Mundarten in den mehrheitlich katholischen Kantonen *Wallis, Freiburg* und *Jura* erhalten. Als besonders widerstandsfähig gegenüber dem Standardfranzösisch erwiesen sich die Gemeinden *Evolène* im Wallis, *La Roche* und *Treyvaux* im Kanton Freiburg und *Asuel* und *Miécourt* im Kanton Jura. Dabei war der Erhaltungsgrad in Evolène höher als in La Roche und Treyvaux, und dort wiederum höher als in den jurassischen Gemeinden.
Dies sei an einem Beispiel belegt: Der französische Satz *«ils devraient tous se taire»* ‹die sollten alle schweigen› lautet in den Mundarten von
Evolène: *dèvranne tuics che tini couéc*
La Roche: *dèvethran ti lou tyiji*
Miécourt: *è s dèrïn to couajîe*
In den mehrheitlich reformierten Kantonen sind die Mundarten in den Kantonen *Genf* und *Neuenburg* sowie im *Berner Jura* ganz ausgestorben. Im Kanton *Waadt* gibt es zwar vereinzelte, um die Jahrhundertwende geborene Männer, die ihre Mundart noch einigermaßen sprechen können, sie jedoch nicht mehr als natürliche Umgangssprache benützen.

Zum Rückgang der Mundarten

Es wurde immer wieder behauptet, die Reformation sei am Schwund der Mundarten in der welschen Schweiz schuld, denn mit der individuellen Bibellektüre habe sie zugleich die Kenntnis der französischen Sprache gefördert. Auch habe sich die welsche Bevölkerung mündlich den eingewanderten Hugenotten anpassen müssen, was die Flucht aus der Mundart verstärkt habe. Solche mechanistischen Erklärungen übersehen, daß die Kenntnis der französischen Schriftsprache bei der welschen Elite schon im Mittelalter auf einer respektablen Stufe stand. Wohl wurde in den reformierten Kirchen fortan nur noch französisch gepredigt, während der katholische Gottesdienst an der kurzen Mundartpredigt festhielt. Doch ist kaum anzunehmen, daß eine in pragmatischen Situationen zweifellos erfolgte, weil notwendige Anpassung der ansässigen Bevölkerung an eine eingewanderte Minderheit zu einem veränderten Sprachverhalten führen konnte, so groß das Prestige der hugenottischen Einwanderer in den protestantischen Gebieten auch gewesen sein mag.
Wenn dennoch ein Zusammenhang zwischen Reformation und vorzei-

tigem Mundartenschwund besteht, so ist er nicht vordergründig und praxisbedingt, sondern spiegelt tieferliegende, ideologische Wertungsprozesse wider. Auf keinen Fall ist der Rückgang der Mundarten die notwendige Folge der Verbreitung der französischen Standardsprache. Dies wird auch durch die moderne Erhaltung der Mundarten in Restgebieten bestätigt, wo die Bevölkerung schon lange zweisprachig (Standardsprache und Mundart) geworden ist, z. B. in Evolène. Eine vergleichbare Diglossie während längerer Zeiträume darf man auch für jene Gebiete annehmen, in denen heute nicht mehr Mundart gesprochen wird.

Der Mundartenschwund ist nur vor dem kulturphilosophischen Hintergrund der Diskriminierung der französischen Sprachvarietäten verständlich.

Nirgendwo in der gesamten Romania hat man eine so negative Allgemeinbezeichnung für Mundarten geprägt wie im französischen Sprachraum: Das Wort *patois,* eine Ableitung von *patte* ‹Pfote›, symbolisiert das Verhalten des täppischen, ungelenken Bauern und damit, was für die französische Ideologie bezeichnend ist, seiner Sprache. Französische Forscher haben sich bemüht, einen linguistischen Unterschied zwischen *dialecte* und *patois* herauszuarbeiten. Danach stelle der *dialecte* eine regionale Koine dar, während das *patois* nur Dorfmundart sei. Diese Behauptung scheint jedoch empirisch nicht begründet. Es gibt keine Beweise für das Bestehen moderner regionaler Dialekte mit einer genügenden Anzahl sprachlicher Merkmale, die genau beschrieben werden könnten. Wohl lassen sich geographisch differenzierte Schriftdialekte in der altfranzösischen Literatur nachweisen. Aber daraus darf man nicht ableiten, es habe im Mittelalter ganze Regionen mit einem einheitlich gesprochenen Dialekt gegeben. Es liegt demzufolge auch wenig Grund vor, eine Unterscheidung zwischen *dialecte* und *patois* vorzunehmen.

Historisch hat sich die negative Bewertung der Dialekte in Frankreich zunächst aus ihrer Stellung als Provinzsprache ergeben. Das Prestige, das die Sprache von Paris und der umliegenden Ile-de-France über sämtliche anderen nordfranzösischen Sprachformen stellt, ist schon seit dem 12. Jahrhundert belegt, denn dort, im ältesten Gebiet der Krondomäne, lag das erste politische Zentrum der französischen Monarchie. Dazu kommt in den folgenden Jahrhunderten eine langsame, bis zur Exklusivität getriebene Verengung der Pariser Norm: Der mündliche

Sprachgebrauch des Hofes wurde zum einzig gültigen Vorbild. Gleichzeitig wurde der «bon usage», der korrekte mündliche Ausdruck – weit stärker als in anderen Ländern –, zu einem Teil des «guten Tons», des guten, vorbildlichen Benehmens in Gesellschaft. «Korrektes Sprechen» (und nicht nur Schreiben) konnte damit zu einem Mittel des sozialen Aufstiegs werden, was auch das Bürgertum frühzeitig erkannt hat. Und so klären sich die indirekten Beziehungen, die die Sprechnorm mit der Reformation verbinden: Beide haben einen gemeinsamen Nenner im Emanzipationswillen des Bürgertums.

Die Revolution beschleunigte das Schicksal der französischen Mundarten. Damals glaubte man, man müsse die bisher elitäre Norm beim gesamten Volk verbreiten und deshalb die Lokalsprachen ausrotten: Die Mundart kommt in Konflikt mit der Fortschrittsideologie und der Modernität überhaupt, was natürlich in der Schweiz den Gegensatz zwischen den protestantischen und den katholischen Kantonen noch verschärft.

Der französische Mundartenschwund ist also nicht, wie das vielfach von heutigen Soziolinguisten (in völliger Unkenntnis des Gegenbeispiels Deutschschweiz und – z. T. – Italien) dargestellt wird, eine unvermeidliche Folge der Industrialisierung, wobei Argumente wie empirisches Kommunikationsoptimum eine Rolle spielen, sondern in erheblichem Ausmaß das Spätprodukt einer sozialen Theorie, die im negativen Stellenwert der Bezeichnung *patois* sozusagen vorprogrammiert ist.

Für die welsche Schweiz sind, wie gesagt, längere Diglossieperioden in allen Regionen und in allen Gesellschaftsschichten zumindest indirekt belegt. Zwar wissen wir nicht genau, inwieweit man im Spätmittelalter das mündliche Nordfranzösische beherrschte. Es ist jedoch anzunehmen, daß zumindest eine Reihe von schriftkundigen Individuen schon seit dem 13. Jahrhundert in der Lage war, ein für damalige Zeiten «korrektes» Französisch zu sprechen. Zur spontanen Umgangssprache wird das Französische zuerst in den protestantischen Städten Genf und Neuenburg. Dieser Übergang fand in Genf noch im 17. Jahrhundert statt. Jedenfalls erschien dort 1691 eine Broschüre zur Verbesserung des mündlichen Ausdruckes. Von der ausgezeichneten Kenntnis des gesprochenen Französisch bei Bauern zeugt ein Reisebericht aus dem 18. Jahrhundert über die Vallée de Joux (Waadt).

Andererseits ist erwiesen, daß die Lokalmundart im protestantischen

Bürgertum bis ins 18. Jahrhundert bekannt war (siehe dazu S. 102). Erst seit der Revolution beginnt also der eigentliche Mundartenschwund: Das Französische wird alleinige Umgangssprache.
Die Aufgabe der Mundarten zugunsten des Französischen ist ein langsamer Prozeß, der bis heute noch nicht ganz abgeschlossen ist. Zeitlich ist er nach der sozialen und konfessionellen Zugehörigkeit der Sprecher abgestuft. Dabei ist die Reihenfolge immer: Stadtbevölkerung vor Landbevölkerung und Reformierte vor Katholiken.
Wie sich der Untergang der Diglossie in der welschen Schweiz abspielen kann, zeigen zwei Paralleluntersuchungen aus dem Jahre 1969 in den Walliser Gemeinden Nendaz und Bagnes.
Es hat sich gezeigt, daß sich die Mundart in solchen Übergangsphasen am längsten als Umgangssprache zwischen Gleichaltrigen erhält.
Während beispielsweise 1969 in *Nendaz* die dreißigjährigen Frauen noch mehrheitlich mit den Frauen der gleichen Altersklasse Patois sprachen, redeten die jüngeren mehrheitlich Französisch unter sich. Bei den Männern war dieser Umbruch erst bei der Generation unter zwanzig Jahren festzustellen. Die Frauen gaben hier also das Patois vor den Männern auf. Im Verkehr Eltern – Kinder hatte man sogar noch früher auf die Mundart verzichtet, nämlich bei der um 1920 geborenen Generation, so daß Eltern der Jahrgänge 1930 und darunter zu Hause überhaupt nicht mehr Patois sprechen. Patois ist also heute schon bei Leuten bis zu fünfzig Jahren nicht mehr Muttersprache, was nicht ausschließt, daß sie es später erlernt haben.
In *Bagnes* waren es ebenfalls zuerst die Frauen, die die Mundart aufgegeben haben. Nur hat hier der ganze Prozeß bereits zehn bis zwanzig Jahre früher angefangen, und zwar vor dem großen Sozialwandel, der mit der wirtschaftlichen Umwälzung stattgefunden hat. Die Rolle der Frau in diesem Sprachwechsel ist bemerkenswert. Sie widerspricht den alten Vorstellungen von der Frau als Hüterin der Tradition. Viele Frauen hatten fließend Französisch sprechen gelernt, als sie in jüngeren Jahren als Dienstmädchen oder Verkäuferinnen einige Zeit auswärts arbeiteten. Sie merkten, daß das Französische eine wichtige Bedingung des sozialen Aufstiegs war, und wollten wenigstens ihren Kindern die besten Chancen dazu sichern. Französisch als Muttersprache entsprach übrigens auch den Forderungen von pädagogischer Seite: Seit der ersten Hälfte des 19. Jahrhunderts (in Genf sogar schon seit 1668) wurde das Patois an fast allen Schulen der welschen

Schweiz verboten, im Glauben, daß es das Erlernen eines korrekten Französisch erschwere.

Heutige Stellung der Mundarten

In den Gebieten, in denen noch mit einer gewissen Selbstverständlichkeit Mundart gesprochen wird, ist ihre Stellung je nach Vitalitätsgrad unterschiedlich. Wo sie auch noch von der jungen Generation gebraucht wird, kann sie als allgemeine Dorf- oder Gemeindesprache betrachtet werden. In der Gemeinde *Evolène* gilt das für die oberen Weiler La Forclaz, La Sage und Villa noch mehr als für das Dorf Evolène selbst. Dies schließt in keiner Weise aus, daß unter Einheimischen über gewisse Themen auch Französisch gesprochen wird oder daß in Patois-Gespräche französische Satzteile oder ganze Sätze einfließen. Eine genaue Untersuchung über solche Kodewechsel steht leider noch aus.

Die erwähnten Studien über *Nendaz* und *Bagnes* haben gezeigt, daß hier, wo Patois nicht mehr allgemein üblich ist, seine wohl wichtigste Rolle diejenige einer Männersprache ist. In den dörflichen Vereinen, bei der Blasmusik oder in den Sportklubs spricht man Patois. Das geht so weit, daß junge Männer, die die Mundart nicht mehr zu Hause gelernt haben, sie erlernen müssen, um in Gesellschaft mitzuhalten. Patois zu sprechen gilt als Prestigefaktor unter Männern. Ähnliche Beobachtungen wurden übrigens in englischen Industriestädten gemacht, wo eine dialektale Aussprache unter den Männern der Arbeiterschicht mehr Ansehen genießt als die Standardaussprache.

Auch in *La Roche* (Kanton Freiburg) hat eine Erhebung 1979 gezeigt, daß die Mundart bei den Männern viel besser erhalten ist. Die über Zwanzigjährigen sprechen sie täglich, während bei den Frauen erst die über Fünfzigjährigen sie täglich benutzen. In zahlreichen Familien wird mit den Söhnen Patois und mit den Töchtern Französisch gesprochen.

Einzelheiten über die Lebendigkeit der Mundart im Kanton Jura erfahren wir aus den kürzlich veröffentlichten Resultaten einer 1975 veranstalteten Umfrage in *Vermes*. Nur 10,8 Prozent der Männer (3/4 davon über sechzig Jahre alt) und 2,9 Prozent der Frauen (alle über sechzig), insgesamt 25 Personen, sprachen vor sieben Jahren noch

täglich Patois. Es handelt sich dabei um Personen, die bis zu ihrem Eintritt in die Primarschule keinen Kontakt mit der Hochsprache hatten. 66 weitere Personen gaben an, die Mundart zwar zu verstehen, aber sie nicht mehr zu sprechen. Nach 1935 geborene Generationen haben keine Mundartkenntisse mehr; und – vor allem – kein einziges Ehepaar sprach 1975 mit seinen Kindern noch Patois.
Die Bewahrung der Mundart erlaubt natürlich den Einheimischen, diese auch als Geheimsprache gegenüber Fremden zu benützen. Im Militärdienst während des Zweiten Weltkrieges sprachen die Soldaten aus Bagnes nur Patois untereinander, um sich vor den indiskreten Ohren auswärtiger Offiziere abzuschirmen. Damals kam es auch oft vor, daß Walliser, Freiburger oder Jurassier ihre Mundarten in Briefen an die Familie als Geheimsprache verwendeten, weil sie sich darin über Themen äußern konnten, die unter die Militärzensur fielen.
Schon im 18. Jahrhundert wurden Briefe teilweise oder ganz auf Patois geschrieben, um die Zensur zu umgehen. Besonders Neuenburger Offiziere in französischen oder preußischen Diensten sollen das oft praktiziert haben. Ein Gerichtsherr aus La Chaux-de-Fonds, der seinen Schwiegersohn im Jahre 1758 auf eine Geschäftsreise nach Madrid begleitete, übermittelte vertrauliche Informationen über den Gesundheitszustand von König Ferdinand VI. auf Patois:
Et dédon il y sa mécha de la fievra qu'on cre bin dongerusa avoé 60 jeu quon na casi ra megi...
Et depuis lors il s'y ajouta de la fièvre qu'on croit bien dangereuse; avec 60 jours qu'on (=il) n'a presque rien mangé...
Und seitdem ist noch ein Fieber hinzugekommen, das als gefährlich gilt; und dabei hat er seit 60 Tagen fast nichts mehr gegessen...
Auch aus dem 19. Jahrhundert sind solche Dokumente erhalten, so ein Patois-Brief eines Freiburger Offiziers während des Rußland-Feldzuges von 1812 oder das in Mundart verfaßte Tagebuch eines Greyerzer Bürgers aus den Jahren 1856 bis 1859 und 1862 bis 1864.

Veränderungen in den Mundarten

Wie alle gesprochenen Sprachen sind natürlich auch Mundarten einem ständigen Wandel unterworfen. In der welschen Schweiz sind viele

Veränderungen relativ jungen Datums: Die geographische Abgelegenheit, die Absonderung als Tal- oder gar Dorfmundart fördert ja nicht nur die Bewahrung alter Sprachformen, sondern oft auch das Gegenteil, nämlich Sonderentwicklungen. Die zuverlässigste Methode, um das Alter lokaler Lautverschiebungen zu bestimmen, ist die veränderte Schreibweise der Orts- und Flurnamen, wie sie uns in genau datierten und lokalisierten Urkunden begegnet. Ein Beispiel aus *Ayent* (Wallis) zeigt, daß dort der Flurname PRATU ‹Wiese› vor 1618 *Pra* und nach 1618 *Pro* geschrieben wird. Daraus kann geschlossen werden, daß der für Ayent erstaunliche Lautwandel (-ATU >) *a* > *o* relativ spät stattgefunden hat: bezeugt ist er erst im 17. Jahrhundert.
Altes Mundartgut kann auch durch modernere Formen benachbarter Mundarten *ersetzt* werden. Diese Erscheinung nennt man Dialektnivellierung. Sie betrifft Dörfer, die beispielsweise stark von einer Bezirks- oder Kantonshauptstadt abhängig sind und deswegen gewisse eigene Merkmale zugunsten städtischer Moden aufgeben. Im Gegensatz zur deutschen Schweiz, wo man das heute überall beobachten kann, sind solche Prozesse in der welschen Schweiz nicht leicht zu verfolgen, weil sie sich in früheren Jahrhunderten ereignet haben, ohne schriftliche Spuren zu hinterlassen. Wenn nämlich eine ursprünglich altertümliche Mundart einmal modernisiert wurde, ist es in der Regel unmöglich zu entscheiden, ob das Ergebnis auf Eigenentwicklung oder auf Entlehnung beruht. Nur durch Zufall wissen wir beispielsweise, daß in *Saxon* (Wallis, Rhonetal) um 1880 die alte Generation wie in gewissen Bergmundarten *tsanhlon* für französisch *chanson* sagte, während die jüngeren Jahrgänge bereits *tsanfon* übernommen hatten, eine Aussprache, die in Martigny üblich war. Mehr als sechzig Jahre später wurde bei einer Untersuchung in Saxon vom alten Lautstand kein Rest mehr gefunden.
Die auffälligsten und schwerwiegendsten Veränderungen, die die Mundarten der welschen Schweiz in ihrer letzten Phase sowohl im Lautstand wie in der Grammatik und im Wortschatz erfahren haben, sind jedoch dem – namentlich seit dem 19. Jahrhundert – wachsenden Einfluß der französischen Standardsprache zuzuschreiben. Auch hier gilt es zu unterscheiden: In den protestantischen Gebieten war dieser Einfluß anfänglich viel stärker als in den katholischen Gegenden. Zudem waren die Mundarten der vergleichsweise abgelegenen Regionen naturgemäß einem weniger starken Druck des Französischen

ausgesetzt als beispielsweise die stadtnahen Mundarten in der Ebene. Dank der sprachlichen Unterschiede zwischen den Mundarten der welschen Schweiz und der französischen Standardsprache war den Mundartsprechern schon immer bewußt, daß es sich dabei um zwei verschiedene Sprachen handelte. Der Einfluß des Französischen auf diese Mundarten konnte deshalb besonders weit gehen, weil trotz aller Gleichschaltung die eigentliche Mundartidentität nie in Frage gestellt wurde. Wie stark auch eine solche Mundart in Wortschatz oder Satzbau entartet, es bleiben immer gewisse lautliche oder morphologische Merkmale, die sie eindeutig als französisiertes Patois und nicht umgekehrt als dialektales Französisch einordnen.

Der folgende Text stammt aus einem Sitzungsprotokoll eines patriotischen Zirkels in La Chaux-de-Fonds, der die Lokalmundart retten wollte, und von dem später noch die Rede sein wird:

On a det q'ma motion n'avet qu'on défaut: ç'lu d'être fâta a français. Pardié, quan tchacon sara d'oub'dgie d'prei'dgie patois, i voui teit'chie d'ma tirie, to q'ma a n'autre. A n'attadan: vo d'mando la permission d'preid'gie français.

On a dit que ma motion n'avait qu'un défaut, celui d'être faite en français. Pardi, quand chacun sera obligé de parler patois, je veux tâcher de m'en tirer tout comme un autre. En attendant je vous demande la permission de parler français.

Es wurde gesagt, meine Motion habe nur den einen Mangel, daß sie französisch formuliert wurde. Ja, wenn einmal jeder verpflichtet sein wird, Mundart zu sprechen, werde ich versuchen, das ebensogut wie irgendein anderer zu tun. Bis dahin bitte ich um eure Erlaubnis, Französisch sprechen zu dürfen.

Einige lautliche Konstanten wie entnasalisiertes *a* für französisch *en* (in *a [en] français, ma [m'en] tirie, attadan [attendant]), on* für französisch *un* (in *on [un] défaut, tchacon [chacun]*), *tch* für französisch *ch* (in *tchacon, teit'chie [tâcher]*), *dg* für französisch *g* (in *d'oub'dgie [obligé]*) genügen, um dieses Beispiel unzweifelhaft als Patois erscheinen zu lassen. Dabei gibt es im ganzen Abschnitt nur zwei Dialektausdrücke: *prei'dgie (parler)* entspricht dem französischen *prêcher* ‹predigen›, ist aber in vielen Dialekten der welschen Schweiz das gebräuchliche Wort für ‹sprechen›, und *q'ma* ‹wie› entspricht dem französischen *comment,* das mundartlich meistens anstelle von *comme* tritt.

Für gewisse abstrakte Begriffe aus dem Bereich Schule, Religion, öffentliche Institutionen sind die Mundarten schon seit jeher vom Französischen abhängig gewesen: Hier sind meist nur Entlehnungen aus dem Französischen vorhanden. Neue Wörter, die im Französischen

für neue Kleidung, Nahrung, Handwerke oder Werkzeuge aufkamen, haben sich oft auch in der welschen Schweiz verbreitet, und zwar teilweise zu verschiedenen Zeiten. Ein gutes Beispiel liefert das Wort für «Schuhmacher». Das Frankoprovenzalische kannte dafür *escoffier* (ein Wort germanischen Ursprungs, aus der gleichen Familie wie dt. *Schuh*), in der nordfranzösischen Schweiz sprach man von *courvoisier* (abgeleitet vom lateinischen Namen der andalusischen Stadt *Córdoba,* die in der Ledergerberei führend war). Das französische Wort *cordonnier* erreichte die welsche Schweiz in einer ersten Welle schon vor dem 17. Jahrhundert in der Form *cordouanier* (eine andere Ableitung von *Córdoba*). Dafür zeugt die Mundartform *kordanyî,* die man in den Kantonen Genf, Waadt, im Unterwallis sowie in Teilen Neuenburgs und Freiburgs findet. Nur der Osten des Kantons Freiburg, der Norden Neuenburgs sowie der frankoprovenzalische Teil des Berner Juras bewahren das altfranzösische Wort *escoffier* in der Form *èkofai.* Im östlichen Wallis ist es erst im 19. Jahrhundert durch *cordonnier* ersetzt worden, weswegen die moderne Form *kordonyé* und nicht *kordanyî* lautet.
Wie das Französische dasselbe lateinische Wort in doppelter Form bewahren kann, so z. B. lateinisch ADVOCATUS in der erbwörtlichen Entwicklung *avoué* und der entlehnten Form *avocat,* kann es in den Mundarten vom selben Stammwort zwei verschiedene Formen mit unterschiedlicher Bedeutung geben, eine erbwörtliche und eine französische. In *Bagnes* lautet die normale Weiterentwicklung von lateinisch CAELU > *hî;* sie wird aber nur für ‹Decke, Betthimmel› gebraucht, während die Entlehnung aus dem entsprechenden französischen Wort *ciel* > *syèl* für ‹Firmament› gebraucht wird. Das Französische spielt also für die Mundart genau dieselbe Rolle, die das Lateinische für das Französische teilweise auch heute noch einnimmt: Es ist seine «langue savante», Schatztruhe für intellektuelle Begriffe.
Französische Wörter erfahren oft eine Bedeutungserweiterung, wenn sie durch die Mundarten übernommen werden. So ist französisch *cadencer* ‹nach dem Takte abmessen› eigentlich ein seltenes Wort; im Wallis ist es zu einem recht häufig gebrauchten Wort mit neuen Bedeutungen geworden: Intransitiv im Zusammenhang mit einem Tier verwendet, heißt es ‹hochspringen› oder ‹durchgehen›, transitiv ‹untereinanderbringen› und reflexiv ‹es sich bequem machen›. Andere Entlehnungen aus dem Französischen werden durch Mundartablei-

tungen eingebürgert, wie z. B. *cancan* ‹Klatsch›, wofür französisch *cancanier* ‹Klatschmaul› mundartlich *kankanyao, kankanérî* und für ‹Klatschbase› *kankanache* und *kankana* existieren. Obgleich das Patois im allgemeinen als intime Sprache gilt, werden gewisse Wörter durch familiäre Entsprechungen aus dem Französischen ersetzt. Anstelle von mundartlich *corps (kò)* ‹Kerl› wurde französisch *type* in der gleichen Bedeutung eingeführt.

Von allen Bereichen der Sprache ist der Wortschatz am stärksten äußeren Einflüssen ausgesetzt. Kaum gefährdet sind jedoch Mundartwörter, für die es im Französischen keine Entsprechung gibt, wie z. B. *quérir* ‹holen› (frz. *aller chercher*), *corder* ‹gönnen› (frz. *se réjouir de ce qui arrive à qn, en bien ou en mal*), oder im Gegenteil Wörter, die eine genaue französische Entsprechung haben. Wörter wie *pra/pro* ‹Wiese›, *vatse* ‹Kuh› sind, solange Patois überhaupt existiert, nie in Gefahr, durch *pré* und *vache* ersetzt zu werden.

Fast ebenso stark wie der Wortschatz sind Einzellaute äußeren Einflüssen ausgesetzt . Es wurde schon auf den Ersatz des mundartlichen, im Französischen nicht existierenden *th* (engl. *think*) durch *t* hingewiesen. In den meisten Waadtländer Mundarten gibt es keinen Laut wie dt. *ö*. Er wurde jedoch in Wörtern wie *chaleur (chaleu)* entlehnt. Östliche Walliser Dialekte kennen kein *u* (dt. *ü*), was nicht hindert, daß dieser Laut in französischen Entlehnungen geläufig ist.

Eine indirekte Wirkung des Französischen liegt vor, wenn aufgrund von Lautentsprechungsregeln sogenannte «Hyperdialektismen» entstehen. Dem französischen *an* entspricht in vielen Fällen ein mundartliches *in*. (Frz. *vendre* [Aussprache: *vandre*] / Mundart *vindre;* frz. *endormir [andormir]* / mundartlich *indremi*.) Diese Gleichung ist für Mundartformen wie *avintadzo* für *avantage* verantwortlich, wo auch in der Mundart *an* anstelle von *in* stehen müßte.

Während der Formenstand (Fürwörter, Konjugation) in der Regel ziemlich eigenständig bleibt, ist im Satzbau der französische Einfluß seit alter Zeit wirksam. Der alte Partitiv *il mange de pain* (modern *du pain*), *il voit d'étoiles* (mod. *des étoiles*) ist nur noch im Wallis sowie in der Schlußphase der Genfer Mundart dokumentiert. Die ganze übrige welsche Schweiz hat auch mundartlich den französischen Partitiv übernommen. In gewissen frankoprovenzalischen Mundarten der Schweiz wurde das im Französischen obligatorische Subjektpronomen beim konjugierten Verbum in der dritten Person nicht gesetzt: *tsantè*

(wie auch ital. *canta*) statt französisch *il chante*. Manche Mundarten kennen diese Möglichkeit immer noch; andere sind seit fünfzig bis sechzig Jahren zum französischen System übergegangen.
Angesichts des entscheidenden französischen Einflusses sei noch kurz die Frage aufgeworfen, inwiefern sich die welschen Mundarten unter dem Einfluß benachbarter alemannischer Mundarten verändert haben. Die Antwort lautet: Ein gewisser Einfluß ist praktisch nur im Wortschatz auszumachen, und auch hier nicht überall in gleichem Maße. Germanismen sind im frankoprovenzalischen Gebiet, das an die deutsche Schweiz grenzt, relativ selten. Ziemlich verbreitet ist beispielsweise alemannisch *Bueb* > frankoprovenzalisch *boûbo, bouébo* ‹kleiner Junge, junger Hirt›, zu dem noch eine weibliche Form geschaffen wurde: *boûba, bouéba* ‹kleines Mädchen›. Sehr viel häufiger sind schweizerdeutsche und elsässische Elemente in jurassischen Mundarten: *ritê (< ryyte)* ‹laufen›, *chrég (< schrèèg)* (in frz. Syntax eingebaut: *monté d chrég* für französisch *monter de travers*), *chtrûb (< Struube, Strüübe)* ‹Schraube› usw. Dies ist in erster Linie auf die zahlenmäßig starke alemannische Einwanderung in die jurassische Landwirtschaft und, seit dem 19. Jahrhundert, noch mehr in die Industrie zurückzuführen. Daß das Bistum Basel jahrhundertelang offiziell zweisprachig war, hat viel weniger dazu beigetragen.

Moderne Schreibdialekte

Der einzige nennenswerte Versuch, in der welschen Schweiz eine, wenngleich kleinräumige, doch überlokale Schriftkoine zu schaffen, ist vom Kanton Waadt ausgegangen. Dabei handelt es sich nicht um planmäßige Bemühungen mit sprach- und kulturpolitischem Hintergrund, wie sie etwa Mistral für das Provenzalische unternommen hat, sondern um das praktische Ergebnis der langjährigen Mitarbeit einer Reihe von Mundartschriftstellern am Waadtländer Wochenblatt *Le Conteur vaudois*, das im Jahre 1862 gegründet wurde.
Der waadtländische Schreibdialekt, der daraus entstand, wurde zuweilen auch *patois vaudois classique* genannt. Er liegt jetzt noch den kürzlich erschienenen waadtländischen Grammatiken und Wörterbüchern zugrunde. Geographisch ist er im Jorat und im Gros-de-Vaud angesiedelt.

Eigentlicher Initiator ist Louis Favrat (1827–1893), der Herausgeber von Bridels berühmtem *Glossaire du patois de la Suisse romande* (1866) und Hauptmitarbeiter am *Conteur*. Er stammte aus Le Mont-sur-Lausanne (Jorat), schrieb jedoch von Anfang an eine nicht mit Genauigkeit lokalisierbare Mundart. Das gleiche gilt für seinen Kollegen aus dem Gros-de-Vaud, C. C. Dénéréaz, der seit 1866 regelmäßig für den *Conteur* Mundarttexte verfaßte. Von späteren Mitarbeitern seien hier noch die beiden wichtigsten genannt: O. Chambaz aus Rovray (Gros-de-Vaud) und J. Cordey aus Savigny (Jorat), deren Sprache etwas stärker lokale Eigenheiten aufweist.

Obgleich diese Koine für Publikum und Dialektologen ein klarer Begriff ist, enthält sie etliche Varianten und darf also nicht als völlig durchkodifiziert gedacht werden. Eine Spezialuntersuchung über diesen Schreibdialekt fehlt leider noch. Immerhin sei festgehalten, daß die genannten Schriftsteller in vielen Fällen die von Bridel gegebenen Formen gebrauchen, der also bis zu einem gewissen Grad als Vorläufer dieser Koine betrachtet werden kann.

Im Jahr 1910 erschien in Lausanne eine reiche Mundartanthologie unter dem Titel *Po recafâ* (‹zur Belustigung›), in der viele der im *Conteur* erschienenen Texte abgedruckt sind. Dank einer detaillierten Sprachanalyse dieser Sammlung durch den Dialektologen Jules Cornu, der aus Villars-Mendraz (Gros-de-Vaud) stammte und fließend Patois sprach, ist es möglich, einen besonderen Aspekt dieser Koine hervorzuheben: eine Anzahl lautlicher, grammatischer Formen und Wörter, die in völligem Widerspruch zur mündlichen Tradition stehen. Diese Unsicherheit beruhte natürlich vor allem darauf, daß auch zur damaligen Zeit die Mundart kaum noch gesprochen wurde und bei Ableitungen immer wieder auf das Französische zurückgegriffen wurde. Hier einige Beispiele: Im Lautlichen findet man weibliche Formen wie *vîlya*, französisch *vieille; draita*, französisch *droite*, wo doch das finale *-a* nach Palatal schon im 6./7. Jahrhundert abgeschwächt wurde, was zu einem typisch nordfranzösischen und frankoprovenzalischen Merkmal wurde. In der Konjugation erscheinen Präsenskonjunktive wie *balye* (französisch *baille* ‹gebe›) anstatt *balyéye* oder dem endbetonten *balyai*, Imperfekte wie *prenai* (französisch *prenait* ‹nahm›) anstatt *prenyai*, *fazavon* (französisch *faisaient* ‹taten›) anstatt *fazan*. Bekannte Patoiswörter wie *pusa* (französisch *poussière* ‹Staub›) werden durch *pudra* ersetzt, im Glauben, es müsse dem französischen *poudre* entsprechen.

Vereinheitlichte Schreibdialekte können in einer Lokalkultur eine sehr positive Rolle spielen und sollten nicht bekämpft werden unter dem bei Dialektologen so beliebten Vorwand, sie entsprächen keiner wirklichen, genau lokalisierten Mundart. Es ist ja gerade das Ziel einer Koine, überlokal zu werden. Wenn sie jedoch nicht mehr von mündlicher Tradition genährt werden kann, weil einfach niemand mehr in natürlichen Situationen Mundart spricht, wie das heute im Waadtland der Fall ist, dann funktioniert sie nur noch als erstarrtes Heimatsymbol, man möchte fast sagen als folkloristisches Aushängeschild.

Förderung der Mundarten

Im 19. Jahrhundert

Es ist bezeichnend, daß die älteste bekannte Bewegung zur Förderung der Mundart im Kanton *Neuenburg* entstand, zu einer Zeit, da kaum noch Patois gesprochen wurde. Im Jahre 1857 gründete A. Huguenin in La Chaux-de-Fonds den *Cercle du Sapin* (Tannenkreis), um die aussterbende Mundart des Neuenburger Juras zu retten. Die Mitglieder gehörten zu den «républicains progressistes», die den durch die Ereignisse von 1848 und 1856 geschürten patriotischen Enthusiasmus nützen wollten, um Lokaltraditionen aufrechtzuerhalten. Sie wählten die Tanne als heimatliches Symbol und beschlossen, sich an ihren Sitzungen nur noch auf Mundart zu unterhalten. Trotz aller Bemühungen des Präsidenten Huguenin, der selbst noch gut Mundart sprach, stieß die Verwirklichung des Hauptanliegens auf unüberwindliche Schwierigkeiten. Mehrere Mitglieder waren nämlich trotz bestem Willen gar nicht in der Lage, sich in ihrer Mundart auszudrücken. Deshalb wurden die Statuten schon im Gründungsjahr dahin abgeschwächt, daß Patois «soweit als möglich» gesprochen werden sollte, zumal sich nachträglich herausstellte, daß einige Mitglieder in den *Cercle* eingetreten waen, nicht um Patois zu sprechen, sondern um es zu lernen! Bereits 1865 wurde der Mundartartikel in den Statuten abgeschafft. Von da an widmete sich der Cercle hauptsächlich der öffentlichen Wohltätigkeit und dem sozialen Fortschritt, Aufgaben, die eigentlich die meisten Mitglieder immer mehr interessiert hatten als die Bewahrung der Mundart. Übrig blieb nur ein rituelles Mundart-Gebet: «La prière du sapin».

Mundartpflege heute: Gebiete mit erhaltenen Mundarten

Eine traditionelle Art von Mundartpflege geht von Theatergruppen aus, die heute in allen Restgebieten aktiv sind. In den Kantonen Freiburg und Jura, wo eine Lokalmundart regional verstanden wird, können die Gruppen mit derselben Produktion im ganzen Kanton auftreten. Im Wallis hingegen, wo große Unterschiede zwischen den einzelnen Dorf- und Talmundarten bestehen, sind solche Regionaltourneen viel problematischer. Von einer eigentlichen Mundartwelle, wie man sie gegenwärtig in der Deutschschweiz beobachtet, kann jedoch kaum die Rede sein. Zwar tauchen sporadisch neue und vor allem junge Mundartfreunde auf, weil das Interesse für die «gute alte Zeit» auch in der welschen Schweiz spürbar wächst. Aus dem gleichen Grund hatten auch die Patois-Kurse, die F.-X. Brodard aus La Roche bis kurz vor seinem Tode im Jahre 1979 in Freiburg leitete, großen Erfolg.

Daneben gibt es vier kantonale Mundartvereine (Wallis, Freiburg, Jura, Waadt), die in der Dachorganisation *Fédération des patoisants romands* vereinigt sind. Ein besonderer Abschnitt soll der Vorgeschichte dieser Institution gewidmet werden, weil die Impulse dazu aus dem heute praktisch mundartlosen Kanton Waadt kamen.

Mundartförderung im Kanton Waadt

Es herrscht hier ungefähr die gleiche Situation wie in La Chaux-de-Fonds im 19. Jahrhundert: Die meisten Aktivmitglieder des Mundartvereins können gar nicht Mundart sprechen.

Der Anstoß zur waadtländischen Mundartförderung geht – wie erwähnt – auf den *Conteur vaudois* zurück. Seit Anfang des 20. Jahrhunderts bildeten sich dann hie und da Mundartvereine, so beispielsweise in Vevey, wo um das Jahr 1910 ein *Club* (!) *patois* existierte.

Der *Conteur vaudois,* der in seiner ursprünglichen Form als Wochenblatt 1934 wegen der Wirtschaftskrise sein Erscheinen einstellen mußte, wurde im September 1947 unter dem Namen *Le Nouveau Conteur vaudois* neu ins Leben gerufen, und zwar diesmal als Monatsblatt. Im September 1950 wurde sein Name in *Le Nouveau Conteur vaudois et romand* abgeändert. Am 24. Mai 1953 erfolgte auf Initiative der Redaktion die Gründung der *Association vaudoise des Amis du patois,* seit Juli 1953 erschien der *Nouveau Conteur* als offizielles Organ dieser Vereinigung. Von November 1956 bis zu ihrer letzten Nummer (Juli/August 1968) hieß die Publikation *Le Conteur romand, Revue pour le maintien des patois et des traditions.*

Es ist das Verdienst der Redaktion des neugegründeten *Conteur,* während dieser zwei Jahrzehnte die organisierte Mundartförderung wenigstens institutionell sichergestellt zu haben. Dazu gehörte seit 1947 die Organisation von *Patois-Wettbewerben.* Die ersten Wettbewerbe riefen die Leser des *Nouveau Conteur vaudois* auf, einen Patoistext ins Französische zu übersetzen. Seit 1957 findet alle vier Jahre eine *Fête des patoisants romands* statt, wo die besten, von kantonalen Jurys ausgewählten Mundarttexte vor einer *Jury romand* konkurrieren. Zum Wettbewerb und zum Fest werden jeweils auch Mundartvereine aus Italien (Aostatal) und den benachbarten französischen Provinzen eingeladen.

Ebenfalls seit 1947 wurden ferner jährliche Versammlungen der Mundartfreunde anläßlich des *Comptoir Suisse* in Lausanne organisiert. Das Westschweizer Radio, das am 8. Januar 1949 eine Aufzeichnung der zweiten Comptoir-Versammlung ausstrahlte, schuf seit 1952 unter dem Impuls von Ch. Montandon eine Sendereihe mit Kurzbeiträgen über welsche Mundarten, die zunächst alle vierzehn Tage, dann wöchentlich zu hören war. Dabei entstand eine reiche Phonothek, die heute in Zusammenarbeit mit der *Fédération des patoisants romands* betreut wird. Diese ist allerdings nicht dafür verantwortlich, daß in letzter Zeit die Mundartsendungen des Westschweizer Radios leider auf ein bedenkliches Niveau herabgesunken sind.

Durch diese Bestrebungen ist der Mundartenschwund in der welschen Schweiz wenn nicht aufgehalten, so doch verlangsamt worden. Die Mundartsprecher haben ein neues, positiveres Verhältnis zu ihrer Sprache gewonnen, weil sie heute wissen, daß man sich ihrer nicht zu schämen braucht.

Ein Sonderfall: der verfassungsrechtliche Mundartenschutz im Kanton Jura

Die Verfassung von 1977 erwähnt unter den kulturpolitischen Aufgaben des Staates und der Gemeinden (Art. 42bis): «Ils veillent et contribuent à la conservation, à l'enrichissement et à la mise en valeur du patrimoine jurassien, notamment du patois.» (Sie fördern und wachen über die Erhaltung, die Bereicherung und die Wertschätzung des jurassischen Erbes, insbesondere der Mundarten.)

In einer schriftlichen Anfrage erkundigte sich Kantonsrat G. Brahier nach den diesbezüglichen Absichten der Regierung. Am 24. November 1981 hat die Regierung dazu Stellung genommen. Der bemerkenswerteste Passus ihrer Antwort lautet: «D'autre part, le Gouvernement considère qu'une véritable réanimation du patois postulerait un apprentissage et une pratique dans le cadre même de l'école.» (Andererseits ist die Regierung der Ansicht, daß eine eigentliche Wiederbelebung der Mundarten deren Erlernung und praktische Übung im Rahmen der Schule erfordern würde.) Im nachfolgenden Text werden dann die praktisch kaum lösbaren Schwierigkeiten einer solchen Hypothese erläutert.

Man kann sich bei dieser Stellungnahme fragen, inwieweit sich ihre Autoren über die Funktion der Mundart wirklich im klaren sind. Die Sprachgeschichte der Schweiz zeigt ja mit aller Deutlichkeit, daß Mundarten bloß so lange erhalten bleiben, als die Kinder sie zu Hause erlernen und verwenden. Daß die Schule nur die Hochsprache vermittelt, braucht dazu kein Hindernis zu sein.

Bei der Ausbreitung der nordfranzösischen Standardsprache in der welschen Schweiz müssen zwei grundverschiedene Prozesse auseinandergehalten werden: ihre Ausbreitung als Schriftsprache und als Umgangssprache. Beide Entwicklungen verliefen getrennt und je nach Gebiet zeitlich abgestuft. Überall ging jedoch die Geltung des Französischen als Schriftsprache derjenigen als Umgangssprache voraus.

Das Französische beginnt zwar schon im 13. Jahrhundert das Lateinische als *Schriftsprache* zu ersetzen. In gewissen Regionen kommt diese Entwicklung aber erst mit der französischen Revolution zum Abschluß. So findet man lateinisch abgefaßte Notariatsurkunden im Wallis noch bis zum Ende des 18. Jahrhunderts. Frühestens im 17. Jahrhundert tritt das Französische als allgemeine *Umgangssprache* an die Stelle der Mundarten. Auch hier spielt sich die letzte Phase im Wallis ab, und zwar spätestens zu Anfang unseres Jahrhunderts.

Angemessen beurteilen läßt sich die Rolle der französischen Standardsprache in der welschen Schweiz erst dann, wenn man sich diesen langdauernden sozialen Lernprozeß vor Augen hält. Nur so erfaßt man das Gewicht einer ununterbrochenen Normorientierung auf Paris. Selbst die heute bestehenden sprachlichen Unterschiede sind dieser Ausrichtung auf Paris zu verdanken: handelt es sich doch dabei teilweise um nichts anderes als um Überbleibsel älterer französischer Normen.

Dies bedeutet auch, daß die französische Sprache in der welschen Schweiz nicht über eine eigene Entwicklungsgeschichte verfügt. Ihre Geschichte ist fast ausschließlich die Geschichte ihrer Verbreitung als Schriftsprache und als Umgangssprache. Linguistisch haben die lokalen Sprachtraditionen der Westschweiz keinen Beitrag zur inneren Entwicklung der französischen Sprache geleistet, wie überhaupt die Randgebiete daran sehr wenig mitbeteiligt sind.

Daß eine so weitgehende Abhängigkeit unweigerlich Probleme eigener Sprachbedürfnisse erzeugt, wird in der welschen Schweiz selten öffentlich diskutiert. Einzelfälle werden wohl immer wieder pragmatisch gelöst; doch das Hauptgewicht der Auseinandersetzung über die französische Sprache liegt immer noch auf der Verteidigung ihrer schon ziemlich beeinträchtigten Weltgeltung und auf der Gefahr einer unaufhaltsamen «Verschmutzung» *(pollution)* durch fremde Sprachen, wobei natürlich vor allem der Einfluß des Deutschen beanstandet wird. Pedantische Puristen führen das große Wort und bieten dem Publikum kaum Gelegenheit, den wirklichen Sachverhalt kritisch zu beurteilen. Und Medien in der welschen Schweiz vermitteln nur ausnahmsweise sachlich fundierte Informationen zu Problemen der Sprache.

Warum es kein einheitliches «Schweizer Französisch» gibt

Ich möchte zunächst auf einige sprachliche Besonderheiten eingehen, die man in erster Linie im *gesprochenen Französisch* beobachtet. Wieweit solche Varianten zum Standardfranzösischen auch im schriftlichen Gebrauch Niederschlag finden, wird im Zusammenhang mit den Normproblemen zu erörtern sein.
Ein einheitliches «Schweizer Französisch», das sich lückenlos beschreiben ließe und überall in der welschen Schweiz Geltung hätte, gibt es natürlich ebensowenig wie etwa ein einheitliches «belgisches» oder «kanadisches» Französisch. Das sind Rückprojizierungen einer gleicherweise unrealistischen Homogenitätsannahme für das Französische Nordfrankreichs. Zugleich steckt dahinter die Vorstellung, ein «reines» Französisch gebe es nur in Frankreich, während das Französisch der Rand- oder Überseestaaten Belgien, Schweiz, Kanada unvermeidlich getrübt sei, nicht nur durch die räumliche Entfernung von dem maßgebenden Zentrum, sondern auch durch ungesunde Kontakte mit germanischen Sprachen: dem Flämischen, dem Deutschen oder Englischen. Tatsächlich ist das gesprochene Französisch überall, auch in Frankreich, lokalen Abweichungen unterworfen, ohne daß man es deswegen mit verschiedenen Sprachsystemen zu tun hätte. Gelegentlich begegnet man einer Häufung von sprachlichen Besonderheiten, die man als charakteristisch für Groß- oder Kleinräume empfindet, doch machen diese Besonderheiten selten vor politischen Grenzen halt. Für die welsche Schweiz ergibt sich daraus folgender interessanter Befund:
1. Lautliche, grammatische oder lexikalische Besonderheiten, die für die

gesamte welsche Schweiz gelten, sind in zahlreichen Fällen auch in den angrenzenden französischen Provinzen zu finden.
2. Existiert eine lautliche, grammatische oder lexikalische Variante nur in der welschen Schweiz, so ist sie in der Regel nicht gesamtwestschweizerisch, sondern nur auf gewisse Teilgebiete beschränkt.
3. Wenn man im Lexikon trotzdem auf Wörter stößt, die überall in der welschen Schweiz gebraucht werden, jedoch in Frankreich unbekannt sind, dann handelt es sich im allgemeinen um Ausdrücke für typisch schweizerische Institutionen.
Es ist also zu unterscheiden zwischen linguistischen Varianten wie Aussprache, Grammatik, Wörter ohne spezifisch schweizerischen Inhalt, deren geographische Verbreitung sehr unterschiedlich sein kann, und Lexemen, die als Folge politischen Eigenlebens Schweizer Einrichtungen, wie öffentliche Verwaltung, Schule, Armee, Handelsorganisationen, Industrie usw., widerspiegeln und deshalb an der politischen Grenze haltmachen.
Ein anderer Grund, die eigentlichen Helvetismen von den sonstigen Sprachvarianten zu trennen, liegt in ihrem Anwendungsbereich. Die Helvetismen verfügen in der welschen Schweiz über eine sowohl soziologische wie pragmatische Allgemeingültigkeit. In vielen Fällen handelt es sich um Begriffe, die in allen vier Sprachregionen der Schweiz Parallelentsprechungen haben. Ein inhaltsgebundenes Sprachzeichen wie *cours de répétition* im Sinne von ‹militärischer Wiederholungskurs› wird ebensowenig nach freiem Ermessen verwendet wie beispielsweise das Wort *neige* für den Begriff ‹Schnee›. Es gehört also in keiner Weise zu einer schweizerischen «Sprechart» und kann deshalb auch nicht als gewollte Identifikation durch sprachliche Mittel interpretiert werden, sowenig wie das Wort *mistral* einen provenzalischen Sprecher impliziert.
Institutionsgebundene Ausdrücke, die nur in vereinzelten Kantonen oder sogar nur in subkantonalen Kleinräumen Geltung haben, fallen natürlich auch in diese Kategorie. Man könnte sie als Lokal-Helvetismen bezeichnen. Für die Funktion des Bürgermeisters z. B. existieren in der welschen Schweiz je nach Kanton drei verschiedene Wörter: *syndic* (Waadt, Freiburg), *président* (Wallis, Neuenburg) und das in Frankreich übliche *maire* (Genf, Bern und Jura).
Ganz anders verhält es sich mit Sprachvarianten, die nicht direkt an schweizerische Inhalte gebunden sind. Dazu gehören besondere Aus-

sprachen, grammatische Eigenheiten, aber auch zahlreiche Ausdrücke. Im Gegensatz zu den eigentlichen Helvetismen ist deren Verbreitung nicht nur regional unterschiedlich, sondern ebenso stark von Alter, Geschlecht und sozialer Zugehörigkeit des Sprechers sowie von der spezifischen Sprechsituation abhängig. Gerade weil solche Varianten jederzeit durch standardfranzösische Entsprechungen ersetzt werden können, eignen sie sich vorzüglich als mehr oder weniger gewollte Identitätssignale. Hier handelt es sich wirklich um «Sprechweise», hier ist spottende Nachahmung möglich.

Noch ist nicht untersucht worden, welchen Einfluß die Faktoren Alter, Geschlecht und soziale Stellung in der Westschweiz auf die Verwendung von Regionalismen haben. Man weiß zwar aus Erfahrung, daß beispielsweise auf dem Lande ältere Leute eher zu lokaler Sprechweise neigen oder daß bei geringerer Schulbildung eine Häufung an Regionalismen feststellbar wird. Klassische soziolinguistische Kurven dürften jedoch daraus kaum abzuleiten sein. Soziale Stellung, höhere Bildung oder städtische Umgebung fördern nämlich nicht unbedingt eine Annäherung an den französischen Standard. Andere Faktoren wie Familientradition oder überhaupt Traditionsgebundenheit spielen ebenfalls eine wichtige Rolle. Wenn aber eine lokale Sprechweise nicht automatisch auf bestimmte soziale Schichten begrenzt ist, verliert sie an soziologischer Bedeutung. Vielleicht besteht darin die einzige Parallele zum deutschschweizerischen Sprachverhalten: Eine lokal gefärbte Sprechweise ist in der Schweiz offenbar kein Klassenmerkmal.

Regionalismen als Ablagerungen des Lernprozesses

Man könnte annehmen, daß in Gebieten, deren Bevölkerung schon seit mehreren Jahrhunderten Französisch spricht, nur noch wenige Regionalismen übriggeblieben sind. Es ist eher das Gegenteil der Fall. Die protestantischen Kantone Genf, Neuenburg, Waadt weisen zahlreiche regionale Sprachelemente auf, während beispielsweise das Wallis, das viel später zum Französischen übergegangen ist, nur wenige Regionallexeme kennt. Die Erklärung liegt auf der Hand: das «Genfer» Französisch besteht zum Teil aus Dialektalismen, zum Teil aus veraltetem Französisch, während das «Walliser» Französisch viel moderner ist.

Häufig sind die sprachlichen Besonderheiten in der welschen Schweiz nichts anderes als Sprachnormen, die sich in der Westschweiz verbreiteten, als sie in Frankreich noch gültig waren. Die welsche Schweiz hat daran festgehalten, während sie in Frankreich inzwischen durch andere ersetzt wurden.

So sind in der welschen Schweiz noch alte französische Aussprachenormen gültig. Dazu gehört die Bewahrung des Unterschiedes zwischen auslautendem geschlossenem *-ó (artichaut: o* wie in dt. *schon)* und offenem *-ò (abricot: o* wie in frz. *col, fort),* die im modernen Standardfranzösisch zugunsten von *-ó* aufgegeben wurde. Ein weiterer Vokalkontrast in offener Endsilbe, nämlich zwischen geschlossenem *-é* und offenem *-è,* der beispielsweise in der Konjugation den Unterschied zwischen dem Futurum *pourrai (pouré)* und dem Konditional *pourrais (pourè)* anzeigt, ist in der welschen Schweiz noch durchaus geläufig, während in Frankreich beide Formen inzwischen meist zu *pouré* zusammenfallen.

In der Grammatik ist beispielsweise *aider* ‹helfen› mit dem Dativ *(il faut lui aider,* statt standardfrz. *il faut l'aider)* nicht, wie immer wieder behauptet wird, ein Germanismus *(ihm helfen),* sondern eine alte französische Norm.

Typische Archaismen im Wortschatz sind *septante* anstelle von standardfranzösisch *soixante-dix* oder *dîner,* das in der Schweiz für das «Mittagessen» steht, während die in Paris entstandene moderne Bedeutung «Abendessen» sich hier nicht durchsetzte. *Septante* hat sich auch in anderen Randgebieten wie Belgien erhalten, und *dîner* bezeichnet heute noch in manchen ländlichen Gegenden Frankreichs das «Mittagessen».

Ein wichtiger Niederschlag des Lernprozesses findet sich in den Mundartentlehnungen. Diese Umsetzung, die der Deutschschweizer Primarschüler heute noch täglich praktiziert, war natürlich auch in der welschen Schweiz, als die Mundartsprecher Französisch lernten, ein spontaner Ersatz für unbekannte französische Entsprechungen. Auffallend, jedoch erklärlich, ist die Seltenheit lautlicher Dialektalismen: Jahrhundertelang erklang die französische Sprache praktisch nur durch lautes Lesen, und zwar in einer Aussprache, die sich aus der bereits im 12. zum 13. Jahrhundert archaisch gewordenen Schreibweise kaum ableiten ließ. Nur Kenner konnten sie vermitteln, was der mundartlichen Aussprache den Weg versperrte. Bevor in der welschen Schweiz Französisch gesprochen wurde, wurde es als Schrift *aus*gesprochen. Davon zeugen Aussprachen wie *avisse* für französisch *avis* oder *juillette* für französisch *juillet.*

Als lautlicher Dialektalismus gilt die in der welschen Schweiz oft gehörte Aussprache *-éy* für *-ée, -îy* für *-ie (journée : journéy; amie : amîy)*, weil in den Mundarten dem französischen *-ée* (lat. -ATA) ein *-âye* entspricht.
Ein syntaktischer Dialektalismus liegt vor in *je n'ai personne vu,* was immer wieder als Germanismus *(ich habe niemanden gesehen)* gebrandmarkt wird, aber zweifellos auf mundartliche Syntax zurückzuführen ist (vgl. Zentralwallis *y éi nyoun you*).
Zahlreich sind die Mundartentlehnungen im Wortschatz. Hier eine kleine Auswahl:
chotte ‹Obdach›, aus *chòta,* mit typisch mundartlichem *ch* aus lat. *SUSTA; *corder, cordre* ‹gönnen›, aus *kòrdâ, kwardre; déguiller* ‹niederschlagen›, aus *dèguelyî; dé, dais, darre* ‹Tannreisig›; *s'encoubler* ‹sich verfangen›, aus *inkòblyâ; gouille* ‹Tümpel, Pfütze›, aus *gòlye; parchet* ‹Parzelle› (hauptsächlich in Rebbergen), aus *partsè; pive* ‹Tannzapfen›, aus *piva; roiller* (Aussprache *ròyé*) ‹heftig regnen›, aus *ròlyî; tablar* ‹Wandbrett, Regal› (so auch swzdt.), aus *tablyâr.*

Veränderungen

Wenn man heute das im Jahre 1926 vollendete *Dictionnaire historique du parler neuchâtelois et suisse romand* von W. Pierrehumbert (das weitaus wichtigste Standardwerk über schweizerisches Regionalfranzösisch) durchblättert, wird klar, wie stark der darin aufgeführte Wortschatz inzwischen geschrumpft ist. Die Mehrzahl der aufgeführten Ausdrücke oder Redensarten ist heute nicht mehr gebräuchlich. Nur die ältere Generation kennt davon noch eine stattliche Anzahl, verwendet sie jedoch im Gespräch mit Jüngeren nicht mehr. Freilich war schon damals eine Reihe Ausdrücke im Veralten begriffen; erkennbar an der Randbemerkung «il vieillit». Ausgestorben sind beispielsweise Fachausdrücke verschwundener Handwerke und Berufe, die der technischen Modernisierung zum Opfer gefallen sind.
Es wäre falsch, die verbleibenden Ausdrücke und Redensarten mit dem heute noch gebräuchlichen Regionalwortschatz der welschen Schweiz gleichzusetzen. Pierrehumbert hat vor allem Neuenburger Ausdrücke gesammelt. Die übrigen Provinzialismen (Genf, Waadt, Wallis, Freiburg, Jura) kannte er aus schriftlichen Quellen. Trotzdem ist die Entregionalisierung des Sprachgebrauches das wichtigste Ereignis in der modernen Sprachgeschichte der welschen Schweiz.

Veränderungen haben inzwischen aber auch in Morphologie und Syntax stattgefunden. Formen wie *toussir* statt *tousser, sentu* statt *senti, mettu* statt *mis,* die vor dem Ersten Weltkrieg noch verbreitet waren, hört man nirgends mehr. Das Regionalsubstitut *ils croivent* (für *ils croient*) ist praktisch verschwunden, jedoch begegnet man noch oft einer anderen Parallelform: *i krouay* statt standardfranzösisch *il kroua*. Selten geworden ist auch die typisch mundartliche Wortfolge wie in dem waadtländischen *je veux ça enlever* (statt *j'enlèverai cela*).

Auch lautlich gleicht sich das in der Welschschweiz gesprochene Französisch immer stärker dem französischen Standard an. Vor dem Ersten Weltkrieg wurde z. B. im Wort *habiller* noch das «l mouillé» ausgesprochen, also *abilyé,* wie in standardfranzösisch *pilier*. Dieser Aussprache begegnet man heute nicht mehr.

Auffallend ist auch das massive Vordringen des französischen Argots. Wörter wie *bagnole* ‹Auto›, *pioncer* ‹schlafen›, *piaule* ‹Zimmer›, *plumard* ‹Bett›, *godasse* ‹Schuh› und viele andere sind heute in der welschen Schweiz allgemein bekannt. Praktisch sämtliche Schimpfwörter wie *con, connasse* usw., die in der welschen Schweiz üblich sind, gehören zum Pariser Standardinventar (als einzige Besonderheit ist vielleicht die im Vergleich zu Paris häufigere Verwendung von *trou du cul* oder *trou de cul* ‹Arschloch› zu verzeichnen).

Germanismen

Häufig glaubt man heute in der welschen Schweiz, die Besonderheiten des «Schweizer» Französisch seien zum größten Teil dem deutschschweizerischen Einfluß zuzuschreiben. Im Unterschied dazu war man sich im 19. Jahrhundert noch allgemein bewußt, einen wie wichtigen Anteil die frankoprovenzalischen Mundarten an diesen Besonderheiten hatten.

Natürlich gibt es auch Germanismen. Das Gegenteil wäre in einem mehrsprachigen Staat wie der Schweiz undenkbar. Man begegnet ihnen sowohl im Satzbau, wenn auch seltener als oft angenommen, als auch im Wortschatz, der eine ganze Anzahl Lehnwörter und Lehnübersetzungen enthält.

Am gefürchtetsten sind die syntaktischen Germanismen, weil sie nach Ansicht der Sprachpfleger die Sprache in ihrer inneren Struktur angreifen. Gesicherte Beispiele sind: *attendre sur quelqu'un* ‹auf jemanden warten› oder *il viendra déjà* ‹er wird *schon* kommen›.

Aber auch neue Lehnübersetzungen werden nicht gerne gesehen, denn damit fließt ebenfalls fremdes Denken ein.
Wie die anderen Regionalismen sind auch die Entlehnungen aus dem Schweizerdeutschen besonders seit dem Ersten Weltkrieg stark zurückgegangen. Wörter wie *tringuelte* (oder *tringuette*) < *Trinkgält*, *fidés* < *Fideli*, *chemarotser* < *schmarotze*, *peuglise* < *Bügelise* werden längst nicht mehr verwendet. In mindestens einem Fall ist ein Alemannismus untergegangen, weil er inzwischen zu einem «guten» französischen Wort aufgestiegen ist: Frz. *cible* ‹Schießscheibe› stammt aus alemannisch *schibe* und kam durch Vermittlung der Westschweiz *(cibe)* nach Frankreich.
Viele Germanismen werden ihrer völlig unfranzösischen Lautgestalt wegen bewußt als solche gebraucht: Der Welsche zitiert gewissermaßen seinen alemannischen Nachbarn, wenn er Wörter gebraucht wie *poutser (putze)*, mit einem dem französischen Lautsystem fremden *-ts-*, *chtèmpf* < *Stämpfel* (auch anlautendes *cht-* ist im Französischen unbekannt), *fatre* < *Vatter*, *chats* (Katze) usw. Der Jass, der überall in der Westschweiz gespielt wird, ist mit seiner gesamten Terminologie adoptiert worden: *yass, chteuc, bour, nèl* usw. Nicht mehr als Germanismen zu identifizieren sind hingegen Wörter wie *catelle* ‹Ofenkachel› oder *caquelon* ‹irdener Kochtopf› (beide aus alemannisch *Chachle*). *Soustasse* ‹Untertasse› könnte eine Lehnübersetzung sein, ist aber auch in Frankreich in diesem Sinn belegt. Der *Jubilar* ist in der welschen Schweiz ein *jubilaire:* Das französische Wort existiert, doch in einem viel engeren Sinn.
Die allgemeine Bezeichnung für schlechtes Schweizer Französisch unter alemannischem Einfluß ist *français fédéral*. Der Ausdruck stammt aus der zweiten Hälfte des 19. Jahrhunderts. Er bezeichnete anfänglich das aus dem Deutschen übersetzte Amtsfranzösisch. Heute brandmarkt er jegliche Art von Lehnübersetzung und unkorrekter Übersetzung, auch jene der Werbesprache.
Eine moderne Weiterentwicklung dieser Sprachkritik ist der subtile Vorwurf, zu viele eidgenössische Texte seien auf deutsch konzipiert. Es wird heute offen gefordert, ein angemessener Prozentsatz amtlicher Texte solle zuerst auf französisch redigiert und erst dann in die beiden anderen Amtssprachen übersetzt werden.
Anlaß zu Mißverständnissen bietet natürlich das höchst unterschiedliche Sprachverhalten in der deutschen und französischen Schweiz. Daß die Deutschschweizer immer noch (und immer häufiger) Mundart

sprechen, wird von vielen Welschen als unbegreifliche Halsstarrigkeit empfunden. Zwar fordern heute gewisse Pädagogen der welschen Schweiz, Schweizerdeutsch solle in den Schulen unterrichtet werden. Ob das die geeignete Lösung wäre, die unbestreitbare Mentalitätsbarriere zu überwinden, ist eine offene Frage.

Normprobleme

Wie alle Sprachen verfügt natürlich auch das Französische über seine besonderen Möglichkeiten zu Wortneuschöpfungen mit Hilfe von Vorsilben, Nachsilben oder Wortzusammensetzungen. Dieser grundsätzlichen Systemoffenheit steht jedoch ein regelrechter Abscheu vor Neuschöpfungen entgegen, der in der Idealvorstellung gipfelt, eine sichere Sprachbeherrschung erlaube es, auch neue Inhalte mit Hilfe von bereits bestehenden Wörtern auszudrücken. Daß Wissenschaft, Technik und Industrie ständig neue Bezeichnungen brauchen, wird nicht in Abrede gestellt, doch gehört die Fachsprache traditionell nicht zur Gemeinsprache und wird deshalb von Sprachideologen gerne ignoriert. Nur die geistige Elite darf sprachschöpferisch tätig sein – im 17. Jahrhundert war das der «gesunde Teil» der höfischen Gesellschaft, später waren es die akademiewürdigen Schriftsteller. Heute prägen die französischen Medien täglich Wortneuschöpfungen. Doch dürften sie das eigentlich nicht tun, und sie werden deshalb auch immer wieder von selbsternannten Traditionshütern gerügt. Die französische Norm bleibt theoretisch exklusiv, und ihre Erweiterung steht nur anerkannten französischen Autoritäten zu.
Es ist erstaunlich, daß in der welschen Schweiz die vorhandenen Möglichkeiten zu Neuschöpfungen nicht stärker in Anspruch genommen werden, als es der Fall ist. Schließlich können die Welschschweizer nicht wie die Franzosen die Schranken der Normrestriktionen durch Flucht in den Argot umgehen. Denn auch französischer Argot ist in der welschen Schweiz eine fremde Mechanik, derer man sich nicht frei bedienen kann.
Zu den wenigen Freiheiten, die man sich in Sachen mündlicher Wortbildung in der welschen Schweiz erlaubt hat, gehören Neuschöpfungen mit Hilfe der Nachsilbe *-ée,* die, mit allen möglichen

Verben kombiniert, u. a. eine «große Anzahl» bedeuten: z. B. *craquée* aus *craquer* ‹knacken›, *emballée* aus *emballer* ‹einpacken›, *éreintée* aus *éreinter* ‹erschöpfen›, *raclée* aus *racler* ‹abschaben› usw.

Zugespitzt formuliert heißt das, daß den Bewohnern der welschen Schweiz nur ein beschränkter Besitzanspruch auf die französische Sprache zusteht. Obwohl Französisch seit langem ihre Muttersprache geworden ist, dürfen sie sie offiziell nicht bereichern, weil nicht einmal die Elite der welschen Schweiz bei der Sprachlenkung ein Mitspracherecht hat. In die französische Akademie können nur französische Staatsbürger gewählt werden. Ein eingebürgerter Ausländer, der Französisch erst als Zweitsprache erlernt hat, darf also unter Umständen Akademiemitglied werden, nicht aber ein Schweizer, ein Belgier oder Kanadier, dessen Muttersprache seit Generationen das Französische ist. Solange eine solche auf symbolischer Ebene schwerwiegende Diskriminierung herrscht, bleibt der auf gegenseitiger Überdeckung von Sprache und Nationalstaat beruhende französische Sprachzentralismus trotz allen Beteuerungen über «frankophone Solidarität» bestehen.

In der Praxis werden solche Beschränkungen allerdings kaum als problematisch empfunden. Das Sprachmaterial, das der Welsche für seine eigene Umwelt braucht, aber im Standardfranzösischen nicht vorfindet, hat er sich seit jeher zurechtgebastelt, wie andere Provinzler auch. Eine Legitimierung dieser Eigenheiten wird gar nicht gefordert, weil der Vorrang von Paris nie in Frage gestellt wurde.

Andrerseits sind auch keine Bemühungen zu verzeichnen, den Sprachgebrauch der welschen Schweiz in einem eigenen Wörterbuch festzuhalten; ein solcher Separatismus würde in den Augen der Westschweizer ihre kulturelle Identität gefährden, die für sie ohne französische Gemeinsprache nicht denkbar ist.

Historisch wird die oberste sprachlenkende Autorität der Akademie durch ihr berühmtes Wörterbuch verkörpert, obgleich von Anfang an die darin formulierten Vorschriften natürlich nie überall durchdrangen. Seit dem 19. Jahrhundert und vor allem dem 20. Jahrhundert ist dessen Einfluß immer mehr zurückgegangen, weil generationenlange Zeitspannen zwischen den verschiedenen Neubearbeitungen bei einer unaufhaltsamen Entwicklungsbeschleunigung auf allen Gebieten zu Wörterbüchern führen, die bereits bei Erscheinen veraltet sind. Im übrigen sind darin nur die allernotwendigsten modernen Fachaus-

drücke enthalten. Ein Nachschlagewerk, das aber immer weniger Antwort gibt auf Fragen, die sich das Publikum stellt, verliert allmählich seine Funktion.
Deshalb sind seit der zweiten Hälfte des 19. Jahrhunderts zwei andere Wörterbücher maßgebend geworden, die auf private Initiative zurückgehen und von kommerziellen Verlegern herausgebracht werden: *Littré* und *Larousse*. Während *Littrés* Erstauflage (1863–1873) mit zwei Nachträgen erst nach dem Zweiten Weltkrieg in unveränderter Fassung neu erschien, wurde das Wörterbuch von *Larousse,* das gleichzeitig auch Sachlexikon ist, seit der ersten Auflage (1866–1876) immer wieder neu bearbeitet und durch eine Reihe Parallelwörterbücher verschiedensten Formates ergänzt. Das berühmteste Produkt dieser Serie, der *Petit Larousse,* ist heute in den meisten französischen Familien vorhanden.
Der Name *Littré* wurde dann sozusagen als Schutzmarke für ein weiteres Unternehmen in Anspruch genommen: Unter der Verlagsbezeichnung *Société du Nouveau Littré* erschien 1951–1963 das große Wörterbuch von *P. Robert,* das mittlerweile ebenfalls zu einer ganzen Reihe von Nachschlagewerken angewachsen ist, mit dem *Petit Robert* als wichtigstem Konkurrenzprodukt zum *Petit Larousse.*
Statt durch die Akademie wird somit in der Praxis die Weiterentwicklung der sprachlichen Norm von Wörterbuchverlagen bestimmt, was zu einer dem deutschen Sprachraum vergleichbaren Situation geführt hat. Wie dort *Duden* und *Wahrig,* sind für frankophone Berufsredaktoren *Larousse* und *Robert* heute unbestrittene Autoritäten.
In den französischen Wörterbüchern geht es nicht in erster Linie um die Erklärung ungeläufiger Wörter. Vielmehr beschreiben sie im Grund die geeigneten Ausdrücke der gehobenen Konversation in der tonangebenden Gesellschaft. Regionalbezeichnungen haben in einem solchen Wörterbuch natürlich wenig Platz, weil sie eben nicht zum «korrekten» Französisch gehören. Selbst als im 18. und vor allem im 19. Jahrhundert neue Sachwörter aus allen möglichen Bereichen aufgenommen wurden, sparte man Regionalismen nach wie vor aus. Sie bleiben dem Benutzer französischer Wörterbücher fremder als afrikanische Pflanzen oder Eskimoboote.

Eine neue Politik

Ein erster Vorstoß zur Aufnahme von Regionalismen ging von *Littré* aus. Im Vorwort zum ersten Nachtrag seines Wörterbuches (1878) schreibt er: «Les noms locaux d'engins, de plantes, d'animaux sont bons à enregistrer; ils tiennent leur place dans le dictionnaire.» In der welschen Schweiz hatte er Korrespondenten, die für ihn welsche Regionalismen aussuchten. Diese Premiere hatte jedoch lange Zeit keine bleibenden Folgen auf die französische Lexikographie.

Erst seit wenigen Jahren beginnt sich endlich eine neue Politik abzuzeichnen. 1974 hat der noch unvollendete *Trésor de la langue française* in Nancy das *Centre de dialectologie et d'études du français régional* der Universität Neuenburg als lexikographischen Korrespondenten für die welsche Schweiz eingesetzt. (Schweizerische Regionalismen erscheinen erst ab Band 4.) Dann folgte *Larousse*, dessen Auflage 1980 eine Anzahl Helvetismen einführt, die von E. Schüle, dem Leiter des Neuenburger Zentrums, ausgewählt wurden. Auch die Redaktion der *Robert*-Wörterbücher hat eine Mitarbeit mit dem gleichen Institut gewünscht und wird in die nächsten Auflagen Helvetismen aufnehmen.

Bezeichnend ist, daß diese Neuorientierung nicht auf Wunsch interessierter Kreise in der welschen Schweiz erfolgte, sondern auf kanadische Initiative. Die *Régie de la langue française* in der Provinz Québec unterbreitete den Herausgebern französischer Wörterbücher eine Liste kanadisch-französischer Wörter und erreichte dank ihrem Prestige, daß eine kleine Anzahl davon aufgenommen wurde. Der prozentuale Anteil der schweizerischen, belgischen und kanadischen Regionalismen in den Nomenklaturen wird nämlich durch die Chefredaktion der Wörterbücher bestimmt. Bei *Larousse* ging es zuerst um fünfzig Helvetismen, die dann auf hundert hinaufgesetzt wurden. Wie kann man übrigens im voraus beschließen, daß mit fünfzig oder hundert Wörtern die helvetischen Besonderheiten korrekt erfaßt werden?

Es sind vor allem die Journalisten in der welschen Schweiz und erst in zweiter Linie die Lehrer, die aus beruflichen Gründen schon lange wissen möchten, ob man diesen oder jenen Regionalismus in der Schriftsprache verwenden darf. Man wirft vielen Journalisten ja immer wieder ihr angeblich mangelhaftes Französisch vor. Und doch müssen sie täglich über das Geschehen in der welschen Schweiz schreiben, obwohl im französischen Sprachgebiet nach wie vor gilt: Was nicht im Wörterbuch steht, ist nicht Französisch. Trotz Neuerungen in den Wörterbüchern hat jedoch der Wunsch nach klaren Richtlinien die Journalisten bewogen, eigene Wortlisten zusammenzustellen. So ist die *Commission du français en Suisse romande* als gemeinsames Organ der

Section suisse de l'Association des journalistes de langue française und der *Alliance culturelle romande* daran, eine Liste von Schweizer Regionalismen zu erstellen, die für alle welschen Journalisten verbindlich werden soll. Sie arbeitet aufgrund der Dokumentation des Neuenburger Zentrums.
Es ist noch zu früh, um abzuschätzen, wie sich diese neuen Bemühungen auf das westschweizerische Sprachverhalten auswirken werden, und vor allem, wie die Reaktion der in diesen Fragen bisher eher konservativen Schule sein wird. Auffallend ist, daß die Regionalismen nicht als eine willkommene, wenngleich beschränkte Freiheit empfunden werden, sondern daß auch hier alles reglementiert werden soll: Was nicht ausdrücklich erlaubt ist, bleibt verboten.

Französisch in der Schule

Zur französischen Kulturtradition gehört, daß der muttersprachliche Unterricht einen hervorragenden Platz in der Schulbildung einnimmt. Französisch gilt auch in der welschen Schweiz als eine Sprache, die man in ihren Finessen nur nach langer Übung beherrscht. Erstes Ziel in der Primarschule war es bisher, die schwierige Rechtschreibung zu erlernen, die als Grundlage einer korrekten grammatischen Analyse gilt. Obgleich die französische Rechtschreibung das Ergebnis einer nicht immer gradlinig verlaufenen geschichtlichen Entwicklung ist, wird versucht, sie als rational begründet darzustellen. Diese Tendenz, die man auch bei der Erklärung der Grammatik sowie des Wortschatzes verfolgt, führt zu einer Überbetonung des Normcharakters der Sprache. Daß sie auch ein geschichtliches Phänomen ist, wird dabei leicht übersehen.
Das neueste Sprachlehrbuch, das gegenwärtig an den Primarschulen mehrerer welscher Kantone eingeführt wird, gibt ein sehr strukturalistisches, rein synchronisches und variationsfremdes Bild der französischen Sprache. Neu ist, daß die formelle Norm als Struktur uminterpretiert wird und daß statt der lateinischen Grammatik moderne Sprachtheorien der Beschreibung zugrunde gelegt werden. Kommunikation ist oberstes Gebot. Für Identität, die ohne geographisch-geschichtlichen Zusammenhang nicht auskommt, ist kein Platz, obwohl gerade Primarschüler zunächst in einer lokalgeprägten Sprachumgebung aufwachsen. Nur aus dem Titelblatt geht hervor, daß das Buch für welsche Schulen bestimmt ist. Im Text selbst ist davon

erstaunlicherweise nichts zu spüren. Dies war mit sehr wenigen Ausnahmen in der welschen Schweiz schon immer so. Eine solche Ausnahme ist die im Jahre 1821 in Freiburg erschienene *Grammaire des campagnes à l'usage des Ecoles rurales du Canton de Fribourg* des damals berühmten Pädagogen Grégoire Girard. In dieser Schulgrammatik wird von den Patois-Kenntnissen der Schüler ausgegangen.
Unter diesen Umständen ist nicht zu erwarten, daß das Unverständnis für die eigene Sprachtradition, die trotz Mundartschwund immer noch in manchen Regionalausdrücken sowie in Tausenden von Orts- und Flurnamen sichtbar bleibt, in absehbarer Zeit abnehmen wird. Eine klarere Vorstellung über das Wesen der Regionalismen würde es aber jedem einzelnen in der welschen Schweiz ermöglichen, über das Thema der Normprobleme mitzureden, das bisher ganz von Sprachhütern und Journalistenkommissionen für sich in Anspruch genommen wurde.

Französisch als Amtssprache

Kantonale oder Gemeindeverwaltungen der welschen Schweiz sind in ihrem Sprachgebrauch seit jeher empirisch vorgegangen. Die Dinge werden bei ihrem Namen genannt, auch wenn dieser Name in keinem Wörterbuch verzeichnet ist. Deshalb verdanken wir unsere Kenntnisse alter und neuer Regionalismen vor allem den lokalen Verordnungen. Lokalausdrücke erscheinen zuweilen auch auf öffentlichen Aufschriften, so z. B. im Kanton Neuenburg der Ausdruck *A BAN* (eigentlich «Bannzone») auf Parkverbotstafeln für Fahrzeuge. Ein interessantes Amtswort ist *dicastère,* das in einem Großteil der welschen Schweiz ein Departement einer Gemeindeverwaltung bezeichnet. Im Standardfranzösischen hat es, abgesehen vom etymologischen Sinn «Gerichtshof im alten Griechenland», die Bedeutung «Organismus der päpstlichen Verwaltung». Wahrscheinlich ist es in der welschen Schweiz direkt aus Italien übernommen worden wie auch das Wort *canton,* das in Frankreich erst im 18. Jahrhundert erscheint und heute die kleinste Departementsunterteilung bezeichnet, während es bei uns schon seit dem 15. Jahrhundert in der schweizerischen Bedeutung existiert.
Die ideologische Sonderstellung des neugegründeten Kantons Jura scheint auch in der Sprache, und besonders in der Amtssprache, auf. So wird beispielsweise der Regierungsrat, der in der welschen Schweiz überall *Conseiller d'Etat* heißt, im Jura zum *Ministre.* Eine Polemik zwischen diesem Kanton und dem Kanton Neuenburg brach vor

einiger Zeit aus, weil die Neuenburger in ihrer Korrespondenz mit den jurassischen Regierungsräten auf dem traditionellen Titel *Conseiller d'Etat* beharrten.
Es wurde auch berichtet, daß offizielle Verhandlungsprotokolle des jurassischen Parlaments unter anderem deshalb mit Verspätung veröffentlicht werden, weil der Text zuvor einer gründlichen Sprachreinigung unterzogen werden muß. Dabei geht es z. T. um die Ausmerzung unziemlicher Regionalismen.
Nicht nur der Dialekt, sondern auch die französische Sprache steht nämlich im Kanton Jura unter Verfassungsschutz. Der oben bereits zitierte Artikel 42 lautet im Abschnitt 3: «L'Etat et les communes favorisent l'illustration de la langue française.» Auf deutsch heißt das ungefähr: «Sie unterstützen die Bemühungen, der französischen Sprache Glanz zu verleihen.» Das Wort *illustration* ist in diesem Sinne ein archaischer Latinismus. Es wurde im 16. Jahrhundert durch J. du Bellays poetisches Manifest *Défense et illustration de la langue française* (1549) berühmt.
Ob die anderen welschen Kantone in nächster Zukunft diesem Beispiel zu folgen gewillt sind, ist höchst fraglich.

Die welsche Schweiz zwischen Bern und Paris

Mundartenverdrängung, Normübernahme ohne Mitspracherecht, unauffällige Stillung eigener Sprachbedürfnisse, kurz: Unterdrückung jeglicher Eigendynamik im Bereich der Sprache – darf man das Identitätsverzicht nennen? Die Frage ist, ob die welsche Sprachgemeinschaft überhaupt eine andere Identität als diejenige der französischen Sprachgemeinschaft wünscht. Als Sprachgemeinschaft hat sie ja vor dem 19. Jahrhundert gar keine eigene Geschichte. Auch heute noch beruht das politische Unabhängigkeitsgefühl in der welschen Schweiz vorwiegend auf kantonaler Souveränität, und von der «Romandie»-Ideologie ist auf politischem Gebiet bis heute kaum etwas zu spüren. Die Zugehörigkeit zur großen französischen Sprachgemeinschaft wird im Gegenteil als Garantie gegen mögliche Minderheitskomplexe empfunden. Hierin gründen das westschweizerische Kulturbewußtsein und das kampflustige Verhalten auf Bundesebene, wenn es um

zahlenmäßig genau proportionierte Verteilung eidgenössischer Verantwortung geht.
Dieses welsche Selbstverständnis steht jedoch in Frankreich auf schwachem Fuß. Obwohl sich die welsche Schweiz nie als kulturelles Randgebiet betrachtet hat – davon zeugt ihr unbeirrter Integrationswillen –, wurde sie von Frankreich bisher als solches behandelt. Vielleicht wird sich daran jetzt langsam etwas ändern. Das sprachliche Selbstbewußtsein, das Québec inzwischen entwickelt, hat dem Pariser Sprachzentralismus schon wichtige Konzessionen abgerungen. Der Anspruch auf Autonomie erstreckt sich dort nicht nur auf ein *Sprachabstands*-Recht (gegenüber der englischen Sprachgemeinschaft), sondern auch auf ein *Sprachausbau*-Recht (gegenüber dem Pariser Monopol). Es ist bezeichnend, daß man das in der welschen Schweiz noch kaum bemerkt hat. Alles scheint jedoch darauf hinzudeuten, daß sich hier ebenfalls, wenn auch nur zaghaft und aus praktischen Gründen, eine Überprüfung der Forderung nach bedingungsloser Sprachloyalität anbahnt.

OTTAVIO LURATI

DIE SPRACHLICHE SITUATION DER SÜDSCHWEIZ

Die Südschweiz ist sprachlich interessant, bietet sie doch ein gutes Beispiel für das Schicksal einer Minderheit in einem Staat mit verschiedenen Sprachgruppen. Dabei ist das Problem der Sprache vor allem wegen seiner kulturpolitischen Aspekte wichtig. Die italienische Sprache und Kultur bilden einen nicht zu übersehenden wesentlichen Bestandteil der schweizerischen Gemeinschaft. Ihre Schwächung würde das Versagen des gesamten eidgenössischen Selbstverständnisses bedeuten. Betrachten wir also kurz die Situation dieser Minderheit.
Zuerst die nackten Zahlen: Der Kanton Tessin hatte im Jahre 1910 156 166 Einwohner; 1980 waren es 272 979. Für die italienischsprachigen Täler Graubündens sehen die Zahlen wie folgt aus: Das Misox hatte im Jahr 1910 4806, 1980 6038 Einwohner; das Calancatal 1910 1390, 1980 noch 820 Einwohner; das Puschlav 1910 4996, 1980 4577 Einwohner. Auch das Bergell erlebte einen Bevölkerungsrückgang von 1826 im Jahr 1910 auf 1382 Einwohner im Jahr 1980. Insgesamt ergibt das, nimmt man das Tessin und die Italienisch sprechenden Bündner Täler zusammen, für das Jahr 1980 285 796 Bewohner.

Das Italienische in der Südschweiz

Zuerst muß auf die Künstlichkeit des Begriffes «Svizzera Italiana» («Italienische Schweiz») hingewiesen werden: Im 19. Jahrhundert geprägt und verbreitet, sollte er eine Einheit bezeichnen, die in Wirklichkeit weder im geographischen noch im historischen oder im kulturellen Sinn besteht.
Man denke zum Beispiel an die Verschiedenheit der italienischen Bündner Täler untereinander – jedes andersartig und von den andern isoliert – und an ihre Unterschiede zum Tessin. Auch das Tessin bildet in sich keine Einheit, und seine Vielfalt spiegelt sich in der Sprache wider. Es hat in den letzten Jahrzehnten einen gewaltigen wirtschaft-

lichen Aufschwung erlebt und steckt jetzt in einem tiefgreifenden demographischen, sozialen und wirtschaftlichen Umbruch.
Das Tessin, geteilt in Gebirgs- und Flachlandzonen? Das ist eine Vorstellung von gestern. Heute leben 60 Prozent der Tessiner Bevölkerung in städtischen Agglomerationen; ein verstädtertes Gebiet erstreckt sich von Chiasso bis Lugano, das andere von Bellinzona bis Locarno. Das statische Bild klar abgegrenzter Zonen wird durch eine sich ständig verändernde Wirklichkeit abgelöst. Es zeichnet sich ein Tessin ab, das sich immer mehr nur um das Gebiet des Sottoceneri, insbesondere um Lugano herum, konzentriert. Die Täler entvölkern sich, die Städte wachsen zum Teil planlos. Das hat natürlich auch einschneidende sprachliche Folgen.
In der Wirtschaft herrscht der Dienstleistungssektor vor. Mit dem Jahr 1882 (Eröffnung des Gotthardtunnels), in dem das Tessin erst im eigentlichen Sinn zu einem schweizerischen Kanton wurde, begannen die deutschschweizerische Wirtschaft und der Tourismus einzudringen. Die wirtschaftliche Abhängigkeit des Kantons von der deutschen Schweiz, die lange fast eine Art Kolonialismus war, hält heute noch an. Die wirtschaftliche, soziale, kulturelle und demzufolge auch sprachliche Beeinflussung durch Unternehmungen (Banken und Industrien) mit Sitz jenseits des Gotthards in der deutschen Schweiz ist beträchtlich. Zwar zielen föderalistische Verordnungen und Interventionen auf politischer Ebene seit Jahren auf ein Gleichgewicht zwischen den verschiedenen Landesteilen. Doch der wirtschaftliche Zentralismus wird immer bedrohlicher, und wir müssen darauf achten, daß die auf politischer Ebene gesicherte Mehrsprachigkeit nicht von einem Wirtschaftszentralismus ausgehöhlt wird.
Das kulturelle Leben leidet unter der Isolation, in der sich der Kanton durch seine geographische Lage und die politischen Grenzen befindet. Dieser Zustand wird durch das Fehlen eigener Forschungszentren und Hochschulen verschlimmert. Das Verlagswesen hat große Schwierigkeiten, denn es kann nur mit einem beschränkten Schweizer Markt rechnen; trotzdem zeigt es sich weit mutiger als dasjenige benachbarter italienischer Gebiete von vergleichbarer demographischer Größe.
Das Tessin wird oft als Randgebiet an der äußersten Grenze des italienischen Sprachraums bezeichnet. Dies ist jedoch eine Vereinfachung. Von Randgebiet kann nur sprechen, wer allein Florenz als Mitte und Vorbild der italienischen Sprache betrachtet. Sehen wir jedoch

auch Mailand als kulturelles Zentrum, so erscheint Lugano weder aus historischer noch aus heutiger Sicht abgelegener als Bergamo oder Novara.
Im Tessin, dem tragenden Element der Italianität in der Schweiz, leben viele anderssprachige Gruppen; ihre Entwicklung darf nicht übersehen werden. Seit dem letzten Jahrhundert nimmt ihre Bedeutung laufend zu. Während 1880 die italienisch sprechenden Einwohner noch 98,9 Prozent ausmachten, waren es 1930 noch 93,3 Prozent, 1960 88,2 Prozent. Heute (1981) ist die Zahl bereits auf 85,6 Prozent gesunken. Von hundert Einwohnern sind mittlerweile nur noch 59 Tessiner Bürger, dreizehn sind Bürger anderer Schweizer Kantone (vorwiegend der deutschen Schweiz) und 28 Ausländer (größtenteils Italiener). Besonders extrem sind die Zahlen im Raum von Lugano und um Locarno. In Lugano selber waren im Jahr 1975 noch 54 Prozent der Bevölkerung Tessiner, in Paradiso 45,5 Prozent, in Ascona 44,8 Prozent, in Melide 46 Prozent, in Orselina 31,4 Prozent, in Locarno 56,3 Prozent, in Losone 50,3 Prozent, in Ronco s. Ascona bloß 45,7 Prozent. Das Phänomen wird dadurch verschärft, daß es sich auf den engen Raum am Luganersee und Langensee konzentriert. In 13 Gemeinden ist die italienisch sprechende Bevölkerung inzwischen auf 70 bis 80 Prozent, in drei Gemeinden (Muralto, Ronco und Castagnola) auf 60 bis 70 Prozent und in einer (Ascona) auf 50 bis 60 Prozent geschrumpft. In einer Gemeinde erreicht sie nicht einmal mehr 50 Prozent: in Orselina, wo nur noch 45 Prozent der Bewohner italienischer Muttersprache sind.
Die Zahlen belegen alles in allem eine schwierige Situation; sie ist so lange nicht besorgniserregend, als die wirtschaftlichen und kulturellen Zentren der beiden Regionen nicht bedroht sind: Sowohl Locarno wie Lugano weisen eine zwischen 80 und 90 Prozent liegende Bevölkerung mit italienischer Muttersprache auf. Dabei handelt es sich, wie der Vergleich mit früheren Jahren zeigt, um stabile Werte (Locarno 1920: 83,1 Prozent, 1960: 82,8 Prozent, Lugano 1920: 81,34 Prozent, 1960: 82,4 Prozent).
Die negativen Einwirkungen der Überfremdung werden von einigen Tatsachen gemildert: Das Tessin hat als festes Hinterland Italien, mit dem die Kontakte immer intensiver werden. Es hat zwei eigene Radioprogramme (RSI seit 1932) und ein Fernsehprogramm (TSI seit 1961), deren positive Auswirkung auf die sprachliche Situation nicht zu übersehen ist.

Auch wenn die italienische Sprache bis jetzt nicht in Frage gestellt ist, so ist doch die kulturelle Identität gefährdet. Der Tourismus überschwemmt das Tessin jährlich mit sieben Millionen Fremden, von denen fast drei Millionen Ausländer sind. Hinzu kommen die Grundstücksspekulation und die zunehmende Ansiedlung von Fremden. So ist zu befürchten, daß sich die Eigenart der verschiedenen Gebiete immer mehr verliert und der Kanton ein nichtssagendes Durchgangsgebiet zwischen Nord und Süd wird. Gerade die Vielfalt ist aber etwas kulturell wie gesellschaftlich Fruchtbares. Umso bedauerlicher ist es, daß von gewissen touristischen Organisatoren immer noch ein verfälschtes Bild des Tessins gepflegt wird, das der Wirklichkeit nicht entspricht. Man denke z. B. an die «boccalini» und an die «ticinelle» wie auch an das Blumenfest in Locarno oder das Winzerfest in Lugano.

Auf die Künstlichkeit der Bezeichnung «Italienische Schweiz» wurde schon hingewiesen. Ähnliches gilt in verstärktem Maße für den offiziellen Begriff «Grigioni italiano» (Italienisch-Bünden). Tatsächlich sind die vier italienischen Täler Graubündens geographisch deutlich voneinander getrennt und leben unter sehr verschiedenen Bedingungen. Dies ist ein Grund, der – zusammen mit konfessionellen Faktoren – erklärt, warum sich der Wille zur Zusammenarbeit zwischen diesen Tälern vielfach nicht durchzusetzen vermag.
Während das Misox und das Calancatal vom Kontakt mit dem Tessin profitieren, sind das Puschlav und besonders das Bergell recht isoliert. Die Bergeller, eine Minderheit innerhalb der Minderheit, wissen, was es heißt, isoliert und zahlenmäßig immer schwächer zu sein. Allein in den letzten zehn Jahren ist die Bevölkerung des Bergells um 7 Prozent zurückgegangen.
Die Italianität des Bergells steht auf schwachen Füßen. Die Zeitungen, die dorthin gelangen, sind vorwiegend deutschsprachig; weiterführende Schulausbildung ist für die jungen Bergeller mit großen Schwierigkeiten verbunden. Wer nur schon das Progymnasium besuchen will, muß sich nach dem eine halbe Tagesreise entfernten Chur begeben. Unter ähnlichen Verhältnissen leiden auch die Rätoromanen. Was die Schulausbildung betrifft, kann man sagen, daß Rätoromanen, Bergeller und Puschlaver landesweit in der schlimmsten Situation sind. Selbst Berufslehren, vom Elektriker bis zum Zimmermann, können sie

praktisch nur im deutschen Sprachraum in deutscher Sprache absolvieren. Und doch hält der Bergeller an seiner Bindung an die eigene Kultur fest. Die Verteidigung der lokalen Eigentümlichkeiten zeigt sich in einem überaus konsequenten Gebrauch des Dialekts. Aus der isolierten Stellung heraus hat sich auch in Italienisch-Bünden eine puristische Haltung gegenüber der Sprache entwickelt, auf die wir später eingehen werden.

Eine Gemeinschaft lebt nicht nur für sich, sondern auch von Beziehungen und Kontakten mit anderen. Deshalb sind hier die Beziehungen der Tessiner und Italienischbündner zu den übrigen Schweizern und zu den Ausländern zu erwähnen, die in der Südschweiz leben. Auffallend ist die rasche Assimilation der Deutschschweizer im Tessin: In der Regel ist die zweite Generation schon tessinerisch. Es kommt allerdings leider kaum zu einem Gedankenaustausch zwischen einheimischen, deutschschweizerischen und deutschen Intellektuellen, die sich im Tessin niedergelassen haben – dieses Thema ist die Geschichte einer Kette verpaßter Gelegenheiten, die mit der Besiedlung des Monte Verità begonnen hat und sich heute noch fortsetzt.
In den Beziehungen zu den Italienern zeigt sich auf der Seite vieler Tessiner eine ablehnende Haltung; andererseits läßt sich bei nicht wenigen Italienern ein gewisser Mangel an Informiertheit feststellen. Charakteristisch sind denn gewisse überraschte Ausrufe aus italienischem Munde wie etwa: «Oh, im Tessin spricht man italienisch!» «Ach, ihr habt auch eine Industrie! Ich dachte, ihr hütet nur Kühe.»
Abgesehen von löblichen Ausnahmen ist die Haltung vieler italienischer Intellektueller gegenüber dem Tessin reserviert, um nicht zu sagen desinteressiert und manchmal sogar überheblich. So finden die Intellektuellen der italienischen Schweiz in deutschschweizerischen Kreisen oft mehr Beachtung als in Italien. Das sind – in diesem Rahmen – nicht mehr als Andeutungen. Festzuhalten ist jedenfalls, daß sich die Tessiner in doppeltem Sinne als Minderheit empfinden, weil sie sich von zwei grundverschiedenen Mehrheiten abheben: einerseits von Italien, andererseits von der Schweiz.

Die italienische Sprache in der Schweiz

Die italienische Sprache und Kultur lebt nicht nur in der Südschweiz. Für die meisten Schweizer ist Italienisch heute nicht mehr eine Sprache, die sie nur im Tessin hören, sondern eine Realität, mit der sie durch die Anwesenheit der Gastarbeiter im eigenen Landesteil konfrontiert werden. Dieser Tatbestand markiert eine eigentliche Wende in der Geschichte des Italienischen in der Schweiz.

In den letzten Jahrzehnten ist die italienisch sprechende Bevölkerung in der Schweiz von 5,2 (1941) auf 11,9 Prozent (1970) angestiegen. Die Italiener bilden unter den Gastarbeitern in unserem Land die Mehrheit, was unter anderem erklärt, warum das Italienische in der Schweiz für Spanier, Jugoslawen, Türken und Griechen unter sich sowie für die Schweizer, die sich an sie wenden, die Funktion einer Verbindungssprache angenommen hat. Diese Funktion hat es beispielsweise in der Bundesrepublik nicht; dort sprechen die Fremdarbeiter eine Art Pidgin-Deutsch, ein in Grammatik und Wortschatz stark vereinfachtes, mit fremdsprachigen Elementen durchsetztes Deutsch.

Allerdings muß man zwischen Präsenz und Prestige unterscheiden. Durch ihre spezifische soziale Situation haben die italienischen Gastarbeiter dem Italienischen vor allem quantitative Unterstützung gebracht, nicht aber Prestige. Im Gegenteil, sie profitieren vom Gewicht, das das Tessin dem Italienischen in der Schweiz gibt.

In gebildeten Kreisen hat das Italienische ein weitaus größeres Gewicht, als man dies aufgrund des zahlenmäßigen Anteils vermuten könnte. Wichtig sind dabei die moralische und politische Unterstützung durch die Sympathie, die gebildete Deutschschweizer der italienischen Schweiz entgegenbringen, eine Sympathie, die allmählich jenen beschützenden Ton verliert, der lange in ihr mitgeklungen hat. Mit der deutschschweizerischen Anteilnahme kontrastiert die Einstellung vieler Romands, die mitunter wie Gleichgültigkeit gegenüber den Problemen der Südschweiz tönt.

Beunruhigend ist die Situation des Italienischunterrichts in der Eidgenossenschaft. Dies gilt nicht für die Universitäten, die alle ihre Lehrstühle für Italienisch haben, umso gravierender aber für die Sekundar- und die gymnasiale Oberstufe. Es gibt höhere Mittelschulen, an denen gar kein Italienischunterricht angeboten wird.

Man redet von der viersprachigen Schweiz; wie aber sieht die

Wirklichkeit aus? Italienisch ist zwar Amtssprache, nicht aber unbedingt Unterrichtssprache. Seit etwa zwanzig Jahren beobachten wir eine Verlagerung des Fremdsprachenunterrichts zugunsten des Englischen auf Kosten des Italienischen. Das Nützlichkeitsdenken, das zunehmend die Wahl der Fremdsprachen bestimmt, verschafft dem Englischen den Vorrang. Eidgenössische Solidarität und ein an sich vielleicht vorhandenes Interesse am Italienischen treten dabei in den Hintergrund.

So wird Italienisch an den Gymnasien vom Typus B und C kaum gepflegt. Was den Typus D betrifft, sieht die Eidgenössische Maturitätsordnung von 1968, die die Anerkennung dieses Maturitätstypus gebracht hat, nicht einmal theoretisch die Gleichwertigkeit des Italienischen mit dem Englischen vor: Englisch ist für alle obligatorisch, nicht aber die dritte Landessprache. So hat das Englische schon de jure den Vorrang. Die Praxis sieht noch bedenklicher aus: Nicht wenige Absolventen des Maturtypus D wählen nach dem Englischen anstelle des Italienischen das Spanische. Zu wünschen wäre zumindest für den Maturtypus D, daß das Italienische Pflichtfach wäre, gleichberechtigt neben dem Englischen. Daß eine solche Kombination für die Lernenden nicht unerträglich ist, zeigen die Tessiner und Bündner Schüler, die schon seit Jahren – zweifellos zu ihrem Vorteil – Deutsch und Französisch lernen – vor dem Englischen.

Wenn nicht eine grundsätzliche Änderung der Haltung eintritt, ein neues Bewußtsein entsteht, werden wir zusehen müssen, wie in nächster Zukunft die italienische Sprache und damit das Verständnis für die italienische Kultur in der Schweiz mehr und mehr an den Rand gedrängt wird. Offiziell werden die Minderheiten in unserem Land so sehr respektiert, daß man statt von ihrem Schutz beinahe von ihren Vorrechten sprechen muß. In der Praxis, in der Wirtschaft und in der Schule, wird aber diese Grundhaltung – mindestens dem Italienischen gegenüber – mehr und mehr vernachlässigt.

Wir warnen vor dieser Entwicklung nicht aus Prestigegründen, sondern wegen der objektiven Gefährdung des eidgenössischen Zusammenhalts. Heute werden große Anstrengungen in der interkulturellen Erziehung gemacht. Es werden neue Schulprogramme und -modelle erarbeitet, die den Schüler schon früh zur Begegnung mit anderen Kulturen führen wollen. Gerade unter diesem Aspekt muß die Stellung des Italienischen und seiner Kultur in den schweizerischen Schulen.

verstärkt und das Angebot an Italienischunterricht ausgebaut werden
In diesen Zusammenhang gehört die Korrektur der Klischeevorstellungen über Italien und die Südschweiz, die im letzten Jahrhundert nördlich des Gotthards entstanden sind. Seit dem Beginn des 19. Jahrhunderts erwachte bei den Engländern wie auch bei den Franzosen und Deutschen eine Art exotisches Interesse an Italien, eine Vorliebe für das Südländische. Dies ist der Anfang der stereotypen Vorstellungen von der typisch italienischen Verbindung von Natur und Kultur. In der zweiten Hälfte des 19. Jahrhunderts wurde das Tessin in dieses Stereotyp mit einbezogen. Seine Gesellschaft erschien als fremdartig, seine Menschen waren leidenschaftlich und begleiteten ihre Worte mit lebhaften Gebärden. Die Suche nach solchen vermeintlichen Eigentümlichkeiten wurde zum übertriebenen Folklorismus und zur Suche nach Exotischem um des Exotischen willen. Diese Haltung hat sich zum Teil bis in die jüngste Zeit erhalten. Ein Produkt dieser Identifizierung des Tessins mit dem Süden ist die Pizza, das bekannte neapolitanische Gericht. Seit 1969 bringt ein großes Schweizer Warenhaus die «Pizza Ticinella» auf den Markt!

Von Bedeutung ist auch, wie die Deutschschweizer die Italianität der Südschweiz beurteilen. Gelegentlich ist die Meinung zu hören, die Südschweiz werde in ihrer Eigenart von Süden her bedroht, man müsse sie vor dem Einfluß Italiens schützen. Noch immer begegnet man Aussprüchen wie: «Verschiedene Elemente wirken zusammen, um die kulturelle und geistige Unversehrtheit des Tessins zu gefährden: einerseits der Zustrom der Deutschen zu den Seen und in die Städte, andererseits der Einfluß der italienischen Massenmedien Radio, Fernsehen, Kino und Presse.» Solche Auffassungen sind nach wie vor in Deutschschweizer Zeitungen zu lesen. Sie treffen die heutige Situation nicht, geben einer Besorgnis Ausdruck, die während der Herrschaft des Faschismus in Italien ihre Berechtigung hatte, vierzig Jahre später aber längst überholt ist.

Fassen wir das über die heutige Situation des Italienischen in der Schweiz Gesagte zusammen. Wir müssen zwischen «offiziellem Bereich» und «Alltagswirklichkeit» unterscheiden. Auf offizieller Ebene ist eine anerkennende, klar unterstützende Haltung vorhanden. Im Alltag dagegen – wir stellen es mit Besorgnis fest – wird die Bedeutung des Italienischen immer mehr eingeschränkt.

Das sprachliche Repertoire

Unter dem «sprachlichen Repertoire» versteht man die Gesamtheit der sprachlichen Mittel, die einer Gemeinschaft zur Verfügung stehen und von den Mitgliedern dieser Gemeinschaft auch eingesetzt werden. Zum Repertoire gehört mindestens *eine* Sprache, häufiger setzt es sich jedoch aus mehreren sprachlichen Systemen zusammen.
Das Tessiner Repertoire umfaßt lokale Mundarten, den überregionalen Dialekt, das Regionalitalienisch und das Standarditalienisch. Auf ihr Verhältnis zueinander ist später ausführlich einzugehen. Vorerst sei festgehalten, daß sich in Italien und im Tessin soziale Unterschiede zwischen den Sprechern darin niederschlagen, daß von verschiedenen Sprachsystemen Gebrauch gemacht wird, je nach sozialer Schicht von der Mundart *oder* von der Standardsprache.
Etwas anders liegen die Verhältnisse in den italienischen Tälern Graubündens. Im Bündnerland spielt das Deutsche eine viel gewichtigere Rolle als im Tessin, wo es – als Schweizerdeutsch und als deutsche Standardsprache – vor allem auf die Touristen- und Ferienzentren um Lugano und Locarno konzentriert ist.
Für vier Fünftel der Tessiner Bevölkerung ist die Mundart die Muttersprache. Die Unterschiede im Sprachgebrauch in bezug auf Alter, Wohnort, soziokulturelle Schicht und Bildungsgrad sind jedoch beträchtlich. Dieser Prozentsatz ist alles andere als stabil, und er spiegelt die Dynamik der Sprachwirklichkeit nicht wider. Die ältere Generation und die Landbevölkerung sprechen im wesentlichen Mundart; die Zehn- bis Zwanzigjährigen der höheren Schichten ziehen hingegen ein Italienisch vor, welches sie für das Standarditalienische halten, das aber meist ein tessinisch-regional gefärbtes Italienisch ist. Ihre gleichaltrigen Kameraden aus den unteren sozialen Schichten wiederum sprechen mehrheitlich Mundart.
Im Sottoceneri, dem wirtschaftlichen Ballungszentrum mit dem größten Bevölkerungszuwachs, ist heute das regional gefärbte Italienisch die Muttersprache der jungen Generation. Die oben genannten Verhältniszahlen werden sich deshalb in den nächsten Jahrzehnten sehr stark verschieben.

Die geschilderten Sprachverhältnisse heben das Tessin – wenigstens gegenwärtig noch – deutlich von den meisten italienischen Gebieten ab.

Außer im Veneto scheint z. B. der Dialekt in keiner norditalienischen Region ein so entscheidender Faktor mehr zu sein wie im Tessin.

Mit den geringeren Bildungsmöglichkeiten der unteren sozialen Schichten muß das «italiano popolare» in Zusammenhang gebracht werden. Es ist typisch für jene Sprecher, die das Standarditalienisch wegen lückenhafter Schulbildung nur mangelhaft beherrschen und deshalb zu einem System der Unbeständigkeit neigen. Als soziale Varietät hat dieses «italiano popolare» regionale Züge, es ist sehr uneinheitlich, und man begegnet ihm vor allem im mündlichen Sprachgebrauch.
Viel aufschlußreicher als die linguistische Analyse des «italiano popolare» sind jedoch die mit dieser Sprachform verbundenen menschlichen Aspekte. Verwendet wird es häufig von jungen Leuten aus den unteren sozialen Schichten, von Lehrlingen und jungen Arbeitern. Schule, Massenmedien und Gesellschaft sind nicht in der Lage, diesen jungen Leuten eine Alternative zum «italiano popolare» mitzugeben. Sie laufen damit Gefahr, endgültig auf ein sprachliches Register angewiesen zu sein, das einen niederen sozialen Status kennzeichnet.
Das «italiano regionale» wird durch verschiedene Faktoren geprägt. Der Dialekt, den es überlagert, einerseits, die Bedürfnisse der Sprachgemeinschaft andererseits bestimmen seine Färbung. Es gehört vor allem dem Bereich der gesprochenen Sprache an, schlägt sich aber auch im schriftlichen Sprachgebrauch nieder. Das «italiano regionale» ist heute frei von negativer Wertung, im Gegensatz zum «italiano popolare», das sozial tief eingeschätzt wird.
Umgekehrt ist in den letzten Jahren das Ansehen des «italiano colto», des bewußt gepflegten Italienisch der Gebildeten, unverkennbar zurückgegangen.

Das Standarditalienisch wurde noch in der Mitte unseres Jahrhunderts nur von wenigen gebraucht. Es war vor allem geschriebene Sprache. Lediglich bei besonderen Anlässen wurde es auch gesprochen: bei Versammlungen, Beerdigungen, öffentlichen Reden und ähnlichen Gelegenheiten; in allen anderen Situationen sprach man in der Regel Mundart. Heute, da das Standarditalienische einen anderen Stellenwert hat, ist das ganz anders.
Noch vor einigen Jahrzehnten wurde die Standardsprache sozusagen

unabhängig von der Umgebung erlernt. Vorbild war nicht das Leben, sondern die geschriebene, meist literarische Sprache. Daher stammt der toskanisierende, gehobene Sprachgebrauch der anfangs unseres Jahrhunderts herangewachsenen Gebildeten, der Lehrer, Advokaten, Ärzte. Es wäre jedoch verfehlt zu meinen, die ganze Tessiner Bevölkerung habe sich einer solchen Sprache bedient. Ohne Zweifel war die Gewähltheit der Sprache in vielen Fällen beabsichtigt, oft war sie aber auch unfreiwillig und hing eben mit der geschilderten künstlichen Art des Erwerbs der Standardsprache zusammen, die sich nicht mit dem Stellenwert und dem Gebrauch einzelner Wörter auseinandersetzte. So kommt es, daß man im Tessin noch heute in der Umgangssprache gelegentlich Ausdrücken begegnet, die in Italien zur gehobenen Sprache gehören.

Bis vor kurzem bezeichneten z. B. ältere Lehrer ihre Vorträge gerne mit einem aus der Toskana stammenden Wort als *cicalata* ‹Geplauder›: *Non vi terrò una conferenza, ma una semplice cicalata.* Oder man verwendete einen so poetischen und gelehrten Ausdruck wie *coltivi* ‹bebautes Land› in einem simplen Verwaltungstext. Ähnlich verhält es sich mit dem Gebrauch von *accadimento* für *fatto* ‹Vorfall, Geschehen›, *convivio* für *banchetto* ‹Festessen›, *vessillo* für *bandiera* ‹Fahne›, *addivenire* für *giungere* ‹hinzukommen, gelangen›. Der 1. August ist immer noch für viele Redner *il Natale della Patria* ‹der Geburtstag des Vaterlandes›. Dieser toskanisierende, literarische Stil verliert heute laufend an Bedeutung.

Dieselben Gebildeten, von denen oben die Rede war (zu ihnen gehörte beispielsweise Francesco Chiesa), lehnten in den dreißiger Jahren Dialektalismen und Regionalismen kategorisch ab. Alles Dialektverdächtige wurde verworfen. In der Schule bemühte man sich um überkorrekte Aussprache; Grammatik und Wortschatz wurden von allen Mundarteinflüssen gesäubert. Die Angst ging so tief, daß man überall Dialektalismen sah. Bezeichnend sind folgende Beispiele, die sich leicht vermehren ließen. Ein aus dem Tessin stammender Universitätsprofessor hielt unlängst *pompiere* ‹Feuerwehrmann› für einen Dialektalismus und ließ nur *vigile del fuoco* als richtig gelten. Ein sechzigjähriger Lehrer verpönte *zolfanelli* ‹Zündhölzer› aufgrund der Ähnlichkeit mit dem dialektalen *zofranéi.* In Wirklichkeit ist *zofranéi* ein Italianismus innerhalb der Mundart.

Dasselbe von Angst und Ablehnung geprägte Verhältnis hatte man in den dreißiger Jahren auch zum Fremdwort. Man italianisierte *festival* zu

festivale, sport zu *sporto*. Vor allem versuchte man, Entlehnungen zu vermeiden oder sie wenigstens zu «tarnen». So schlug man einen Ersatz für gewisse deutsche Bezeichnungen vor, die zum Teil in Italienisch-Bünden heute noch in Gebrauch sind. Wenn man etwa in der Schule als Ersatz für das deutsche ‹Stillbeschäftigung› *lavori tranquilli* einführte; ‹Handarbeit› wurde im Tessin durch *lavori manuali* ersetzt. Umgekehrt ist in Italienisch-Bünden der Ausdruck *a mano* («la dimostrazione avviene a mano dei vari ingrandimenti») noch heute geläufig, ohne daß man dahinter die Lehnübersetzung des deutschen ‹anhand› vermuten würde. Die Tendenz, alles zu übersetzen, ist in Italienisch-Bünden immer noch recht ausgeprägt; die Bergeller Lehrer haben erst in jüngster Zeit beschlossen, ‹Höhenweg› mit *panoramica* (im Tessin *strada alta,* nach frz. *haute route*) und ‹Schneeschleuder› mit *scaccianeve* (im Gegensatz zu *spazzaneve* ‹Schneepflug›) zu übersetzen.
Spuren dieser puristischen Haltung der dreißiger Jahre und ihrer erbitterten Verteidigung der Italianität sind heute noch festzustellen. Ganz Italien spricht vom *föhn,* das Tessin beharrt auf *favonio*. Das Tessiner Italienische hat sich auch für *pallacanestro* und *disco su ghiaccio* entschieden, obwohl in Italien *basket* und *hockey* üblich sind.
Die früher – und zum Teil auch heute noch – übliche Entrüstung über den französischen und deutschen Einfluß auf das Tessiner Italienisch ist ungerechtfertigt. Es ist eine ganz normale Folge der Mehrsprachigkeit unseres Landes. Jede Sprache ist ein besonderes, nicht universales oder absolutes, sondern unter bestimmten Umständen historisch gewachsenes Kommunikationsmittel, das sich den Bedürfnissen einer Gemeinschaft anpaßt. So ist es verständlich und richtig, daß sich das Schweizer Italienisch den spezifischen Gegebenheiten der schweizerischen Situation anpaßt.

Im mündlichen Gebrauch des Italienischen zeigen Tessiner häufig eine gewisse Unsicherheit. Nicht wenige von ihnen – darunter Akademiker, die zumeist in der deutschen oder französischen Schweiz studiert haben – sind unbeholfen, wenn sie Italienisch sprechen müssen. Das wird besonders deutlich im Kontakt mit Italienern. Diese Unsicherheit ist vor allem auf mangelnde Übung im mündlichen Gebrauch des Standarditalienischen zurückzuführen. Für viele ist eben die Mundart trotz allem immer noch das geläufige Ausdrucksmittel. Das Italienische

ist, vor allem für die mittlere Generation, «Feiertagssprache» geblieben, die man nur bei besonderen Gelegenheiten anwendet.
Die kulturelle und sprachliche Situation ist jedoch heute tiefgreifenden Veränderungen unterworfen. Dank intensiveren, vielseitigen gesellschaftlichen Kontakten, durch den Einfluß des Radios und vor allem des Fernsehens ist das Italienische nicht mehr nur Buchsprache. Es wird immer mehr zur Alltagssprache, und im Gegensatz zu früher erwirbt man sie auf direktem, mündlichem Weg.
Aber auch das Standarditalienische verändert sich, ein Prozeß, dem gegenwärtig ebenso andere Sprachen unterworfen sind. Man braucht nur auf die vielen Entlehnungen aus anderen europäischen Sprachen hinzuweisen. Hat man traditionellerweise Sprachgeschichte nur aus einer einzelsprachlichen Perspektive heraus betrieben, muß man sie heute in einen übernationalen Zusammenhang stellen.

Verteilung und Schicksal der Dialekte

Wie in vielen Gegenden Italiens – mit Ausnahme der Toskana – so ist auch in der Südschweiz das Standarditalienische eine im Laufe einer langen Entwicklung übernommene Sprachform. Die ursprüngliche Sprache sind die verschiedenen Lokalmundarten. In ihnen lebt das einstmals in der Gegend gesprochene Latein weiter. Sie widerspiegeln die Lebensweise der Menschen; sie enthalten Spuren vorlateinischer und späterer Sprachen. Die Mundarten der Südschweiz gehören zu der umfangreichen Familie der lombardischen Dialekte, die zusammen mit den piemontesischen, den ligurischen und emilianischen Mundarten die Gruppe der galloitalischen Dialekte bilden.
Wie ist dieser Dialektraum entstanden? Die ethnische und sprachliche Landkarte Italiens im 4. Jahrhundert v. Chr. ist stark gegliedert. Von Süden nach Norden finden wir auf der Halbinsel Griechen, Italiker, Sikuler, Etrusker, Illyrer, Räter und Kelten. Früher sah man in dieser ethnischen Vielfalt die Grundlage für die Entstehung der heutigen Mundarten. Heute versteht man deren Herausbildung eher als eine Folge späterer kultureller Ereignisse.
Die große Zahl der verschiedenen Sprachen der auf dem Boden Italiens lebenden Völker wurde durch die Ausbreitung der lateinischen Kultur stark vermindert. Später, als das römische Reich mehr und mehr an Zusammenhalt, an politischer und militärischer Macht verlor, nahmen die zentrifugalen Kräfte wieder zu. Die Verwaltungsreform durch Diokletian (4. Jahrhundert n. Chr.) hatte schwerwiegende Folgen. Das riesige römische Reich wurde in vier Teile geteilt, Rom verlor seine Funktion als Mittelpunkt des Reiches. Die einzelnen Provinzen wurden – auch sprachlich – unabhängig.
Eine der vier Provinzen, jene mit Mailand als Hauptstadt, interessiert uns näher. In ihr wickeln sich die Handelsgeschäfte und die Kontakte nicht mehr in erster Linie von Norden nach Süden, sondern vornehmlich von Osten nach Westen ab. Damit gewinnt der Apennin seine

Funktion als Grenze zurück, die einst von den Etruskern und später von den Römern überwunden worden war. Der sprachliche Ausgleich zwischen Mailand und Rom ist nicht mehr gewährleistet. Damit ist der Grundstein gelegt zu den heute noch bestehenden Unterschieden zwischen Nord- und Mittelitalien, aber auch zur Verwandtschaft zwischen den norditalienischen – dem emilianischen, ligurischen, piemontesischen, den lombardischen einschließlich den Tessiner Dialekten – und den französischen Mundarten.

Hier summarisch einige Charakteristika dieser Verwandtschaft. Im Lautstand: die Vokale *ü, ö,* (*mür* ‹Mauer›, *cör* ‹Herz›, wie im frz. *mur, cœur*). Im Toskanischen bleiben die Endvokale erhalten (mur*o*, pan*e*), im Norden schwinden sie wie im Französischen (*mür, pan,* frz. *mur, pain*). Das lateinische -P- zwischen Vokalen wird wie im Französischen zu *v:* tess. *savé* ‹wissen›, *savon* ‹Seife›, frz. *savoir, savon.* Übereinstimmung findet sich auch bei den Übergangslauten: tess. *scendra* ‹Asche›, (it. *cenere*) mit einem *d* als Übergangslaut wie in frz. *cendre.* In gewissen Gebieten Norditaliens haben wir wie im Französischen Vokalisierung von *l* vor Konsonanten: cfr. lev. *áutru* (it. *altro*) ‹anderer›, *fáuc* (it. *falce*) ‹Sichel› wie frz. *autre, faux.*

Im Satzbau weisen wir auf tess. *som mi,* frz. *c'est moi,* mit einem flektierten Pronomen (im Italienischen unflektiert: *sono io*). *Mi a canti* ‹ich singe› ist genau gleich konstruiert wie das frz. *moi, je chante.* Das Pronomen wird gewissermaßen zum Bestandteil des Verbs. In *ti ta cantat* (it. *tu canti*) ‹du singst› haben wir eine Wiederholung des *te,* überdies in der Verbalendung einen weiteren Rest eines nachgestellten *tu;* wollte man das lateinisch rekonstruieren: *te te cantas tu.* Analog dazu haben wir im *-v* von *cantuv* (it. *voi cantate*) ‹ihr singt› einen Überrest des *voi.* Und noch heute hört man in den Tälern des Sopraceneri *om giüga* (it. *si giuoca, noi giuochiamo*) ‹man spielt›; in dieser Bildung zeigt sich eine weitere Ähnlichkeit mit dem Französischen, wo man oft *on joue* für *nous jouons* findet. Sowohl tess. *om* wie frz. *on* gehen auf lat. HOMO ‹Mann› zurück, das zu einem unpersönlichen Pronomen wurde (wie dt. *Mann* zu *man*).

Ein geographisch so zersplittertes Gebiet wie die Südschweiz, in dem zwischen den einzelnen Zonen und Talschaften lange nur wenig Kontakt bestand, kann auf die Dauer keine einheitliche Mundart bilden. Die verschiedenen Gebiete haben sich sprachlich auseinanderentwickelt, so daß wir heute von einer Vielzahl tessinischer Mundarten reden müssen.

Die folgende Karte gibt einen Überblick über die Mundarten der Südschweiz:

Karte 1

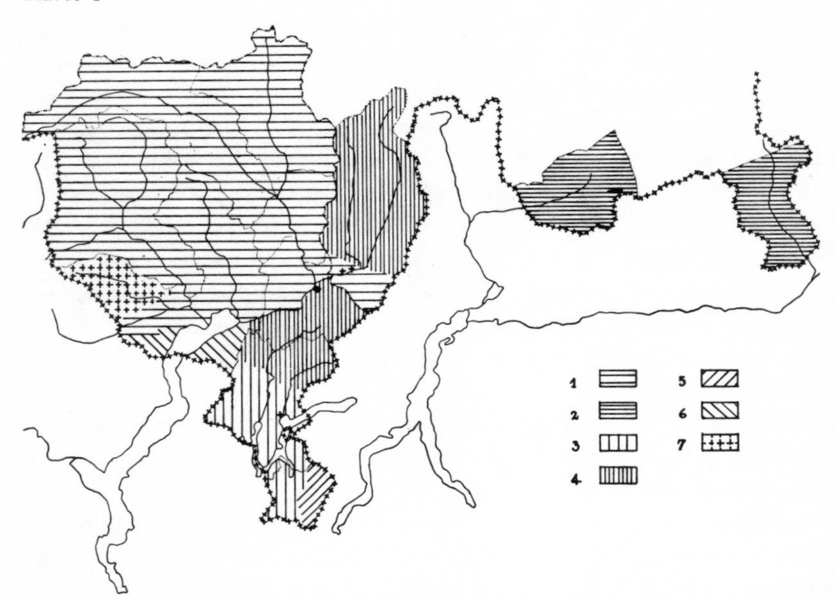

Verschiedene Ausdrücke für geröstete Kastanien in der Südschweiz: 1. brasch; 2. braschee; 3. mondèll; 4. mondàt; 5. biröl; 6. broscigaa; 7. castegn in padèla.

Wir können im Tessin und im Misox drei größere Zonen unterscheiden: Berggebiete, voralpine Gegenden und das Basso Sottoceneri. Diese Abgrenzung ist nicht so sehr sprachlicher als wirtschaftlicher und sozialer Natur. Sie betrifft Unterschiede in der Mentalität, in der Ernährungsweise, in den Besitzverhältnissen (freie Bauern in den Tälern, Pächter im Basso Sottoceneri), im Wohnen, im Ackerbau. Die Unterschiede spiegeln sich auch in den Mundarten. So treffen wir alpine Mundarten in einem großen Teil des Sopraceneri, im Misox und im Calancatal, mit auffälligem Konservatismus in den Lautformen und im Wortschatz mit seinem großen Anteil an vorlateinischen Relikten, mit auffälligen Besonderheiten im Satzbau. Charakteristisch sind z. B. die Umlaute, die noch eine Unterscheidung von Singular und Plural erlauben, die sonst verschwunden ist:

mort – *mört* ‹der Gestorbene – die Gestorbenen›, *omett* – *omitt* ‹kleiner Mann – kleine Männer›, *tecc* – *ticc* ‹Stall – Ställe›, *ratt* – *rett* ‹Ratte – Ratten›.

Ein Text aus Biasca soll als Beispiel dieser Mundart dienen:

E gh'era üm mónač che vivèe domè dri becc ch'o fèva sü in scementeri. A čäpitò ch'o nassa in üna ča indee che gh'èra pena mort ra mama dä ses canáia par fass daa ol sé dovüto. Ma discorèndo l'è saltò fò ä dí: Sto mes la m'a bè nacia bègn, ma l mès passò o sciüdò faa fam. Ol pa dri canáia o gh'a vist piü, o r'a ciapò pal col e o gh'a dicc: Tegn ä ment che sa t manca domè na fossa par sta bègn a t ra scavom bèla che sübat.

Da wir um der besseren Lesbarkeit willen auf die Wiedergabe dieser und der folgenden Mundartproben in einer phonetischen Umschrift verzichtet haben, seien wenigstens einige Angaben zur Aussprache gegeben: *-cc* lautet *-tsch* wie in it. *-accio* (*becc* also wie dt. ‹betsch›); *sc-* ist *sch-* wie in it. *scena* ‹Szene›; *ci-* ist *tsch-* wie in it. *ciao; č* ist ein *ggh*-Laut; *gi-* ist *dsch-* (stimmhaft) wie in it. *poggio* ‹Hügel›. *ss* bezeichnet das stimmlose, *s* das stimmhafte *s; s* vor *t* ist (wie im Deutschen) *sch*; *zz* stimmloses, *z* stimmhaftes z. ` über einem Vokal weist auf offene, ´ umgekehrt auf geschlossene Aussprache hin.

Zum Vergleich nun die Übertragung der Anekdote ins Standarditalienische:

C'era un sagrestano che viveva solo dei buchi che faceva, su in cimitero. E' capitato che è andasse in una casa dove era appena morta la mama di sei bambini per farsi dare il suo dovuto (per farsi pagare). Ma discorrendo è uscito a dire: Questo mese mi è pur andata bene, ma il mese passato ho arrischiato di fare la fame. Il papà dei ragazzi non ci ha più visto, l'ha preso per il collo e gli ha detto: Bada che se ti manca solo una fossa per star bene te la scaviamo sui due piedi.

Und die deutsche Übersetzung:

Früher hatte der Kirchendiener auch die Funktion eines Totengräbers. Da gab es einst einen, der lebte nur vom Verdienst seiner Arbeit auf dem Friedhof. So kam es, daß er sich zu einer Familie begeben mußte, in der eben erst die Mutter der sechs Kinder gestorben war, um zu verlangen, was man ihm schuldete. Im Gespräch rutschte ihm folgender Satz heraus: «Diesen Monat habe ich gut gelebt, aber im vergangenen Monat mußte ich um ein Haar hungern.» Da konnte sich der Vater der Kinder nicht beherrschen, er packte den Totengräber am Kragen und schrie ihn an: «Wenn dir nur die Grube fehlt, damit es dir gut geht, die graben wir dir gerne.»

Man beachte in der Biasker Mundart: *é* steht für *ö* in den lombardischen

Mundarten (*becc* allgemein *bŏcc,* it. *buco* ‹Loch›), *canáia* (it. *canaglia,* eigentl. ‹Gesindel›) für ‹Kinder›; *nacia* (it. *andata*) ‹gegangen› ist analogische Form zu *facia* (it. *fatta*) ‹gemacht› (zu lat. FACTA); *sciüdaa* ‹riskieren› ist heute durch *ris'ciaa* (it. *arrischiare*) fast verdrängt; *ciapaa* (it. *acchiappare;* lat. CAPULARE) ‹nehmen, greifen›; *bèla che* (it. *bello che*) bedeutet ‹sofort, auf der Stelle›.
Die alpinen Mundarten der Südschweiz haben viele vorlateinische Wörter bewahrt, so etwa: *ro(n)gia* (it. *roggia, canale*) ‹kleines Gewässer›; *brüga* (it. *pendio*) ‹Abhang›; *froda* (it. *cascata*) ‹Wasserfall›, in der deutschen Schweiz belegt in Örtlichkeitsnamen (z. B. *Frutt, Frutigen* s. S. 31); *gana* (it. *pietraia*) ‹Geröllhalde›; *losola, lopola* (it. *lucertola*) ‹Eidechse›; *mascarpa, zigra,* Bezeichnungen bestimmter Käsesorten, vgl. dt. *Ziger; torba* (it. *granaio, deposito*) ‹Speicher›.
Voralpine Mundarten werden im südlichen Sopraceneri und fast im ganzen Luganese gesprochen. Die Übereinstimmung mit der Lombardei ist hier schon stärker zu spüren, was zum Beispiel im folgenden Volksgebet aus dem Malcantone deutlich wird:
O madona Santa Clara imprestém la vòssa scara, la scara da naa in Paradis a truvaa San Diunís; San Diunís l'è bell e mort, gh'è nissün da fagh ul corp; tücc i angior che cantava, la Madona la suspirava, suspirava un'orazion o che bela devozion, chi la sa e chi la dis andarà in Paradis, chi no la sa e no l'impara sa trovarà a malparada.
Standarditalienisch:
Oh signora Santa Chiara, prestatemi la vostra scala, la scala per andare in paradiso a trovare San Dionigi; San Dionigi è bell'e morto, non c'è nessuno a fargli il funerale; tutti gli angeli cantavano, la Madonna sospirava, sospirava un'orazione, oh, che bella devozione, chi la sa e chi la dice andrà in paradiso, chi non la sa e chi non l'impara si troverà a malpartito.
Deutsch:
O heilige Klara, leih mir deine Leiter, die Leiter zum Paradies, damit ich zum heiligen Dionys gehen kann. Der heilige Dionys ist schon lange tot, und da ist niemand, der ihn bestattet. Alle Engel sangen; die Madonna seufzte; sie seufzte ein Gebet. Oh, welch schönes Gebet! Wer es kennt und aufsagt, kommt ins Paradies; wer es nicht kennt und nicht lernt, dem wird es schlecht ergehen.
Man beachte den Wandel *-l-* zu *-r-* im Dialekt: *scara (scala)*; auffällig ist ferner das Weiterleben von *corp,* der mittelalterlichen Bezeichnung für ‹Trauerzug› *(funerale).*
Diese voralpinen Mundarten weisen verschiedene Ausdrücke auf, die

die Tessiner aus der Emigration, vor allem aus Frankreich, mitgebracht haben oder die jedenfalls aus dem Kontakt mit der französischen Kultur übernommen worden sind: so etwa *büiòtt* (frz. *bouillotte* ‹Bettwärmer›), *cintiglión* ‹Schnurrbart› (frz. *échantillon* ‹Muster, Probe›), *girabachín* (frz. *vilebrequin* ‹Bohrer›).

Im unteren Luganese und im Mendrisiotto finden wir Mundarten, die denen der lombardischen Ebene ähnlich sind. Sie sind den Neuerungen und Einflüssen aus der Poebene am meisten ausgesetzt. Wir möchten sie mit einer 1975 in Balerna aufgenommenen Erzählung veranschaulichen. Sprachliche Erklärungen erübrigen sich hier.
La me nòna Rosín la doveva maridá ul me nonu, che l faseva ul murnee. Quand che l cüraa dal paes l'a savüü, al gh'a dis: Rusineta, Rusineta, a spusat un murnee! Varda che da murnee, in Paradis, gh'è n'è sü mía. E la me nona la gh'a faa: – Al gh'a resún, sciur cüraa. Ch'al pensa che na volta un murnee l'è mort e al vureva naa in Paradis. Ma l San Pedar al vureva mia lassál na denta perchè al s'eva mia cunfessá. Stu pòr murnee l'a pensaa: – Stu chi da föra a speciá, ma da prèvat gh'e n'è mai passá e stu por om l'è sü ammò a speciá ...
Standarditalienisch:
Mia nonna Rosina doveva sposare mio nonno, che faceva il mugnaio. Quando il curato del paese l'ha saputo, le dice: Rosinetta, Rosinetta, sposi un mugnaio! Guarda che di mugnai, in paradiso, non ce ne sono su. E la mia nonna gli ribatte: Ha ragione, signor curato. Pensi che una volta un mugnaio è morto e voleva andare in paradiso. Ma San Pietro non voleva lasciarlo entrare perchè non si era confessato. Questo povero mugnaio ha pensato: Resto qui fuori e aspetto, ma di preti non ne sono mai passati e questo pover'uomo è su ancora ad aspettare ...
Deutsch:
Meine Großmutter Rosina wollte (um 1870) meinen Großvater heiraten, der Müller von Beruf war. Als dies der Pfarrer des Dorfes erfuhr, sagte er zu ihr: «Rosinetta, Rosinetta, du heiratest einen Müller? Weißt du denn nicht, daß die Müller nicht ins Paradies kommen?» – Darauf antwortete meine Großmutter: «Sie haben recht, Herr Pfarrer. Denken Sie nur, es wollte einmal ein Müller nach seinem Tode ins Paradies. Aber der heilige Petrus ließ ihn nicht eintreten, weil er nicht gebeichtet hatte. Da dachte der arme Müller: ‹Ich warte hier draußen, bis ein Pfarrer vorbeikommt, bei dem ich beichten kann.› Er wartete und wartete, aber bis heute ist noch kein Priester vorbeigekommen, und der Arme steht noch immer da und wartet.»
Innerhalb der alpinen, der voralpinen Mundarten und der Mundarten des

Basso Sottoceneri finden wir weitere, meist beträchtliche Unterschiede, oft zwischen einzelnen Gemeinden und sogar zwischen den verschiedenen Weilern einer Gemeinde.

Bergell und Puschlav

Neben den Mundarten des Tessins und den ihnen nahe verwandten Mundarten des Misox und des Calancatals gibt es aber auch noch jene des Bergells und des Puschlavs. Das Bergell nimmt eine besondere Stellung ein. Wegen seiner geographischen Lage und infolge geschichtlicher Ereignisse sind dort die lombardische und die rätoromanische Kultur aufeinandergetroffen. Bis zum 9. Jahrhundert gehörte das Bergell zur Diözese Como und öffnete sich so der italienischen Kultur. Später wurde es dem Bischof von Chur unterstellt; damit nahm der rätoromanische Einfluß zu. Im 16. Jahrhundert gewann die italienische Kultur erneut an Bedeutung mit der Einführung des Protestantismus durch italienische Reformatoren. All dies hat sich auch auf die Mundarten ausgewirkt. Vor allem im oberen Teil des Bergells (Sopraporta) erkennen wir im Lautstand und im Wortschatz den rätoromanischen Einfluß.

Die Puschlaver Mundarten fallen nicht nur wegen ihres Konservatismus und ihres spezifischen Wortschatzes auf. Anders als die Tessiner Mundarten sind sie nicht von Mailand beeinflußt, sondern vom Dialekt von Brescia, mit dem sie viele grammatische und lexikalische Eigenarten teilen, wie beispielsweise die weibliche Mehrzahl auf *-i: li tosi* ‹die Mädchen›, *tanti volti* ‹mehrmals›, *li boni usanzi* ‹die guten Angewohnheiten›; oder das Partizip Perfekt auf *-st: plost* (it. *piaciuto*) ‹gefallen›, *most* (it. *mosso*) ‹bewegt›. Wichtig ist im Puschlav die Unterscheidung der Dialekte nach der Konfession: Die katholische Bevölkerung hat lange an der alten Mundart festgehalten, die evangelische Gruppe war offener gegenüber neueren Einflüssen aus dem Lombardischen.

Die Katholiken sagen *cantú* ‹gesungen›, die Evangelischen *cantá:* Das Partizip der Verben auf *-are* geht bei jenen auf *-ú* aus, bei diesen auf *-á*. Man unterscheidet zwischen *cafè* (kath.) und *café* (prot.). *Barba* bzw. *ámia* und *zio, zia* werden je nach Konfession verschieden angewendet: Der Katholik nennt den ‹Bruder des Vaters› *zio,* die ‹Schwester des Vaters› *zia,* der Protestant sagt *barba* bzw. *ámia.* Alle diese Unterschiede zwischen «katholischer» und «protestantischer» Mundart verschwinden heute allmählich.

Als Textbeispiel für die Bergeller Mundart haben wir einen Auszug aus dem vierten Akt, 1. Szene der *Stria* (‹Hexe›) «tragicomedia nazionale bargaiota» gewählt. Dieses Bergeller Paradestück wurde 1875 vom Landammann Giovanni Andrea Maurizio verfaßt und unter Mitwirkung sämtlicher Bergeller Familien mehrmals aufgeführt, das letzte Mal 1980.

Catin: *Oh, buna seira! sev tütan chilò? Är tü Anin? incur'et gnida ciò?*

Anin: *L'è giò ün pezz. Tü 't è tant ritardäda, c'um se dabott per sciünär la stüäda.*

Catin: *Ie quista seira nu vuleiva gnir, sa ie nu vess vargott da nöiv da dir. S'i'nu'l vess avdü ie, ie nu 'l cradess.*

Teresa: *O dì, o dì, nun el vargott da bell?*

Catin: *Ie era dree e fär ün mascarpell, e'm salta l'öil per cas or dal balcún, e casa vezza? Tre o quatr omun indär intorn la ciäsa da l'Anin. I en indacc sün l'üsc, e i an pruvaa sa quell era ävert o pür saraa. L'era saraa, e giò ca passär ent i nu pudeivan, i en indacc davent. Incur ca pü daspair i en passaa, ie vezz ca l'è 'l dagán cun tre giüraa.*

Anin: *O Dia, Dia! o povreta ie! Parciee sarani gnii, o gé parciee?*

Stampa: *C'ai füss varün ca vess mazzaa o robaa? E ch'i guardassan, s'i en intorn zopaa?*

Pocal: *Ma, giunfra Menga, o Dio, casa'v manca, ca tancu üna camiscia vo gnì blanca?*

Menga: *Nagott, nagott, nagott, o povr' Anin!*

Italienische Fassung:

Catin: *Oh, buona sera, siete tutti qui? Anche tu Annina? quando sei venuta?*

Annina: *E' già un pezzo. Sei così in ritardo che siamo già per finire la veglia.*

Catin: *Questa sera non volevo venire, se non avessi qualcosa di nuovo, una novità da annunciare. Se non l'avessi visto io, non lo crederei.*

Teresa: *Oh, dì, oh, dì, è qualcosa di brutto?*

Catin: *Stavo facendo un mascarpino e per caso lo sguardo è corso fuori dalla finestra. E cosa vedo? Tre o quattro omoni andar attorno alla casa dell'Annina. Sono andati sull'uscio e hanno controllato se era aperto oppure chiuso. Era chiuso e già che non potevano passar dentro, sono andati via. Quando sono passati più da vicino, vedo che era l'usciere del tribunale con tre giurati.*

Annina: *Oh Dio, Oh Dio! Oh povera me! Perchè saranno venuti, oh dire, perchè?*

Stampa: *Che vi fosse qualcuno che avesse ammazzato o rubato? E che guardassero se si sono nascosti intornò?*

Pocal: *Ma, giunfra Domenica, oh Dio, cosa vi manca, che diventate bianca come una camicia?*

Menga: *Niente, Niente, oh povera Annina!*

Und auf deutsch:

Catin: *Oh, guten Abend, seid ihr alle hier? Auch du, Annina? Wann bist du gekommen?*

Annina: *Schon vor einer Weile. Du bist so verspätet, daß unsere veglia (abendliche Zusammenkunft der Frauen) schon fast vorbei ist.*

Catin: *Ich wäre heute abend nicht gekommen, wenn ich nicht eine Neuigkeit hätte. Wenn ich es nicht mit eigenen Augen gesehen hätte, würde ich es nicht glauben.*

Teresa: *Oh, sag schon, sag schon, ist es etwas Schlimmes?*

Catin: *Ich war dabei, Quark zu machen, und schaute zufällig zum Fenster hinaus (wörtlich: der Blick ist zufällig zum Fenster hinaus gelaufen). Und was sehe ich? Drei oder vier Männer gehen um Anninas Haus herum. Sie sind zur Eingangstür gegangen und haben geschaut, ob sie offen oder geschlossen sei. Sie war verschlossen, und weil sie also nicht hineingehen konnten, sind sie weggegangen. Als sie nahe vorbeigegangen sind, habe ich den Gerichtsweibel mit drei Geschworenen erkannt.*

Annina: *O Gott, o Gott! Ich Arme! Weshalb sind sie wohl gekommen, o sagt, weshalb?*

Stampa: *Hat wohl jemand gemordet oder gestohlen? Und sie haben geschaut, ob sich jemand versteckt hält.*

Pocal: *Aber Fräulein Domenica, o Gott, was fehlt Euch! Ihr seid weiß wie ein Hemd geworden.*

Menga: *Nichts, nichts, nichts, oh, arme Annina!*

Einige Erläuterungen: *är* ‹auch›; *dabòtt* ‹mit einem Schlag, bald, fast›; *la stüäda* (von *stüa* ‹Ofen›, vgl. dt. *Stube*), ‹abendliche Zusammenkunft der Frauen›, swdt. *Spinnet*; *davent* ‹weg›; *daspair* ‹nahe bei›; *dagan* ‹Gerichtsweibel›, eigentlich ‹Dekan›; *giüraa* ‹Geschworene›. *Povreta ie* ‹ich Arme!› zeigt in *ie* die Fortsetzung des lateinischen Nominativs EGO ‹ich›: Während das Lombardische als betonte Pronomen der ersten und zweiten Person Singular Fortsetzungen des lateinischen Akkusativs (ME, TE) gebraucht, gelten im Bergell und im Rätoromanischen Fortsetzungen des lateinischen Nominativs (EGO, TU); das Bergell geht sogar weiter als das Romanische und setzt die ehemaligen Nominativ-

formen auch für den Akkusativ und Dativ ein: *i am toca a ie* ‹das geht mich an›. *Zopär* ist ‹verstecken›, *gé* (it. *dite*) ‹sagt›. *Sciünär* ‹beenden› vergleicht sich mit gleichbedeutendem rätoromanischem *scinar; balcún* ‹Fenster› (nicht ‹Balkon›!) gilt auch im Rätoromanischen; rätoromanischen Lautstand zeigt *casa* (it. *cosa*) ‹Sache›, und wie im Romanischen bleibt auch im Bergell *l* in *l*-Verbindungen bewahrt: *blanca* ‹weiß› gegen it. *bianca*, wo *l* zu *i* geworden ist.
Aus dem Veltlin stammen *nagott* ‹nichts› (aus lat. NEC GUTTA ‹kein Tropfen›, vgl. altfrz. *ne goutte* ‹nichts›), *vargott* ‹etwas› (aus lat. VERE ‹fürwahr› und der Silbe *gott* von *nagott*) und *varün* ‹irgendeiner› (aus lat. VERE und UNUM ‹einer›).
Deutschen Einfluß zeigt *giunfra* ‹Jungfer›.
Als weibliche Pluralendung wird im Bergell ein *-n* an den Artikel oder an das dem Substantiv vorangehende Pronomen angehängt: *la vaca, quista vaca* ‹die Kuh, diese Kuh›, im Plural: *lan vaca, quistan vaca.* Typisch für den Bergeller Wortschatz sind *sedún* ‹Löffel›, (engad. *chadun), pirún* ‹Gabel›, *pench* ‹Butter› (engad. *painch* aus lat. PINGUIS ‹fett›), *norsa* ‹Schaf› (engad. *nuorsa* aus lat. NUTRIX ‹Amme›). Im Wortschatz zeigt sich der Einfluß des Rätoromanischen auf die Bergeller Mundart besonders deutlich.
Nach dem Bergell nun ein Beispiel des Puschlaver Dialekts:
Li passávan amò a Pus'ciàf dal mìla nöf cént e òt e dal mìla nöf cént e nöf. Quìli bìs'ci, ànca i Pus'ciavìn i gli ciamàvan péguri bergamàschi. Gli eran plü gràndi da li nòssi e li gh'éan la làna plü nustràna ma plü lùnga. I pastùr bergamàsch gli èran véru pastùr da mesté, parchì ca i fàvan nóma quéll in tütt l' ann. I gh'éan sü bragaglión da füstàni, grösc, lunch e larch, culùr scür. I portéan un mantelón da girá sü sü li spáli. Li scarpi gli èran grándi e pesánti e i gli a portéan sénza cálzi. Cura ca i géan da un löch a l'àltru, par èssa sügür da míga pèrda da sti péguri, sü'n tücc i punt ch' i passávan a gli a cüntávan, anca sa l'era da nòit. Inzéma a la málga da li péguri i gh'èan sémpri inta un bèch grand, parchì ca l'udùr dal bèch, a sintí lur, a gli presservava da cèrti malatí.
Italienisch:
Le pecore bergamasche passavano a Poschiavo ancora nel 1908 e 1909. Quelle pecore lì, anche i poschiavini le chiamavano péguri e non bisc'i. Erano più grosse delle nostre e avevano la lana più nostrana ma più lunga. I pastori bergamaschi erano pastori di mestiere, facevano quello tutto l'anno. Avevano su grandi braghe di fustagno, grosse, lunghe e larghe, di color scuro. Portavano un mantello da buttare indietro sulle spalle. Le scarpe erano grandi e pesanti e le portavano senza

calze. Quando andavano da un posto all'altro, per esser sicuri di non perder nessuna pecora, su tutti i ponti che passavano le contavano, anche se era notte. Insieme al branco avevano sempre un grosso becco, perchè, secondo loro, l'odore del becco le preservava da certe malattie.

Deutsch:

Noch in den Jahren 1908 und 1909 zogen die bergamaskischen Schafe durch das Puschlav. Diese Schafe wurden auch von den Puschlavern péguri genannt (und nicht bis'ci). Sie waren größer als die unsrigen; ihre Wolle war dicker, aber auch länger. Die bergamaskischen Hirten hüteten das ganze Jahr Schafe, es war ihr Beruf. Die Hirten trugen lange, breite Hosen aus grobem dunklem Barchentstoff. Ein weiter Umhang diente ihnen als Mantel. Die großen schweren Schuhe trugen sie ohne Strümpfe. Wenn sie mit ihren Schafen von einem Ort zum anderen zogen, zählten sie sie bei jeder Brücke, um sicher zu sein, kein Schaf verloren zu haben. In jeder Herde befand sich ein Ziegenbock. Nach der Meinung der Hirten bewahrte sein Geruch die Herde vor gewissen Krankheiten.

Dieser Text erwähnt die Beziehungen zwischen den Puschlavern und den bergamaskischen Hirten (*Tesini* genannt). Diese kamen, nach einer alten Gewohnheit die Weideplätze wechselnd, bis in die Jahre 1908/1909 jeweils im Mai mit zwanzig- bis dreißigtausend Schafen ins Puschlavertal: Von den Winterweiden in der Lombardei, dem Fluß Tessin entlang, zogen sie zur Sommerweide auf die Bündner Alpen. Man beachte: *Pus'ciáf* < lat. POST LACUM ‹nach dem See›; *bis'ci,* wörtlich ‹Tiere› (‹Tier› für ‹Schaf›), *-i* ist die typische Endung für die weibliche Mehrzahl; *nóma* ist aus lat. NON MAGIS ‹nicht mehr› entstanden, mit Akzentverschiebung; *bragaglión* (it. *bracaglione*) beruht auf gallisch *braca* ‹Hosen›; *géan:* Im Puschlaver Dialekt hat sich das lat. Verb IRE (altit. *gire*) ‹gehen› erhalten.

Die Lokalmundarten, von denen bis jetzt die Rede war, verschwinden heute schnell und unaufhaltbar. Seit Beginn des 20. Jahrhunderts hat sich nach und nach eine mundartliche *Koine* ausgebildet, eine Art Ausgleichssprache zwischen den Mundarten von Lugano, Locarno und Bellinzona. Diese richten sich ihrerseits nach Mailand und Como – ein klassisches Beispiel dafür, wie die Sprache kultureller und wirtschaftlicher Mittelpunkte direkt auf benachbarte regionale Zentren ausstrahlt, die dazwischen liegenden ländlichen Gebiete gewissermaßen überspringend. Das o. S. 231 für das untere Luganese und das Mendrisiotto gegebene Mundartbeispiel aus Balerna kann im wesentlichen für diese

Ausgleichssprache, die mundartliche Koine, stehen.
Die Koine hatte anfänglich ausgesprochenen dialektalen Charakter. Seit den sechziger Jahren tendiert sie aber immer mehr zum Italienischen hin. Formen, die zu weit vom Italienischen entfernt sind, werden vermieden. Die Mundart wird italianisiert; eine Tendenz zur Standardsprache, die seit einiger Zeit auch in ganz Italien feststellbar ist.
In der Südschweiz zeichnet sich aber bereits eine Entwicklung ab, die über die Italianisierung des Dialektes hinausgeht: In jüngster Zeit überwiegt der Gebrauch der Standardsprache. Diese Tendenz geht von den Zentren, vor allem von Lugano, aus und ist im Sottoceneri besonders ausgeprägt.
In Italien läuft diese Entwicklung unter dem Motto «*lingua e dialetto*» – «Standardsprache und (gegen) Dialekt». Diese vereinfachende Formel reduziert das ganze Problem auf ein rein sprachliches Phänomen; sie bleibt damit an der Oberfläche. Der Abbau der Mundart geht auf zwei ganz verschiedene Ursachen zurück: zum einen auf die Verbreitung der Standardsprache durch die Massenmedien und zum anderen auf einen fortschreitenden Wandel der Gesellschaft und der Lebensformen. Was wir heute erleben, ist kein sprachliches, sondern ein kulturelles und gesellschaftliches Ereignis – das Sprachliche ist eine Nebenerscheinung. Es geht letztlich nicht um das Verschwinden einer Sprache, sondern um die grundsätzliche Veränderung einer Kultur. Regional und lokal geprägtes Leben, die persönlich bestimmten Beziehungen in einer Gemeinschaft gehen unter in einer unpersönlichen Kultur der Massenmedien. Es ist nur verständlich, daß auch die Mundart in dieses Geschehen einbezogen ist. Nostalgie ist da fehl am Platz. Es stellt sich vielmehr – auf soziokultureller Ebene – die Frage, wohin die immer stärkere Standardisierung der Lebensmodelle führen wird.

Funktion und Stellung der Mundart

Die Mundart zwischen Ablehnung und Förderung

Die Stellung der Mundarten ist in der Südschweiz eine ganz andere als in der französischen und in der deutschen Schweiz. Im Gegensatz zur französischen Schweiz haben die Mundarten in Italien und in der Südschweiz eine starke Lebenskraft bewahrt. Sie haben aber – im Gegensatz zur Deutschschweiz – nie ein hohes Ansehen genossen.

In der deutschen Schweiz haben die Mundarten die Funktion der alltäglich gesprochenen Umgangssprache aller gesellschaftlichen Schichten. Aus dieser Situation heraus übertragen heute verschiedene Deutschschweizer Firmen diese Funktion des Schweizerdeutschen auf die Tessiner Dialekte und lassen im Tessin ihre TV-Spots in die Tessiner Mundart übersetzen! Mit dem Ergebnis, daß diese Spots oft befremdend, lächerlich und auf jeden Fall gezwungen und unangebracht wirken.
Die Mundart wurde in der Südschweiz nie als ein Element «nationaler» Identifikation angesehen. Im Gegenteil, lange Zeit versuchte man, sie zu bekämpfen. Noch vor dem Zweiten Weltkrieg gab es an vielen Tessiner Schulen und Internaten den *gettone*, eine Kennmarke, die jedem Schüler in die Hand gedrückt wurde, der mit den Kameraden Dialekt sprach. Sie mußte an den nächsten, der gegen das Verbot des Mundartgebrauchs verstieß, weitergegeben werden. Und meist war dies auch mit einer Strafe verbunden. Man war eben der Meinung, Dialekt sei ein Merkmal tieferer Bildungsstufe. Deswegen sprachen und sprechen viele Familien mit ihren Kindern italienisch, in der Absicht, ihnen den Anschluß an eine höhere Bildung und den Zugang zu einer besseren Stellung zu erleichtern.
Im Gegensatz dazu zeichnet sich heute – wenigstens in gewissen Kreisen – ein Trend zur Mundart ab. Es häufen sich Wettbewerbe mit Kreuzworträtseln in Mundart; von Radio und Fernsehen werden mehr Mundartsendungen verlangt; es werden Abendunterhaltungen mit (angeblichen) Volksliedern veranstaltet.
Der Rückgang der Mundart hat der Nostalgie gerufen. Von der Ablehnung ist man zu einer fast schwärmerischen Einschätzung übergegangen, die gelegentlich nahezu die Züge einer «Mundartmanie» annimmt.
Immerhin kennt die Südschweiz glücklicherweise keinen ethnischen Extremismus, wie er heute beispielsweise im Veneto und in der Lombardei aufkommt (*La Lumbardia l'è na naziún*), der das Standarditalienische als Instrument der Vergewaltigung der Lokalkulturen verurteilt.
Bemerkenswert ist in diesem Zusammenhang, daß der Aufschwung der Mundarten in der Südschweiz ein städtisches Phänomen ist. Die ländlichen Gegenden haben daran – mindestens vorläufig – kaum Anteil. Eine Parallele dazu finden wir in der Lombardei, wo nicht in den

ländlichen Gebieten, sondern in den Städten ein leidenschaftliches Interesse für die Mundart besteht.
Das Interesse für die Mundart scheint bei vielen Tessinern eine Suche nach dem letzten Gut zu sein, das ihnen geblieben ist. Im Versuch ihrer Wiederbelebung prallen jedoch recht gegensätzliche Tendenzen aufeinander. Mundart und volkstümliche Tradition boten schon immer Gelegenheit, Vielfalt und Eigenart der Kultur auch im kleinen Rahmen unserer Welt zu erkennen. Diese Gelegenheit ist lange nicht genutzt worden. Statt das Anderssein zu erkennen und zu deuten, hat man voreilig von Gegensätzen wie Kultur und Nicht-Kultur, Wissen und Unwissenheit gesprochen. Die Elite hatte Kultur, das Volk war unwissend und ohne Kultur. Diese Ansicht ist heute weitgehend überwunden. Führt das aber auch wirklich zu einer neuen Einschätzung der Volkssprache, der Mundart? Wir glauben kaum.
Wir müssen darauf verzichten, die Mundart um jeden Preis erhalten zu wollen. Wir würden sonst das Opfer einer Mystifikation. Andererseits dürfen wir auch nicht alles auf die Karte der Standardsprache setzen – gegen die Mundart; nicht einen Gegensatz konstruieren, sondern das Nebeneinander verstehen und fördern: nicht Standardsprache, «Hochsprache» gegen Mundart, sondern Standardsprache *und* Mundart.
Die Mundart wird von vielen als «Identitätssubstanz» verstanden. Und doch – dies gilt natürlich nicht nur für die Südschweiz – kann sie diese Funktion nicht allein beanspruchen. Auch die Standardsprache hat in diesem Zusammenhang ihren unübersehbaren Platz. Sie ist wohl ein von außen übernommenes Element, gerade damit jedoch auch Zeichen, Mittel und Ausdruck der Zugehörigkeit der lokalen Gemeinschaft zum größeren Kulturraum.

Erforschung der Mundarten

Das grundlegende Werk über die Mundarten der Südschweiz ist das *Vocabolario dei dialetti della Svizzera italiana* (VSI). Es wurde 1907 von Carlo Salvioni aus Bellinzona, Professor an der wissenschaftlich-literarischen Akademie in Mailand, zusammen mit den italienischen Dialektologen Pier Enea Guarnerio, Pavia, und Clemente Merlo, Pisa, begründet. Die Materialien wurden 1907–1914 und 1919–1924 mit

Hilfe von lokalen Mitarbeitern mittels Fragebogen und phonetischen Umfragen gesammelt. Nach dem Unterbruch, den der Zweite Weltkrieg verursacht hatte, erschien 1953 die erste Lieferung. Sie enthält eine ausführliche Bibliographie zur Mundartforschung in der Südschweiz. Inzwischen sind bis 1981 28 Hefte veröffentlicht worden (A bis Br-).

Das Phonogramm-Archiv der Universität Zürich dokumentiert die Mundarten der Südschweiz mit Schallplatten, die von Heften mit der phonetischen Umschrift der Mundartaufnahmen und einem Kommentar begleitet sind.

Seit den siebziger Jahren sind auch verschiedene Dialektwörterbücher einzelner Regionen erschienen (Bedrettotal, Biasca, Roveredo im Misox). Sie enthalten auch wertvolle Materialien zur Volkskunde der betreffenden Gegenden. Monographien über das Verzascatal (mit Berücksichtigung der Geheimsprache der dort beheimateten Kaminfeger), das Onsernonetal und das Mendrisiotto werden nächstens erscheinen.

DIE BESONDERHEITEN DER ITALIENISCHEN STANDARDSPRACHE IN DER SÜDSCHWEIZ

Die geschichtlichen Aspekte der Entwicklung und Verbreitung des Italienischen

Das ursprüngliche Verständigungsmittel der Südschweiz wie der verschiedenen italienischen Regionen sind die Mundarten. Diese wurden im Verlauf der Jahrhunderte durch das Italienische überlagert. Seit dem 11./12. Jahrhundert versuchte man, wo man die Dialekte *schrieb*, die auffälligsten lokalen Eigenheiten zu vermeiden und sie stilistisch anzuheben. So entstanden in Süd-, Mittel- und Norditalien eine ganze Anzahl von Schreibdialekten. Vor allem in Oberitalien boten die Stadtstaaten ideale Voraussetzungen für die Entwicklung solcher Schreibdialekte. So entstanden im 13. und 14. Jahrhundert in Genua, Mailand, Turin, Venedig, Florenz, Siena und Perugia eigentliche regionale Schriftsprachen. Seit dem 14. Jahrhundert begann Florenz, dessen Sprache lange keine besondere Rolle gespielt hatte, eine Vorrangstellung einzunehmen. Die *scripta*, die Schreibsprache dieser Stadt verdrängte die anderen Regionalsprachen und ließ sie in den Status von Dialekten zurückfallen.

Verschiedene Faktoren haben diese Entwicklung begünstigt: Florenz hatte eine wirtschaftliche Vormachtstellung erreicht, laufend ausgebaut und sich zu einem wichtigen Handelszentrum entwickelt. Sein Bankensystem wurde von ganz Europa übernommen. So ist es kein Zufall, daß das toskanische *banca* Eingang in alle europäischen Sprachen gefunden hat; ursprünglich hatte es den Tisch der Geldleiher bezeichnet.

Neben der wirtschaftlichen Bedeutung von Florenz spielt noch etwas anderes eine gewisse Rolle: Die drei großen Florentiner Dichter Dante, Petrarca und Boccaccio haben in ihren Werken nicht das Italienische benützt (das gab es noch gar nicht!), sondern den toskanischen Schreibdialekt. Erst dadurch, daß *das Toskanische* zunehmend auch in anderen Regionen als Schriftsprache akzeptiert wurde, konnte es den Rang *des Italienischen* erhalten.

Kaufleute, Bankiers und Dichter waren also die Verbreiter der Florentiner Sprache, die sich viel weniger vom lateinischen Ursprung entfernt hatte als die süd- und norditalienischen Dialekte. Ausschlaggebend für den Aufstieg des Dialekts der Arnostadt waren aber nicht sprachliche, sondern gesellschaftlich-soziale Faktoren: die Vitalität der Florentiner Gesellschaft und, damit zusammenhängend, das Prestige alles Florentinischen.

Wann kann man nun im Gebiet, das der heutigen Südschweiz entspricht, die ersten Zeichen toskanischen Einflusses feststellen? Um diese Frage zu beantworten, müssen wir die verschiedenen Funktionen der Sprache als Handels-, Kanzlei-, Notariats- und Kirchensprache unterscheiden und – einmal mehr – die Verbundenheit der Südschweiz mit Mailand und Como betonen. Gerade in der Kanzleisprache zeigt sich diese Verbundenheit. Die Mailänder Kanzlei hatte sich früh für das Italienische, das heißt für die Schriftsprache toskanischer Herkunft entschieden. In den herzoglichen Amtsstellen und in den Berichten der Mailänder Botschafter erscheint es anstelle des Lateins seit der Mitte des 15. Jahrhunderts. Die ersten in *volgare*, d. h. Italienisch, geschriebenen Dokumente sind im Jahr 1426 belegt. Ihre Zahl nimmt gegen 1440 laufend zu und überwiegt dann gegen Ende des 15. Jahrhunderts.

Diese Entwicklung in der Mailänder Kanzlei konnte nicht ohne Auswirkung auf die Südschweiz bleiben. Dazu kommt, daß schon zur Zeit der Visconti herzogliche Beamte aus Florenz im Tessin tätig waren, so z. B. in Lugano ein Vespucci da Firenze. Die Statuten Luganos erwähnen 1370 einen Beamten aus dem toskanischen Arezzo, der in der Stadt ein wichtiges Amt bekleidete. Bezeichnend für die Verbreitung des Italienischen ist es auch, daß die Chronik des Laghi – sie beschreibt die Zwistigkeiten unter Luganeser Guelfen und Ghibellinen in der zweiten Hälfte des 15. Jahrhunderts – italienisch abgefaßt ist. Laghi schreibt ein typisches «Bittschriftenitalienisch», das in den Kanzleien nicht gebraucht wurde.

In der Kirche hatte das *volgare* damals noch keinen Platz. Man bediente sich nach wie vor des Lateinischen. Anders war die Situation in der Seelsorge. Aus praktischen Gründen der Verständigung drängte sich dort das Italienische auf. Zwei in Mailand und auch in der Südschweiz gedruckte und verbreitete Gebetbücher aus dem 15. Jahrhundert sind noch stark durch die Mundart geprägt, aber sie sind italienisch geschrieben!

In den Satzungen religiöser Gemeinschaften der Lombardei zog man ebenfalls das Italienische dem Latein vor. Solche Satzungen wurden in der Südschweiz übernommen, beispielsweise von der Bruderschaft der Disciplinati di Santa Maria in Daro.

Großen Einfluß hatte auch das kulturelle und literarische Prestige der toskanischen Dichter. Um 1460 zitierte der zukünftige Stadtschreiber von Bellinzona, Pietro Verone, in einem Protokoll zwei Dante-Verse:

Vidi e chognobe lonbra de cholui
che per viltà fece il gran refuto ...

Aus einem anderen Protokoll stammt eine weitere italienisch geschriebene «poetische Übung» des gleichen Autors:

Revelie il verde de verde l'amore
de verde reverdisce il mio inteleto
per questo verde vedo per efeto
che verde veste ogni zentil chore.
Alegra il verde ciascun bel colore
per verde ognia ...

Verone schließt dann mit einem Vers von Guido Guinizelli: *Amor che fa zentil ognia natura.* Diese Texte zeigen deutlich, daß es bei der Übernahme des Italienischen nicht nur um sprachliche, sondern ganz allgemein um kulturelle Einflüsse geht.

In der Figur des Notars, der gleichzeitig Dichter ist, sind verschiedene Aspekte und Wirkungen des toskanischen Einflusses in einer Person vereinigt. Ausschlaggebend ist der Notar, nicht der Dichter. Nicht poetisch-literarische Aspirationen, sondern alltägliche Bedürfnisse der Verständigung haben zur Verbreitung des Toskanischen geführt. Den Händlern, Kaufleuten und kleinen Beamten fiel es leichter, sich für ihre Zwecke die toskanische Norm anzueignen, statt sich des Lateinischen zu bedienen. Daraus ergibt sich die große Bedeutung der Kanzleibeamten und vor allem der Notare für die Verbreitung der Sprache.

Die Toskanisierung, d. h. Italianisierung, läßt sich auch an der Sprache der Gemeindeordnungen ablesen. Diese wurden anfänglich lateinisch abgefaßt, bald wurden jedoch italienische Paralleltexte notwendig. Als man 1473 in Sonvico die Ordnung lateinisch fixierte, fertigte man gleichzeitig eine italienische Übersetzung an. Man mag sich fragen, weshalb man denn nicht von Anfang an italienisch geschrieben hat. Wir dürfen aber nicht vergessen, welch großes Ansehen das Latein immer noch genoß. Überdies dürfte die Traditionsgebundenheit der Kanzlei-

und Rechtssprache eine große Rolle gespielt haben.
Die Rechtsordnungen sind wertvolle Dokumente der allmählichen Verbreitung des Toskanischen in Norditalien im Laufe des 15. und 16. Jahrhunderts. Der Übergang vom Latein zum Italienischen war für Notare und Schreiber mit beträchtlichen Anstrengungen verbunden. Durch ihre Ausbildung waren die Notare zweifellos im Latein sattelfester, das sie präzis und sicher gebrauchten. Sie hatten dagegen oft nur mangelhafte, ungenaue Italienischkenntnisse, die sie durch persönliche – unsystematische und lückenhafte – Erfahrungen erworben hatten.
Im 16. Jahrhundert wird das Italienische immer häufiger verwendet. Nach der Jahrhundertmitte erscheint es regelmäßig in Kanzleitexten und Dokumenten der Dorfgemeinschaften.
Etwas später, um 1570, setzt der Gebrauch des Italienischen auch in kirchlichen Dokumenten ein. Das Konzil von Trient begünstigt seine Ausbreitung. Auch der Einfluß von Carlo Borromeo wirkt sich fördernd aus. Seit 1596 wird das Tauf- und Firmregister Luganos ausschließlich italienisch geführt. Einige Dörfer – in den Tälern und in der Ebene – führen schon zu dieser Zeit nur noch italienische Register. Im Codex Tarilli von Comano bei Lugano aus dem Jahre 1568 sind der Chronikteil und die Einwohnerregister italienisch geschrieben. Dasselbe gilt für die Berichte über die ersten Pastoralvisiten im Tessin.
Aber noch im 17. und 18. Jahrhundert ist die Verwendung des Italienischen weitgehend auf den schriftlichen Gebrauch beschränkt. Seine Verbreitung erfolgt nun auch durch die von den Pfarreien eingerichteten Schulen (*cappellanie scolastiche*). Als gesprochene Sprache dominiert nach wie vor der Dialekt.
Im 19. Jahrhundert sind die Gelegenheiten, gesprochenes Italienisch zu hören, etwas häufiger. Seit Jahrhunderten hatte man in der Lombardei und in der Südschweiz in der Seelsorge, nicht selten auch in der Sonntagspredigt, Mundart verwendet. Der Mailänder Abt Giordani verurteilte 1816 diese Gewohnheit, und die gegen den Dialekt gerichteten Kräfte bewirkten, daß gegen Ende des 19. Jahrhunderts im Gebiet von Como keine Predigten mehr in der Mundart gehalten wurden. Interessant ist die Feststellung eines 65jährigen Priesters aus dem Raum Como (1950): «Im Bergamaskischen predigte man bis ungefähr 1950 im Dialekt. Nur durch diese Annäherung an das Leben konnte die Abwanderung aus der Kirche verhindert werden. Die Einführung der

italienischen Predigt hat zum Atheismus geführt. Man hat den Leuten Biskuits vorgesetzt, während das Brot fehlte.»

Eine Verbreitung der Italienischkenntnisse brachten im 19. Jahrhundert die damals eingeführte Gemeindeschule und die zunehmenden Kontakte zwischen den einzelnen Regionen. Noch immer machte aber nur ein verschwindend kleiner Teil der Bevölkerung von der neuen Sprache Gebrauch. Die große Mehrheit benützte weiterhin die Mundart als Ausdrucksmittel, auch wenn Franscini 1840 meinte: «Wer sich in gutem Italienisch an nicht völlig unwissende Tessiner wendet, wird leicht verstanden; der Tessiner Dörfler hat die Fähigkeit, sich spontaner und korrekter auf italienisch auszudrücken als ein Bauer aus der Lombardei oder aus dem Piemont.» Zusammenfassend kann man feststellen, daß die Mundart während des ganzen 19. und bis in die erste Hälfte unseres Jahrhunderts ihre Bedeutung als selbstverständliches und alltägliches Verständigungsmittel breiter Bevölkerungsschichten beibehielt.

Charakterisierung der italienischen Standardsprache der Südschweiz

Das Italienische der Südschweiz ist alles andere als einheitlich. Das ist allerdings nichts Außergewöhnliches, da ja keine Sprache homogen ist. In der Südschweiz finden wir aber eine Vielzahl von Sprachvarianten, wie sie in keiner Region Italiens anzutreffen ist. Eine Beschreibung dieser verschiedenen Varianten und der soziologischen Bedingungen, mit denen sie verknüpft sind, führt sehr weit. Wir müssen uns hier auf einige Hinweise beschränken.

In der Regel bezeichnet man das spezifische Italienisch der Südschweiz als Regionalitalienisch oder einfach als «Tessiner Italienisch». Es weist nicht nur geographisch-regionale Züge, sondern charakteristische Elemente auf, die durch seine Einbettung in das schweizerische Staatsgefüge bedingt sind.

Wenn wir das Italienisch der Südschweiz genauer beschreiben wollen, müssen wir in erster Linie festhalten, daß es grundsätzlich *lombardisch* ist, von Mailand – und in geringem Maße – von Como her geprägt. Seine Übereinstimmung mit dem lombardischen Regionalitalienisch in Lautstand, Wortschatz und Satzbau ist auffällig und zahlreich.

Im Tessin werden z. B. Wörter gebraucht, die nur im Italienischen der Lombardei entstanden sein können. So wird eine eingebildete Person mit Vorliebe als *supponente* bezeichnet. Dieses Wort ist – wie auch *supponenza* ‹Einbildung› – aus dem lombardischen Regionalitalienisch übernommen, wo es im 17. Jahrhundert zur Zeit der spanischen Besetzung entstanden ist (aus span. *suponer* ‹in einer Gemeinschaft Autorität und Prestige genießen›).

Wir finden aber ebenso nicht unerhebliche Unterschiede zwischen dem Tessiner Italienisch und dem Italienischen der Lombardei: im Lautstand z. B. die im Tessin lange, geschlossene Aussprache des betonten *o*, die das Lombardische nicht kennt. Die Tessiner Intonation erscheint gegenüber der lombardischen gesamthaft gelassener, ruhiger. Für den Italiener aus irgendeiner anderen Region klingt das Tessiner Italienisch deutlich anders als die Sprache des Mailänders oder irgendeines Lombarden.

Die Südschweiz ist ein Randgebiet Mailands; damit hängt es zusammen, daß sie – als Rückzugsgebiet – sprachliche Erscheinungen bewahrt, die in Mailand einst auch gebräuchlich waren, dort aber inzwischen aufgegeben sind. Dazu gehören z. B. die Ausdrücke *fuoco* für ‹Familie› (*l'invito è stato distribuito a tutti i fuochi*), *vallerano* ‹Talbewohner›, *sedime* ‹Grundstück›.

Auf die im wesentlichen lombardische Grundlage des Tessiner Italienisch haben verschiedene Kräfte eingewirkt. So wird es vom Dialekt beeinflußt. Mundartlicher Herkunft sind z. B. Wörter und Wendungen wie *calla neve* (statt *spazzaneve*) ‹Schneepflug› (aus lat. *callis* ‹Weg›), *sosta* ‹Schopf, Schuppen›, *giupponcino* ‹Unterleibchen›, *mazza* ‹Schlachtung› (in Italienisch-Bünden *mazziglia*), *salato* oder *misto* ‹Aufschnitt›, *salumeria* ‹Wurstwaren›, *montare l'orologio* (statt *caricare l'orologio*) ‹die Uhr aufziehen›, *mi ha fatto spaventare* (für *mi ha spaventato*) ‹er hat mich erschreckt›.

Was das Tessiner Italienisch ganz besonders deutlich prägt, ist seine Ausrichtung auf das schweizerische Leben. Diese Ausrichtung oder Anpassung beginnt im späten 19. Jahrhundert und setzt sich noch immer fort. Sie zeigt sich in Entlehnungen aus dem Französischen oder aus dem Deutschen und auch in Nachbildungen von Wörtern dieser Sprachen. Dabei müssen wir bewußte und unbewußte Übernahmen unterscheiden. Fälle, in denen die Entlehnungen oder Anpassungen bewußt empfunden werden, bilden eher die Ausnahmen. Zu ihnen

gehören z. B. *laborantine* (statt *laboratorista*) ‹Laborantin›, *segretaria ricezionista* ‹Empfangssekretärin›, *agraffe* ‹Klammer› (in Italien *fermaglio per lettere*), *tippare* ‹auf einer Kasse tippen›, *classatore* ‹Ordner› (vgl. frz. *classeur*).
Zahlreicher sind die unbewußten Übernahmen. Vielen Tessinern ist das Französische derart vertraut, daß bei ihnen *comande* automatisch zu *comanda* ‹Bestellung› wird (in Italien *ordinazione*). Die welschen Garagisten sprechen von *reprise,* wenn sie beim Verkauf eines neuen Wagens den alten an Zahlung nehmen. Das Tessiner Italienisch übernimmt den Ausdruck als *ripresa* (während man in Italien von *permuta* spricht). Das deutsche Wort *Format* wird im Tessiner Italienischen zu *formato: quella persona non ha il formato* ‹jene Person hat das Format nicht› (in Italien *statura* oder *stoffa*). Seit kurzem stößt man im Tessiner Italienischen auf *costellazione* als ‹Zusammenspiel verschiedener Umstände, Situationen›: *la costellazione politica è ricca di simili esempi a non finire* ‹die politische Konstellation ist reich an zahllosen ähnlichen Beispielen›. Diese Bedeutung des Wortes fehlt in Italien völlig.
Hierin wird eine weitere Besonderheit des Tessiner Italienischen sichtbar: Während in Italien Regionalismen in der Regel dadurch zustande kommen, daß von Region zu Region *für die gleiche Sache ein anderes Wort* gebraucht wird (Bezeichnungsregionalismus), überwiegen im Tessiner Italienischen die Fälle, da ein bestimmtes – auch woanders gebräuchliches – Wort in der Südschweiz in einer *eigenen, sonst nicht üblichen Bedeutung* verwendet wird (semantischer Regionalismus).
Ein großes Gewicht hat die unbewußte Tendenz zum schweizerischen *Viersprachen-Parallelismus.* Die gemeinsamen Institutionen und Lebensbedingungen drücken sich in einer Reihe paralleler Formulierungen im Deutschen, Französischen, Rätoromanischen und Italienischen aus. Dafür einige Beispiele: *Magistrat – magistrat – magistrat – magistrato* ‹Träger eines öffentlichen Amtes› (in Italien unbekannt); *Traktandenliste – liste des tractandes – glista de tractandas – lista delle trattande* (in Italien nicht bekannt); in der Schule: *Noten – notes – notas – note* (in Italien *voto*); *Prospekt – prospectus – prospect – prospetto* (in Italien nur im Sinne von ‹Perspektive›); *Aktion – action – acziun – azione* (in Italien *offerta speciale*). *Fraktion – fraction – fracziun – frazione* (in Italien: *gruppo parlamentario*); *subventionieren* (in Deutschland: ‹unterstützen›) – *subventionner – subvenziunar – sovvenzionare; Entwicklungskonzept – concept de développement – concept da svilup – concetto di sviluppo; Dachgesellschaft – organisation faîtière –*

organisaziun tetgala – organizzazione tetto (in Italien unbekannt); *Altersheim – home pour personnes âgées – casa per anziani; Samariter – samaritain – samaritani;* neuesten Datums sind Bezeichnungen wie *Schulpatrouilleur – patrouilleur scolaire – pattugliatori scolastici* und *Kinderverkehrsgarten – jardin de circulation – giardini della circolazione.*

Derartige Serien bilden die Regel. Aus verschiedenen Gründen verzichtet man jedoch manchmal auf solche Bildungen. Eine andere Möglichkeit bieten dann Lehnübersetzungen, die eine wortschöpferische Leistung voraussetzen. Dafür einige Beispiele: *Anbauwerk* > *campicoltura* (1942), *Scherenschnitt* > *forbicicchio* (gegen 1943), *Selbstbedienungsladen* > *servisol* (seit 1955).

Eine Nebenerscheinung kommt hinzu: Stehen mehrere italienische Ausdrücke zur Verfügung, so wird im Tessiner Italienisch oft derjenige vorgezogen, der in einer anderen schweizerischen Landessprache eine Entsprechung hat. In Italien spricht man von *gestore* und *gerente,* in der Südschweiz nur von *gerente,* weil man sich am französischen (und dt.) *gérant* orientiert. Dasselbe gilt für die Bevorzugung von *chiosco* vor *edicola,* von *dottorato* vor *laurea, capanna alpina* ‹Hütte des Alpenclubs› vor *rifugio.* Es handelt sich hier um Frequenzregionalismen, d. h. um Bezeichnungen, die in einem bestimmten Gebiet viel häufiger als in einem anderen oder als in der überregionalen Standardsprache anzutreffen sind.

Natürlich ist der Viersprachen-Parallelismus in der Gemeinsamkeit der außersprachlichen Realität begründet, in gemeinsamen Institutionen beispielsweise, und nicht etwa in einer besonders starken Verflechtung der vier schweizerischen Sprachgruppen.

Auch der weitergehende deutsche und französische Einfluß auf das Tessiner Italienisch ist nicht an französisch- oder deutschsprachige Bevölkerungsgruppen im Tessin gebunden, sondern hängt mit der Eingliederung des Kantons in die Schweizer Wirklichkeit zusammen. Dabei gehen deutschsprachige Einflüsse selten direkt auf Deutschschweizer zurück, sondern in der Regel auf Tessiner mit Deutschkenntnissen, die einen Fachausdruck ins Italienische übersetzen müssen und dabei die deutsche Bedeutung auf die italienische Bezeichnung übertragen. Der Tessiner, der sich dieser Ausdrücke bedient, ist sich des regionalen Charakters der Wörter bzw. Bedeutungen nicht bewußt. Auch Gebildete halten viele Regionalismen für gemeinitalienisches Sprachgut.

Übernahmen kommen in allen Lebensbereichen vor: in der Politik, in der Verwaltung, in der Technik. Die Tessiner Ingenieure übersetzen ‹Wärmepumpe› mit *termopompa* (in Italien *pompa di calore*); aus ‹Mantel› wird *mantello* (statt *cappotto*), aus ‹Nachttresor› *tesoro notturno* (in Italien *cassa continua*); ‹Vollkasko› wird zu *casco totale* (in Italien spricht man von *tutti rischi*) usw. Durch Werbung und Massenmedien verbreiten sich diese spezifisch südschweizerischen Ausdrücke weiter.
Regionalismen begegnet man in Italien vor allem im mündlichen Sprachgebrauch und in anspruchslosen schriftlichen Texten. Für das Tessiner Italienisch trifft häufig das Gegenteil zu: Die Regionalismen erscheinen vorzugsweise in der geschriebenen Sprache, und zwar gerade auch in offiziellen Texten, was in Italien nie denkbar wäre.
Schließlich ist auf die Verbindungsfunktion hinzuweisen, die das Tessin zeitweise zwischen Frankreich bzw. Deutschland und Italien ausgeübt hat. Sie läßt sich z. B. mit dem Adjektiv *ferroviario* ‹die Eisenbahn betreffend› belegen. Früher hatte das Französische zu *chemin de fer* ein Adjektiv *ferrugineux* gebildet, eine nicht sehr elegante Ableitung, die dann auch zugunsten von *ferroviaire* aufgegeben wurde. Dieses *ferroviaire* war ursprünglich eine welschschweizerische Anlehnung an das tessiner-italienische *ferroviario*. Über die welsche Schweiz hat es sich dann in Frankreich eingebürgert.
Im übrigen scheint die Eisenbahn der Ort zu sein, an dem sich das von deutschschweizerischen Beamten erfundene berühmte «Bundesitalienisch» *(italiano federale)* am hartnäckigsten zu halten vermag, während es sonst im großen und ganzen am Aussterben zu sein scheint. *Tutti discendono!* (wörtlich: ‹alle stammen aus›!) statt *tutti scendono* (‹alles aussteigen›) oder das auf jedem Bahnhof zu lesende Verbot *non traversare (!) i binari* – solches wirkt sich zwar auf den Gemütszustand des Tessiners aus, indem es ihn – je nach Temperament – verärgert oder belustigt, es hat aber keinen Einfluß auf das Italienisch der Südschweiz.
Das Zusammenleben vier verschiedener Kulturen in einem Staat hat zu ähnlichen Lebensformen geführt und verbindende Institutionen hervorgebracht. Die politischen, industriellen und wirtschaftlichen Strukturen und spezifisch schweizerische Lebensformen greifen über die kulturellen und sprachlichen Grenzen hinweg und schaffen Realitäten und Traditionen, die der französischen, deutschen, italienischen und rätoromanischen Schweiz gemeinsam sind, die aber in Italien, in Deutschland und Frankreich fehlen.

Nicht nur in gesamtschweizerischen Einrichtungen, auch in der Verbreitung von Brauchtum läßt sich diese innerschweizerische Angleichung feststellen: Der in der deutschen Schweiz schon früh verbreitete, ursprünglich aus Deutschland stammende Weihnachtsbaum verbreitete sich beispielsweise im Tessin viel früher als in Italien. Schon ungefähr seit vierzig Jahren kennt man im Tessin den Osterhasen; in Frankreich und Italien war er bis vor kurzem völlig unbekannt. Als Vermittler haben in solchen Fällen häufig die Warenhauskonzerne gewirkt. Andere Angleichungen zwischen den vier schweizerischen Sprachregionen finden wir bei den Eß- und Freizeitgewohnheiten.

Laufend entstehen neue Bezeichnungen. Meist jüngeren Datums sind feste Formeln wie *piano direttore* ‹Leitbild, Leitlinien›, *prezzo imposto* ‹vorgeschriebener Preis›, *prezzo indicativo* ‹Richtpreis›, *diritto di consultazione* ‹Mitspracherecht›, *codecisione* ‹Mitentscheidung›. Auf einer sehr konkreten, für den Alltag recht wichtigen Ebene sind Coop und Migros bestrebt, ihre Lebensmittelbezeichnungen ins Italienische zu übertragen: ‹Fleischkäse› wird einigermaßen entsprechend mit *impasto di carne* übersetzt; bei der Streudose für Gewürzmischungen hat man sich nach anfänglichem Schwanken zwischen *distributore, dosatore, polverizzatore, spargitore, spruzzatore, spargicondimento* für *dispersore* entschieden. Auch für *vol-au-vent* ‹Königinpastetli› hat man vor ein paar Jahren eine italienische Entsprechung gefunden: *bocconotti* oder *turbantini*.

Die notwendige Anpassung an neue außersprachliche Realitäten bringt neue Begriffe mit sich, die nicht immer mit dem Sprachgebrauch Italiens übereinstimmen: In Italien spricht man von *orario articolato,* im Tessin hingegen von *orario variato, dinamico, flessibile,* und das in Anlehnung an die deutsche Bezeichnung ‹gleitende Arbeitszeit›.

Italien kennt nur den *giorno feriale*. Im Tessin dagegen hat man unlängst – nach deutschschweizerischem Modell – die Unterscheidung zwischen *giorno di lavoro* oder *giorno lavorativo* ‹Arbeitstag› und *giorno feriale* ‹Werktag› (der auch arbeitsfrei sein kann) eingeführt.

Ein weiteres bedeutendes Merkmal des Tessiner Italienisch ist der Wortschatz der Fachsprachen von Politik, Verwaltung, Verkehr, Technik, Versicherung, Schule, Sport, Militär u. a. Diese Bereiche sind in Italien zentralisiert; in ihrem Wortschatz gibt es keine Regionalvarianten. Im Unterschied dazu hält die Tessiner Amtssprache einerseits an mittelalterlichen Ausdrücken fest, anderseits weist sie aber auch zahlreiche Neuschöpfungen und Entlehnungen aus dem Deutschen auf. Nun gibt es allerdings nicht nur die eben geschilderten auseinanderstrebenden Tendenzen im Sprachgebrauch Italiens und der Südschweiz. Daneben stehen gerade in neuerer Zeit Entwicklungen, die in beiden Sprachgebieten übereinstimmen. Neuschöpfungen im politischen Sprachgebrauch, wie etwa *pacchetto* ‹Bündel von Gesetzesvorschlägen›, *paniere* ‹Komplex von politischen, ökonomischen Fragen›, *tetto* ‹Höchstgrenze›, haben sich gleichzeitig in Italien und im Tessin durchgesetzt. Dies ist jedoch nicht verstärkten Kontakten zwischen beiden Ländern zu verdanken, sondern dem wachsenden Einfluß des Englischen auf die europäischen Sprachen und damit auch auf die Sprache Italiens und jene des Tessins. Die oben genannten Beispiele haben denn auch ihre Entsprechungen in engl. *packet* (im Sinne von ‹Bündel von Vorschlägen oder Gesetzen›), dt. *Paket,* frz. *paquet,* it. *pacchetto;* engl. *basket* (in der Bedeutung von ‹Fragenkomplex zu einem bestimmten Problem›), dt. *Korb,* frz. *corbeille,* it. *paniere;* engl. *top* (‹Dach, Höchstgrenze›), dt. und frz. *plafond,* it. *tetto.*

Ein Unterschied besteht dennoch: Das Italienische Italiens bezieht seine Anglizismen direkt aus dem Englischen, das Tessiner Italienisch erwirbt sie auf dem Umweg über das Deutsche. Der zeitliche Vorsprung, mit dem die Anglizismen in der italienischen Schweiz auftauchten, belegt dies. Ganz Ähnliches gilt für Übernahmen aus anderen europäischen Sprachen. *Paritetico* z. B. existiert in der Südschweiz schon seit 1880, in Italien ist es erst ab 1923 belegt; *congiuntura* ‹Konjunktur› wird in der italienischen Schweiz seit 1930, in Italien seit 1942 gebraucht; *legge quadro* ‹Rahmengesetz› (frz. *loi-cadre*) erscheint im Tessin schon 1964, in Italien erst 1972; *tetto* ‹Höchstgrenze› kennt das Tessin seit 1969, Italien seit 1974. Die Neuschöpfung *essere confrontato con* ‹sich mit etwas auseinandersetzen müssen› taucht im Tessin um 1960 auf, in Italien (aus dem Englischen entlehnt) erst seit 1976. Dasselbe gilt für *laico* im Sinne von ‹nicht spezialisiert›: Im Tessin ist diese Bedeutung (nach deutschem Vorbild) schon seit der Mitte der fünfziger Jahre anzutreffen, in Italien dagegen wird *laico* erst seit einigen Jahren in dieser Bedeutung gebraucht: *utenti laici, lettori laici* usw. (entsprechend engl. *lay «non professional»*).

Die vorstehenden Beispiele zeigen nicht nur, daß viele Wortneuschöpfungen zuerst im Tessiner Italienisch und erst später, mit einer Verzögerung von mehreren Jahren, im Italienischen Italiens auftauchen. Sie belegen auch – viel grundsätzlicher – die Tendenz zum sprachlichen Europäismus. Immer stärker, in vielen kleinen Schritten – Wort für Wort – streben die Sprachen Europas aufeinander zu, in einem Annäherungsprozeß, der seit Jahrhunderten im Gang ist.

FLORENTIN LUTZ UND JACHEN C. ARQUINT

DIE RÄTOROMANISCHE SCHWEIZ

FLORENTIN LUTZ

DIE MUNDARTEN

«Romanisch», «Rätoromanisch» und «Ladinisch»

Die Begriffe «Romanisch», «Rätoromanisch» und «Ladinisch» können alle das gleiche bezeichnen, aber auch je Verschiedenes. Die Sprachwis-

Karte 1
Die heutigen rätoromanischen Zonen

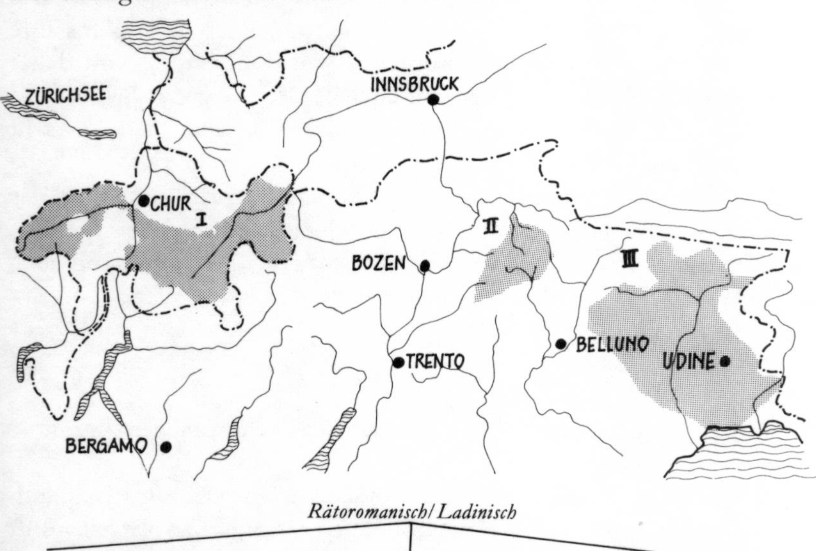

Rätoromanisch/Ladinisch

I	II	III
Bündnerromanisch	*Dolomitisch (oder Dolomitenladinisch oder auch Sellaromanisch genannt), gesprochen in 4 Tälern um das* SELLA*massiv: 1) Gherdeina/*GRÖDEN *2) Val Badia/*GADERTAL *mit 2 Untermundarten: Hoch- und Niederbadiotisch und der Mundart des Seitentals Enneberg/Mareo 3) Fascia/*FASSA *4) Fodom/*BUCHENSTEIN.	*Friaulisch, das im äußersten Nordosten Oberitaliens, im Friaul, gesprochen wird.*

senschaft faßt als «Romanisch« alle modernen Sprachen zusammen, die vom Lateinischen abstammen. Als «Rätoromanisch» bezeichnet sie eine Gruppe romanischer Mundarten, die heute in drei durch anderssprachiges Gebiet voneinander getrennten Zonen gesprochen werden (s. Karte 1). Das praktische Wort, das zu Beginn des 19. Jahrhunderts vom Disentiser Benediktinerpater Placi a Spescha eingeführt wurde, hat sich heute allgemein durchgesetzt, obwohl durchaus nicht sicher ist, ob auf dem gesamten «rätoromanischen» Gebiet vor der Romanisierung «rätisch» gesprochen wurde. Immerhin zieht eine Minderheit der Sprachwissenschaftler für die rätoromanische Mundartgruppe den Begriff «Ladinisch» vor.
Etwas anders bezeichnen die Rätoromanen selbst ihre Idiome. Die Engadiner, die Münstertaler und die Bewohner des mittleren Gadertals haben ihre Mundarten seit jeher *ladịn* genannt (von LATINU[M]); diesem Sprachgebrauch haben sich heute alle Dolomitenladiner angeschlossen. Dagegen bezeichnen die Romanen im Stromgebiet des Rheins ihre Mundarten als *romọntsch* oder *rumạntsch* (von ROMANICE); von daher heißt das Rätoromanische der Bündner bei den übrigen Schweizern *Romanisch*, *Romanche*, *Romancio*. Nur das deutsche Wort macht Schwierigkeiten, weil es von den Sprachwissenschaftlern in ganz anderer Bedeutung verwendet wird. So müßte man eigentlich das Rätoromanische Graubündens als »Bündnerrätoromanisch» bezeichnen; im folgenden werden wir aber den gebräuchlicheren, wenn auch weniger exakten Begriff *Bündnerromanisch* dafür verwenden.

Bündnerromanisch und die anderen romanischen Sprachen

Als romanische Sprache weist das Bündnerromanische selbstverständlich viele Gemeinsamkeiten mit den anderen romanischen Sprachen auf: Dem bündnerromanischen *amịtg/ami* entspricht italienisch *amico*, französisch *ami*, spanisch *amigo*. Daneben aber zeigt es auf allen sprachlichen Ebenen eine Menge ausschließlich ihm zukommender Züge, die es von den übrigen romanischen Sprachen und auch von den angrenzenden lombardischen Mundarten trennen. Einige wenige Beispiele sollen diese Selbständigkeit des Bündnerromanischen belegen:
Nur im Bündnerromanischen und im inneren Sardischen sind lat. G und

J vor E/I im Anlaut bis heute getrennt geblieben: lat. GENERE(M) und JUGU(M) ergaben bündnerromanisch *schiender* und *giuf* (‹Schwiegersohn›, ‹Joch›; vgl. dagegen frz. *gendre/joug;* it. *genero/giogo*; sp. *yerno/yace*). Das lateinische betonte AU (z. B. in TAURU[M] ‹Stier›, AURU[M] ‹Gold›) erhielt sich nur in Teilen des Bündnerromanischen: *il taur, igl aur.*
Eine in der Sprachwissenschaft vielzitierte Eigentümlichkeit des Bündnerromanischen, die es von allen anderen romanischen Sprachen abhebt, ist die Erhaltung des lateinischen Nominativ-*s* in gewissen Fällen, so etwa beim prädikativen Adjektiv: *il mir ei alvs* ‹die Mauer ist weiß› (aus MURUS EST ALBUS), beim Possessivpronomen: *meis frar* ‹mein Bruder› (aus MEUS FRATER) oder bei einigen Substantiven: *il nefs* ‹der Neffe› (aus NEPOS). In diesem Zusammenhang kann auf andere Spuren des romanischen Zweikasussystems hingewiesen werden. Der vulgärlateinische Akkusativ *SENIORE(M) lebt im westlichen Bündnerromanischen als *signur* ‹Herr› weiter, der Nominativ *SENIOR ist in *Segner* ‹Herrgott› erhalten. Beim bestimmten Artikel hat das Bündnerromanische sogar eine alte lateinische Dativform bewahrt. In allen anderen romanischen Sprachen geht der bestimmte Artikel in allen Fällen auf den Akkusativ des lateinischen Demonstrativpronomens ILLU(M)/ILLA(M) zurück; so heißt es etwa im Italienischen *la donna* und *dare alla donna, il figlio, dare a(i)l figlio,* im Bündnerromanischen dagegen *la dunna,* aber *dar li dunna, il fégl,* aber *dar li fégl;* dieses *li* setzt den lat. Dativ ILLI fort (vgl. Ähnliches in den frankoprov. Mundarten).
Im Satzbau besitzt das Bündnerromanische eine ganze Reihe von Konstruktionen, die sich in keiner anderen romanischen Sprache, aber auch nicht im Deutschen finden. Dazu gehören Fügungen wie *in spartẹzia cavạgl* ‹ein sehr schnelles Pferd›, eigentlich «eine Schnelligkeit von Pferd», oder beispielsweise *el ha ché fa mal* ‹es tut ihm weh›, eigentlich «er hat, daß schmerzt». Im Engadin bildet man den «persönlichen» Akkusativ mit der Präposition *a: eau d'hè gugẹ̀nt a tanta Giu̦lia* ‹ich mag Tante Julia›; dieses *a* der Objektserweiterung kommt nur noch im Spanischen vor.
Noch viel eindrücklicher kann uns der Wortschatz bewußtmachen, wie stark die Randlage und die besondere Sprachkontaktsituation dem Bünderromanischen den Stempel der Andersartigkeit aufgedrückt haben. Recht zahlreiche Wörter der vorrömischen Sprachen haben der Romanisierung getrotzt. Dabei handelt es sich vor allem um Bezeichnungen von Geländeformen (z. B. *crap* ‹Stein›), von wilden Tieren (z. B.

tschéss ‹Adler›), von Bäumen und Früchten (z. B. *draus* ‹Alpenerle›, *puạuna* ‹Himbeere›) und um Begriffe der Landwirtschaft (z. B. *chischnè(r)* ‹Kornhiste›).

Das Bündnerromanische, insbesondere das Surselvische, hat aber auch manche alten lateinischen Wörter bewahrt, die in den anderen romanischen Sprachen fehlen, so etwa *vèss* ‹schwer, schwierig› (lat. VIX), *mèmia* ‹zu sehr› (lat. NIMIS), *avùnda* ‹genügend› (lat. ABUNDE).

Die von Jakob Jud erforschte Kirchensprache eignet sich besonders gut, um die starke Eigenentwicklung des Bündnerromanischen gerade gegenüber dem nächstgelegenen Verwandten, dem Lombardischen, zu zeigen. Die folgenden Beispiele sind seinem Vortrag entnommen:

	Surselvisch	*Blenio (Lombardisch)*
Kirche	*basẹ̀lgia*	*gẹsa*
Glocke	*zèn*	*campạna*
Glockenturm	*clutgẹ̀(r)*	*campnịn*
Küster	*callụ̀ster*	*mọnic, segrịsta*
beten	*urạ(r)*	*prägạ̈*
Pfingsten	*tschunquẹismas*	*pentakọsta*
Fasnacht	*schẹiver*	*kärnävạ̈*

Die Besonderheit des Bündnerromanischen wird stark dadurch geprägt, daß seine Sprecher über Jahrhunderte hinweg alemannisches und deutsch-tirolisches Sprachgut aufgenommen und den eigenen Bedürfnissen angepaßt haben. Dieser Prozeß begann bereits im 10. Jahrhundert mit der zunehmenden Orientierung der Rätoromania nach Norden; er verstärkte sich mit dem Heranrücken der Alemannen und der Einwanderung der Walser. Der deutsche Einfluß hat vor allem den Wortschatz des Surselvischen und Mittelbündnerischen tiefgreifend umgestaltet, erneuert und bereichert. Wer würde in *uaul/god* ‹Wald› noch schweizerdeutsch *Wald* oder tirolisch *Wòld* vermuten? Der Bündnerromane hat wohl auch längst vergessen, daß *punạchel* auf gleichbedeutendes deutsches *Bundhaken* zurückgeht. Starke Einflüsse des Schweizerdeutschen lassen sich auch in Formenlehre und Satzbau

feststellen. Heute ist dieser Einfluß derart übermächtig geworden, daß er kaum mehr assimiliert werden kann.
Trotz dieser Einflüsse hat sich das Rätoromanische als selbständige Schwester der romanischen Sprachen erhalten können. Selbständig deshalb, weil die Rätoromanen ihr Idiom immer als etwas Eigenes, von den Nachbarsprachen Verschiedenes aufgefaßt haben und weil auch die anderssprachigen Nachbarn die Rätoromanen als Träger einer eigenen Sprache anerkannten.

Mundartliche Vielfalt

Das Bündnerromanische als alltägliche Umgangssprache umfaßt eine Vielzahl von mehr oder weniger voneinander abweichenden Mundarten.
Einen Begriff vom Formenreichtum der angestammten Mundarten kann uns das *Dicziunari rumantsch grischun* geben, eines der vier nationalen Wörterbücher. Hier finden wir beispielsweise unter dem Stichwort *char / car* ‹lieb› nicht weniger als zwölf verschiedene Lautungen verzeichnet, ganz abgesehen von der Vielfalt der Bedeutungen und Verwendungsmöglichkeiten dieses einen Wortes. Die mundartliche Vielfalt des Bündnerromanischen soll im folgenden kurz dargestellt werden. Dabei sollen solche Merkmale im Mittelpunkt stehen, die es einem Hörer erlauben, sein Gegenüber eindeutig als Sprecher einer bestimmten Mundart zu identifizieren.
Der Mundartforscher kann mit vielen Beispielen die enge Verwandtschaft aller bündnerromanischen Mundarten stichhaltig nachweisen. In der Theorie sollten sich also die Bündnerromanen aller Mundartgebiete ebensogut verstehen können wie die Angehörigen irgendeiner anderen Sprachgemeinschaft. Ebenfalls wie die Angehörigen aller anderen Sprachgemeinschaften passen jedoch auch die Bündnerromanen ihr Sprachverhalten den sprachlichen «Umweltbedingungen» an – und diese Bedingungen nun sind in ihrem Falle ungewöhnlich. Sie führen dazu, daß der Bündnerromane mit seinem sprachverwandten Partner im Normalfall nur so lange bündnerromanisch spricht, als die Verständigung reibungslos funktioniert. Da sich die beiden aber auf jeden Fall und mühelos schweizerdeutsch verständigen können, greifen sie sehr

rasch zum Schweizerdeutschen als einer Art «lingua franca», wenn ihnen die rätoromanische Mundart des Partners als zu fremd erscheint und Kommunikationsschwierigkeiten befürchten läßt.

Zwei Extremzonen

Im Westen Graubündens erstreckt sich eine relativ einheitliche Mundartzone vom Oberalppaß und vom Lukmanier nach Osten bis an den Flimser Wald: die surselvische Mundart (*sursilvạn* oder *romọntsch sursilvạn*, vgl. Karte 2). Dem Surselvischen steht geographisch und sprachlich am weitesten entfernt das Engadinisch-Münstertalische oder Ladinische im Osten des Kantons gegenüber *(ladịn, rumantsch ladịn)*. Diese Mundartgruppe erstreckt sich von Fex bis Martina an der österreichischen Grenze.

Linguistisch gesehen sollten höchstens die Sprecher dieser beiden Extremgruppen in Kommunikationsschwierigkeiten geraten können. Tatsächlich unterscheiden sich die beiden Mundarten auf praktisch allen sprachlichen Ebenen und teilweise recht einschneidend. Diese Unterschiede sind einerseits auf je eigenständige politisch-konfessionelle Entwicklungen und andersartige Sprachkontakte zurückzuführen, andererseits auf sprachliche Eigenentwicklungen dieser beiden, lange verkehrsgeographisch fast völlig getrennten Zonen.

Während die Sursilvaner in stärkerer Beziehung zum Schweizerdeutschen standen, öffneten sich die Ladiner dem angrenzenden Lombardischen, Romanisch-Tirolischen und Deutsch-Tirolischen. Vor allem das Unterengadinische oder *Vallạder* (von Brail bis Martina) und das Münstertalische, die stärker vom übrigen Bündnerromanischen abweichen als das Oberengadinische, waren während Jahrhunderten politisch mit Tirol verbunden, und dies auch zu Zeiten, als das angrenzende Oberinntal und der Vintschgau noch rätoromanisch waren.

Abgesehen vom Konjugationssystem sowie von einigen anderen morphologischen und syntaktischen Unterschieden ist es vor allem der Wortschatz, der das Unterengadinisch-Münstertalische vom Surselvi-

Karte 2:
Schwerpunkte der Gliederung des Bündnerromanischen

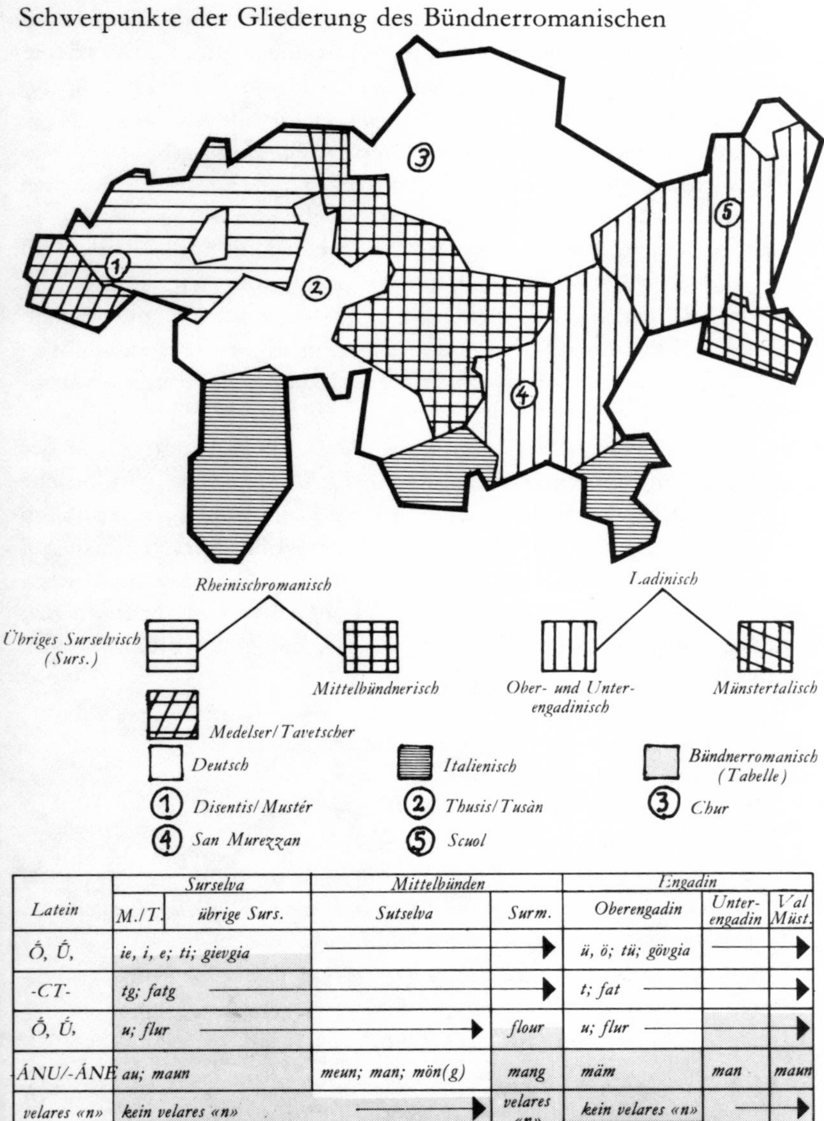

Latein	Surselva		Mittelbünden		Engadin		
	M./T.	übrige Surs.	Sutselva	Surm.	Oberengadin	Unterengadin	Val Müst.
Ŏ́, Ŭ́,	ie, i, e; ti; gievgia		→	→	ü, ö; tü; gövgia	→	→
-CT-	tg; fatg	→	→	→	t; fat	→	→
Ṓ, Ū́,	u; flur	→	→	flour	u; flur	→	→
-ÁNU/-ÁNE	au; maun		meun; man; mön(g)	mang	mäm	man	maun
velares «n»	kein velares «n»	→	→	velares «n»	kein velares «n»	→	→
Ḗ vor R	ei/ai sdvai	e; save(r)	→	ei/ai	savair/savair	→	→
C vor Á	tgasa tgesa	casa	tgea	tgesa	chesa	chasa	→

schen trennt. Obwohl heute der engere Kontakt zwischen Bündnerromanen der verschiedenen Gegenden sowie die Massenmedien diesen abweichenden Wortschatz zugunsten einer überregionalen Variante etwas verringern, sind die Unterschiede noch immer groß genug. So kräht im Unterengadin noch heute der *gial* ‹Hahn›, die *maschnẹ̀ra* ‹Magd› kocht zum *püschạin* ‹Frühstück› *mailintẹ̀rr' in painch* ‹Rösti›, damit man der *braị̈na,* dem Morgenreif, besser zu trotzen vermag. In der Surselva dagegen kräht der *tgiet*, und die *fumitgạsa* kocht zum *ensọlver* ihre *truffels barsại* gegen die kalte *purgịna*. Der Unterschied im Wortschatz wird noch dadurch verstärkt, daß sich die beiden Regionen nach je verschiedenen Schreibdialekten ausrichten. Dennoch wiegen die sprachlichen Unterschiede zwischen Surselva und Unterengadin trotz allem nicht so schwer, daß dadurch unüberbrückbare Kommunikationsschwierigkeiten entstehen müßten.

Eine kurze Textprobe soll Gemeinsamkeiten und Unterschiede der beiden Extremgruppen im Zusammenhang belegen. Das surselvische Original wurde von einer 65jährigen Frau aus Disentis auf Tonband gesprochen. (Diese wie auch andere wertvolle Sprachaufnahmen verdanke ich Professor Helmut Stimm, München.) Die A-Zeilen bieten einen Ausschnitt ihrer Erzählung in vereinfachter Umschrift. In den B-Zeilen steht die Übersetzung in den Unterengadiner Dialekt von Ramosch.

A. a cun dụdisch onns ha (e)l stịu i a Milạun
B. a cun dụdasch onns ha (e)l stü ir a Milạn
Und mit zwölf Jahren hat er nach Mailand gehen müssen,
A. ạpi ina dumẹ̀ngia s èl ịus a spaz ... mạva a spaz lau
i lụra ina dumẹ́ngia él i a spas ... iév (e)l a spas la
und dann, eines Sonntags, ist er spazierengegangen, ging dort spazieren,
A. a tùttènịna ha (e)l udịu a plidọn ramọntsch ...
B. i tùttindineiạ ha (e)l dodị a discuorer rumạntsch ...
und auf einmal hat er romanisch sprechen hören.
A. a cu (e)l ha giu udịu quei ha (e)l détg c' (e)l hạgi
B. a cur ch (e)l ha dodị quai ha (e)l dit ch' (e)l hạia
Und als er dies gehört hat, hat er gesagt, habe er
A. dau in sparụn a saglịus vitịer ... ạpi hai èl dumandạu
B. fat in spüf i (sịa)siglị vịa ... i ch'(e)l haia lụra dumandạ
einen Sprung gemacht und sei herangesprungen und habe gefragt

A. a bargịu ... ạpi ha (e)l détg èl lạsçhi ancrèşçher
B. i cridạ ... i lur ha (e)l dit ch (e)l slasch incrèşcher
und geweint. Und dann hat er gesagt, er habe Heimweh,
A. schi sgarschẹivel.
B. ùr da las bọttas.
ganz schrecklich.

Zur Aussprache: Unbetontes *a* außer in den Verbformen von *haver/avair* ist Murmelvokal, ähnlich dem *e* in deutsch *Rose*. Surselvisch *tg* und ladinisch *ch* bezeichnen den gleichen eigentümlichen Quetschlaut; er klingt ähnlich wie italienisch *cci* in *boccia;* die stimmhafte Entsprechung wird in beiden Mundartgruppen *g* (vor *i* und *e, ü* und *ö*) geschrieben. *sçh* ist stimmhaftes *sch*. *s* vor Konsonant wird wie im Schweizerdeutschen *sch* ausgesprochen. *tsch* und *sch* werden wie im Deutschen ausgesprochen. *è* ist offenes, *é* geschlossenes *e, ù* ist offenes *u,* ähnlich dem Vokal in deutsch *Hund*. Der Punkt unter einem Vokal gibt die Wortbetonung an. – Alle übrigen Buchstaben sind wie im Italienischen auszusprechen, *h* und *(e)* sind stumm.

Die Sprachprobe zeigt, daß sich Surselvisch und Vallader in zahlreichen Lautungen unterscheiden. Wichtige Unterschiede ergeben sich aber auch in der Morphologie und im Satzbau:
Das Partizip der Vergangenheit nimmt im Surselvischen nach *esser* ‹sein› das *-s* des prädikativen Adjektivs an: *s èl ius* ‹ist er gegangen›; das übrige Bündnerromanische zeigt endungsloses Partizip: *él i*.
Im Surselvischen zeigt der Infinitiv, der von einem anderen Verb abhängt, noch oft eine besondere Form (sogenanntes «Gerund»): *plidar* ‹sprechen›, aber *udir a plidon* ‹sprechen hören›. Im übrigen Bündnerromanisch steht hier der gewöhnliche Infinitiv: *discuorer* ‹sprechen›, *dudir a discuorer* ‹sprechen hören›.
Die beiden Mundartzonen besitzen im Konjunktiv grundverschiedene Endungssysteme. Im Text finden sich die Formen *el hagi* ‹er habe› des Surselvischen gegenüber *el haia* des Vallader; in den anderen Personen sind die Unterschiede oft noch größer: surselvisch *vus havẹies* ‹(daß) ihr habet› tritt einem unterengadinischen *vus hạiat* gegenüber. Solche durchgehende Systemunterschiede wiegen schwerer als einzelne Abweichungen im Wortschatz.

Wie die Sprachprobe zeigt, verwendet das Vallader den Ausdruck *slaschar incrèscher* reflexiv, das Surselvische nicht: *(la)schar ancrèscher.*
Alle diese Unterschiede zwischen den beiden bündnerromanischen Extremzonen, die gleichzeitig die nach Sprecherzahl und Vitalität kräftigsten Gruppen des Bündnerromanischen darstellen, behindern nicht nur die Verständigung der Rätoromanen unter sich, sondern stellen auch der Schaffung einer alle Mundartzonen umfassenden gemeinsamen Schriftsprache sehr große Schwierigkeiten entgegen.

Rheinischromanisch gegenüber Ladinisch
Im Stromgebiet des Rheins sind neben dem wichtigen Surselvischen zwei weitere kleinere Schreibdialekte entstanden. Das *Sutselvische* wird in den Dörfern Flims, Trin, Domat/Ems, im Domleschg, am Heinzenberg und im Schams verwendet. Im Albulatal von Filisur bis Bergün und im Tal der Julia von Casti/Tiefencastel bis Beiva herrscht das *Surmeirische.* Diese beiden zentralbündnerischen Schreibdialekte überdecken die außerordentlich große mundartliche Vielfalt dieses Gebiets. Es gibt nun aber zahlreiche wichtige Sprachmerkmale, die Zentralbünden mit dem Surselvischen verbinden und vom Ladinischen trennen. So kennen die Sursilvaner und Rheinischbündner keine *ü* und *ö,* die für das Engadinische so bezeichnend sind: Die Sursilvaner und die Sutsilvaner sagen *glisch* ‹Licht›, die Surmeirer *gleisch,* die Ladiner aber *glüsch*; und dem gesamtrheinischen *gievgia* ‹Donnerstag› steht ladinisches *gövgia* gegenüber.
Ähnliche Gruppierungen schaffen die Fortentwicklungen der lateinischen Konsonantengruppe CT. Im Rheinischromanischen ist daraus der Quetschlaut *tg* entstanden, wie die Beispiele *détg* und *fatg* der Probe zeigen (aus lat. DICTUM ‹gesagt› und FACTUM ‹gemacht›); im Engadinischen führte die Entwicklung zu *t* oder *tt: dit, fat.*
Bis weit in unser Jahrhundert diente das Surselvische auch im Surmeir als Kirchensprache. Es würde sich lohnen zu untersuchen, wie stark die surmeirische Umgangssprache dadurch beeinflußt worden ist.

Die Brücke
Das Zentralbündnerische zerfällt in viele Einzelmundarten. Obwohl diese Dorfmundarten in vielem mit dem Surselvischen übereinstimmen, stellen sie sich aber nicht einheitlich gegen das Ladinische. Vor allem innerhalb des Sutselvischen weichen zwar alle Dorfmundarten

voneinander ab, aber immer nur in wenigen Merkmalen. Es folgen sich hier also auf kleinem Gebiet sehr viele Mundartgrenzen. Das Sutselvische leistet damit den schrittweisen Übergang vom Surselvischen ins Surmeirische, das seinerseits zwar innerlich etwas geschlossener ist als das Sutselvische, aber doch die natürliche Verbindung zum Engadinischen herzustellen vermag.
Charakteristisch für das Zentralbündnerische ist das velare *n* (wie *ng* in deutsch *Ring*): *igl pang è bung* ‹das Brot ist gut›, sagt der Oberhalbsteiner. Für das Surmeirische typisch sind bestimmte Diphthongierungen, etwa das *meir* in seinem Namen, das surselvisch *mir*, ladinisch *mür* lautet und ‹Mauer› bedeutet; hierher gehört auch *pour* (surselv. *pur*) ‹Bauer›. In einigen Dorfmundarten haben diese Diphthonge eine eigentümliche «Verhärtung» erfahren, so daß sie wie *mecr, pucr* lauten.
Es entspricht aber dem Übergangscharakter des Zentralbündnerischen, daß sich kaum ein Merkmal finden läßt, das dem ganzen Gebiet und nur ihm eigen wäre, wie etwa *ö, ü* das Ladinische kennzeichnen oder der Diphthong *au* in Wörtern wie *taur, aur* das Surselvische. Vielmehr vereinigt diese Zone surselvische und ladinische Merkmale in von Dorf zu Dorf wechselndem Mischungsverhältnis und verbindet so als sprachliche Brücke die beiden Extremzonen. Das Zentralbündnerische dürfte deswegen als lebendige Zwischenstufe für die sprachliche Annäherung der Schreibdialekte untereinander von entscheidender Bedeutung sein.

Kleinzonen in Großräumen

Innerhalb des Surselvischen zeigen ausgerechnet die beiden westlichsten Talschaften Tujetsch und Medel auffällige sprachliche Gemeinsamkeiten mit dem weit entfernten Mittelbündnerischen, ja dem Ladinischen. Dies betrifft vor allem den Quetschlaut *tg/ch* aus lateinischem CA-, der im Vorderrheintal weitgehend fehlt, aber auch einige andere Lauterscheinungen:

	Medel/Tujetsch	*übrige Surselva*	*Surmeirisch/Ladin*
‹Pferd›	*tgvai*	*cavagl*	*tgavagl/chavagl*
‹warm›	*tgeud/tgaud*	*caul*	*tgod/chod*
‹schwarz›	*neir/nair*	*nér*	*neir/nair*

Das Münstertalische stellt innerhalb des Ladinischen eine vergleichbare Kleinzone dar. Die Engadiner nennen diesen Dialekt *il jauer,* weil das häufige Wort *jau* ‹ich› dort auffällig anders klingt als seine engadinische Entsprechung *è*. In einigen Punkten schafft das Münstertalische für sich allein eine Verbindung zum Surselvischen, wie Medels/Tujetsch exklusive Verbindungen zum Ladinischen unterhalten. So spricht man im Münstertalischen und im Surselvischen *paun* ‹Brot›, *maun* ‹Hand›, während die dazwischen wohnenden Unterengadiner *pan, man* und die Oberengadiner *päm, mäm* sagen. Ähnliche Verbindungen bestehen auch im Wortschatz: z. B. ‹Schuh›, Münstertal *chalzẹr*, Engadinisch *s-charpa.* Mit seinem *suersch* ‹Maus› setzt das Münstertalische gar die gleiche lateinische Basis fort wie das Französische (*souris* aus lat. SORICE[M]); die übrigen Bündnerromanen verwenden dafür ein Wort, das auf lateinisch MURE(M) zurückgeht, und sogar die frankoprovenzalischen Mundarten der Westschweiz kennen eher *ratta* als *souris.*
Doch der Sprachzug, der jeden Jauer sozusagen mit dem ersten Satz verrät, ist der Verlust der Infinitive auf *-ar*: nur er sagt *lạve̲r statt lava̲r, chạnte̲r* statt *chanta̲r* usw.

Zur Vitalität der einzelnen Mundartgebiete
Nahezu 60 Prozent aller Bündnerromanen sprechen *surselvisch.* Sie bilden eine starke und auch geographisch verhältnismäßig geschlossene Sprachgemeinschaft (vgl. Karte 2, Tabelle S. 260). Demgegenüber hat das *Mittelbündnerische* (Sutselvisch und Surmeirisch) einen enormen Rückgang seiner Sprecherzahl zu beklagen. Besonders gefährdet ist natürlich die Sutselva, die dem deutschen Sprachgebiet am nächsten liegt, aber auch das Surmeir ist bereits stark verdeutscht. Im *Oberengadin* ist die Lage des Bündnerromanischen geradezu verzweifelt. Zur Bedrohung durch das Deutsche gesellen sich hier starke italienische Einflüsse. Erst im *Unterengadin* und im *Münstertal* treffen wir wieder auf vergleichbar günstige Verhältnisse wie in der Surselva.
Die besorgniserregende Situation wird dadurch verschärft, daß sich die vitalsten Zonen sprachlich am stärksten voneinander unterscheiden, während die sprachlich verbindenden mittelbündnerischen Mundarten von immer weniger Menschen gesprochen werden.

Jeder Bündnerromane beherrscht heute wohl auch das Schweizerdeutsche. Wer immer in rein romanischsprachiger Umgebung gelebt hat und beruflich selten oder kaum mit dem Schweizerdeutschen in Kontakt kommt, fühlt sich natürlich in dieser Sprache wenig daheim und spricht mit starkem Akzent einen schweizerdeutschen Mischdialekt, der auch in der Schule gelernte standarddeutsche Elemente aufweist.

Viel größer ist jedoch die Gruppe derer, die tagtäglich Schweizerdeutsch sprechen müssen. Dazu gehören nicht nur die ins anderssprachige Unterland Ausgewanderten, die nur noch in der Familie und im Freundeskreis bündnerromanisch sprechen, sondern auch die meisten der im Sprachgebiet Ansässigen, die an ihrem Arbeitsplatz Schweizerdeutsch benötigen. Die meisten sind durchaus bereit, sich sprachlich anzupassen, auch wenn sie ihren romanischen Akzent nicht verleugnen. Je älter die Sprecher sind, desto ausgeprägter ist im allgemeinen der romanische Akzent, doch dürften sich alle Angehörigen dieser Gruppe im Schweizerdeutschen nicht weniger heimisch fühlen als in ihrer Muttersprache.

Weder bei den Daheimgebliebenen noch bei den Ausgewanderten kann von einer Abneigung gegen das Deutsche die Rede sein. Vielmehr wird dem Bündnerromanischen von seinen Sprechern selber oft ein geringerer Wert beigemessen als dem Schweizerdeutschen. Gerade die Daheimgebliebenen, die ihre Muttersprache viel besser und freier beherrschen als das Deutsche, geben sich an ihrem Arbeitsplatz nicht gerne als Romanen zu erkennen. Sie stellen gerne ihre Deutschkenntnisse unter Beweis, sprechen in deutschsprachiger Umgebung selbst untereinander oft deutsch und vertreten die Ansicht, Bündnerromanisch sei zu nichts zu gebrauchen. Dieses Verhalten zeigen vor allem ungelernte Arbeitskräfte und ältere Menschen, doch scheint es sich in letzter Zeit zu ändern. Jüngere Bündnerromanen fühlen sich zwar im ersten Moment ebenfalls betroffen, wenn Arbeitskollegen ihren Akzent spottend nachahmen, scheinen sich aber dadurch weniger leicht als ältere Sprecher zur Verleugnung ihrer Sprache und Identität bewegen zu lassen.

Wenn Deutschbündner sich über Romanischbündner lustig machen, so trifft ihr Spott vor allem die Sursilvaner. Die einschlägigen Witze

beruhen samt und sonders auf Übertragungen der bekannten «Ostfriesen-Qualitäten», wie Tolpatschigkeit, Rückständigkeit und sprachliches Ungeschick, auf die Oberländer. Solche Neckereien werden nur auf Fußballplätzen unangenehm, wenn sie auf eine auswärtsspielende oberländische Mannschaft gemünzt werden; hier schwingt leider mehr als bloß ein diskriminierender Unterton mit. Im Feuer solcher Gefechte entladen dann auch die Romanen ungewohnt heftige Reaktionen.
Die ins anderssprachige Unterland ausgewanderten Bündnerromanen schränken den Gebrauch ihrer Muttersprache gezwungenermaßen auf Familie und Bekanntenkreis ein. Da das Bündnerromanische so nur noch in wenigen, nichtöffentlichen Bereichen dominiert, verliert es an Funktionstüchtigkeit und Prestige. Es ist deshalb nicht verwunderlich, daß die Kinder abgewanderter bündnerromanischer Eltern nur noch mangelhaft romanisch sprechen lernen, weil schon der romanischen Sprache ihrer Eltern wichtige Lebensbereiche wie Ausbildung, Sport, Massenmedien fehlen und ihnen andererseits die sprachlichen Beziehungen zu den früheren Lebensbereichen der Eltern kaum vermittelt werden. Die bündnerromanische Erstsprache dieser Kinder wird so zu einer immer mehr verkümmernden Zweitsprache oder ganz aufgegeben. Viele bündnerrromanische Eltern gehen deshalb in schweizerdeutscher Umgebung dazu über, mit ihren Kindern ausschließlich eine schweizerdeutsche Mundart zu sprechen, weil sie dem Romanischen keinen Wert beimessen und fälschlicherweise glauben, die Zweisprachigkeit bringe notgedrungen schulische Nachteile. Es kann fast als Regel gelten, daß nur die Kinder sprachbewußter Intellektueller, die selber das Deutsche wie das Bündnerromanische bewußt pflegen und beherrschen, in nichtromanischer Umgebung zweisprachig aufwachsen.
Das Bündnerromanische ist zwar Amtssprache des Kantons Graubünden, aber auf der Ebene der gesprochenen Sprache merkt man nicht viel davon. Die Romanen verkehren schweizerdeutsch mit den kantonalen Behörden, und im Parlament sprechen ihre Großräte fast ausnahmslos deutsch. Ob in Spitälern oder in Armee-Einheiten bündnerromanisch gesprochen werden kann, hängt von den Sprachkenntnissen und dem Wohlwollen des Behandlungspersonals beziehungsweise der Kommandanten ab.
Die Bündnerromanen passen sich der Situation an. Seit Jahrhunderten sind sie gewohnt, in eigenartigen Sprachverhältnissen zu leben. Als

Minderheit tendieren sie an sich schon zur Anpassung, ganz abgesehen davon, daß das heute fast allgegenwärtige Alemannische eine gewisse Anpassungsfähigkeit geradezu erzwingt. Dennoch erweckt das Sprachverhalten der Bündnerromanen den Eindruck, als seien noch andere Gründe für diese übereifrige Anpassungsbereitschaft verantwortlich. Der tiefgreifende soziokulturelle und sozioökonomische Wandel, der heute auch in den entlegensten Tälern des bündnerromanischen Gebiets vollzogen ist, erfaßte eine Agrarkultur, deren Kommunikationsbedürfnisse das Bündnerromanische noch vollständig hatte befriedigen können. Der neuen Situation aber ist die alte Sprache nicht immer gewachsen, da ihr die rasante Entwicklung keine Zeit ließ, neue sprachliche Mittel zur Bewältigung neuer Bedürfnisse zu entwickeln. Das Schweizerdeutsche wurde unentbehrlich, das Bündnerromanische immer mehr aus der Arbeitswelt auch der Romanen verdrängt. Mit seiner Nützlichkeit verlor es die Wertschätzung seiner eigenen Sprecher, denen das Schweizerdeutsche zur gern übernommenen Sprache des Fortschritts, des Erfolgs und des sozialen Aufstiegs wurde.
Der fortschreitenden Alemannisierung traten die Begründer der «Romanischen Renaissance» mit untauglichen Mitteln entgegen. Statt die Bündnerromanen zur bewußt gepflegten Zweisprachigkeit zu führen, versuchten sie, das Volk vom Schweizerdeutschen abzuhalten – ein unter den gegebenen Wirtschaftsverhältnissen unrealistisches Vorhaben, das bloß dem Romanischen schaden konnte. Daran änderte auch die spätere Erhebung des Bündnerromanischen zur «Sprache des Herzens» nichts.

Mundartausgleich und Mundartveränderung

Innerhalb der schwierigen bündnerromanischen Sprachsituation ergeben sich für die Sprecher der kleineren Randmundarten noch zusätzliche Probleme. Wie wir gesehen haben, weicht die Mundart der Medelser und der Tavetscher erheblich vom übrigen Surselvischen ab. Während die meisten Sursilvaner im Alltag eine Sprache sprechen, die mit dem surselvischen Schreibdialekt nahezu identisch ist, sehen sich die Medelser und Tavetscher in einer echten Diglossie-Situation, wie sie für die Deutschschweiz charakteristisch ist. So sprechen die Medelser zwar untereinander ihre Dorfmundart, aber sie schreiben den surselvi-

schen Schreibdialekt. Anders als die Deutschschweizer sprechen die Medelser aber ihre Standardsprache auch: Sobald nämlich ein Disentiser eine Dorfwirtschaft des Tals betritt, wechseln alle Medelser sogleich zur Sprachvariante des neuen Gastes, die ja der surselvischen Standardsprache entspricht. Selbst mit den Tavetschern spricht der Medelser die surselvische Standardsprache, obwohl ihre Dialekte einander näherstehen als der Standardsprache.
Da nun auch die Medelser und Tavetscher Schweizerdeutsch und Standarddeutsch beherrschen müssen (Standarddeutsch ist Unterrichtssprache von der Sekundarschule an), erschwert sich ihre Sprachsituation nochmals erheblich: Sie sind zweisprachig in Sprachen mit unterschiedlichem sozialen Status und verschiedener Reichweite, und sie müssen in beiden Sprachen eine Mundart und eine Standardvariante beherrschen. Daß in dieser «Viersprachigkeitssituation» das Bündnerromanische und hier wieder der Ortsdialekt die schwächsten Partner sind, steht wohl außer Zweifel.
Tatsächlich geben die Sprecher der kleineren bündnerromanischen Mundartgebiete ihre eigenen Dialekte immer mehr zugunsten der regionalen Standardvarianten auf. So sagen die jungen Medelser nicht mehr wie ihre Väter *santimein, divèrtimein* ‹Gefühl›, ‹Vergnügen›, sondern wie die Disentiser *sèntimèn* und *divèrtimèn*, in allen Substantiven mit dieser Endung – die übrigens *-ment* geschrieben wird!
Andere Ausgleichsprozesse betreffen Unregelmäßigkeiten innerhalb des Sprachsystems. Im Surselvischen beispielsweise werden die in Betonung und Lautung abweichenden Pluralformen des Konjunktiv Präsens an die Singularformen angeglichen: *Nus havẹien, vus havẹies* wird ersetzt durch *nus hạgien* und *vus hạgies,* weil es in der ersten und dritten Person Singular *hạgi* heißt (Verb *havẹr* ‹haben›). Auch Unregelmäßigkeiten der Substantivflexion werden ausgeglichen: *liug* ‹Ort›, *taglier* ‹Teller› bildeten früher die Mehrzahlformen *loghens* und *tagliors*; heute hört man dafür schon oft *liugs, tagliers.*
Ausgleichstendenzen zwischen den drei großen Mundartgebieten sind dagegen eher selten, es sei denn, sie werden durch die normativen Grammatiken und Wörterbücher bewußt angestrebt und durchgesetzt. So achtet man darauf, daß neuere Wortschöpfungen in allen drei Mundartzonen gleich oder doch ähnlich lauten, wie etwa *serenera* ‹Kläranlage›, *runal* ‹Skilift› oder *ballapei* ‹Fußball› – Wörter, die von allen Bündnerromanen akzeptiert worden sind.

Die stärksten Veränderungen gehen allerdings auf den Einfluß anderer Sprachen, vor allem des Schweizerdeutschen, zurück und betreffen alle sprachlichen Ebenen, besonders aber den Wortschatz und den Satzbau. Die häufigste Art der Wortentlehnung geschieht durch völlig unveränderte Übernahme: *la schlagbohrmaschina, la valsa* ‹die Walze›, *il förderband, la kuplik, il schalter, il hebel* usw. Zur Entlehnung schweizerdeutscher Verben hat das moderne Bündnerromanische, namentlich das Surselvische, eine eigene Konstruktion entwickelt: *far* ‹machen› + *il* + deutscher Infinitiv: *far il fahren* ‹die praktische Autofahrprüfung ablegen›, *far il fassen* ‹fassen› (Militärsprache), *far igl abseilen* ‹abseilen› usw.
Im Satzbau folgt die Stellung des Adjektivs in der gesprochenen Sprache immer häufiger dem deutschen Muster: *quei ei ina dubiusa caussa* ‹das ist eine zweifelhafte Sache› anstelle des älteren *ina caussa dubiusa*. Schon vor Jahrhunderten hat das Bündnerromanische dem Schweizerdeutschen das System der Verben mit trennbarem Verbzusatz nachgebildet, doch in letzter Zeit nehmen Konstruktionen wie *clamar o* ‹uusrüeffe = sich lautstark beschweren›, *far cun* ‹mitmachen›, *curdar si* ‹auffallen› überhand. Gerade diese letzten Beispiele zeigen, wie sehr das Bündnerromanische auch in seiner inneren Form vom Schweizerdeutschen «bedrängt» wird.
Bei einer bedrohten Kleinsprache mit nicht weniger als fünf Schriftdialekten muß die Förderung der Sprache an sich vor der Förderung der Lokalmundarten den Vorrang haben. Das Ziel besteht also vor allem in der Angleichung der verschiedenen Idiome, auch wenn dies schließlich die Lokalmundarten zum Verschwinden bringen sollte. Immerhin wird der gesamte, auch mundartliche Reichtum des bündnerromanischen Sprachgebiets seit Jahrzehnten im monumentalen *Dicziunari rumantsch grischun* gesammelt. Mit Theodor Ebneters *Vocabulari dil rumantsch da Vaz* ist 1981 auch das erste umfassende Wörterbuch der Mundart eines einzigen Dorfes erschienen.

JACHEN C. ARQUINT

STATIONEN DER STANDARDISIERUNG

Vielfalt auf kleinstem Raum

Dem Forscher, der die bündnerromanischen Dialekte studiert, mag es so ergehen wie dem Geologen, der über die Vielfalt der erdgeschichtlichen Phänomene auf bündnerischem Gebiet entzückt ist und sich an der Reichhaltigkeit seines Studienobjekts und am schier unabsehbaren Formenreichtum erfreut.
Derjenige, der sich der Frage zuwendet, auf welche Weise und inwieweit dieser Formenreichtum standardisiert wurde, wird faszinierende Entdeckungen machen.
Der Überblick im Sinn eines Inventars ist über die praktischen Wörterbücher, die in den letzten zwei Jahrzehnten entstanden sind, verhältnismäßig leicht zu gewinnen:
Vocabulari romontsch, sursilvan-tudestg, 1962
Dicziunari rumantsch, ladin-tudais-ch, 1962
Vocabulari da Surmeir, rumantsch-tudestg, tudestg-rumantsch, 1970
Vocabulari romontsch, tudestg-sursilvan, 1975
Dicziunari tudais-ch-rumantsch ladin, 1976
Pledari sutsilvan, rumàntsch-tudestg, tudestg-rumàntsch, 1977
Die Vielfalt auf kleinstem Gebiet ist in der Zahl der Schreibidiome, in den Titeln der Wörterbücher und in den Varianten der Rechtschreibung nicht zu übersehen.

Man unterscheidet heute:
rumantsch ladin
rumantsch surmiran
romontsch sursilvan
rumàntsch sutsilvan
Wenn man zudem berücksichtigt, daß die geltenden Schreibidiome keineswegs kompakte Gebiete abdecken und daß zudem das *rumantsch*

ladin in die Varianten *puter,* Oberengadinisch, und *vallader,* Unterengadinisch, zerfällt, so wird einem bewußt, wie kompliziert die Lage ist.

Karte 1
Die Sprachen des Kantons Graubünden

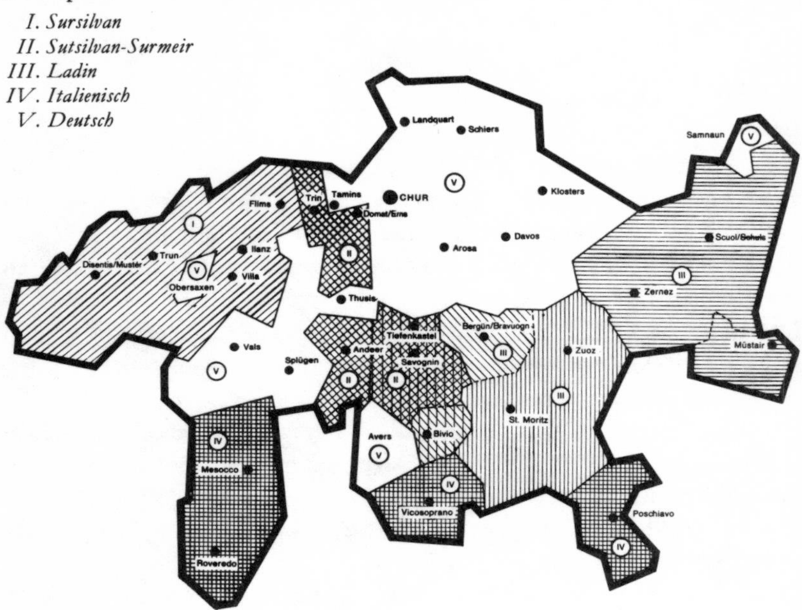

Wirft man einen Blick auf die historische Entwicklung in anderen Ländern, etwa in Frankreich oder in Italien, kann man feststellen, daß die gegenwärtige Lage in Romanischbünden Verhältnissen entspricht, wie sie ehemals auch in diesen Ländern bestanden haben. Auch dort standen sich einmal verschiedene regionale Idiome gegenüber. Erst nach und nach ebneten Paris und Florenz durch ihre politische, wirtschaftliche und kulturelle Führungsstellung ihrem Idiom den Weg, so daß in Frankreich das Französische, in Italien das Toskanische den anderen Schreibdialekten vorgezogen wurden. Damit verglichen, zeigt das Bündnerromanische in bezug auf die Standardisierung heute Verhältnisse, wie sie vor der Einwirkung einer einigenden Kraft anzutreffen sind.

Kann man bei den jetzt verwendeten Standardidiomen von gültigen Standardsprachen sprechen? Die Antwort wird je nach Standort verschieden ausfallen. Betrachtet man die Lage von außen, so wird man – zu Recht oder zu Unrecht, das sei dahingestellt – von einem Kriterienkatalog ausgehen, der am Standardisierungsgrad des Deutschen, des Französischen oder des Italienischen geeicht ist. Sind bestimmte Kriterien nicht erfüllt, wird angenommen, es könne nicht von einer gültigen Standardsprache die Rede sein. Im Beispiel: Geht man vom Kriterium einer bestimmten minimalen geographischen Reichweite einer Standardsprache aus, so wird man den romanischen Schreibdialekten den Status der Standardsprache absprechen müssen. Dasselbe wird man festhalten, wenn man davon ausgeht, eine gültige Standardsprache müsse alle Bereiche des Lebens voll abdecken, den Alltag in der sozialen Gemeinschaft, in der Familie, den Rechtsbereich, Handel und Gewerbe und so weiter.

Zu einem ähnlichen Resultat kommt man auch, wenn man als Charakteristikum einer Standardsprache einen bestimmten, nicht zu kleinen Abstand vom Dialekt erwartet.

Aus dieser Sicht scheint der Ruf nach einer einzigen Einheitssprache, nach einer «zentralistischen» Lösung, ebenso verständlich wie vielversprechend.

Die Lage zeigt sich aber in anderem Licht, wenn man die einzelnen bündnerromanischen Varietäten, die im Lauf der Geschichte entstanden sind, von innen her betrachtet und wenn man den einzelnen Schreibidiomen ihre Benützer zuordnet. Von dieser Warte, vom einzelnen Sprecher aus, wird man der gegenwärtigen Struktur und dem Bestehen der «föderalistischen Lösung» Verständnis entgegenbringen, da diese Lösung der gegebenen gefühlsmäßigen Bindung an die regionale Variante entspricht.

Dabei ist aber nicht zu übersehen, daß Versuche, eine Einheitssprache zu schaffen – als Ersatz für die bestehenden Schriftidiome oder als Ergänzung der bestehenden Schriftidiome –, im Lauf der Geschichte des Bündnerromanischen nicht ausgeblieben sind.

Der Beziehung des Bündnerromanen zu den jetzigen standardisierten Formen seiner Muttersprache scheint ein Abgrenzungsvorgang zugrunde zu liegen, dem nachzugehen sich lohnt.

Skizze des Abgrenzungsvorganges

Wenn zu Beginn der achtziger Jahre bei der Lia Rumantscha in Chur, wo zwei romanische Kindergärten getrennt, aber im gleichen Haus geführt werden, die kleinen Engadiner und Engadinerinnen die Sprache ihrer oberländischen Kameraden als *inglais,* Englisch, und die kleinen Oberländerinnen und Oberländer ihrerseits die Engadiner als *Talianers,* Italiener, apostrophierten, so ist dies das ebenso köstliche wie merkwürdige Resultat des Versuchs, in der kindlichen Vorstellungswelt die Sprache der eigenen Gruppe gegenüber derjenigen einer andern abzugrenzen. Mit diesem Abgrenzungsversuch kamen die Kinder offensichtlich einem urtümlichen Bedürfnis entgegen.

Im Sprachalltag zeigt sich die Abgrenzung als sehr komplexes Phänomen. Die Frage der Einschätzung der Sprache der eigenen Gruppe geht mit ihr Hand in Hand. Die Andersartigkeit wird von den Angehörigen einer Gruppe vielschichtig und oft in feinsten Abstufungen wahrgenommen und vermerkt.

Die Gefühle, aus denen die Andersartigkeit wahrgenommen wird oder die durch die Andersartigkeit geweckt werden, umfassen eine breite Skala, die vom Gefühl der eigenen Überlegenheit bis zu jenem der Unterlegenheit reicht. Das Andersartige kann abgelehnt, belächelt, verspottet werden. Es mag als interessant registriert, kann aber anderseits auch offen oder im geheimen bewundert und dann nachgeahmt und übernommen werden. Beim ganzen Vorgang können die Art des Trägers der Andersartigkeit, der Welt, die er vertritt, ebenso ausschlaggebend sein wie die Merkmale seiner Sprache. Derselbe Prozeß der Abgrenzung kann zur Erhaltung und Festigung unterschiedlicher Merkmale, zu ihrem natürlichen Austausch, aber auch zu ihrem Verschwimmen und langsamen Verschwinden beitragen.

Bis vor vierzig Jahren war in Graubünden die Dorfgemeinde die wichtigste Gemeinschaft, das zentrale Umfeld, auf das sich das Leben des einzelnen bezog. So ist es nur natürlich, daß im mündlichen Verkehr zunächst die Mundart des eigenen Dorfes gegenüber derjenigen der umliegenden Dörfer abgegrenzt wurde. Gleichzeitig erfolgte die Zuordnung der Sprache der kleinen Dorfgemeinschaft in eine größere Sprachregion. Bis hierher reicht unsere Sprachregion. Nicht weiter. Eine solche Abgrenzung fiel oft mit einem geographischen Einschnitt zusammen. Entscheidend war aber offenbar die Signifikanz der

Unterschiede im Klangbild der Sprache. War ein gewisser gefühlsmäßig ertasteter Pegel erreicht, erfolgte die ausdrückliche, mit Namen versehene Abgrenzung: Hier noch Unterengadinisch – dort bereits Oberengadinisch. Hier noch Romanisch der Gruob – dort Romanisch der Cadì.

Ein vergleichbarer Abgrenzungs-, Zuordnungs- und Benennungsvorgang spielt sich auch auf der Stufe der größeren Einheit ab: Dies ist Surselvisch, das ist Engadinisch, das ist Surmeirisch. Die kleinen Engadiner bezeichneten das Surselvische als *inglais,* d. h. als etwas generell Fremdes. Die Reaktion der kleinen Surselver, die Engadiner seien *Talianers,* Italiener, ist möglicherweise von den Erwachsenen gesteuert; sie ist im Blick auf das Klangbild des Engadinischen jedoch gar nicht so abwegig.

Gesamthaft gesehen, ohne Berücksichtigung der feineren Unterschiede, ergibt sich für den Bündnerromanen eine Drei- bis Vierstufigkeit im Erfahren und Erleben der sprachlichen Abgrenzung und somit seiner sprachlichen Zugehörigkeit.

Der beschriebene Abgrenzungs- und Zuordnungsvorgang läßt sich in Romanischbünden in großen Zügen schon zu Beginn der literarischen Tradition ablesen: Der Autor des ersten gewichtigen Druckerzeugnisses in romanischer Sprache, der Notar Jachiam Bifrun aus Samedan, nennt die Sprache, in die er das Neue Testament übersetzt, mit natürlicher Selbstverständlichkeit *Arumaunsch,* Romanisch: *L'g Nouf Sainc Testamaint da nos Signer Jesu Christi, prais our delg Latin & our d'oters launguax & uossa da noef mis in Arumaunsch tres Jachiam Bifrun d'Agnedina ...* Dabei stellt Bifrun das zur Würde des Druckes und der Schrift gelangte *Arumaunsch* als *nos laungaick,* unsere Sprache, den benachbarten Fremdsprachen gegenüber, dem *Tudaisthk* und dem *Lumbard,* dem Deutschen und dem Italienischen, aber auch dem *Franschosth,* dem Französischen, und anderen Sprachen. Der weit verbreiteten und vom Chronisten Ägidius Tschudi schriftlich festgehaltenen Ansicht, daß «man Churwelsch nit schryben kan», tritt er mit der ruhigen Sicherheit dessen entgegen, der ein gangbares Schriftbild geschaffen hat und dem der Beweis des Gegenteils nicht schwerfällt. Dem weiteren, offenbar bei Romanen und Anderssprachigen gängigen Einwand, das Romanische sei *strêt & amanchianthûs* ‹begrenzt und mangelhaft›, begegnet der in unbestechlicher Beobachtung geschulte Jurist mit der Feststellung, er gebe dies zu, dies hänge aber damit zusammen, daß die Sprache bisher

nicht geschrieben worden sei. Indessen sei sie nicht so begrenzt und mangelhaft, daß sie eine andere Sprache nicht auslegen könne. Es gebe im übrigen keine Sprache, die eine andere voll wiedergeben könne, *ù che amaunchia ils pleds ù in phrasi, da sort che mae nus cuuain in tuot* ‹es fehlen die Wörter oder die Satzfügungen derart, daß es nie ganz übereinstimmt›.
Philipp Gallicius, der unermüdliche Promotor und Ratgeber der reformatorischen Bewegung, der bereits 1536 das Vaterunser ins Unterengadinische übertragen hatte, äußert sich in seinem einleitenden Grußwort an die Engadiner Jugend ebenfalls zum sprachlichen Problem. Er nennt die Sprache der Übersetzung *ilg nos ladin* ‹unser Ladinisch› und bemerkt wie Bifrun, es sei im Wortschatz nicht so reich wie das Deutsche oder das Italienische, gibt aber gleich danach dem Gefühlswert, den er der Sprache beimißt, auf ergreifende Art Ausdruck, wenn er schreibt... «Wir müssen Gott danken, *quael chi amiauelmang huossa fauella cun uns ilg nos plêd, sco el er in tuots ôters paijas fo* ‹der nun freundlich mit uns in unserer Sprache spricht, so wie er es auch in allen andern Ländern tut›.» In der Einleitung zum 1562 erscheinenden, von Durich Chiampel übertragenen *Cudesch da Psalms* wandelt Gallicius seine Darlegungen zum Wert des Ladinischen im Vergleich zu anderen Sprachen auf feinsinnigste Art ab und bekennt, *chia noass languack chi uain tngüd groasser, ha eir la sia gratzgia éd amur usché bain schkoa eir qual auter* ‹daß unsere Sprache, die als derb gilt, auch ihren Reiz und ihre Anmut hat, ebenso wie jede andere›.
Zur internen Abgrenzung äußert sich Gallicius weder im einen noch im andern Werk. Auch Bifrun schweigt sich darüber aus. Chiampel nennt die Übersetzungssprache *Ladin (Un cudesch da Psalms chi suun fatts è miss da chiantar in Ladin...)*, verwendet also den Oberbegriff wie Bifrun *(Arumaunsch)* und Gallicius *(Ladin)*. In der Einleitung kommt er aber auf die notwendig gewordene Berücksichtigung des Unterengadinischen als geschriebener Sprache ziemlich ausführlich zu sprechen, wenn er sagt: *blears d'Ingiadina Dsuot plaundschen fick par quai ch'eaus wlessen chia è fuoss u ngiss schguitschad oura inqualchiaussa eir in ilg plaed d'Suott Punnt Auta, ilg qual saia ad eaus plü in amm, plü chioendsch è leiw dad imprender è da lèr* ‹viele Unterengadiner beklagen sich sehr, da sie es gerne sähen, daß auch etwas in der Sprache von *Unter Punnt Auta* (Grenze zwischen dem Ober- und Unterengadin) gedruckt würde, da diese Sprache ihnen vertrauter, zugänglicher und zum Lesen und Schreiben leichter zu erlernen sei›. Die gefühlsmäßig von den Lesern erspürte Schwelle (*am*

hängt mit «amare» ‹lieben› zusammen, *chöntsch* bedeutet ‹zahm, anhänglich, zutraulich, sanft, fromm›) wird von den Reformatoren – Gallicius, der seit 1524 im Unter- und Oberengadin romanisch predigte, war sicher gleicher Auffassung wie Chiampel – als Grund für die Schaffung einer unterengadinischen Variante der Schriftsprache anerkannt. Sie sehen die Sprache als wichtiges Bindeglied zwischen Unterweisenden und Unterwiesenen und sind darauf bedacht, Volksnähe auch in der Sprache zu wahren und zu pflegen.

Dieselbe Geisteshaltung tritt dem Leser 1601 auf den ersten Seiten des ersten in Nordbünden erscheinenden romanischen Büchleins entgegen. Der Übersetzer des Katechismus des Comander, Daniel Bonifaci, Schulmeister in Fürstenau, nennt die Sprache, in der er schreibt, *Romaunsch*, präzisiert aber bald danach, sichtlich nicht ohne innere Anteilnahme: *noss' natüral linguagh da Tumlgieschka* ‹unser natürliches Domleschgerromanisch›.

In seinem Begleitwort zur Übersetzung Bonifacis holt Conrad Jecklin noch etwas aus und bezeichnet die Sprache als *nossa viglia et natürala Romaunsch da Cuira et languagh da nossa terra* ‹unser altes und natürliches Churwelsch, Sprache unseres Landes›.

Neben dieses domleschgerromanisch geschriebene Werk tritt 1611 das erste Werk *per las Baselgias da la Ligia Grischa* ‹für die Kirchen des Grauen Bundes›. Der Engadiner Steffan Gabriel sagt dazu, er habe die bereits früher übersetzten Lieder auch deswegen neu im Druck erscheinen lassen, weil in dieser Sprache noch nichts gedruckt sei *a che denter quest lunguaigk a quel d'Ingiadinna mia chara patria ei gronda differentia* ‹und da zwischen dieser Sprache und jener des Engadins, meiner lieben Heimat, ein großer Unterschied besteht›. Die Bezeichnung *rumonsch da la Ligia Grischa* taucht zwar erst beim Sohn Gabriels in seiner Übersetzung des Neuen Testaments als fester Begriff auf (1648), ist aber beim Vater bereits angedeutet und war zweifellos schon üblich. Jedenfalls tritt sie bei Zacharias da Salo (1665) und Alig (1674) auf. Daneben verwendet aber Alig auch *ramonsch della part sura* ‹Romanisch des oberen Teils›. In lateinischer Umsetzung ist von LINGUA SUPERIORIS RHAETIAE die Rede, im Italienischen heißt sie *lingua grisona*.

Zu Beginn des 18. Jahrhunderts, 1703, erscheint ein Katechismus als erste Schrift *eint igl Linguatg Rumantg da Surses* ‹in der Sprache des Surses›. Das Wörterbuch des Kapuzinerpaters Flaminio da Sale mit dem Titel *Fundamenti principali della lingua Retica o Griggiona...*, das 1729 erschien, gibt mit den zwei Sprachvarianten *Romancio di Surselva* und *Romancio di Surset* angehenden Missionsbrüdern die nötigen Angaben, damit sie den Kontakt mit der Bevölkerung aufnehmen können. Nach da Sales Beobachtung ist das nötig, denn *si da il caso che un Romancio poco o nulla intende l'altro* ‹es kann der Fall eintreten, daß ein Romane wenig oder nichts vom andern versteht›. Das *Ladin* habe er beiseite lassen können, da alle Engadiner Protestanten seien und bei ihnen keine Mission tätig sei.

Im Jahre 1916 tritt das Schamserromanische erstmals als Schreibdialekt in Erscheinung. In der Folge wurden größte Anstrengungen unternommen, um die surselvische Schriftsprache im Gebiet der Sutselva heimisch werden zu lassen. 1943 erfolgte über die Schamser Lehrerkonferenz die Rückkehr zum Schamser Idiom. Doch bereits ein Jahr danach wurde in einer Arbeitstagung der Beschluß gefaßt, einer Deckmantel-Orthographie den Vorzug zu geben, die den Varianten in den Sprachgebieten des Domleschgs, des Schams und des Heinzenbergs gerecht zu werden versucht. Damit waren die Weichen gestellt, die zur Schaffung der jüngsten romanischen Schreibsprache führten, zum Sutsilvan.

Standardisierungen in den Sprechsprachen

Der knappe Überblick über die verschiedenen innerbündnerischen Abgrenzungsvorgänge bei der Umsetzung der Sprechsprache in die Schreibsprache zeigt, daß man bereits vor Beginn der literarisch überblickbaren Zeit von verschiedenen regionalen Ausgleichsvarianten ausgehen kann. Dabei wird diese gesprochene Ausgleichsvariante immer auch lokale Nuancen aufgewiesen haben, je nach dem Dorf, aus welchem der Sprecher stammte. Es ist anzunehmen, daß ein Gallicius, ein Travers, ein Chiampell, ein Bonifazi, aber auch ein Gabriel und ein Alig sich in ihrer Sprechsprache bewußt oder unbewußt der regionalen Norm anpaßten, so wie dies ein Radiosprecher heute auch tut: Zu lokale Färbungen werden spontan zugunsten eines regionalen Gebrauchs aufgegeben.

Abwehr und Übernahmen

Die Sprechweise standardisieren vor allem Personen, die nicht nur innerhalb der eigenen Dorfgemeinde, sondern im regionalen und überregionalen Rahmen in der Öffentlichkeit tätig sind: bis ungefähr Mitte des 19. Jahrhunderts vor allem die Vertreter der Geistlichkeit sowie Amtspersonen, Notare, Richter, Gerichtsboten, in geringerem Maß die militärische und politische Führung, in jüngerer und jüngster Zeit sind es die Lehrer aller Stufen, Redaktoren, Schriftsteller, Radio- und Fernsehsprecher.

Bemerkenswert ist, daß die Standardisierung der Sprechsprache innerhalb der Region weiter fortschreitet, daß aber Übernahmen aus einem andern romanischen Idiom oder gar Vermischungen mit einem andern Idiom – sei es im lautlichen oder lexikalischen Bereich – in der Regel als Fremdkörper empfunden werden. Eine Art gefühlsmäßiger Abwehr hemmt oder verhindert Übernahmen und Vermischungen zwischen den einzelnen Idiomen.

Nach außen, d. h. gegenüber dem nichtromanischen Bereich, spielt diese Abwehr nicht. Im Gegenteil, es werden, wie im Abschnitt über die Mundarten gezeigt, deutsche, schweizerdeutsche und italienische Elemente auf interessanteste Weise in die regionalen romanischen Sprechsprachen eingebaut. Vereinfachend kann man bewußte – z. T. spielerische – und unbewußte Übernahmen unterscheiden.

Gut assimilierte Formen werden ohne weiteres auch in die Standardvarianten aufgenommen. Offensichtliche Fremdkörper werden vermieden. In Fügungen und im Satzbau schleichen sich fremde Elemente sozusagen unbemerkt ein.

So kann sich heute ein Fernseh- oder Radiosprecher ohne weiteres mit *buna notg ensemen* verabschieden. Niemand stört sich groß daran, daß *ensemen* als Wiedergabe des schweizerdeutschen ‹mitenand› gar nicht nötig wäre, *buna notg* würde genügen.

Dem starken Einfluß fremdsprachiger Elemente steht bis ungefähr 1950 ein nicht mehr als vereinzelter inner-bündnerromanischer Austausch gegenüber. Nur in Einzelfällen, bei besonders intensiven Kontakten, scheint der Abwehrreflex aufgehoben oder überwunden und eine Übernahme möglich zu werden. Eine solche besonders günstige Kontaktsituation, in welcher die Sprachbegegnung wirklich erlebt und erfahren wurde, ergab sich beispielsweise bis in die Zeit vor dem Zweiten Weltkrieg, wenn etwa der surselvische Senn im Engadin mit engadinischem Alppersonal und engadinischen Bauern die Milch verarbeitete. Als Folge dieses Zusammenlebens mag im Unterengadin das surselvische Wort *vilaus* ‹zornig› gewissermaßen als Superlativ ‹fuchsteufelswild› zu einheimischem *grit* ›wütend, zornig› Fuß gefaßt haben. Mit seiner dem Engadiner fremdartig klingenden Endung auf *-aus* war das Wort für die Erweiterung der Palette im gefühlsbetonten Sprachbereich besonders geeignet. Dieses Beispiel zeigt, daß der Abwehrreflex nicht nur auf das Abgrenzungsbedürfnis zurückzuführen ist, sondern auch auf die spärlichen innerromanischen Kontakte. Es fehlte die Gelegenheit zum Erfahren und Erleben der anderen Sprachvarianten, zugleich gab es auch keine innere Notwendigkeit für den sprachlichen Austausch.

Radio und Fernsehen – ein gewichtiger neuer Faktor

Seit dem Aufkommen von Radio und Fernsehen bahnt sich eine Änderung an. Zunächst ist bemerkenswert, daß die Sprecher von Radio Rumantsch insgesamt alle heute gesprochenen bündnerromanischen Regionalvarianten vertreten: das Unterengadin, das Oberengadin, das Surmeir, das Val Schons, die Surselva in den Varianten der Foppa und der Cadì.

Bei Gesprächen, die beispielsweise von einem surselvischen Gesprächsleiter mit Engadinern oder Surmiranern geführt werden, ist deren Verständigungsbereitschaft – der Situation entsprechend – durchaus vorhanden, zumal der Moderator, der die anderen Idiome kennt, laufend eingreifen kann, sollten phonetische oder lexikalische Unterschiede zu Pannen führen. Die aktive Beteiligung und die persönliche Motivation erhöhen die Verständigungsbereitschaft erheblich.

Der nur passiv beteiligte Hörer hingegen ist – wenn er längere Passagen in fremdem Idiom aufnehmen soll – weniger bereit, Brücken herzustellen. Pauschalreaktionen wie *serra giò quai e sa be da coura* ‹stell ab, das ist sowieso nur von draußen›, *siara giu quei ei mo engiadines* ‹stell ab, das ist ja nur Engadinisch› sind – als sanftere Varianten der Ablehnung! – in romanischen Stuben sicher nicht selten zu hören. Trotzdem ist festzuhalten, daß die zuerst durch das Radio und später auch durch das Fernsehen bewirkte Konfrontation der Bündnerromanen mit ihrer Vielsprachigkeit die Bereitschaft erhöht hat, dem fremden Idiom Beachtung zu schenken. Die beiden Medien sind die ersten Kräfte, die einen ständigen und breiten Sprachkontakt zwischen den einzelnen gesprochenen Regionalidiomen herstellten. Surselvische Wortbildungen wie *planisar* ‹planen›, *menaschi* ‹Betrieb›, *runal* ‹Skilift›, aber auch *cuntegn* ‹Inhalt› anstelle von engadinisch *cuntgnü* konnten so in letzter Zeit im Engadinischen Fuß fassen, nicht zu reden von den zahlreichen Wortneuschöpfungen, die von Anfang an für beide Idiome denselben Wortkörper und dasselbe Lautbild erhielten.

Mit dieser neuen Situation stellte sich die Frage nach Richtlinien für die Aussprache ein weiteres Mal, diesmal mit Nachdruck von der Praxis her. Das erste Mal hatte sie sich Mitte des 19. Jahrhunderts gestellt, aus dem Geist des Nationalismus heraus und in eher loser Beziehung zur Gründung der Volksschule. Der Jurist Zaccaria Pallioppi äußerte sich damals dazu im Blick auf das Oberengadinische vor allem mit Beschreibungen einzelner Laute und mit der Forderung nach einer korrekten Aussprache. Das zweite Mal wurde die Frage im Februar 1938 aufgeworfen, als das Rätoromanische als vierte Landessprache anerkannt wurde und sich die romanische Erneuerungsbewegung ihrem Höhepunkt näherte. Mit der Notwendigkeit, Romanischlehrbücher für Fremdsprachige zu schaffen, ergab sich das Bedürfnis nach Normen für die Aussprache. Die praktischen Auswirkungen der damals im Engadin und in der Surselva entstandenen Richtlinien auf den Sprachalltag waren jedoch gering: Einerseits strebten die theoretischen Erwägungen ein Ziel an, das der Sprachrealität nicht genügend Rechnung trug, so im Engadin; anderseits folgte den theoretischen Erörterungen keine praktische Schulung.

Daß erst dem dritten Anlauf ein Erfolg beschieden war, hängt mit den äußeren Umständen zusammen: Erst durch Radio und Fernsehen wurde die Lösung der Frage der Aussprache zu einer praktischen Notwendigkeit. Mit seinen heute durchschnittlich vierzig Minuten täglicher Sendezeit ist das Radio zu einem wichtigen Mittel der Lenkung der modernen regionalen Sprechsprachen geworden. Seine stete, sich z. T. formelhaft wiederholende Präsenz (Begrüßungsformeln, Verkehrsmeldungen, Sportresultate, Wetterprognose usw.) ist als langfristiger Beeinflussungsfaktor nicht zu unterschätzen. Umso wichtiger ist es, daß die für die Medien Verantwortlichen der Sprache – in Aussprache, Wortwahl, Satzbau – die nötige Beachtung schenken.

Beschleunigte Veränderung in den Sprechsprachen

In den letzten 25 Jahren ist in den in ihrem Satzbau lange sehr stabilen bündnerromanischen Sprechsprachen eine beschleunigte Veränderung eingetreten. Vergleicht man stark umgangssprachlich gefärbte Texte aus dem 16. und 17. Jahrhundert mit der Struktur der gesprochenen Regionalsprachen um 1950, so stellt man fest, daß sich der Satzbau kaum verändert hat. Erst nach 1950 begann ein relativ starker Wandel: Fügungen wie *eu n'ha quai dit* ‹ich habe das gesagt› anstelle von *eu n'ha dit quai* zeigen, daß die Wortstellung in Bewegung gerät. Auf eine sich anbahnende Umschichtung weist auch der Vormarsch des Imperfekts als Erzählzeit der Vergangenheit. Bildungen wie *eu d'eira her saira a teater* ‹ich war gestern abend im Theater› sind heute auch im Vortrag oft zu hören. Sie beginnen, die gewohnte Verwendung *eu sun stat her saira a teater* ‹ich bin gestern abend im Theater gewesen› zu ersetzen. Damit zeigen die Sprechsprachen auch in ihrer standardisierten Verwendung die Entwicklung viel sensibler und rascher an als die etwas starreren Schreibsprachen.

Die Frage der Einheitssprache

Die Frage einer Einheitssprache stellt sich von der praktischen Notwendigkeit her für die Regionalvarianten der Sprechsprachen bedeutend weniger dringlich als für die Schreibsprachen. Die Erfahrung zeigt, daß beispielsweise am Radio oder am Fernsehen die Verständigung durch die Verwendung des *Interrumantsch* von Leza Uffer nicht verbessert werden konnte. Die Hörer aus dem Engadin oder aus der Surselva nahmen den Unterschied gegenüber dem Surmiran kaum wahr, viele Surmiraner hingegen empfanden das Interrumantsch als Verfremdung ihres Idioms.

Dem aufmerksamen nichtsurmeirischen Zuhörer fiel vor allem auf, daß die Einheitsvariante Uffers den Satz, wenn er mit einer Umstandsbestimmung oder mit einem Objekt beginnt, nach französischem Muster bildet: *otras ovras publicas da Ludivic Demarmels nous las pudain admirer a Romanshorn* ‹andere Werke von L. D. können wir in Romanshorn besichtigen›. Wie im Französischen folgt auf die Umstandsbestimmung das Subjekt: französisch *hier j'ai été malade,* surselvisch *ier sundel jeu staus malsauns.* Die «Normalreihenfolge» Subjekt – Prädikat wird also auch nach einleitender Umstandsbestimmung nicht verändert, im Gegensatz zum Deutschen, das in einem solchen Fall umstellt und das Prädikat dem Subjekt vorangehen läßt: *Gestern war ich krank.* Mit der Vermeidung der in allen bündnerromanischen Sprechsprachen üblichen Umstellung von Subjekt und Prädikat nach Umstandsbestimmungen oder Objekten will Uffer eine Erscheinung bekämpfen, die nach seiner Auffassung ein Germanismus ist. Er übersieht dabei, daß sie im Bündnerromanischen sehr vital ist und daß Formen ohne Umstellung als Stilvarianten wirkungsvoll eingesetzt werden. Die geschilderte Ausrichtung des Interrumantsch in bezug auf den Satzbau ist ein schönes Beispiel dafür, wie sprachlenkende Grammatiker auf wirkliche oder vermeintliche Germanismen reagieren.

In jüngster Zeit zeichnet sich auf der Ebene der Sprechsprachen zwischen den einzelnen Regionen eine Neigung zur Konvergenz ab. So z. B. in der generellen Bevorzugung nominaler anstelle von verbaler Ausdrucksweise oder auch in der Ausbildung eines allen Regionen gemeinsamen abstrakten Wortschatzes. Diese Entwicklung ist unverkennbar; trotzdem darf sie nicht überschätzt werden. Ob sie eine eigentliche Tiefenwirkung hat, wird erst die Zukunft zeigen.

Standardisierungen in den Schreibsprachen

Wir haben bereits darauf hingewiesen, daß die verschiedenen regionalen Sprechsprachen des Bündnerromanischen zu einer Zeit *Schreib*sprachen wurden, als sie bereits einen eigenständigen Charakter zeigten. Schreibsprachen wurden sie unter der entscheidenden Wirkung von Reformation und Gegenreformation. Damit waren sie gleich von Anfang an von einer mächtigen Grundwelle getragen. Sie wurden zu einem Element, das den geistlichen Stand und das Volk verband. Mit ihrer Struktur blieben sie in der Nähe der Volkssprache. Gleichzeitig hatte die Verwendung der Schreibsprachen in biblischen und kirchlichen Texten eine starke Aufwertung der Volkssprache, der lingua vulgaris, zur Folge. Die Beziehung der Schreibenden und Lesenden jener Zeit zu ihrer Sprache blieb gleichwohl natürlich und spontan.

Der Stärkung und Festigung der Idiome durch Reformation und Gegenreformation steht die sprachlich-trennende, ja polarisierende Wirkung der beiden religiösen Bewegungen gegenüber. Mögliche gemeinsame Entwicklungen, etwa in der Rechtschreibung, konnten aus der damaligen Geisteshaltung der Schreibenden heraus nicht einmal in

Erwägung gezogen werden. Im Gegenteil: Sprachliche Unterschiede, trennende orthographische Merkmale wurden herangezogen, um die Verschiedenheit der konfessionell getrennten Gebiete auch im sprachlichen Bereich zu dokumentieren. Dabei sind beispielsweise die sprachlichen Gemeinsamkeiten zwischen dem (protestantischen) Oberengadinischen und dem (katholischen) Surmeirischen derart, daß ein gemeinsames Schreibidiom durchaus denkbar gewesen wäre.
Die Entstehung der wichtigsten bündnerromanischen Schreibsprachen ist also durch weitgehend selbständige regionale Entwicklungen gekennzeichnet. Soweit sich Verbindungen zwischen den einzelnen Gebieten ergaben, waren sie in der Zugehörigkeit dieser Gebiete zur gleichen Konfession begründet (vgl. Karte 2). Die geschilderte Sonderentwicklung der Schreibsprachen der einzelnen Regionen dauerte bis in die zwanziger Jahre des 20. Jahrhunderts an.

Die Entwicklung im Engadin
Im Engadin ist der Beginn der Schreibsprachen durch die bereits genannten Persönlichkeiten von Bifrun (Oberengadinisch) und Chiampell (Unterengadinisch) gekennzeichnet. Sowohl Bifrun wie Chiampell verstanden es, Schreibsprachen zu schaffen, die gebrauchsgerecht strukturiert sind und daher Anklang fanden. Der heutige Beobachter erhält den Eindruck, die Autoren seien vom Gesamterscheinungsbild ihres Idioms ausgegangen und hätten die Detailstruktur aus diesem spontan und unverbildet erfaßten Gesamtbild der Sprache hergeleitet. So vermeiden sie geschickt einseitig lokal-dialektale Färbungen, erfassen und beachten gleichzeitig intuitiv die Struktur der romanischen Sprechidiome, wie sie sich in der Wortwahl, in umschreibenden Fügungen und im Satzbau äußert. Wenn in ihrer Umsetzung ins Schriftbild ab und zu Inkonsequenzen auftreten, so wenn Bifrun für ein und dasselbe Lautbild verschiedene Schreibweisen verwendet, so schmälert dies die Leistung der Wegbereiter der engadinischen Schreibsprachen in keiner Weise. Ihre geistesgeschichtlich unmittelbaren Nachfolger, Lüci Papa aus Samedan, der die oberengadinische Übersetzung des Buches Jesu Sirach besorgt (1613), und Joan Pitschen Salutz aus Lavin, der die ersten zwei Bücher Moses ins Unterengadinische übersetzt (Genesis 1657; Exodus 1662), schreiben und übersetzen aus derselben Grundhaltung heraus. Ihre Texte zeichnen sich denn auch durch Natürlichkeit, nicht verfremdende Gehobenheit und durch

treffende Umsetzung des zu vermittelnden Weltbilds ins Romanische aus.

Wenn diese zu Beginn eingeschlagene Richtung in der Folge nicht durchgehalten wurde, so ist der Grund im Nachlassen der ursprünglichen und urtümlichen Kraft der reformatorischen Bewegung zu suchen. Der Sinn für das Wesentliche verlor sich nach und nach und machte zum Teil endlosen doktrinären Erörterungen Platz. Das wirkte sich in der Sprache deutlich aus: Zweifel am sprachlichen Instrument traten an die Stelle des natürlichen Vertrauens und des intuitiven Erfassens seiner Möglichkeiten. Das kommt deutlich zum Ausdruck in den Einleitungen zu zwei für das geistige Leben des Engadins im 17. Jahrhundert bedeutenden Werken: Der Zuozer Doktor der Rechte, Luraintz Wietzel, stellt im Vorwort zu seiner Übertragung der *Psalms da David* (1661) fest, er habe sich um eine gute Übersetzung ins Oberengadinische bemüht, *taunt co la dürezza da'l noss linguaig ho do tiers* ‹so sehr wie es ihm die Herbheit unserer Sprache gestattet hat›, und die Pfarrherren, die das große Unterfangen der Übersetzung der gesamten Bibel ins Unterengadinische in Angriff nehmen, beklagen in der Einleitung (1678) *la scarsdà da nossa lingua* ‹die Kargheit unserer Sprache›. Die veränderte Einstellung wurde auch durch äußere Faktoren bestimmt. So lenkten verschiedene Umstände, beispielsweise die von Giovanni Diodati besorgte, im Jahr 1607 in Genf erschienene Übersetzung der Bibel ins Italienische den Blick der damaligen Engadiner Übersetzer auf die Verhältnisse in der italienischen Schreibsprache. Der ganze Habitus der damaligen italienischen Hochsprache muß ihnen im Satzbau, im Wortschatz und in der Schreibweise als Inbegriff sprachlicher Eleganz erschienen sein. Jedenfalls passen sie sich den italienischen Vorbildern an: Die natürliche, kräftige Ausdrucksweise eines Salutz in der Genesis wird in der Gesamtausgabe der Bibel durch eine rhetorischere, zum Teil dem Sprachrhythmus des Italienischen angepaßte Sprache abgelöst. Einzelne Wörter werden tale quale aus dem Italienischen übernommen, romanische Ausdrücke werden «italianisiert». In der Rechtschreibung nähert man sich teilweise dem italienischen Vorbild. In Wortschatz und Rechtschreibung ist diese Entwicklung offenbar bewußt gesteuert: Es ist anzunehmen, daß die Neuausrichtung nach Besprechungen der Pfarrherren in den zwei Engadiner Kolloquien beschlossen worden ist. Das orthographische Programm wird jedenfalls vom Praeses des Kolloquiums Oberengadin in der Einleitung zu

den *Psalms da David* von Luraintz Wietzel erörtert. In der Absicht, die Orthographie zu bereinigen, *per polir l'ortografia,* werden gewisse Laute nach italienischem oder lateinischem Vorbild wiedergegeben. So *facia* statt *fatscha* ‹Gesicht›, *cêl* statt *tschêl* ‹Himmel›, *cantaer* statt *chantaer* ‹singen›. Das weitere Programm legen die Bibelübersetzer Vulpius und Dorta siebzehn Jahre später dar: «Die Kargheit unserer Sprache *ais restaurada cun plaeds Italians ... è quatras ais nossa Lingua bain polida & adampchiada è sarà bun intler* ‹ist durch italienische Wörter aufgefrischt ... und dadurch ist unsere Sprache wohl geschliffen und bereichert und wird gut zu verstehen sein›.» Wörter wie *specie* ‹Art› anstelle von *sort* oder *gener, margine* ‹Rand› anstelle von *ur, cioè* ‹das heißt› anstelle von *quai voul dir, in quel istant* ‹in jenem Augenblick› anstelle von *in quel mumaint,* aber auch die Form *sanct* ‹heilig› anstelle von *sonch* zeigen die Richtung an, in welcher man vorstößt. Möglicherweise ist auch die durchgehende Verwendung des *a* anstelle von *o* in Wörtern wie *flamma* (unterengad. *flomma*) oder im Gerundium *pilgand* ‹nehmend› (unterengad. *pigliond*) auf dieselbe Bestrebung zurückzuführen.
Diese bewußten Änderungen bzw. Übernahmen werden durch eine weniger bewußte, aber wirkungsvolle Steuerung des Satzbaus unterstützt und verstärkt. Die Sätze werden komplizierter. Besonders beliebt sind Fügungen mit dem Gerundium, die in der gesprochenen Sprache nicht anzutreffen sind: *haviand dit* ‹nachdem er gesagt hatte›; dann die häufige Verwendung des Präteritums auf *-et,* also *Deis creet* (Bibla) statt *Deis ha crea* (Salutz), oder die Bevorzugung des Relativpronomens *il(s) qual(s), la(s) quala(s)* ‹welcher, welche, welches› anstelle von *chi, cha.*
Diese Neuausrichtung der engadinischen Schreibsprache bleibt als Tendenz bis ins 20. Jahrhundert erhalten. Von einer eigentlichen Normierung der Schreibsprache kann aber zunächst dennoch nicht gesprochen werden. Es ist vielmehr so, daß die einzelnen Autoren, je nach ihrem sprachlichen Sensorium, nach der sprachlichen Ebene, die ihnen am ehesten entspricht, und je nach Charakter des zu übersetzenden Werks, eher die gehobenere, mehr oder weniger italienisch-verfremdete Sprache oder die kräftigere, einem Chiampell oder einem Bifrun nähere Sprachform wählen. Dabei darf man nicht außer acht lassen, daß der Großteil der bis ungefähr 1850 publizierten Werke Übersetzungen sind.
In nicht gedruckten Zeugnissen der Schreibsprache, in Briefen, Chroniken, Abschriften, Dorfordnungen und Kreisstatuten zeigt sich

eine analoge Entwicklung. Neben dem frischen, spontanen und trotzdem mehr oder weniger geordneten Umgang mit der Sprache findet man die kompliziertere, als eleganter empfundene Form. Die italianisierende Tendenz hinterläßt auch in diesem Bereich ihre Spuren, verstärkt ab und zu durch den engen Kontakt, den die vielen Engadiner Auswanderer mit dem Italienischen pflegen konnten.
Eine striktere Normierung wird erst in der ersten Hälfte des 19. Jahrhunderts mit der Einführung des obligatorischen Schulunterrichts nötig. Einen ersten Schritt macht der Jurist Zaccaria Pallioppi mit seiner 1857 erschienenen *Ortografia ed ortoepia del idiom romauntsch d'Engiadin' ota,* später mit dem von seinem Sohn Emil Pallioppi bearbeiteten, 1895 erschienenen *Dizionari dels idioms romauntschs*... Seine Konzeption der Schreibsprache ist aus dem Zeitgeist, aus der beschriebenen Engadiner Schreibtradition und vor allem aus dem Werdegang Pallioppis zu verstehen. Ähnlich wie er mit seinen Gedichten den klassischen italienischen Formen – etwa dem Sonett und der ottava – und den lateinischen Versmaßen den Weg ebnen will, möchte er mit seiner Orthographie, mit seiner *La conjugaziun del verb*... (1868) und mit seinem Wörterbuch dem Engadinerromanischen eine Form geben, die seinen Vorstellungen von einer gültigen und eleganten Schreibsprache entspricht. Seine Bemühungen fielen offenbar bei den im Oberengadin literarisch und publizistisch Tätigen auf fruchtbaren Boden. Jedenfalls wird die Rechtschreibung Pallioppis im Oberengadin bereits ab 1855 für die wichtigsten Publikationen übernommen. Sie lehnt sich stark an die damalige italienische Usanz an, etwa in der Schreibung *o* statt *u* in Wörtern mit *con-* oder in der Propagierung italienischer Formen, z. B. in *il Reno* für *il Rain* oder *il piano* für *il plan* oder in der Form *del, della* für den Genitiv und *dal, dalla* für den Ablativ (sic!). Damit verfeinert und festigt Pallioppi die italianisierende Tendenz, die im 17. Jahrhundert ihren Anfang genommen hatte und der Schreibsprache nach damaligem Empfinden Schliff und Eleganz gab.
Es ist für den heutigen Beobachter interessant festzustellen, wie sich der Geist der Romantik und später des Nationalismus auf die bündnerromanische Literatur der zweiten Hälfte des 19. und der ersten Jahrzehnte des 20. Jahrhunderts auswirkte: Die Entdeckung und die Beschreibung der eigenen kulturellen Identität werden zum zentralen Thema der Schriftsteller. Die eigene Sprache wird zum Objekt des Lobs und der Liebe: *«Chara lingua della mamma, tü sonor rumantsch ladin»*

schreibt Gudench Barblan aus Vna (1860–1916) und schafft damit die Verse für das wohl bekannteste – von Robert Cantieni vertonte – Engadinerlied.

Auf einzelne Phänomene der Sprache – dies zeigt das obige Beispiel: *della* statt *dalla* oder *da la* – wird man zunächst nicht aufmerksam. Dem an der deutschen, italienischen oder französischen Standardsprache jener Zeit geschulten Engadiner fielen die fremden Elemente in seiner Schreibsprache gar nicht auf. Erst Peider Lansel (1863–1943) und Chasper Pult (1869–1939), jener ein bewußt gestaltender Lyriker, dieser ein von der Heimatsprache begeisterter Philologe – beide in Italien aufgewachsen –, entdecken mit der Eigenständigkeit ihrer Kultur auch das Eigenständige in der Sprache, vor allem im Wortschatz, und beginnen, das Fremde in Wortwahl und Wortform zu bekämpfen. Ihr Anliegen wurde von der jungen Philologengeneration übernommen und erfuhr 1927 in der Reform der engadinischen Orthographie seine offizielle Sanktionierung.

Die Reform – sie erfolgte nach leidenschaftlichen und z. T. äußerst heftigen Auseinandersetzungen, die bis zu öffentlichen Bücherverbrennungen führten – bereinigte das Feld für die Herausgabe des von der Lia Rumantscha geplanten deutsch-ladinischen Wörterbuchs und nötigt dem heutigen Beobachter Respekt ab vor der damaligen Leistung. Der philologisch-kulturpolitische und der historisch-etymologische Gesichtspunkt, der die Schöpfer der neuen Orthographie leitete, brachte beispielsweise anstelle der vom Italienischen inspirierten Doppelsetzung der Konsonanten bei Pallioppi ein neues, nach französischem Muster ausgerichtetes Prinzip. Dies war politisch bedeutsam. Ebenso wichtig war die Tatsache, daß die neue Schreibweise – wie die Redaktoren des deutsch-ladinischen Wörterbuches, Bezzola und Tönjachen, in der Einleitung feststellen – eine Schriftsprache erbrachte, die sich stärker ans gesprochene Wort anlehnt.

Die Entwicklung in der Surselva

Die Entstehung und Entwicklung der Schreibsprache in der Surselva wurden durch das Nebeneinander der beiden Konfessionen im Tal entscheidend mitbestimmt (vgl. Karte 2). Dabei fallen weniger die religiös-konfessionellen Unterschiede als die geistige und geographische Herkunft der Autoren ins Gewicht. Dies tritt bereits 1611, im

Erscheinungsjahr des ersten Druckerzeugnisses in surselvischer Sprache, deutlich in Erscheinung:
Steffan Gabriel (1565–1638), der in Ilanz wirkende Reformator aus Ftan im Unterengadin, bedient sich in seinem Katechismus *Ilg vêr sulaz da pievel giuvan* einer packenden Sprache, die seine Sprachbegabung, seine poetischen Fähigkeiten, aber auch seinen politischen Sinn und seine Volksverbundenheit dokumentiert. Der aufmerksame Beobachter merkt aber gleich, daß sich Gabriel auf die Erfahrungen seiner Kollegen im Engadin stützt, sei dies, indem er gewissen Texten – verbessernd – eine noch volksnahere, direktere Form oder einen noch aktuelleren Inhalt gibt (so beispielsweise in der Übersetzung des 31. Psalms von 1604, wo er in den überlieferten Psalmentext Verse zeitgenössischer politisch-polemischer Prägung einflocht), aber auch indem er sich im Schriftbild der engadinischen Usanz anschließt und keinen eigenen Weg sucht. So übernimmt er *ng* für n̮ in Verbindungen wie *Singur* ‹Herr›, *lg* für l̮ etwa in *pilgar* ‹nehmen›, *ch* für *ć*, z. B. in *parchirar* ‹behüten›. Sein *vêr sulaz* fand gute Aufnahme im Volk. Dies bezeugen die Übersetzungen ins Deutsche und ins Italienische und vor allem die vielen Neuauflagen, die das Werk bis ins 19. Jahrhundert erfuhr. Die zweite Auflage erschien bereits 1625, erweiterte den sehr populären Liederteil und festigte die sprachformende Wirkung des Buches durch einen kurzen Lehrgang *par quels ils quals san bucca scartira* ‹für jene, die nicht lesen können›.
Im gleichen Jahr wie *Ilg vêr sulaz* erscheint auch der erste katholische Katechismus. Der Autor, Gion Antoni Calvenzano, stammt aus der Lombardei und gehört zum Orden der brescianischen Kapuziner, den die Kirche mit der gegenreformatorischen Arbeit in Graubünden beauftragt hat. In der ersten Auflage seines *Curt Mussament,* seiner kurzen Unterweisung, bedient sich Calvenzano wie Bonifaci (vgl. S. 281) des Domleschger Romanischen. Die Sprache der zweiten Auflage (1615) ist dem Surselvischen näher. In der dritten Auflage (1654) zeigt die Sprache starke Züge des Lugnezer Romanischen. Doch der Einfluß der italienischen Muttersprache des Autors ist nicht zu verkennen. Er verwendet italienische Formen, aber nicht etwa im Sinn eines Stilmittels wie die Pfarrherren im Engadin (die oberländischen Leser, denen das Italienische ferner lag, hätten darauf ablehnend reagiert), sondern aus Ungeschicklichkeit. Er verbessert denn auch seinen Text in dieser Hinsicht von Auflage zu Auflage. Einem *sia fagg sant il tuo nom* ‹geheiligt

werde Dein Name› aus der Erstausgabe vom Jahr 1611 steht ein *Soing vegnai faig igl tiu nom* von 1615 gegenüber. In der Rechtschreibung verwendet er von Anfang an wie Bonifaci und die italienische Sprache für n̯ *gn* und für l̯ *gl*. Bei der Wiedergabe des Lautes *ć* hält er sich 1611 an Bonifaci und schreibt *chi?* ‹wer?›, *che?* ‹was?›, 1615 verwendet er die Schreibung *tgij?* ‹wer?›, *tgiei?* ‹was?›.
Durch das *Curt Mussament* und *Ilg vêr sulaz* war die Scheidung der surselvischen Schreibsprache in zwei Varianten, eine protestantische und eine katholische, von Anfang an festgelegt.
Auf protestantischer Seite wurde die Tendenz durch viele Publikationen religiösen Inhalts, durch Erbauungsbücher und Liedersammlungen verstärkt, vor allem aber durch die sehr schöne Übersetzung des Neuen Testaments von Luzi Gabriel (1648), dem Sohn von Steffan Gabriel. Ein entscheidender Schritt war schließlich die Herausgabe der gesamten Bibel, der sogenannten *Bibla da Cuera*, in den Jahren 1717–1719.
Auf katholischer Seite wurde die Schreibsprache vorerst von Lugnezer Autoren gefestigt und getragen, vor allem durch Balzar Alig, Pfarrer von Vrin, Augustin Wendenzen in Villa und durch P. Zacharias da Salo, Pfarrer in Cumbel, der wie Calvenzano zur Brescianer Mission gehörte. Sein bedeutendstes Werk *La glisch sin il candelier envidada* ‹Das Licht auf dem Leuchter› war zuerst 1679 in Venedig italienisch erschienen. Die romanische Fassung, 1685–1687 in Cumbel geschrieben, zeugt von pädagogischem Geschick, von der Erzählergabe und vom konfessionellen Engagement des Autors. Sie war bis ins 19. Jahrhundert das wichtigste Belehrungsbuch des katholischen Oberlandes. Pater Zacharias gibt zu bedenken, er habe das Buch sprachlich nicht *perfeggiameing* ‹perfekt› gestalten können, da das Romanische *tont variabil e mitabil* ‹so unterschiedlich und wandelbar› sei. Er weist dies anhand einer ganzen Reihe von Beispielen nach, etwa an der Aussprache des romanischen Worts für ‹Jude›: *Gidius, Giedius, Giodius,* und hält dann fest, er sei in der Schreibung von der Aussprache des Lugnez ausgegangen, habe aber auch Wörter aus der Cadì und aus der Foppa verwendet, um *dar sotisfactiun à tutta la Ligia Grisa* ‹dem ganzen Grauen Bund Genüge zu tun›.
In der Folge verlagerte sich das Zentrum der katholischen religiösliterarischen Bewegung in den Raum von Disentis und Trun. Die Bedeutung des Klosters, in das seit 1662 immer mehr romanische Mönche eintraten, darf dabei nicht unterschätzt werden.

Die Schreibsprache wurde einerseits durch die von P. Carli de Curtins betreute Sammlung geistlicher Lieder, der *Consolatiun della olma devotiusa,* ins Volk getragen, anderseits durch die theoretisch-sprachliche und die schulische Tätigkeit der Geistlichen gestützt.
Die Consolaziun zählte in ihrer ersten Auflage (1690) 62 Lieder. Bis zur letzten Auflage des 19. Jahrhunderts ist die Sammlung auf 139 Lieder angewachsen. Die kurzen Zeitspannen zwischen den einzelnen Auflagen sprechen für sich: 1690, 1702/03, 1731 (2), 1749 (2), 1796, 1831, 1856.
Die katholische Schreibvariante gewann zunehmend an Bedeutung, und zwar nicht nur im angestammten Gebiet, sondern als Sprache der Kirche auch in den katholischen Gemeinden des Oberhalbsteins und des Domleschgs. Andererseits fand die protestantische Schreibvariante in protestantischen Gemeinden Mittelbündens als Sprache der Kirche Verwendung. So erstaunt es nicht, daß in diesen Gegenden um die Mitte des 18. Jahrhunderts ab und zu die Frage nach dem «besten» Romanisch gestellt wurde. P. Maurus Venzin bemerkte um 1740, die Lage von Disentis aus betrachtend, die romanische Sprache sei in *hac provincia,* in dieser Provinz, besonders in Disentis und Trun, viel reiner, geschmeidiger und glänzender als irgendwo anders in Rätien. Ungefähr sechzig Jahre später äußert sich auch der Schamser Mattli Conrad, ein Autor gewichtiger protestantischer Bücher, im Vorwort zu seinem Wörterbuch zu dieser Frage. Er anerkennt den Stand der oberländischen Schreibweisen und rät, man sollte *bey dem alten Barometer, bey den Oberländischen, aber doch immer verbessernden, anstatt der stets verschlimmernden Schreibarten verbleiben.*
Erst die Autorität des Brigelser Historikers und wortgewaltigen Dichters Giachen Hasper Muoth (1844–1906) setzte der Diskussion ein Ende, als er 1888 in seinen *Normas ortograficas* festhielt, «wissenschaftlich gesehen haben alle Dialekte denselben Wert und dieselbe Daseinsberechtigung, da alle Produkte der Natur sind, wie die Berge und die Täler». Muoth, der mit Gion Antoni Huonder, dem Dichter des *Pur suveran* und der *Ligia Grischa,* und dem Erzähler Giachen Michel Nay (1860–1920) der Schreibsprache neue Kraft und neues Echo im Volk zu geben verstand, hatte seine «Normas» im Auftrag der Lehrerkonferenz Vorderrhein und Glenner geschrieben. In einem kurzen, prägnanten Abriß zeichnet er den Stand der Standardisierung und umreißt gleichzeitig ein Programm, das bereits auf das erst rund

fünfzig Jahre später Erreichte hinweist. Mit falschen Puristen, die sich auf die Sprache eines (ihres!) Dorfes berufen möchten, rechnet er ab, nennt ihr Vorgehen *arrogant ed ignorant.* Er stellt fest, die Schreibweise der Cadì und der Lumnezia sei in der modernen Literatur *la pli duvrada ed usitada e corrispundi êra il meglier all'actuala pronunzia de nies lungatg,* die gebräuchlichste und üblichste und entspreche am besten der gegenwärtigen Aussprache unserer Sprache. Er anerkennt die Qualitäten der protestantischen Orthographie, stellt aber fest, sie sei zu historisierend und trage der Entwicklung der Sprache nicht genügend Rechnung. Wichtig sei vor allem auch die Frage, welche Gegenden das Romanische länger bewahren werden.

Obwohl 1870 eine Neuausgabe der protestantischen Bibel in der alten Orthographie erschienen war, braucht Johann Martin Darms, Pfarrer in Ilanz, in seinem Erstlingswerk *Ulrich Zwingli* (1884) und später in seinem Kirchengesangbuch eine der katholischen Schreibweise nähere Orthographie. Man dürfe, sagt er, weder die alte Schreibweise unserer religiösen Bücher gänzlich verlassen noch die Orthographie der neuen Schulbücher außer acht lassen. So verwendet er *e, ed* ‹und› statt altem *a, ad; de* für den Genitiv anstelle des protestantischen *da, dretg* ‹Recht›, *pertratg* ‹Überlegung› mit *tg* nach katholischer Art. Das *ch* des Engadinischen findet noch dort Verwendung, wo es – nach Darms Meinung – von der Herkunft her gerechtfertigt ist, etwa in *chau* (<caput) ‹Kopf›, *chira* (<cura) ‹Sorge, Pflege›. Er verzichtet auch auf die in der Bibel üblichen Präteritumsformen *fo* ‹war›, *schet* ‹sagte›.

Mit dieser kleinen Annäherung war der Boden für die spätere Fusion der oberländischen Orthographien vorbereitet. Sie wird 1927 im *Entruidament davart nossa ortografia* von Gion Cahannes verwirklicht; ihre offizielle Sanktion bildet schließlich die Basis der Schreibweise in den surselvischen Wörterbüchern der Lia Rumantscha von 1938 (Vieli, *Vocabulari scursaniu romontsch-tudestg*) und 1944 (Vieli, *Vocabulari tudestg-romontsch sursilvan*).

Die Entwicklung im Surmeir

Die Schreibsprache des Surmeir konnte nicht im gleichen Maß wie die engadinische und die surselvische auf der Kraft einer das ganze Volk erfassenden Bewegung aufbauen. Die zahlreichen zwischen 1703–1788 erscheinenden Katechismen zeigen eine Schreibweise, die sich deutlich an die katholische Tradition der surselvischen Schreibsprache an-

schließt, dabei aber surmeirische Charakteristiken berücksichtigt. Eine solche surmeirische orthographische Besonderheit, die sich durchsetzte, ist die ausdrückliche Bezeichnung der *ng*-Aussprache des *n* am Wortende: *Tinizong, pang* ‹Brot›, *bung* ‹gut›.
In den Jahren 1896/97 arbeitete Gion Candreia «Orthographische Normen zu Handen der Redaktoren der romanischen Lesebücher im Oberhalbsteinerdialekt» aus. Er schuf damit Grundlagen, die denjenigen Pallioppis im Engadin und jenen Muoths in der Surselva entsprechen. Das *Compendium Candreias* wurde nicht publiziert, bildete von 1900 bis 1938 aber die orthographische Basis für die Schulbücher. Im Jahr 1939 erschienen dann die *Normas ortograficas par igl rumantsch da Surmeir* von Mena Grisch und Giachen Battaglia. Gewisse 1896 von Candreia etwas kompliziert gelöste Probleme wurden nun vereinfacht, so die Verwendung der Präpositionen *de* und *da*. Die surmeirische Schreibsprache, die nicht durch eine lange Schreibtradition belastet ist, zeigt eine erstaunliche Unmittelbarkeit, Frische und Lebenskraft. Obwohl vorläufig (bis 1970) ein Wörterbuch fehlt, bedienen sich die einheimischen Autoren ihres angestammten Idioms.

Die Entwicklung während und nach dem Zweiten Weltkrieg

Die Schreibreform der zwanziger Jahre erbrachte eine Korrektur der am Inn und am Vorderrhein historisch entstandenen Schreibtraditionen. Sie bedeutete fürs Engadin die Abkehr von einer mit italienischen Elementen aufgeputzten Schreibsprache, für die Surselva die Ablösung der konfessionellen orthographischen Partikularismen durch eine einheitliche Schreibweise. Im Surmeirischen wurden anschließend Anpassungen an die im Engadin und in der Surselva getroffenen Regelungen vorgenommen.
Für weiterreichende Reformen war die damalige Zeit noch nicht reif. So wurde der Gedanke, ähnlich wie im Spanischen eine radikale Reduzierung der Doppelkonsonanten anzustreben, nicht ernsthaft erwogen, obwohl von der Aussprache her kein Grund vorgelegen hätte, die Doppelkonsonanten beizubehalten. Selbst ein Standpunkt interregionalen bündnerischen Ausgleichs trat damals noch kaum in Erscheinung.
Die Reform der Orthographie und die damit verbundene Auseinandersetzung mit dem Phänomen der Schreibsprache brachten eine erfreuliche Erneuerung der Beziehung der Sprachträger zu ihrer Sprache mit

sich. Dies wirkte sich besonders im Engadin aus. Man suchte echter, «romanischer» zu schreiben. Oft ging (und geht man noch heute) in dieser Beziehung zu weit. Gelegentlich verwechselte und verwechselt ein Autor das Bestreben nach Echtheit mit der Suche nach seltenen und archaischen Vokabeln.

Die weitere Entwicklung der Beziehung zur Schreibsprache wurde durch äußere Faktoren bestimmt; durch Tendenzen in den benachbarten europäischen Sprachen, durch neue Schwerpunkte in der Sprachwissenschaft, durch die sozialen und wirtschaftlichen Umwälzungen der Jahre nach dem Zweiten Weltkrieg. So ist beispielsweise die Entdeckung der Sprache und der Welt eines Charles Ferdinand Ramuz von Bedeutung für das Verhältnis der bündnerromanischen und besonders der Engadiner Schriftsteller zu ihrer Schreibsprache. Die Suche nach Echtheit wird nun über die Wortwahl hinaus auf den Satzrhythmus und auf die grundsätzliche Frage der Übereinstimmung der sprachlichen Form mit der im Text vermittelten Welt ausgedehnt.

In eine ähnliche Richtung zielten auch die Sprachkurse des 1943 aus Dänemark zugewanderten Sprachwissenschafters Giuseppe Tommaso Gangale, der bei der Lia Rumantscha tätig war und besonders auf die Engadiner und Mittelbündner Schriftsteller einen nachhaltigen Einfluß ausübte. Auf ihn gehen letztlich auch die orthographische Sonderlösung für das sutselvische Wörterbuch zurück und die Tatsache, daß 1944 auf eine Rückkehr zum Schamser Idiom als Schreibsprache verzichtet wurde. Seine Ansichten zur Ausgestaltung der Orthographie blieben indessen ohne großen Einfluß auf die weitere Entwicklung der anderen bündnerromanischen Schreibidiome.

Die Sprachwissenschaft erarbeitete in der Zwischenzeit, besonders mit dem seit 1939 erscheinenden *Dicziunari Rumantsch Grischun* (DRG), die Unterlagen für einen augenfälligen Vergleich zwischen dem Wortschatz der einzelnen bündnerromanischen Schreibsprachen. Es ist darum nicht erstaunlich, daß 1956 von seiten der Philologischen Kommission für die Herausgabe der romanisch-deutschen Wörterbücher der Lia Rumantscha und 1957 von seiten des DRG der Ruf nach einer *avischinaziun ortografica,* einer innerromanischen Annäherung in der Rechtschreibung laut wird. Unterschiede in der Doppelsetzung von Konsonanten wie in *quater* (surs.), *quatter* (engad.) ‹vier›, *cavazin* (surs.), *chavazzin* (engad.) ‹Fadenende, Anfang› könnten nach Auffassung der Philologen ausgemerzt werden. Bei der Diskussion dieser Probleme in den regionalen Gremien wird einiges erreicht, vieles bleibt auf der Strecke. So trinkt der Engadiner weiterhin einen mit einem *f* geschriebenen frankophilen *cafè,* der Oberländer bevorzugt einen etwas stärkeren, deutschfreundlicheren oder espressoartigen *caffè* mit *ff.* Der Oberhalbsteiner kann sich offenbar nicht recht entscheiden. Gemäß Wörterbuch ist ein normal zubereiteter Kaffee mit einem *f* zu schreiben: *cafè,* wie im Engadin; handelt es sich aber um eine ‹schlechte Brühe›, dann schreibt man *caffutter,* mit *ff* wie der Oberländer. Die sutselvische Schreibsprache ergänzt die Auswahl an orthographischen Kaffeesorten, indem sie auf den Akzent verzichtet: *cafe.* Ähnlich sieht es mit einem anderen internationalen Wort aus, der romanischen Entsprechung für ‹Verkehr›: Der Engadiner schreibt *trafic,* der Oberländer und der Oberhalbsteiner bevorzugen *traffic,* die Sutselva mit ihrem Prinzip, keine Doppelkonsonanz zu schreiben, marschiert in diesem Fall mit dem Engadin.

Gesamthaft gesehen ergab das Unterfangen der *avischinaziun* einige eher zaghafte Anpassungen in der Schreibung der Doppelkonsonanten, die augenfälligste vielleicht in der für alle Idiome gültigen Schreibung von *Svizra* ‹Schweiz›. Der deutlich spürbare regionale Widerstand gegen die geplanten Anpassungen ist auf verschiedene Gründe zurückzuführen. Einerseits glaubte man, in den zwanziger Jahren eine endgültige Lösung erreicht zu haben, der zeitliche Abstand zu der letzten Neuerung war verhältnismäßig kurz (rund 30 Jahre), andererseits identifizierten sich viele der Befragten mit der in ihren Werken verwendeten Orthographie. Anders stand es um die Wortneuschöpfungen: Hier hatte der Gedanke der *avischinaziun* eine durchaus positive Wirkung.

Die übrigen Änderungen, die im Zusammenhang mit der Redaktion der neuen romanisch-deutschen Wörterbücher angestrebt wurden – in der Surselva die Vereinfachung der Handhabung der Präpositionen *de* und *da,* im Engadin z. B. die Möglichkeit, im Vallader grond ‹groß›, *muntogna* ‹Berg› mit *o* und generell die vitalen Formen *quist* ‹dieser›, *es* ‹ist› statt der historisierenden *quaist* und *ais* zu schreiben –, gehen einerseits auf sprachwissenschaftliche Überlegungen, andererseits auf praktische Erfahrungen beim Erlernen der Schreibsprache zurück. Entscheidend war aber auch, daß sich in den benachbarten Ländern die Literatur der Kriegs- und Nachkriegszeit (Ramuz, Camus, Silone, Chiara, Brecht, Dürrenmatt) mehr und mehr einer Sprache bedient, die unmittelbar Strukturen der gesprochenen Sprache übernimmt. Eine solche Entwicklung bietet auch am ehesten Gewähr dafür, daß die romanischen Schreibsprachen in Sachtexten und als Vermittler literarischer Inhalte neben den zu großer Bedeutung gelangten Sprech- und Bildsprachen bestehen können. Das zeigt sich deutlich in der Literatur und in den jüngsten Lehrmittelreihen für die Primarschulen.

Die Entwicklung der Schreibsprachen in Romanischbünden ist und bleibt (zum Glück) weiterhin im Fluß. In der Surselva ist der Antagonismus, der durch die Vereinfachung in der Schreibung von *de* und *da* entstanden war, noch nicht überwunden. Im Engadin scheiden sich die Geister in bezug auf das *o* oder *a* in offziellen Texten. Im Oberhalbsteinischen bringt sowohl Leza Uffer mit seinem Interrumantsch wie Duri Loza mit seinem Verzicht auf Doppelsetzung von Konsonanten die Gemüter in Wallung. Alles in allem aber zeigt sich eine unverkennbare Tendenz zur gegenseitigen Annäherung der bündnerromanischen Schreibsprachen. Dabei läßt sich im kleinen Raum Romanischbündens eindrücklich erkennen, wie Schreibsprachen allgemeine geistesgeschichtliche und soziale Entwicklungen widerspiegeln. Sie sind, da Standardisierung auf expliziten Normen beruht, «modischen» Eingriffen stärker ausgesetzt; einmal institutionalisierte Normen pflegen aber resistent zu sein, deshalb die immer wieder nötigen Angleichungen an die «wandelbaren» gesprochenen Sprachen.

Die soziale Dimension der bündnerromanischen Schreibsprachen

Wenn man die Entwicklung der einzelnen bündnerromanischen Schreibsprachen vom Standpunkt ihres Geltungsbereichs aus betrachtet, kann man zwei Etappen unterscheiden: eine Phase der Ausdehnung und Konsolidierung und eine Phase des teilweisen Rückzugs.

Im Engadin findet die Schreibsprache beinahe gleichzeitig in den kirchlich-religiösen und in den rechtlich-administrativen Bereichen Eingang. Der Zeitspanne zwischen dem Erscheinen kirchlich-religiöser Werke und der Verbreitung von romanischen Übersetzungen aus dem Latein in Gerichtsstatuten und Dorfordnungen beträgt wenige Jahrzehnte.

Ähnliches kann man für die Surselva festhalten: Auf die kirchlich-religiöse Verankerung der Schreibsprache folgt nach und nach ihre Verwendung im rechtlich-administrativen Bereich mit der entsprechenden Ablösung des Deutschen. In Mittelbünden ist die Entwicklung weniger sichtbar, führt aber zunächst in eine ähnliche Richtung. Man kann also festhalten, daß die regionalen Schreibsprachen am Rhein und am Inn während gut drei Jahrhunderten praktisch alle Lebensbereiche ihrer Region abzudecken vermochten. Ihre Geltung war den damals verhältnismäßig geschlossenen regionalen Gesellschaftsstrukturen angepaßt und hielt mit ihr Schritt.

Die zu Beginn des 19. Jahrhunderts einsetzende staatspolitische Neustrukturierung – der Freistaat der Drei Bünde wird zum Kanton Graubünden – und die um die Mitte des Jahrhunderts mit dem aufkommenden Fremdenverkehr beginnenden wirtschaftlichen und sozialen Umschichtungen lassen in romanischen Gebieten das Deutsche als Schreibsprache wichtiger werden. Diese Tendenz wurde verstärkt durch die Haltung bündnerischer Aufklärer, auch solcher romanischer Herkunft, die die Meinung vertraten, das Romanische behindere die anzustrebende Volksbildung und sei darum mit allen Mitteln auszurotten.

Während somit die romanischen Schreibsprachen im 19. Jahrhundert im literarischen Bereich an Einfluß gewannen, mußten sie in der Schule, die ständig an Bedeutung zunahm, um ihre Daseinsberechtigung kämpfen. In Mittelbünden entschied sich diese Auseinandersetzung zuungunsten des Romanischen.

Im rechtlich-administrativen Bereich gewann das Deutsche wegen der in Chur beheimateten Verwaltung an Bedeutung; das Romanische mußte aber vorerst, zumindest im Engadin und im Oberland, nicht zurückstehen. Wie groß jedoch das Prestige der deutschen Schreibsprache in romanischen Gegenden damals war, zeigt die Tatsache, daß um diese Zeit die Vornamen verdeutscht wurden. Aus *Jachen* wurde Jakob, aus *Jon* Johann, aus *Armon* Hermann. Das sprachliche Leben wurde nicht mehr wie ehedem nur aus der Region gespiesen, sondern auch von äußeren, z. T. deutschsprachigen Zentren.

Diese seit dem 19. Jahrhundert sich abzeichnende Tendenz verstärkte sich im 20. Jahrhundert, das den Bündnerromanen – vor allem nach dem Zweiten Weltkrieg – den Übergang von der rein bäuerlichen zu einer pluralistischen Gesellschaftsstruktur brachte, sprachlich den Übergang zur Zweisprachigkeit, politisch-wirtschaftlich die Einbindung in ein großräumigeres Planen und Disponieren. Dem wirkte im Gefühlsbereich die Wiederentdeckung der engeren Heimat und damit eine neue Bindung an den Kleinraum entgegen.

In den in der Region verwurzelten Lebensbereichen vermochten sich die Schreibsprachen der neuen Entwicklung anzupassen. Es erfolgte nach und nach der Einbau neuer Register in das sprachliche Instrument: Schule, Literatur, Presse wurden die wichtigsten Stützen des Romanischen. Als kirchlich-religiöse Sprache hat das Romanische in protestantischen Gegenden an Bedeutung eingebüßt, in den katholischen Gebieten dagegen mit der Ablösung des Lateins durch die Volkssprache an Boden gewonnen.
In den großräumiger organisierten Bereichen, so im Rechtswesen, bei den öffentlichen Verkehrsbetrieben, im Zivilstandswesen, setzte sich in der Regel die deutsche Schriftsprache durch. Vielfach geschah dies wohl auch deswegen, weil der Entscheid, welches romanische Idiom man wählen sollte, nicht leicht zu fällen war. Der Kanton Graubünden berücksichtigt offiziell die Idiome der Surselva und des Unterengadins; die Lia Rumantscha/Ligia Romontscha wählte eine salomonische Lösung: In geraden Jahren gilt das Engadinische als Sprache der offiziellen Verlautbarungen, in ungeraden das Surselvische. Auf den Banknoten entschied man sich für die surmeirische Variante. Diese an sich originellen Kompromisse sind ein Beleg für die sprachlichen Probleme, die aus der Konfrontation föderalistischer, historisch gewachsener Tradition mit neuen großräumigeren Bezügen entstehen. Daß sich die vom Emser Gion Antoni Bühler (1825–1897) in der zweiten Hälfte des 19. Jahrhunderts vertretene Idee einer rätoromanischen Einheitssprache nicht durchsetzte und daß auch dem von Leza Uffer in den sechziger Jahren unseres Jahrhunderts entwickelten Interrumantsch kein Erfolg vergönnt war, zeigt, daß es nicht darum gehen kann, die gewachsenen romanischen Schreibidiome zu ersetzen, sondern höchstens darum, für Wörter, die zentrale Begriffe in wichtigen, vornehmlich überregional geordneten Lebensbereichen bezeichnen, eine einheitliche Schreiblösung zu finden.
Eine solche Lösung – die Lia Rumantscha schickt sich an, sie zu erarbeiten – könnte die regional verankerten lebendigen Schreibsprachen in angemessener und sinnvoller Weise ergänzen.

ISO CAMARTIN

DIE BEZIEHUNGEN ZWISCHEN DEN SCHWEIZERISCHEN SPRACHREGIONEN

DIE SCHWEIZ: EIN MEHRSPRACHIGER STAAT

Zur Mehrsprachigkeit der Schweiz sich zu bekennen, mag in einem heutigen toleranzgeprägten Zeitalter ein Zeichen von Weltläufigkeit sein, sie allerdings in allen wichtigen Bereichen des öffentlichen Lebens zu praktizieren, setzt beachtliche Mehraufwendungen aller Beteiligten voraus. Es hat nicht an historischen Situationen gefehlt, in denen der besondere Wert einer auch sprachlich artikulierten Vielfalt von der Schweiz aus geradezu als ein weltgeschichtliches Korrektiv zu den Ereignissen in den Nachbarländern erscheinen mußte. Carl Spitteler hat 1914, nach Ausbruch des Ersten Weltkriegs, in seiner Rede «Unser Schweizer Standpunkt» davon Zeugnis abgelegt. 1938, kurz vor der Wiederholung der Erfahrung, wie ungeschützt auch Kulturnationen vor wahnsinniger Machtlust und rassistischen Ideologien sein können, bekannten sich nicht nur Intellektuelle, sondern Volk und Parlament zum schweizerischen Staatsgedanken einer *Vielfalt von Sprachen und Kulturen in einem Staat*. In der Botschaft des Bundesrates an die Bundesversammlung über die Anerkennung des Rätoromanischen als Landessprache heißt es, die Schweiz sei «eine Gemeinschaft des Geistes, getragen vom Willen verschiedensprachiger Völkerschaften, als *eine* Nation zusammenzuleben und die in geschichtlicher Schicksalsgemeinschaft erworbene Freiheit und Zusammengehörigkeit gemeinsam zu bewahren und zu verteidigen».

Verfassungsmäßig verankert ist die Mehrsprachigkeit der Schweiz in Art. 116 der Bundesverfassung. Er lautet seit der Volksabstimmung vom 20. 2. 1938: «Das Deutsche, Französische, Italienische und Rätoromanische sind die Nationalsprachen der Schweiz.» Der zweite Absatz desselben Artikels regelt den Gebrauch der Amtssprachen: «Als Amtssprachen des Bundes werden das Deutsche, Französische und Italienische erklärt.» Was sich da so endgültig und unmißverständlich in der Verfassungssprache liest, hält für die Auslegung noch eine Fülle von Mehrdeutigkeiten bereit. Mögliche Ungleichheiten im Status der Sprachen sind nicht schon darum konfliktlos, weil das Gesetz sie in

einem Artikel zutreffend umschreibt.
Man dürfte sich in unserer Zivilisation darüber einig sein, daß kulturell alle Sprachen zumindest in dem Sinne *gleichwertig* sind, als ihre Sprecher absolut gleichwertige individuelle und soziale Bindungen ihrer angestammten Sprache gegenüber haben können. Das besagt nicht, daß im Kulturvergleich nicht auch Wertunterschiede zwischen sprachlichen Traditionen festgestellt werden könnten. Was Art. 116 im ersten Absatz in bezug auf die in der Schweiz heimischen Sprachen festhält, konkretisiert vor allem den Grundsatz der *Rechtsgleichheit* aller Schweizer – wie er bereits in Art. 4 der Bundesverfassung festgelegt ist – im Gebrauch ihrer Sprache. Das Recht der Verwendung der angestammten Sprache gehört zu den fundamentalen Menschenrechten: Niemand soll auf Grund seiner sprachlichen Zugehörigkeit diskriminiert werden.

Ist Art. 116 aber nicht mehr als die Anwendung eines naturrechtlichen Prinzips auf schweizerische Verhältnisse? Nach allgemeinem Rechtsverständnis ist mit Art. 116 auch eine *Bestandesgarantie* für die vier Nationalsprachen gegeben. Einige Experten des schweizerischen Sprachenrechts legen Art. 116 auch so aus, daß darin die Pflicht des Bundes verbrieft sei, die *Homogenität* der vier Sprachgebiete zu erhalten. Der Wille zur Erhaltung sprachlicher Vielfalt nimmt – nach dieser Interpretation, die allerdings umstritten ist – auch eingreifendes Handeln in Kauf, wenn die Grenzen der Sprachgebiete sich verschieben sollten. Wie weit diese sprachplanerische Aufgabe des Staates gehen soll, ist eine offene Frage. Kann man der natürlichen Entwicklung der Sprachen so vorgreifen, daß ein einmal erreichter und als ideal erachteter historischer Zustand der Sprachgebiete für alle Zukunft Bestand hat? Sprachen entfalten sich auch entsprechend der gesellschaftlichen Dynamik der Gruppen, die sie verwenden. Die Geschichte der Sprachen in Europa zeigt, wie schnell Sprachen verschwinden können, wenn kein staatspolitischer Wille sie daran hindert. Auch in der Schweiz ist sprachliche Vielfalt nicht ein für allemal gegeben.
Das Ungleichgewicht zwischen den Sprachen wird bereits im zweiten Absatz von Art. 116 der Bundesverfassung deutlich. Nur drei der vier Nationalsprachen werden dort zu Amtssprachen erklärt. Als das Rätoromanische 1938 offiziell als vierte Landessprache anerkannt wurde, bezeichnete man es als «eine unvernünftige Überspannung eines prinzipiell noch so berechtigten Grundsatzes», wenn auch das Räto-

romanische den Status einer schweizerischen Amtssprache erhalten sollte. Pragmatisch eingestellten Bundesbeamten schien bereits die gesetzliche Verpflichtung zur Dreisprachigkeit ein Höchtsmaß an vertretbarer Mehrbelastung mit sich zu bringen. Der erst ab 1938 existierende Absatz zwei von Art. 116 zur Amtssprachenregelung schrieb also auch die *juristische Ungleichheit* zwischen den Nationalsprachen fest.

Nun könnte man glauben, daß die Sprache, die im amtlichen Verkehr zwischen dem Bürger und den staatlichen Institutionen benützt wird, von eingeschränkter Bedeutung ist im Vergleich zu anderen Lebensbereichen, in denen die Gleichberechtigung der Nationalsprachen gewährleistet ist. Es ist allerdings ziemlich kurzsichtig anzunehmen, die Amstssprache betreffe nur den gouvernamental-bürokratischen Sektor. Es gibt eine Reihe von Lebenssituationen, in denen die amtliche Sprache durchaus den Privatbereich des Bürgers berührt. Bei einem Rätoromanen mag es den Kern seines schweizerischen Selbstverständnisses treffen, wenn er entdeckt, daß sein Paß und seine Identitätskarte keine Spur seiner eigenen Muttersprache aufweisen, daß seine Geburtsurkunde, sein Heimatschein und das Dokument, das er anläßlich seiner Heirat beim Zivilstandsbeamten unterzeichnet, nur in den drei Amtssprachen ausgestellt werden können, daß ihm auch in einem rätoromanischen Dorf zugemutet wird, Eintragungen ins Grundbuch nicht in seiner Muttersprache vorzunehmen. Obwohl Rätoromanisch in Graubünden Amtssprache ist, fallen offenbar alle jene Bereiche unter die eidgenössische Amtssprachenregelung, in denen der Kanton bei der Vollziehung von Bundesrecht nur mitwirkt. Dies ist allerdings eine auch rechtlich umstrittene Praxis. Von Bundesseite wurde die Notwendigkeit eingesehen, Ausnahmen von der geltenden Amtssprachenregelung dort zu tolerieren, wo Gesetzeswerke «die öffentlichen, privatrechtlichen oder strafrechtlichen Verhältnisse unseres Volkes in seiner Gesamtheit eng und grundlegend berühren». Man hat darum einige wenige grundlegende Dokumente unseres Staatswesens auch ins Surselvische und Ladinische übersetzen lassen.

Der Bürger darf im amtlichen Bereich seine eigene Sprache nur benützen, wenn diese zugleich anerkannte Amtssprache der staatlichen Institution ist, an die er sich wendet. Auch hier hat der schweizerische Staat sich jedoch gelegentlich zu Gesten des Wohlwollens gegenüber der rätoromanischen Minderheit entschlossen, obwohl eine enge

Auslegung des Amtssprachenartikels ihn juristisch nicht dazu verpflichtet hätte. So nimmt beispielsweise das Bundesgericht seit beinah hundert Jahren rätoromanisch geschriebene Eingaben an und läßt sie auf eigene Kosten übersetzen. Das Bundesgesetz über den Bundeszivilprozeß aus dem Jahre 1947 schreibt den am Prozeß beteiligten Richtern und Parteien vor, sich «einer der *Nationalsprachen* des Bundes zu bedienen». Das sind psychologisch wichtige Zugeständnisse. Umso bedauerlicher ist es, daß auch vierzig Jahre nach der Anerkennung des Rätoromanischen als Nationalsprache die Identitätspapiere, Geburtsurkunden etc. nur in den Amtssprachen ausgestellt sind.

Ungleichgewicht herrscht freilich auch zwischen den drei anerkannten Amtssprachen. Obwohl es hier an der juristischen Lage nichts zu «deuteln» gibt, verstößt die Praxis permanent gegen den Wortlaut des Gesetzes. Man braucht nur einer Sitzung der eidgenössischen Räte im Bundeshaus beizuwohnen, um zu entdecken, daß die dritte Amtssprache, das Italienische, dort ein ziemlich kümmerliches Dasein fristet. Nicht einmal alle italienischsprachigen Parlamentarier tragen ihre Voten in ihrer Muttersprache vor. Wer nicht bloß gehört, sondern auch verstanden werden will, weicht jedenfalls in den entscheidenden Passagen seiner Rede auf das Französische aus. Bis zur sogenannten *Motion Franzoni* aus dem Jahre 1968 war das Sekretariat der Bundesversammlung auch laut Geschäftsverkehrsgesetz nur verpflichtet, von allen durch die beiden Kammern gutgeheißenen Erlassen «eine Originalausfertigung in deutscher und französischer Sprache» vorzulegen. Die später nachgelieferte italienische Übersetzung hatte, da sie nicht durch die dafür vorgesehenen Funktionsträger (Ratspräsidenten und Protokollführer) unterzeichnet war, nicht den Status eines Originaltextes. Man hat 1971 das Geschäftsverkehrsgesetz abgeändert, um diese im Grunde verfassungswidrige Situation zu beenden. Doch selbst wenn inzwischen dem Buchstaben des Gesetzes besser entsprochen wird, ist man noch weit von einer *faktischen Gleichwertigkeit* der drei Amtssprachen entfernt.
Als die nur zweitstärkste Bevölkerungsgruppe erfahren dies auch die französischsprachigen Schweizer. Auf der Ebene der eidgenössischen Verwaltung beispielsweise ist es um die verordnete Mehrsprachigkeit viel schlechter bestellt als auf der Parlamentsebene. Was sich nicht im «Schaufenster» der Nation und vor den Augen der Öffentlichkeit

abspielt, braucht sich nicht so rigoros der zugegebenermaßen oft mühsamen Pflicht sprachlicher Mehrgeleisigkeit zu unterziehen. Auch wenn man nicht davon überzeugt ist, daß die staatliche Verwaltung sich immer auf die Suche nach den praktikabelsten Lösungen macht: Im sprachlichen Bereich sind ihre Rationalisierungsversuche offenbar sehr wirksam. Viele Arbeitsgänge außerparlamentarischer Behörden richten sich nicht nach den Leitlinien ausgewogener Mehrsprachigkeit, sondern nach den zufälligen Sprachverhältnissen in der betreffenden Amtsstelle. Selbstverständlich ist die große Mehrheit deutschsprachiger Bundesbeamter dabei am längeren Hebel. Französischsprachige Beamte klagen gelegentlich über die Erfahrung, daß sie von ihren deutschsprachigen Berufskollegen nicht sonderlich gut verstanden werden. Das führt zuweilen zu etwas merkwürdigen Reaktionen. So hat sich im Juni 1980 eine Gruppe von Welschen, Tessinern und Rätoromanen zur «Helvetia Latina» vereinigt, einer Organisation, die sich der Interessen der sprachlichen Minderheiten in der Bundesverwaltung annehmen will. Man mag von der politischen Klugheit dieser Vereinigung der durch die Vormacht der deutschen und schweizerdeutschen Sprache Verärgerten halten, was man will: Ihre Existenz weist auf die Tatsache hin, daß Mißstände auch dort nicht ausgeschlossen sind, wo Mehrsprachigkeit juristisch betrachtet beinah optimal gewährleistet ist.
Vorbildlich kommt die Gleichwertigkeit der drei Amtssprachen allenfalls beim Bundesgericht zum Ausdruck: Nach der dort geltenden Rechtspraxis wird keine der Versionen der in den drei Amtssprachen vorliegenden Gesetzestexte vorrangig behandelt. Obwohl die parlamentarische Diskussion der Gesetzesentwürfe nur auf deutschen und französischen Versionen beruhte, hat sich das Gericht mehrfach bei Urteilen auf den italienischen Gesetzestext gestützt. Bei Divergenz der Gesetzestexte werden alle drei Versionen herangezogen. Geurteilt wird dann nach jenem Text, der in der Interpretation der Bundesrichter die «ratio legis», den eigentlichen Sinn des Gesetzes, am besten ausdrückt. Bei Texten, die nicht völlig übereinstimmen, ist also nicht etwa jene Version entscheidend, auf die sich Kläger oder Angeklagter zufällig berufen. Da die drei Gesetzestexte juristisch gleichwertig sind, muß die Interpretation des Wortlautes notfalls anhand aller drei Versionen vorgenommen werden. Ein seltener Fall also, in dem die juristische und die faktische Bedeutung der drei Amtssprachen übereinstimmen.
Ist jedoch – abgesehen von diesem Einzelfall – die offizielle Drei-

sprachigkeit der Schweiz nicht eher Wunsch als Realität? Weicht der Grundsatz der Gleichberechtigung zwischen den Sprachen vor dem stärkeren Gesetz des Machbaren zurück, wo an der Suche nach den einfacheren Lösungen meistens auch die Bequemlichkeit beteiligt ist? Man wird keiner einzelnen Sprachgruppe heimliche Expansionswünsche unterstellen. Dennoch darf man aber die Kraft des faktischen Ungleichgewichts zwischen den Sprachgruppen bei der Realisierung einer ausgewogenen Mehrsprachigkeit nicht übersehen. Cyril Hegnauer schreibt in seiner Dissertation über das schweizerische Sprachenrecht: «Die Gleichberechtigung der Amtssprachen setzt eben eine gewisse tatsächliche Gleichheit auch in quantitativer Hinsicht, d. h. in der Zahl ihrer Angehörigen voraus.» Hier scheint sich ein Grundsatz offensichtlich vor der Realität zu beugen. Wir wenden uns an dieser Stelle deshalb den statistischen Sprachdaten der Schweiz zu. Damit soll nach der verfassungsmäßig garantierten nun die im schweizerischen Alltag tatsächlich praktizierte Mehrsprachigkeit in den Blick kommen.

Seit 1880 wird in der Schweiz bei den alle zehn Jahre stattfindenden Volkszählungen auch die sprachliche Zugehörigkeit des einzelnen Bürgers ermittelt. In früheren Jahren war der Zählungsbeamte aufgefordert, beim Einsammeln der Formulare selber die Sprache zu notieren, «welche in jeder Haushaltung in Übung ist». Diese Methode des offenen Ohrs lieferte gewiß nicht die genauesten Ergebnisse. Die Entwicklung der sprachlichen Situation in der Schweiz läßt sich erst vom Zeitpunkt an genauer verfolgen, in dem jeder einzelne Befragte sich zu seiner sprachlichen Zugehörigkeit äußerte. Die Zählung von 1880 beruhte allerdings noch auf der Registrierung der «Ortsanwesenden». Erst 1888 wurde die *Wohnbevölkerung* zum erstenmal direkt hinsichtlich der Sprachsituation erfaßt. Seit diesem Datum sind die Zahlen mit heutigen Ergebnissen einigermaßen vergleichbar.
Die Wohnbevölkerung der Schweiz ist zwischen 1888 und 1970 von ca. 2,9 Millionen auf 6,3 Millionen angewachsen. Behält man diesen Zuwachs der Bevölkerung im Auge, so kann man die Sprachverhältnisse der Schweiz nicht anders als *relativ stabil* bezeichnen. Ein Blick auf die sprachlichen prozentuellen Ergebnisse der Volkszählungen belegt dies:

	dt.	*frz.*	*it.*	*rom.*	*andere*
1888 (in %)	*69,7*	*21,8*	*5,3*	*1,3*	*2*
1910	*69,1*	*21,1*	*8,1*	*1,1*	*6*
1941	*72,6*	*20,7*	*5,2*	*1,1*	*4*
1960	*69,3*	*18,9*	*9,5*	*0,9*	*1,4*
1970	*64,9*	*18,1*	*11,9*	*0,8*	*4,3*
1980	*65,0*	*18,4*	*9,8*	*0,8*	*6*

Ein etwas anderes Bild ergibt sich allerdings, wenn man nicht die gesamte Wohnbevölkerung, sondern nur die Schweizer Bürger hinsichtlich ihrer sprachlichen Zugehörigkeit betrachtet. Bekanntlich hängt die sprachliche Zusammensetzung der ausländischen Wohnbevölkerung in der Schweiz einmal von der weltpolitischen Konstellation, vor allem aber von der konjunkturellen Lage auf dem Arbeitsmarkt ab. Diese zeitbedingten, manchmal kurzfristigen Verschiebungen in der Sprachsituation werden ausgeklammert, sobald die Zahlen sich ausschließlich auf die in der Schweiz wohnhaften *Schweizer Bürger* beziehen.

	dt.	*frz.*	*it.*	*rom.*	*andere*
1910 (in %)	*72,7*	*22,1*	*3,9*	*1,2*	*0,1*
1941	*73,9*	*20,9*	*3,9*	*1,1*	*0,2*
1960	*74,4*	*20,2*	*4,1*	*1,0*	*0,3*
1970	*74,5*	*20,1*	*4,0*	*1,0*	*0,4*
1980	*73,6*	*20,0*	*4,5*	*0,9*	*1,0*

Während also die deutschsprachige Wohnbevölkerung der Schweiz gemessen an der Summe der Sprecher romanischer Sprachen prozentuell rückläufig war, ist die *schweizerische* deutschsprachige Bevölkerung im Verhältnis zu den Mitbürgern anderer Sprachen angewachsen. Die absoluten Zahlen sind für das Jahr 1910 ca. 2,3 Millionen, für 1970 3,9 Millionen. In allen Diskussionen um das «Gleichgewicht» der Sprachen darf man also die starke Mehrheit der einheimischen deutschsprachigen Bevölkerung nicht übersehen: drei von vier Schweizern bezeichnen sich als deutschsprachig.

Die schweizerische französischsprachige Bevölkerung war in den vergangenen Jahrzehnten prozentuell etwas rückläufig. Das Eidgenössische Statistische Amt vermerkt dazu 1974: «Dem ständigen Rückgang des Anteils des Französischen sollte keine zu große Bedeutung beigemessen werden. Abgesehen von den Kantonen Freiburg und Wallis haben die welschen Kantone nämlich zu allen Zeiten eine unter dem schweizerischen Durchschnitt liegende demographische Lebenskraft gehabt und in bezug auf ihren Bevölkerungszuwachs von der Zuwanderung von Deutschschweizern profitiert. Diese zugewanderten Deutschschweizer haben sich nach und nach assimiliert und dann den französischsprachigen Bevölkerungsanteil verstärkt.» In absoluten Zahlen hat die einheimische französische Bevölkerung kontinuierlich zugenommen und im Jahre 1970 erstmals die Millionenzahl überschritten (ca. 1,05 Millionen). Bei einer gesamten einheimischen Bevölkerung von 5,2 Millionen kann man die welsche Gruppe eigentlich bloß numerisch als eine Minderheit bezeichnen. Eine Gruppe, die die Stärke einer Million aufweist, verfügt in politischer wie wirtschaftlicher Hinsicht über eine ganz erhebliche «Manövriermasse» von Sprechern. Ihre «strukturelle Ausstattung» macht sie von vornherein gleichgewichtig neben der anderen Gruppe, deren Zahlenstärke um ein Mehrfaches größer ist. Es gibt in der welschen Schweiz alle institutionellen Einrichtungen, die für eine gleichberechtigte Beteiligung an den Entscheidungsprozessen in Staat und Gesellschaft unabdingbar sind. Das ist nicht staatspolitischem Ausgleichskalkül zu verdanken, sondern setzt eine substantielle Potenz voraus, die von der «kritischen Größe» einer gesellschaftlichen Gruppe abhängig ist.

Genau diese Bedingung trifft auf die italienische Sprachgruppe nur in beschränktem Maße zu; für die rätoromanische Sprachgruppe ist sie überhaupt nicht gegeben. Diese beiden Gruppen sind darum in einem radikaleren Sinn «sprachliche Minderheiten» in Staat und Gesellschaft. Allerdings ist ihr Status keineswegs vergleichbar.
Die italienischsprachige Wohnbevölkerung der Schweiz ist in den zwanzig Jahren zwischen 1950 und 1970 von ca. 280 000 auf ca. 740 000 angestiegen. Dafür sind konjunkturelle Ursachen verantwortlich: 1970 war mehr als die Hälfte der ausländischen Bevölkerung in der Schweiz italienischsprachiger Herkunft. Dadurch hat sich die institutionelle Position des Italienischen in der Schweiz nicht erheblich verbessert. Neu war aber die faktische Präsenz dieser Sprache auch außerhalb des Kantons Tessin. Die Entwicklung der schweizerischen italienischsprachigen Bevölkerung war während desselben Zeitraums prozentuell leicht rückläufig, absolut jedoch leicht steigend. Allerdings ist die wachsende Zahl italienischsprachiger Schweizer u. a. damit zu erklären, daß in der Regel die zahlenmäßig größte Gruppe der neu Eingebürgerten aus Italien stammt; auch ist die Zahl sprachlicher Mischehen, bei denen die Muttersprache der Frau Italienisch, die des Mannes dagegen Deutsch oder Französisch ist, deutlich höher als umgekehrt. Die Frau erhält bei der Heirat mit einem Schweizer bekanntlich das Schweizer Bürgerrecht, eine zusätzliche Erklärung für die Zunahme des Italienischen innerhalb der schweizerischen Bevölkerung.
Durch ihre Gesamtzahl von nur rund 50 000 Sprechern sind die Rätoromanen ebenso ein Sonderfall wie dadurch, daß weder ihre Sprache eine einheitliche Schriftform besitzt, noch ihr Sprachgebiet ein

zusammenhängendes Ganzes bildet. Als einzige unter den Landessprachen der Schweiz gehört das Rätoromanische zudem nicht zu den großen nationenbildenden Kultursprachen Europas, sondern ist eine Sprachform mit allen soziologischen Merkmalen einer Regionalsprache.

Nur ein verschwindend geringer Anteil der schweizerischen Bevölkerung spricht eine andere Sprache als die vier Landessprachen, auch wenn sich ihre Zahl zwischen 1960 und 1970 beinahe verdoppelt hat. Dies ist auf Einbürgerungen auf Grund von Gesuchen, hauptsächlich aber durch Heirat zurückzuführen (gut drei Viertel der Betreffenden sind Frauen). Um mehr als das Dreifache ist dagegen in derselben Zeit jener Teil der ausländischen Wohnbevölkerung gestiegen, der nicht eine der vier Nationalsprachen spricht. 1970 betrug er bereits 250 000 oder beinah ein Viertel der ausländischen Wohnbevölkerung der Schweiz. Diese heterogene Sprachgruppe hat zwar die Bedingungen für das Zusammenleben der schweizerischen Sprachgruppen kaum verändert, innerhalb der Regionen aber die Assimilierungsproblematik doch erheblich komplexer werden lassen.

Bei den Volkszählungen wird in der Schweiz nach der «Muttersprache» gefragt. Darunter versteht man seit 1950 «die Sprache, in der man denkt und die man am besten beherrscht». Statistiker vertreten unterschiedliche Auffassungen darüber, ob diese Definition so eindeutig ist, daß sie zu präzisen Ergebnissen führt. Sie empfehlen, zusätzlich zur «Muttersprache» die «Gebrauchssprache» statistisch zu erfassen. In gemischtsprachigen Gesellschaften mit einer ausgeprägten Bevölkerungsmobilität kommt es ja vor, daß die Sprache der Kindheit nicht identisch ist mit der späteren Gebrauchssprache, die man auch am besten beherrscht. Der Unterschied zwischen Muttersprache und Gebrauchssprache fällt vor allem bei jenen Rätoromanen auf, die in Gebieten wohnen, in denen die rätoromanischen Sprecher in der Minderheit sind. Recht häufig können Kinder rätoromanischer Eltern zwar noch ihre Muttersprache als rätoromanisch bezeichnen, nicht mehr aber jene Sprache, in der sie denken und die sie am besten beherrschen. Somit wäre die Entwicklung der Sprachverhältnisse in der Schweiz tatsächlich genauer zu verfolgen, wenn sowohl die *Muttersprache* wie die *Gebrauchssprache* statistisch erfaßt würden.

Wichtiger für das Verständnis der Sprachentwicklung in der Schweiz sind jedoch die statistischen Ermittlungen zu den einzelnen *Sprachgebieten.* Jede einzelne Schweizer Gemeinde wird dabei einem der vier schweizerischen Sprachgebiete zugerechnet, und zwar «entsprechend der von der Bevölkerungsmehrheit bzw. der größten Minderheit angegebenen Muttersprache». Die Sprachgebiete werden also allein auf Grund *statistischer* Ergebnisse ermittelt. Allerdings weicht das Statistische Amt in einigen wenigen Fällen von dieser Zurechnungspraxis ab: dort nämlich, wo in einem Sprachgebiet eine Gemeinde ein sprachliches «Ghetto» bilden würde. So wurden 1970 die mehrheitlich deutschsprachigen Gemeinden Evilard, Mont-Tramelan, Châtelat und Rebévelier dem französischen, Orselina und Cureggia dem italienischen Sprachgebiet zugerechnet. Außerhalb des Kantons Graubünden ist deshalb nur die Walsersiedlung Bosco Gurin als sprachliche Enklave aufgeführt, während die anderen Sprachgrenzen jeweils kompakte Gebiete umschließen, die sich in den letzten hundert Jahren kaum verändert haben.
Die große Ausnahme bildet auch hier wieder das *rätoromanische Sprachgebiet.* Seine Grenzen haben sich in den letzten hundert Jahren von Volkszählung zu Volkszählung verschoben. Heute ist es längst nicht mehr ein zusammenhängendes Sprachgebiet, sondern besteht aus einzelnen, unterschiedlich großen Sprachinseln. Die Anzahl der Gemeinden mit rätoromanischer Mehrheit hat sich stark verringert, zwischen 1941 und 1970 hat sich die sprachliche Mehrheit in insgesamt 35 Gemeinden vom Rätoromanischen zum Deutschen verschoben. Die rein statistische Ermittlung der Mehrheit der Sprecher einer bestimmten Sprache ergibt allerdings kein allzu genaues Bild. In den erwähnten 35 Gemeinden ist die faktische Bedeutung des Rätoromanischen keineswegs vergleichbar. Man muß darum verstehen, daß Kenner der Situation die Fünfzigprozentgrenze zur Festlegung des Sprachgebietes als bedenklich und irreführend bezeichnen. Sie weisen darauf hin, daß das Statistische Amt vielleicht auch hier jene Ausnahmepraxis befolgen könnte, welche es im Falle der obenerwähnten Gemeinden im französischen und italienischen Sprachgebiet für zweckmäßig hält.
Doch was immer man für das statistisch Aussagekräftigere hält: Unbestreitbar ist, daß sich die Sprachgebiete in Graubünden zu Lasten des Rätoromanischen und zugunsten des Deutschen bzw. Schweizerdeutschen verändert haben. Man hat in einigen wenigen Gemeinden des

Tessins zwar ebenfalls eine deutliche Zunahme deutschsprachiger Einwohner feststellen können. Für die Stabilität des Sprachgebietes sind diese Entwicklungen jedoch nicht sehr folgenreich, gerade wenn man die Ursachen für diese Veränderungen unter soziologischem Aspekt sieht. Wie folgenschwer hingegen die Sprachverschiebungen in Graubünden sind, bestätigt indirekt eine andere Auswertung der Volkszählung von 1970. Sie bezieht sich auf die prozentuelle Häufigkeit, mit der die Schweizer im Gebiet ihrer Muttersprache wohnen. Danach waren 96 Prozent aller Deutschschweizer in der deutschen Schweiz ansässig, 92 Prozent der französischsprachigen Schweizer in der welschen Schweiz, 79 Prozent der italienischsprachigen Schweizer im italienischen Sprachgebiet, aber nur 49 Prozent der Rätoromanen wohnten noch im eigenen Sprachgebiet. Schon hieraus wird deutlich, daß über die Hälfte der Rätoromanen in einer zweisprachigen Situation lebt. Daß dies aber auch bereits für die andere Hälfte gilt, die noch im Sprachgebiet lebt, zeigt ein über die Statistik hinausgehender Blick auf die vorhandene Sprachsituation.

DAS TERRITORIALPRINZIP

Von einem Sprachgebiet wurde bisher in rein statistischem Sinn gesprochen. Das Wort «Sprachgebiet» ist jedoch auch ein *Rechtsbegriff.* Darunter versteht man den Anwendungsbereich für das, was Juristen das *sprachliche Territorial-* oder *Territorialitätsprinzip* nennen. Das «ius soli» besagt zunächst nichts anderes, als daß die Anwendung rechtlicher Grundsätze an ein bestimmtes geographisches Gebiet gebunden ist. Bezüglich sprachlicher Gegebenheiten besagt das Territorialprinzip (dt. *Sprachgebietsprinzip*), daß die Sprache der Mehrheit in einem bestimmten Gebiet im öffentlichen Bereich angewendet werden muß. Wer als Schweizer Bürger von seiner Niederlassungsfreiheit Gebrauch macht und in ein anderes Sprachgebiet zieht, ist demnach verpflichtet, sich der Sprache seines neuen Wohnortes in allen öffentlichen Angelegenheiten zu bedienen. Er hat keinen rechtlichen Anspruch darauf, seine angestammte Sprache über den Privatbereich hinaus als gleichberechtigte Gebietssprache durchzusetzen. Man hat im Zusammenhang damit von der «nationalen Pflicht zur Assimilation» gesprochen.

In den letzten Jahren ist die Diskussion um das Territorialprinzip vor allem durch die Dissertation von Rudolf Viletta *Grundlagen des Sprachenrechts* (Zürich 1978) neu entfacht worden. Im folgenden halten wir uns an einige Überlegungen, die er in dieser wichtigen Arbeit bezüglich der Anwendungsmöglichkeiten des Territorialprinzips anstellt. Mit der *Rechtsnatur* dieses Prinzips brauchen wir uns hier nicht länger zu befassen. Es ist eine fachjuristische Diskussion, ob es sich bei dem Territorialprinzip um ein verfassungsmäßiges Recht oder bloß um eine Schutznorm handelt, die sich freilich auf eine bindende Praxis der Rechtssprechung stützt. Gewiß ist das Territorialprinzip nicht bloß eine politische Verhaltensregel, die auf Opportunität basiert und somit kurzfristig abzuändern wäre. Und ebenso sicher ist es ein wichtiges föderalistisches Prinzip, um die sprachliche Vielfalt und das kulturelle Erbe einer mehrsprachigen Nation zu schützen und zu fördern. Viletta definiert es an einer Stelle wie folgt: «Das Sprachgebietsprinzip ist ein rechtliches Mittel zur Erhaltung der schweizerischen Sprachenlage und somit zur Erhaltung der betreffenden einzelnen Sprache... Das Sprachgebietsprinzip will für schweizerische Sprachverhältnisse die optimalsten Bedingungen schaffen, unter denen jeder die gleichen Aussichten hat, die ihm gewährte Sprachenfreiheit in höchster Achtung vor dem andersgearteten Mitmenschen und dessen Muttersprache sowie unter Wahrung der gesamten Rechtsordnung zu verwirklichen. Es will dazu beitragen, der einzelnen Person diejenige soziale Umwelt, d. h. denjenigen Lebenskreis zu sichern, die sie benötigt, um ihre Sprachenfreiheit gänzlich ausschöpfen zu können. Das Sprachgebietsprinzip wird zur Anwendung gebracht im Wissen, daß die Sprache ein gesellschaftliches Phänomen ist und daß die Sprache sich letztlich nur in der Gemeinschaft erhalten läßt.»

Wäre das Sprachgebietsprinzip «als ein oberster ungeschriebener Grundsatz der Eidgenossenschaft» (Hans Huber) nicht so zielstrebig in den vergangenen hundert Jahren befolgt worden, so wären die Sprachgrenzen wohl nicht so konstant geblieben. Sicherlich hätte die Einheitlichkeit der Sprachgebiete Schaden erlitten. Dies wird vor allem deutlich, wenn man jene Ausnahme betrachtet, in dem das Territorialprinzip nicht zur Anwendung kommt oder aber in erheblichem Sinn gelockert wird: das rätoromanische Sprachgebiet.

Einen gewissen Sonderfall bildet die französischsprachige Schule in Bern. In der Bundeshauptstadt lebt eine beachtliche Zahl vor allem französischsprachiger Beamter. Diese sind oft Funktionäre des Bundes gerade in ihrer Eigenschaft als nicht Deutschsprachige. Ihnen erleichtert die Schule die Entscheidung, in der Bundeshauptstadt Verwaltungsfunktionen zu übernehmen. Die Schule mit ihrem exterritorialen Status wird als eine Institution bezeichnet, die die Kontakte zwischen den Sprachgruppen nicht hindert, sondern fördert. Im Jahre 1981 wurde sie, die bisher von einer Stiftung getragen wurde, durch den Kanton Bern übernommen. Die Stadt Bern, der Kanton Bern und der Bund beteiligen sich an den Betriebsaufwendungen.

Die Ausnahmesituation der französischen Schule in Bern wird deutlich, wenn man dagegen einen Beschluß der Zürcher Regierung aus dem Jahre 1964 betrachtet. Darin sind die Bedingungen festgelegt, unter denen es der «Association de l'Ecole française, Zurich» gestattet ist, Schüler in Zürich in ihrer französischen Muttersprache zu unterrichten: Es muß gewährleistet sein, daß beim Schüler ein dauernder Aufenthalt im Kanton Zürich unwahrscheinlich bleibt. Für die Dauer von zwei

Jahren können auch andere Schüler französischer Muttersprache in die Schule aufgenommen werden. Der Unterricht hat so zu erfolgen, daß nach zwei (in besonderen Fällen drei) Jahren der Übertritt in die deutschsprachige Volksschule erfolgen kann. Somit hat diese Schule vor allem eine *Assimilationsaufgabe*. Diese Regelung wurde später auch für italienischsprachige Schulen, an denen insbesondere Gastarbeiterkinder aus Italien unterrichtet wurden, im Kanton Zürich übernommen, um eine rasche Assimilation der Kinder zu ermöglichen. Dem Territorialprinzip wurde also hier entsprochen, allerdings auf eine Art und Weise, die die sprachliche Eingliederung von zugewanderten Bevölkerungsteilen erleichtern soll.

Als aufsehenerregend muß man ein Bundesgerichtsurteil aus dem Jahre 1980 bezeichnen, in welchem das Bundesgericht grundsätzliche Überlegungen zu den Schwierigkeiten der Anwendung des Territorialprinzips in gemischtsprachigen Gegenden anstellte. Der Anlaß dazu – die staatsrechtliche Beschwerde einer Schweizerin, deren deutschsprachige Klageschrift im mehrheitlich französischsprachigen Saanebezirk vom Gerichtspräsidenten nicht entgegengenommen wurde – braucht hier nicht weiter erläutert zu werden, da das Bundesgericht aus formaljuristischen Gründen auf die Beschwerde nicht einzutreten brauchte. In den *grundsätzlichen Überlegungen des Gerichts zur Durchsetzung des Territorialprinzips* lautet der entscheidende Passus wie folgt: «Die Kantone sind aufgrund des Territorialprinzips befugt, Maßnahmen nicht nur zur Erhaltung der Ausdehnung eines Sprachgebietes zu treffen, sondern auch solche zum Schutz seiner Homogenität. Nähert sich der Anteil der sprachlichen Minderheit an der Gesamtbevölkerung hingegen 50 Prozent, besteht im betreffenden Gebiet keine sprachliche Homogenität, die geschützt werden könnte.» Daraus scheint zu folgen, daß bei einem bestimmten sprachlichen Mischverhältnis das Territorialprinzip sich gleichsam lockert und nicht mehr volle Anwendung findet. Nach einer Stellungnahme des Gesetzgebungsamtes des Kantons Freiburg aus dem Jahre 1970 wird die Landessprache einer Minderheit dann als zweite offizielle Sprache anerkannt, wenn dieser Bevölkerungsanteil 30 bis 33 Prozent der gesamten Wohnbevölkerung des betreffenden Gebietes ausmacht. Freilich wird man hier sehr genau zu unterscheiden haben, ob es sich um ein Gebiet an einer Sprachgrenze handelt, wo die Sprachverhältnisse immer kleineren Schwankungen unterliegen, oder ob es sich um einen Ausnahmefall inmitten eines geschlossenen Sprachgebietes handelt. Sollten die Überlegungen des Bundesgerichts künftig einer derartigen Praxis den Weg bahnen, so würde damit doch das Territorialprinzip erheblich relativiert. Es könnte sich dann ergeben, daß im Wachsen begriffene sprachliche Minderheiten die Sprachkarte sehr schnell zu verändern vermöchten. Die Zonen mit gleichzeitig mehreren offiziellen Sprachen könnten sich rasch vermehren, vor allem aber würde die Motivation geschwächt, sich sprachlich zu assimilieren. Auch wenn das Bundesgericht hier konkret über die Sprachsituation bezüglich der Gerichtsbezirke nachdachte, so ließe sich nach diesem Muster leicht auch für andere Bereiche öffentlicher Sprachverwendung argumentieren. Es bleibt darum zu hoffen, daß diese nachgiebige Haltung gegenüber kurzfristigen sprachlichen Mischsituationen sich nicht zu einer Rechtspraxis auswachsen wird, die die Homogenität der Sprachgebiete aushöhlt.

Die Schwierigkeiten für die Anwendung des Territorialprinzips werden an der *Sprachensituation Graubündens* besonders deutlich. Daß das Territorialprinzip heute dort keine strikte Anwendung findet, hängt weniger an der Gleichgültigkeit der Bündner gegenüber sprachlichen Entwicklungen als an der rapiden Veränderung der Sprachsituation. Innerhalb weniger Jahrzehnte haben sich viele ursprünglich rätoromanische Gemeinden faktisch in gemischtsprachige Zonen verwandelt. Diese Entwicklung betraf nicht nur die Grenzgebiete, sondern auch den Kern des rätoromanischen Sprachgebietes. Die Frage ist, was in einer solchen Situation, die letztlich zur Auflösung eines traditionellen Sprachgebietes führen kann, unternommen werden muß. Eine Möglichkeit bestünde darin, auf einer strikten Anwendung des Territorialprinzips zu bestehen und so den *Assimilationsdruck* zu vergrößern. Dies wird von bestimmten Gruppen der rätoromanischen Bewegung immer wieder gefordert. Im Jahre 1978 hat eine von der Lia Rumantscha beauftragte Expertenkommission den *Entwurf zu einem «Sprachengesetz für den Kanton Graubünden»* vorgelegt. Ziel des Gesetzes sollte die Stabilisierung der traditionellen Sprachgebiete sein. In einer in einigen wesentlichen Punkten veränderten Fassung hat die Lia Rumantscha diesen Gesetzesentwurf der Regierung des Kantons zugestellt in der Erwartung, die Regierung leite ein Gesetzgebungsverfahren ein. Die Regierung beschloß jedoch, zunächst ein Vernehmlassungsverfahren über diesen Entwurf bei Gemeinden und Verbänden durchzuführen. Die mehrheitlich ablehnenden Reaktionen auf den Versuch, instabile sprachliche Zustände auf gesetzlichem Weg in den Griff zu bekommen, bewogen die Regierung, eine juristische Expertise in Auftrag zu geben: Darin soll vor allem geklärt werden, inwieweit der Kanton das Recht und die Pflicht hat, den offiziellen Sprachgebrauch in den Gemeinden gesetzlich zu regeln, oder ob es weiterhin bei der üblichen Praxis bleiben muß, daß die Kompetenz über den öffentlichen Gebrauch der Sprache bei den Gemeinden bleibt.

Kernstück des Entwurfes zum erwähnten Sprachengesetz war ein Artikel, laut welchem alle Gemeinden des Kantons einem umschriebenen Sprachgebiet zugerechnet werden sollten. In Zukunft hätte Graubünden aus deutschen, rätoromanischen, italienischen und gemischtsprachigen Gemeinden zu bestehen. Aus der Zurechnung zu einem der möglichen Sprachgebiete würden sich für die Gemeinden eindeutige Rechtsfolgen bezüglich des Sprachgebrauchs ergeben. Eine sprachlich äußerst verworrene Situation, an der der Zufall und die Bequemlichkeit oft mitmischen, sollte auf diese Weise juristisch durchsichtig und handhabbar gemacht werden.

Man erblickt sogleich die Vorteile einer solchen Lösung, die einem allmählichen Abrücken von traditionellen sprachlichen Domänen entgegenwirken könnte und sicherlich auch die Assimilation von Zuwanderern fördern würde. Aber nicht weniger groß als die möglichen Vorteile scheinen die Schwierigkeiten zu sein, einer so vielfältigen sprachlichen Realität, wie sie in den Gemeinden Graubündens vorliegt, mit schematischen Lösungen beizukommen. Die Lia Rumantscha hatte der Kantonsregierung vorgeschlagen, durch eine vorbereitende Kommission einen Plan erarbeiten zu lassen, wie Graubünden schließlich in umschriebene Sprachterritorien aufzuteilen wäre. Völlig zu Recht hatte sie darauf hingewiesen, daß neben der statistischen Situation noch andere *Kriterien für die sprachliche Gebietsverteilung* zu berücksichtigen seien, nämlich die sprachliche Substanz in einer Region, ihre geschichtliche Entwicklung, aber auch die regionale Integrität. Bei jeder Gemeinde sollte neben dem aktuell vorhandenen Grad an Zweisprachigkeit abgewogen werden, welchen Status im privaten und öffentlichen Bereich die traditionelle Sprache hat und seit wann sie aus bestimmten Bereichen wie Schule, Kirche, Verwaltung, Vereinsleben usw. teilweise oder ganz verdrängt ist. Auch sollten nicht isolierte

Sprachinseln inmitten kompakter Sprachgebiete entstehen, die kurzfristig wieder zu Verschiebungen auf der Sprachenkarte führen müßten. Die gegenwärtigen Versuche zur Stabilisierung der Sprachgebiete in Graubünden werden einen Paradefall dafür abgeben, inwieweit das ansonsten beinahe allgemein befolgte Sprachgebietsprinzip sich auch dann bewähren kann, wenn die Sprachlage sich dramatisch ändert. Freilich wird der Ausgang auch davon abhängen, ob die rätoromanische Bevölkerung fähig sein wird, der rätoromanischen Sprache trotz ihres Statusunterschiedes zu den anderen Landessprachen ein möglichst homogenes Sprachgebiet zu erhalten oder gar neu zu schaffen. Denkbar ist es – im Sinne der angeführten Bundesgerichtserwägungen –, daß die faktische Sprachsituation das Deutsche als zweite offizielle Sprache rätoromanischer Territorien nachrücken läßt. Damit verlöre die vierte schweizerische Landessprache ihr autonomes Sprachgebiet. Es ist zu befürchten, daß die jetzige lockere Handhabung des Territorialprinzips in Graubünden mitverantwortlich dafür sein könnte, daß sich das Territorialprinzip als untaugliches Mittel erweist, Sprachgebiete zu erhalten.

DIE GRÄBEN UND DIE BRÜCKEN

Der 24. September 1978 ist ein wichtiges Datum der schweizerischen Nachkriegsgeschichte: Durch die sogenannte Jura-Abstimmung, die den Selbstfindungsprozeß eines neuen Schweizer Kantons verfassungskonform abschloß, erwies sich die Schweiz als fähig, schwerwiegende Probleme, die aus sprachlichen und kulturellen Gegensätzen entstehen, nach den Grundsätzen einer demokratischen Staatsordnung zu lösen. Auf dem Weg zu dieser Lösung wurden aber auch unübliche Nebengeräusche hörbar: Es zeigte sich, daß sogar in einem Staat, in dem verschiedene Sprachgruppen seit Jahrhunderten zusammenleben, Unduldsamkeit, ja sogar ethnisch gefärbte Militanz auftreten können. Die Gründung des Kantons Jura war für die politische Erfahrung sowohl im subtilen Verfahren der Entscheidungsfindung als auch in der Konfliktstrategie neu. Bevor hier über Schwierigkeiten und Spannungen gesprochen wird, die in der Schweiz zwischen den verschiedenen Sprachgruppen bestehen oder für solche gehalten werden, muß man daran erinnern, daß auch ein Staat mit pluralistischer Tradition keine Rezepte auf Lager hat, um neu entstehende Konflikte auszugleichen. Der Fall Jura zeigt aber, daß der Wille zu einer Lösung, in der die beteiligten Interessengruppen ihre wichtigsten Anliegen realisiert sehen, erfinderisch macht und schließlich zu Ergebnissen führt, an denen die erstaunliche Flexibilität eines vernünftig geordneten Staatswesens sichtbar wird.

Eine erhöhte Sensibilisierung für Spannungen und Mißverständnisse zwischen den Sprachgruppen der Schweiz, insbesondere zwischen der welschen und der deutschen Schweiz, hat sich in der Öffentlichkeit auch nach der Gründung des Kantons Jura erhalten. Man kann wohl sagen, daß die Jura-Diskussion ein Gespür für Unterschiede in den Verhaltensweisen und den Lebensformen der deutschsprachigen und der französischsprachigen Schweiz gefördert hat. Darin kann eine Chance liegen, solange nicht Ressentiments an die Stelle von Erkenntnissen treten. Gelegentlich hat man den Eindruck, daß die «Problemkonjunktur» im Verhältnis zwischen den Sprachgemeinschaften tatsächlich

etwas davon profitiert, daß sich Vorurteile leichter und schneller als sachgerechte Beurteilungen verbreiten lassen. Wenn man Differenzen nur noch als «Malaise» und nicht mehr als Reichtum empfindet, kommt darin auch etwas von Verweigerung zum Ausdruck: Man schottet sich ab vor dem, was anders und somit auch anstrengender ist.
Eine weitere Vorbemerkung ist darum angebracht. Der Bericht der eidgenössischen Expertenkommission für Fragen einer schweizerischen Kulturpolitik *(Clottu-Bericht)* vermerkt zu den Beziehungen der Kulturschaffenden zum Sprachnachbarn jenseits der Landesgrenze: «Die Kontakte der Autoren mit dem Ausland werden im Durchschnitt als doppelt so befriedigend betrachtet wie diejenigen mit den übrigen Teilen des Landes.» Was hier für die Schriftsteller festgehalten ist, gilt für unzählige Bereiche des kulturellen (und wirtschaftlichen) Lebens. Es dürfte wenige Schweizer geben, die im Laufe ihrer Schuljahre nicht aus einem ausländischen Lehrbuch ihr Wissen geholt haben. Gerade auf dem Verlagssektor findet eine permanente Bereicherung des kulturellen Angebots mit Büchern aus dem Ausland statt. Dies gilt für alle schweizerischen Sprachregionen – mit Ausnahme der rätoromanischen selbstverständlich – in durchaus vergleichbarer Weise. Es trifft aber auch auf kulturelle Bereiche wie Theater oder Film zu, wo die gemeinsame Sprache Kooperationen nahelegt oder aber – wie beim Film – große Projekte nur noch mit Hilfe des Auslands zu realisieren sind. Gerade die Filmförderung zeigt, daß – trotz eines neuerdings viel stärkeren Engagements von Bundesseite – aufwendige Spielfilme nur in Kooperation mit kapitalkräftigen Produktionsfirmen des Auslandes oder mit ausländischen Fernsehgesellschaften zu realisieren sind. Im Fall der Filmbranche findet auch die berufliche Ausbildung der Filmschaffenden beinah ausschließlich im Ausland statt. Dieser rege kulturelle Austausch mit dem Sprachnachbarn ist für die Schweiz sicher ein großer Gewinn. Die Überfülle des Angebots, die dadurch im eigenen Sprachbereich entstehen kann, darf aber nicht dazu führen, daß die Kontakte mit den anderen Sprachregionen des eigenen Landes vernachlässigt werden.

Die deutsche und die welsche Schweiz

Der imaginäre «Graben», von dem in der Öffentlichkeit soviel die Rede ist, verläuft an der französisch-deutschen Sprachgrenze. Das heißt nicht, daß zwischen den anderen Sprachgruppen keine Differenzen aufzuspüren wären, aber sie sind in der öffentlichen Meinung weniger problemträchtig. Es empfiehlt sich daher, zunächst einmal die Beziehungen zwischen der welschen und der deutschen Schweiz zu beleuchten. Die französische Schweiz macht sich zwar häufig zum Fürsprecher des «lateinischen Geistes» in der Eidgenossenschaft und tritt so auch für die Anliegen der beiden anderen neolateinischen Sprachen ein. Doch ist zu vermuten, daß die «solidarité latine» zwischen den drei schweizerischen Minderheitensprachen vor allem darum so einhellig ist, weil die großen Unterschiede zwischen den drei Sprachgruppen kein echtes Konkurrenz- und Konfliktverhalten untereinander aufkommen lassen.

Das Gefühl eines Erstarkens der deutschsprachigen Präsenz an den «nationalen Schaltstellen» ist keine bloße Einbildung. Die massive Mehrheit der Deutschschweizer wirkt sich auch ohne Expansionsabsichten aus. Vor allem in einer Zeit, wo in sehr vielen Entscheidungsbereichen rationelles Management gefragt ist, weicht man tendenziell den vermeidbaren Mehrbelastungen aus. Sogar in der Bundesverwaltung werden 90 Prozent der Texte, die für eine Veröffentlichung bestimmt sind, in deutscher Sprache abgefaßt. In einer Stellungnahme des Bundesrates zu diesem Problem kann man lesen: «Dies ist umso erstaunlicher, als das Ungleichgewicht nicht auf einer Untervertretung der Minderheiten bei den Beamten beruht, die mit der Abfassung wichtiger Texte betraut sind.» Die Gründe dafür sind demnach eher pragmatischer Natur.

Am 20. April 1978 hat der Nationalrat dem Bundesrat das sogenannte *Postulat Delamuraz* überwiesen. Es hielt neben der Sorge über die schleichende Tendenz zur Einsprachigkeit in den Arbeitsunterlagen von Parlament und Verwaltung und dem Zweifel an einer angemessenen Vertretung von Beamten französischer und italienischer Muttersprache in den Kaderpositionen der Bundesverwaltung noch ein Drittes fest: «Paradoxerweise ist im allgemeinen die Kenntnis einer zweiten Landessprache zurückgegangen; dies führt zu Schwierigkeiten im Verständnis zwischen Deutsch- und Westschweizern, ja sogar zu gegenseitiger Gleichgültigkeit.»

Der Bundesrat hat ausführlich zu den Fragen von Delamuraz und den dreißig mitunterzeichnenden Parlamentariern Stellung genommen und eine Reihe von Maßnahmen getroffen, um eine angemessene Vertretung der sprachlichen Minderheiten auf allen Ebenen des Bundespersonals zu sichern. Er hat in seiner Antwort daran erinnert, daß der Bund fortwährend Entscheidungen trifft, die auf ein wirtschaftliches und soziales Gleichgewicht auch zwischen den Sprachregionen abzielen, und daß die gegenwärtige Diskussion um die Aufgabenteilung zwischen Bund und Kantonen ebenfalls der Stärkung der wirtschaftlichen und kulturellen Regionen dienen soll. Durch Planung läßt sich freilich nicht alles regeln. Dazu der Bundesrat: «Es wird heute allgemein anerkannt, daß sich diese Probleme umso besser lösen lassen, je mehr sie auf ihrer spezifischen und zugleich auf der tiefstmöglichen Ebene angegangen werden.» Dies muß vor allem für die bedenklichste Verschiebung im Sprachgefüge der Schweiz gelten: die heute keineswegs beispielhaften Kenntnisse einer zweiten, gar einer dritten Landessprache. Es lohnt sich, genauer nach den Ursachen dieses sprachlichen Schwundes zu fragen. Denn langfristig wird sich ein verbreitetes Desinteresse an der Sprache und der Lebenswelt der Nachbarn als die weit schwierigere Belastung für die sprachlichen Minderheiten erweisen als eine bereichsweise unbefriedigende proportionale Vertretung in staatlichen und wirtschaftlichen Entscheidungsgremien.

Niemand zweifelt daran, daß der *Unterricht der zweiten Landessprache an den Schulen* die entscheidende Voraussetzung für eine später geübte Mehrsprachigkeit bildet. Uneinig ist man sich hingegen darüber, in welchem Schuljahr man den Fremdsprachenunterricht am erfolgversprechendsten beginnt. Trotz regelmäßiger Kontakte zwischen den Erziehungsdirektoren der Kantone ist man noch nicht zu einheitlichen Lösungen gelangt. Dies ist an sich nicht verwunderlich und entspricht der unterschiedlichen Sprachsituation in den verschiedenen Kantonen. Allgemein neigt man dazu, früher mit dem Unterricht in der zweiten Landessprache zu beginnen. Dazu hat man in einigen Kantonen «Pilotzonen» eingerichtet, um Erfahrungen zu sammeln. Noch diskutieren die Sprachpädagogen vor allem darüber, welcher muttersprachliche Stabilitätsgrad bei einem Schüler die günstigste Voraussetzung für den Einstieg in eine neue Sprache darstellt. Allerdings hängt die Beantwortung dieser Frage zu einem großen Teil auch von der

Methode ab, in der der Sprachunterricht vermittelt wird: Die neueren, spielerischen Lernformen lassen sich sehr viel leichter bei jüngeren Schülern anwenden als der traditionelle Sprachunterricht, in dem grammatikalische Grundkenntnisse vor dem Hören und Sprechen Vorrang hatten.
Die Tabelle gibt eine Übersicht über den Beginn des Fremdsprachenunterrichts in den Kantonen. Die Modellversuche, in denen ein früher einsetzender Unterricht in der zweiten Landessprache gegenwärtig erprobt wird, sind darin nicht berücksichtigt.

Schuljahr	*3.*	*4.*	*5.*	*6.*	*7.*
Kantone	*Wallis*	*Freiburg (dt.)* *Graubünden (rät.)*	*Bern* *Freiburg (frz.)* *Basel-Stadt* *Graubünden (it.)* *Waadt*	*Basel-Land* *Aargau* *Tessin* *Neuenburg*	*Zürich* *Luzern* *Uri* *Schwyz* *Obwalden* *Nidwalden* *Glarus* *Zug* *Solothurn* *Schaffhausen* *Appenzell A. R.* *Appenzell I. R.* *St. Gallen* *Graubünden (dt.)* *Thurgau* *Genf*

Zu dieser Tabelle ist folgendes anzumerken: Nur im zweisprachigen Kanton Wallis setzt der Unterricht der zweiten Sprache bereits im dritten Schuljahr ein. Diese der besonderen Situation wohlangemessene Praxis scheint aber nicht auch bei den anderen Kantonen zum angestrebten Modell zu werden. Die welschen Kantone werden bis zum Jahr 1984 allmählich dazu übergehen, im vierten Schuljahr mit dem Deutschunterricht zu beginnen. Die deutschsprachigen Kantone erachten eher das fünfte Schuljahr als geeignet, um mit dem Französischunterricht einzusetzen. Sonderfälle sind die Kantone Graubünden und Tessin. Im rätoromanischen Graubünden setzt im vierten Schuljahr intensiv der Deutschunterricht ein, im italienischen Graubünden ist dies erst ein Jahr danach der Fall. Da der intensive Fremdsprachenunterricht etwas zu Lasten der Realfächer geht, ist man gegenüber einer

Vorverlegung des Französischunterrichts auf das fünfte Schuljahr sehr skeptisch. Man fragt sich, ob der gesamtschweizerisch wünschbare frühere Beginn des Französischunterrichts in Graubünden nicht durch eine intensivere Förderung der bündnerischen Kantonssprachen zu ersetzen wäre: für die Deutschbündner wahlweise durch Unterricht in Italienisch oder Rätoromanisch. Die Widerstände gegen solche kantonalen Lösungen ergeben sich vor allem aus der Überlegung, daß Kinder von Eltern, die Graubünden verlassen und in andere Teile der Schweiz umziehen, größere schulische Anschlußprobleme haben könnten. In den nicht deutschsprachigen Teilen Graubündens müßte aber eine Vorverlegung des Französischunterrichts sicherlich zu Lasten der Muttersprache und der Realfächer ausfallen.

Im Tessin ist die Situation laut Angaben der Schweizerischen Dokumentationsstelle für Schul- und Bildungsfragen insofern ungewöhnlich, als 80 Prozent der Tessiner Schüler Französischunterricht bereits von der ersten Klasse an haben, und zwar im ersten und zweiten Jahr anderthalb Stunden, im dritten bis fünften Schuljahr zweieinhalb Stunden. «Eingespart» wird diese Stundenzahl vor allem in den Fächern Muttersprache und Rechnen.

Diese Angaben treffen auf Schultypen zu, die auf den Besuch einer Mittelschule vorbereiten. Sehr viel schlechter steht es um den Unterricht in einer zweiten Landessprache bei Schulklassen, die nicht weiterführen. In vielen sogenannten «Orientierungsschulen» deutschschweizerischer Kantone findet überhaupt kein Unterricht in einer zweiten Landessprache statt.

Der Unterricht in der dritten Landessprache hängt in der Regel von der Entscheidung des Schülers ab, ob er Italienisch oder Englisch als Unterrichtsfach wählen möchte. Sicherlich neigt die große Mehrheit aus Nützlichkeitsüberlegungen dem Englischen zu. Im Unterricht der zweiten Sekundarstufe hat das Italienische immer mehr den Status eines Wahlfachs erhalten.

In den vergangenen Jahren haben sich die Methoden des Fremdsprachenunterrichts stark geändert. Umgangssprachliche Geläufigkeit ließ systematische Wortschatz- und Grammatikübungen in den Hintergrund treten. Moderne Lehrmethoden und Lehrmittel können zu einem lebendigen Bild der Menschen jenseits der Sprachgrenzen beitragen. Seit 1976 versucht man, was die Schule zu vermitteln weiß, im Rahmen eines *Austauschprogramms* zwischen den Sprachregionen zu vertiefen.

Das von der Neuen Helvetischen Gesellschaft und der Stiftung für Eidgenössische Zusammenarbeit geförderte Projekt eines regelmäßigen Sprachkontaktes zwischen Schulklassen verschiedener Sprachregionen mag junge Menschen veranlassen, dauernde Kontakte zu Gleichaltrigen anderer Sprachregionen zu entwickeln. Da der Sprachunterricht an der Schule anläßlich solcher Austauschprogramme direkt einsetzbar ist, dürften die Vorzüge der Mehrsprachigkeit auch jungen Menschen einleuchten. Hier wären noch zahlreiche Möglichkeiten auszuschöpfen, um die Kontakte zwischen den Regionen auf der Grundlage persönlicher Begegnungen und Beziehungen abzusichern. Es wird dabei viel von der Flexibilität der Erziehungsdepartemente der Kantone abhängen, wieweit die Möglichkeit eines Schulaufenthaltes für Lehrer und Schüler in der anderen Sprachregion eine institutionalisierte Form und Förderung findet.

Die Beziehungen zwischen der welschen Schweiz und der deutschen Schweiz gestalten sich teilweise recht schwierig durch die sprachliche Barriere, die die *schweizerdeutschen Mundarten* für die Romands darstellen. Die unerschütterliche Position der Mundart im privaten und öffentlichen Leben der deutschen Schweiz, das unübersehbare Vordringen der Mundarten in den Medien, die umgangssprachliche Intimität des Deutschschweizers zu seiner eigentlichen Muttersprache, all dies stellt für die welschen Schweizer eine sprachliche Belastung dar, die sich leicht zur instinktiven Abneigung erweitern kann. Der Deutschschweizer wird sich seine Leichtigkeit und Natürlichkeit im Umgang mit der Mundart nicht ausreden lassen. Im Kontakt mit den anderssprachigen Mitschweizern wird er sich aber zur Standardsprache durchringen müssen, will er die Aufmerksamkeit seiner Gesprächspartner nicht bewußt verscherzen. Der deutsche Sprachunterricht in der welschen Schweiz wird ohne die Vermittlung von Grundregeln der schweizerdeutschen Mundarten nicht auskommen. In jüngster Zeit ist ein neues Interesse am systematischen Erlernen des Schweizerdeutschen in der welschen Schweiz festzustellen. Hier liegt ein Problemfeld vor, in welchem man ohne gegenseitige Anpassung nicht vorankommt. Allerdings sollte die neu entdeckte regionale Identität in beiden Landesteilen auch zu einer gerechteren Einschätzung und Hochachtung der sprachlichen Eigenart des anderen führen.

Doch die Schwierigkeiten in den Beziehungen zwischen der deutschen und der welschen Schweiz lassen sich nicht allein aus dem Unterschied von Sprache und Kultur erklären. Nach Ansicht vieler Beobachter liegt die Hauptursache «welschen Unbehagens» an der deutschen Schweiz in den *wirtschaftlichen Entwicklungen* der letzten Jahrzehnte. Ist die welsche Schweiz tatsächlich in wirtschaftlicher Hinsicht zu einer «Kolonie» der Deutschschweiz heruntergekommen, wie gelegentlich zu hören ist? Zentralistische Tendenzen lösen in einem föderalistischen Staat immer Abwehr aus, auch wenn diese keine unmittelbar politischen, sondern «nur» privatwirtschaftliche Bereiche betreffen. Da wirtschaftliche Macht sich politisch nicht indifferent verhält, ist die Besorgnis um den Verlust regionaler wirtschaftlicher Autonomie sicherlich nicht unbegründet. Allerdings läßt sich ihr nur mit Fakten und Zahlen, nicht mit Ressentiments begegnen.

Wirtschaftlich relevante Aspekte der Beziehungen zwischen der deutschen und der französischen Schweiz ist der Titel eines Berichtes, den eine Expertengruppe für den Zentralvorstand der Neuen Helvetischen Gesellschaft erarbeitet hat. Er wurde inzwischen im Jahrbuch 1981 der NHG veröffentlicht. Darin wird in einer Kurzanalyse des Problems zunächst festgehalten: «Abstrahiert man einmal vom Problem der Entscheidungszentren, kann man nicht von einer irgendwie ins Gewicht fallenden wirtschaftlichen Schlechterstellung der französischen Schweiz sprechen. Die folgenden Angaben zum Anteil der welschen Schweiz am Landestotal belegen das:

27 %	Territorium	22 %	Wohnbevölkerung
22,7 %	Volkseinkommen	23 %	aktive Bevölkerung
22,4 %	AG-Kapital welsche Schweiz	23,6%	Wehrsteuer jur. Personen
		21 %	Wehrsteuer nat. Personen
21 %	Bauinvestitionen		

Das Wohlstandsgefälle in der Schweiz besteht offensichtlich zwischen den vorwiegend deutschschweizerischen Rand-(Berg-)gebieten und den Flachlandzentren, nicht zwischen der deutschen und der französischen Schweiz.»

Diese Zahlen suggerieren eine erstaunliche prozentuale Verteilungsgerechtigkeit von Land, Bevölkerung und wirtschaftlicher Leistungskraft. Sie zeigen aber nicht, daß in der Tat die wichtigsten Unternehmungsleitungen ihren Sitz in der deutschen Schweiz haben, im sogenannten «Goldenen Dreieck» zwischen Basel, Zürich und Schaffhausen. Der oben zitierte Bericht lokalisiert die sechzehn größten Versicherungsgesellschaften, die sechs größten Banken, die fünfzehn größten Handelsfirmen im Goldenen Dreieck. Industrielle Produktionsbetriebe konzentrieren sich ebenfalls auf der Achse Zürich–Basel (mit Ausläufern nach Zug und Schaffhausen). Die größten Ausgaben für Forschung und Technologie entfallen auf Industriezweige der deutschen Schweiz (vor allem chemische Industrie und Maschinenindustrie). Die französische Schweiz ist allerdings in den Bereichen der Nahrungsmittelindustrie und der Uhrenindustrie führend. Ein interessanter Aspekt des deutschschweizerischen Übergewichts wird deutlich, wenn man die Geschäftsstellen der schweizerischen Interessenorganisationen aufrechnet: «Von 216 solchen Organisationen, die 1978/79 vom Bund zur Vernehmlassung im Gesetzgebungsverfahren eingeladen wurden, haben 189 oder 87,5 Prozent ihren Sitz im Raume Basel – Bern – Zürich (92 in Zürich und 78 in Bern). Nur 12 oder 5,6 Prozent haben ihn in der französischen Schweiz.» Es kann also kein Zweifel daran bestehen, daß die wichtigsten wirtschaftlichen und wirtschaftspolitischen Entscheidungszentren sich in der Deutschschweiz befinden.

Einer der wichtigsten internationalen Handelspartner der Schweiz ist die Bundesrepublik Deutschland. Seit Kriegsende hat sich zwischen der Schweiz und vor allem den angrenzenden Bundesländern eine intensive wirtschaftliche Zusammenarbeit entwickelt. Ähnliches trifft auf Frankreich in weit geringerem Maße zu. Die Nordostschweiz hat als Industrie- und Handelsregion auch im Außenhandel eine beherrschende Stellung erhalten.
Nichts wurde wohl in der französischen Schweiz mit kritischerem Auge registriert als die Übernahme oder Neugründung westschweizerischer Firmen durch deutschschweizerische Unternehmen. In diesem Zusammenhang kann man die Befürchtungen einer «wirtschaftlichen Kolonisation» der welschen durch die deutsche Schweiz am ehesten verstehen. Allerdings fand hier in der Regel nicht eine Verdrängung westschweizerischer Unternehmen statt. Die Erweiterung des Marktbereiches deutschschweizerischer Firmen war möglich, weil in der welschen Schweiz oft Marktlücken nicht durch einheimische Unternehmen ausgefüllt wurden. Man darf nicht übersehen, daß Gründungen von Tochterfirmen sehr häufig von welscher Seite begrüßt wurden, da sie

neue Arbeitsmöglichkeiten schufen. Die Erfahrung, daß Wirtschaftskrisen die Tochtergesellschaften am direktesten treffen und daß in der Zentrale nicht sosehr regionale Auswirkungen wirtschaftlicher Flauten als gesamtbetriebliche Gesundschrumpfung die Handlungsmaximen abgeben, hat das Mißbehagen gegenüber einer zu direkten wirtschaftlichen Abhängigkeit verstärkt. Doch auch in Zeiten ungeschmälerter Produktion hat eine mehrheitlich deutschsprachige Unternehmensleitung in den welschen Filialen innerbetriebliche Folgen: Immer mehr Deutschschweizer übernehmen Kaderpositionen im Wirtschaftssektor der Westschweiz. Das kann tatsächlich zu sprachlichen Verlagerungen in Geschäftsleitungen und Verwaltungsräten führen. Dazu der erwähnte NHG-Bericht: «Das geht aus einer entsprechenden Studie der Schweizerischen Bankgesellschaft über die nach Branchen gegliederten 110 größten Unternehmen der Schweiz hervor. Was die Verwaltungsräte angeht, entspricht die Sprachenverteilung im gesamtschweizerischen Mittel mit 75 Prozent Deutschschweizern, 18 Prozent Westschweizern, 3 Prozent Tessinern und 4 Prozent Ausländern grob gesehen etwa der Bevölkerungsverteilung. In der Westschweiz kommt dagegen nur auf zwei Westschweizer ein Deutschschweizer. Bei den Geschäftsleitungen ist bereits das schweizerische Mittel ungünstiger, und in der Westschweiz selber kommen auf fünf Westschweizer etwa vier Deutschschweizer.»

Von deutschschweizerischer Seite wird dies vor allem damit erklärt, daß sich nicht genügend Führungskräfte für Wirtschaftsunternehmen in der welschen Schweiz finden lassen. Die Absicht, vorzugsweise gleichsprachige Mitarbeiter für das firmeninterne Management auszuwählen, wird kaum zugegeben. Auf der anderen Seite scheint es auch nicht leicht zu sein, französischsprachige Führungskräfte für die deutsche Schweiz zu gewinnen. Daß es an französischsprachigen Managern in der Schweiz mangelt, hat man mit der geringeren Anziehungskraft einer Karriere im Wirtschaftssektor auf welsche Intelektuelle zu erklären versucht. Die deutschsprachige Präsenz in den Führungsgremien der welschen Unternehmen hat sicherlich auch mit dem Angebot im Personalbereich zu tun.

Man muß die gelegentlich niedere Reizschwelle sprachlicher Toleranz gegenüber deutschsprachigen Zuwanderern vor allem anhand jener Fälle erklären, wo kurzfristig massive Verschiebungen der Sprachverhältnisse aufgrund wirtschaftlicher Entwicklungen entstehen. Wenn

ein deutschschweizerischer Chemiekonzern beispielsweise am Rand einer städtischen Agglomeration in einer mehrheitlich französischsprachigen Gemeinde eine Produktionsfirma gründet, so stammen häufig gerade die Führungskräfte des neuen Betriebes nicht aus dem französischen Sprachgebiet. Ihr hohes soziales Prestige tritt besonders in der Anfangsphase in Verbindung mit ihrer fremden Sprache auf. Vor allem an einer Sprachgrenze, wo die Sprachsituation immer einige Schwankungen aufweist, ist die Versuchung groß, wirtschaftliche Macht auch zugunsten eigensprachlicher Interessen einzusetzen. So etwas liegt vor, wenn die Zuwanderer im französischen Sprachgebiet in einer Sekundarschule Deutsch als Unterrichtssprache durchzusetzen vermögen. Das sind folgenschwere Verletzungen des sprachlichen Territorialprinzips, die dazu geeignet sind, den Sprachfrieden zu gefährden. Nicht immer äußern sich die welschen Reaktionen auf diese – zwar seltenen – Vorkommnisse am geeigneten Objekt. Emotionale Aufgebrachtheit zielt bekanntlich selten genau. Aber wo die Verbindung von Sprache und politisch-ökonomischer Macht so greifbar wird wie in dem erwähnten Fall, braucht man sich über ein instinktives Schutzverhalten der Betroffenen nicht zu wundern.
Daß die welschen Schweizer den «Graben» zwischen der deutschen und französischen Schweiz stärker empfinden als die Deutschschweizer, mag in solchen Entwicklungen seinen Grund haben. Nach einer Meinungsumfrage des Marktforschungsinstitutes Scope ist sich die Mehrheit der Befragten in beiden Landesteilen darin einig, daß die wichtigsten wirtschaftlichen Entscheidungen der Schweiz außerhalb des französischsprachigen Gebietes getroffen werden. Besonders die junge Generation der Welschschweizer sieht darin einen Nachteil für die welsche Schweiz. Es ist verständlich, daß man diese Situation nicht einfach hinnehmen will, sondern auf den verschiedensten Ebenen nach einem Interessenausgleich sucht.

Es ist nicht auszuschließen, daß die in der welschen Schweiz etwas distanziertere Haltung gegenüber den Entscheidungen politischer Bundesbehörden mit einem verbreiteten Gefühl wirtschaftlicher Zweitrangigkeit in Verbindung steht. In dem Forschungsbericht über die *Ursachen der gegenwärtigen Stimmabstinenz in der Schweiz*, den die Politikwissenschaftler Neidhart und Hoby im Auftrag der Justizabteilung des Eidgenössischen Justiz- und Polizeidepartements im Januar 1977 vorgelegt haben, wird ein interessanter Unterschied zwischen der deutschen und der welschen Schweiz hinsichtlich des Motivs für die Stimmabstinenz festgestellt: «Das am meisten genannte Abstinenzmotiv ist bei den Befragten aus der deutschen Schweiz das ‹politische Desinteresse›, bei den Befragten aus der welschen Schweiz und dem Tessin hingegen die ‹politische Ohnmacht›. Während das ‹Desinteresse› in beiden Gruppen praktisch gleich oft erwähnt wird, besteht in der Nennung der ‹politischen Ohnmacht› ein beträchtlicher Unterschied. Dieses Motiv wird von 35 Prozent der Welschschweizer, hingegen nur von 23 Prozent der Deutschschweizer angegeben. Es läßt sich vermuten, daß diese unterschiedliche Beurteilung mit der ‹Distanz zu Bern› zusammenhängt, die bei einem Großteil der Befragten in der welschen Schweiz zweifellos größer ist als in der deutschen Schweiz. Demgegenüber spielt bei den Deutschschweizern das Motiv der ‹Inkompetenz› eine größere Rolle als bei den Welschschweizern. Den 29 Prozent der ersten Gruppe stehen 17 Prozent der zweiten Gruppe gegenüber, die sich zu diesem Motiv bekennen.»

Überhaupt lassen sich anhand des Stimmverhaltens bei eidgenössischen Abstimmungen interessante *Mentalitätsunterschiede* zwischen der deutschen und der welschen Schweiz feststellen. Dies gilt besonders bei gesellschaftspolitisch brisanten Fragen, in denen nicht selten auch das Verhältnis des einzelnen zum Staat als Institution berührt wird. Schon daß die Stimmbeteiligung in der Westschweiz meistens etwas niedriger liegt als in der deutschen Schweiz, gibt einen Hinweis auf unterschiedliches Verhalten. Freilich ist bei der Interpretation der Stimmergebnisse Vorsicht geboten, da selten eine Komponente allein Unterschiede im Stimmverhalten zu klären vermag. Gerade bei gesellschaftlich umstrittenen Problemen überlagern Faktoren wie sozialer Status, Alter, Parteizugehörigkeit, Religionszugehörigkeit usw. häufig die sprachregionalen Unterschiede. Mit Hilfe der «Vox-Analysen» der Schweizerischen Gesellschaft für praktische Sozialforschung und des Forschungszentrums für schweizerische Politik an der Universität Bern läßt sich allerdings ziemlich genau ermitteln, in welcher Abstimmungssituation die Ergebnisse deutlich anders je nach Sprachregion ausfielen. Hier einige Beispiele der vergangenen Jahre:

Am 12./13. März 1977 fand die eidgenössische Abstimmung über die vierte und fünfte Überfremdungsinitiative statt. Beide Initiativen wurden gesamtschweizerisch verworfen. Die Stimmbeteiligung wurde

für die deutsche Schweiz mit 58 Prozent ermittelt, für die welsche Schweiz mit 49 Prozent. Die Analyse der Ergebnisse zeigt, daß bei größerer Stimmbeteiligung der Westschweizer der Anteil der Gegenstimmen höher gelegen hätte. Die Nachbefragung bestätigte, daß man in der welschen Schweiz weniger Angst vor einer ausländischen Überfremdung der Schweiz hat als in der deutschen Schweiz.
Gleichzeitig wurde über die Volksinitiative *Demokratie im Nationalstraßenbau* abgestimmt. Auch diese wurde gesamtschweizerisch verworfen. Der Anteil der Nein-Stimmen betrug in der deutschen Schweiz 64 Prozent, in der welschen Schweiz 54 Prozent. In einzelnen Kantonen der Westschweiz stieß die Initiative allerdings auf große Sympathie. Die Motivanalyse ergab, daß die Befürworter vor allem die Mitsprache des Volkes beim Nationalstraßenbau verstärken, Fehlplanungen verhindern und aus Gründen des Umweltschutzes der Bevölkerung eine direktere Mitsprache einräumen wollten.
Am 28. Mai 1978 wurde über fünf Vorlagen abgestimmt. In drei Fällen gab es hinsichtlich der Sprachregion unterschiedliche Ergebnisse. Das Hochschulförderungsgesetz wurde gesamtschweizerisch verworfen. In der deutschen Schweiz gab es dazu 55 Prozent Nein-Stimmen, in der welschen Schweiz 43 Prozent, also eine welsche Mehrheit *für* das Gesetz.
Die sogenannte *Burgdorfer Initiative*, die der Schweiz per Gesetz zwölf autofreie Sonntage bescheren wollte, wurde ebenfalls abgelehnt, mit 60 Prozent der Stimmen in der deutschen und massiven 77 Prozent der Stimmen in der welschen Schweiz. Für staatliche Verordnungen, die den Privatbereich des einzelnen empfindlich treffen können, hat man in der welschen Schweiz wenig Verständnis.
Das dritte sprachregional bedeutsame Thema betraf die Liberalisierung des Schwangerschaftsabbruchs. Sie wurde gesamtschweizerisch eindeutig mit 69 Prozent verworfen. Die Nachbefragung ergab interessante unterschiedliche Gewichtungen. Für eine völlige Freigabe des Schwangerschaftsabbruchs plädierten 15 Prozent der Deutschschweizer und 26 Prozent der Welschschweizer, zur Fristenlösung bekannten sich 32 Prozent der Deutschschweizer und 26 Prozent der Welschschweizer, für die erweiterte Indikationenlösung sprachen sich 22 Prozent der Deutschschweizer und 23 Prozent der Welschschweizer aus, schließlich wollten 27 Prozent der Deutschschweizer und 20 Prozent der Welschschweizer den Status quo beibehalten. Kein Zweifel ist also darüber

möglich, wo in dieser Frage der stärkere Wille zur Veränderung lag.

Ein geradezu sensationell unterschiedliches Ergebnis bezüglich der zwei Sprachgruppen brachte die Volksabstimmung vom 30. November 1980. Sie hatte das Sicherheitsgurtenobligatorium und das sogenannte Sparpaket 80 zum Thema. 52 Prozent der Schweizer stimmten für das Gurtenobligatorium: laut Nachbefragung 78 Prozent der Deutschschweizer und nur 22 Prozent der Welschschweizer. Als Motiv für die Ablehnung erklärten 76 Prozent der Befragten, hier werde vom Staat aus zu direkt in den Bereich der persönlichen Freiheit eingegriffen.
Das Sparpaket 80 fand in der deutschen Schweiz überwältigende Zustimmung, während sich in der welschen Schweiz Ja- und Nein-Stimmen etwa die Waage hielten. Die Nachbefragung ergab, daß sich die Welschschweizer vermehrt für Sparmaßnahmen des Bundes und stärker gegen neue Einnahmequellen in Form von Steuern aussprachen als die Deutschschweizer.
Deutliche Unterschiede im Stimmverhalten der zwei Sprachgruppen gab es wieder am 14. Juni 1981 bei der Abstimmung über die gleichen Rechte für Mann und Frau. 68 Prozent der Deutschschweizer gaben in der Nachbefragung an, für die Vorlage gestimmt zu haben, bei den welschen Schweizern waren es 86 Prozent. Ähnlich, wenn auch weniger deutlich, verhielt es sich mit der gleichzeitig stattfindenden Abstimmung zum Konsumentenschutz: 75 Prozent der Deutschschweizer erklärten, dafür gestimmt zu haben, bei den Welschschweizern waren es 83 Prozent.
Schließlich ergab die Nachbefragung zur Abstimmung vom 29. November 1981 über die Finanzordnung noch einmal Unterschiede in den Prioritäten zwischen den Sprachregionen: 82 Prozent der Deutschschweizer gaben ihre Zustimmung, ihnen standen 70 Prozent der Welschschweizer gegenüber. Die Nachanalyse ergab, daß die Welschschweizer sich eindeutiger gegen die stärkere fiskalische Belastung des Straßenverkehrs aussprachen, dafür aber eine Bankkundensteuer befürworteten. Für die deutsche Schweiz traf dies nicht zu.
Die hier kurz skizzierten Abstimmungsergebnisse zeigen, daß sich keine gesellschaftlichen Wertungskriterien wie fortschrittlich – konservativ, individualistisch – kollektivistisch, tolerant – intolerant usw. auf die Sprachgruppen anwenden lassen. Gelegentlich stellt man im

Stimmverhalten der Welschschweizer Parallelen zur Stadtbevölkerung, zu einer Parteilinie, zu einer bestimmten Altersschicht fest. Manchmal – wie etwa beim Sicherheitsgurtenobligatorium – scheint ausschließlich der sprachregionale Faktor entscheidend gewesen zu sein. Was immer aber eine Mehrfaktorenanalyse zutage fördern dürfte: auf Unterschiede in der tagespolitischen Sensibilität, aber auch im Selbstverständnis des einzelnen im Verhältnis zu seinem Staat vermögen die Stimmergebnisse diesseits und jenseits der Sprachgrenze doch aufmerksam zu machen. An Organisationen und Stiftungen, die die Kontakte zwischen den Landesteilen fördern, fehlt es nicht. Zu den umschriebenen Aufgabenbereichen der Stiftung Pro Helvetia gehört die *Förderung des Austausches kultureller Werte zwischen den Sprachgebieten und Kulturkreisen der Schweiz*. Ein wesentlicher Anteil der Aktivitäten dieser Institution hat regelmäßige Begegnungen zwischen den Kulturschaffenden aller Landesteile zur Folge. Aber auch die Neue Helvetische Gesellschaft und die Stiftung für Eidgenössische Zusammenarbeit haben in den vergangenen Jahren sich keine Gelegenheit erspart, Vertreter von Politik, Wirtschaft und Kultur aus den verschiedenen Landesteilen miteinander ins Gespräch zu bringen, um über Aktionen zu beraten, die den Tendenzen der Abkapselung entgegenwirken. Sowohl bei politischen wie bei kulturellen Organisationen herrscht ein Bedürfnis, die Entwicklung der gegenseitigen Beziehungen nicht sich selbst zu überlassen, sondern aktiv zu fördern. Es ist wohl richtig, daß das Desinteresse an den Menschen in den anderen Landesteilen wachsen könnte, wenn Begegnungen und Kontakte nicht mehr zum schweizerischen Alltag gehören würden. Allerdings wird man sich auch nicht über die *Grenzen organisierter Gemeinsamkeit* täuschen.

Im wirtschaftlichen Bereich läßt sich sicherlich noch mehr als bisher für die Stärkung der regionalen Autonomie tun. Das Stichwort müßte auch hier *Dezentralisation* heißen. Man hat vorgeschlagen, vermehrt Direktions- und Entwicklungsabteilungen großer Unternehmen in die französische Schweiz zu verlagern. Andererseits ließen sich in Geschäftsbereichen von nationalem Umfang auch in der deutschen Schweiz französischsprachige Arbeitsgruppen bilden, die für die Kontakte mit der welschen Schweiz von großem psychologischem Vorteil sein müßten. Größere Firmen könnten die Verhaltensregeln politischer Organisationen übernehmen und sich zu regulärer Zweisprachigkeit im öffentlichen Geschäftsbereich, bei Pressekonferenzen etc. durchringen. All dies ist freilich nur zu leisten, wenn Zweisprachigkeit bereits bei der Rekrutierung des Firmenpersonals eine selbstverständliche Voraussetzung ist und wenn man sich nicht mit dem Ausweg zufriedengibt, den Geschäftsverkehr zwischen den Landesteilen notfalls auf englisch abzuwickeln. Kaderleute müßten im Rahmen ihrer beruflichen Ausbildung zwischen der welschen und der deutschen Schweiz ausgetauscht werden. Bestehende Barrieren, die eine Umsiedlung in den anderen Sprachbereich verhindern, wären soweit wie möglich abzubauen. Analog zum Schüleraustausch ist ein Lehrlingsaustausch zwischen den Sprachregionen vorgeschlagen worden. Das «Welschlandjahr», das durch veränderte soziale Bedingungen heute nicht mehr als deutschschweizerische Selbstverständlichkeit bezeichnet werden kann, bildete früher eine wichtige Kontaktbrücke zwischen den Landesteilen. Heute, da viele junge Menschen nach ihrer Schulausbildung ein Jahr des Abtastens und der Orientierung einschalten, bevor sie sich für eine Berufsrichtung entscheiden, wären Arbeitsmöglichkeiten anzubieten, die den Jugendlichen einen Aufenthalt in einem anderen Sprachgebiet reizvoll erscheinen ließen. Die Verschulung weiter Bereiche des Universitätslebens hat es mit sich gebracht, daß ein Studienjahr an Universitäten im anderen Sprachbereich weniger beliebt geworden ist, da es sich mit fest umschriebenen Prüfungsplänen nur schwer vereinbaren läßt. Die Kontaktaufnahme muß in allen Ausbildungszweigen durch den Abbau bürokratischer Schranken und durch ein zusätzliches Angebot an Überbrückungsprogrammen erleichtert werden. Schließlich ist oft darauf verwiesen worden, daß die beiden Landesteile auch *verkehrstechnisch* noch näher zusammenrücken könnten und daß dies eine wichtige Voraussetzung für die Permanenz sprachlicher Kontakte wäre. Man hat in diesem Zusammenhang eine Priorität beim Ausbau des Verkehrsnetzes zwischen der deutschen und der französischen Schweiz gefordert. 1981 ist die erste fertige Autobahnlinie zwischen den beiden Landesteilen eröffnet worden. Der Flughafen Cointrin wird wohl für eine Weile noch nicht an das SBB-Netz direkt angeschlossen sein. Es ist verständlich, daß man in der welschen Schweiz empfindlich darauf reagiert, wenn die eigenen Projekte erst mit der zweiten Rangstelle im nationalen Dringlichkeitskatalog eingestuft werden.

Wie komplex gerade verkehrspolitische Entscheidungen heute geworden sind, zeigt der im Februar 1982 publizierte Bericht der außenparlamentarischen Expertenkommission Biel (genannt nach dem Vorsitzenden, dem Zürcher Nationalrat Biel). Die Kommission überprüfte neben vier anderen umstrittenen Nationalstraßenbauprojekten auch zwei Teilstrecken, die zur Verbesserung des Straßennetzes zwischen der welschen und der deutschen Schweiz hätten beitragen können. Es handelt sich dabei um das Teilstück der N 1 zwischen Yverdon und Avenches an der Südseite des Neuenburger Sees und um die Verbindung zwischen dem Berner Oberland und dem Mittelwallis, deren umstrittenster Bestandteil der Rawil-Tunnel bildet. Es wären hier noch zwei andere, gegenwärtig diskutierte Verkehrsprojekte anzuführen, die zwar nicht zum Untersuchungsbereich der Kommission Biel gehörten, beide jedoch die Verkehrsverbindungen zwischen den Landesteilen verbessern könnten: die sogenannte *Transjurane,* die den Anschluß des Kantons Jura an das Straßennetz der übrigen Schweiz ausbauen würde, sowie die Strecke Le Locle – Bern (mit dem Tunnel unter der Vue des Alpes), die für den Kanton Neuenburg die Landeshauptstadt näherrücken ließe. So unterschiedlich die Realisierungsschwierigkeiten im Einzelfall sein mögen: Es zeigt sich bei allen diesen Projekten, daß eine bloß «schnelle Straße» nicht die Lösung ist, die in wirtschaftlicher *und* ökologischer Sicht den Interessen der Randgebiete am besten dient. So müssen verkehrspolitische Entscheidungen heute nach Prioritäten getroffen werden, die die Anliegen der direkt Betroffenen zum obersten Maßstab haben. Die breitspurige Schnellstraße zum anderen Sprachgebiet ist noch lange keine Garantie für bessere Beziehungen.

Neben verkehrspolitischen Entscheiden gibt es eine Reihe anderer Maßnahmen, die bessere Ausgangsbedingungen für ein wirtschaftliches Gleichgewicht zwischen der welschen und der deutschen Schweiz herstellen könnten. Immer wieder wird betont, daß von welscher Seite vermehrte Anstrengungen notwendig sind, um Studiengänge im Wirtschaftssektor auf Universitäts- und Berufsschulebene anzubieten und auszubauen. Bei einer proportionalen Verteilung der Forschungsmittel auf die spezifischen Industriesektoren der Westschweiz (z. B. Mikrotechnik, Elektronik, Nahrungsmittelindustrie) wird es auch gelingen, eine ausreichende «kritische Masse» an Akademikern technischer und ökonomischer Berufe in der welschen Schweiz zu beschäftigen und somit der Sogwirkung von Forschungsbetrieben in der deutschen Schweiz entgegenzuwirken. Eine wichtige Aufgabe ist dabei auch den Medien zuzusprechen, die gezielte Öffentlichkeitsarbeit zur technologisch-ökonomischen Entwicklung leisten könnten. Man hat oft festgestellt, daß gerade in der welschen Schweiz die Berichterstattung über das Wirtschaftsleben und über Fragen von Forschung und Technik nicht sonderlich entwickelt ist.

Überhaupt dürfte für die Beziehungen zwischen den beiden Landesteilen die *Medienarbeit* von ganz erheblichem Einfluß sein. Es läßt sich nicht behaupten, daß Presse, Radio und Fernsehen sich nicht um den «Graben» gekümmert hätten: Viel ist in den vergangenen Jahren darüber berichtet worden, auch solches, das Vorurteile eher festigte als wegräumte. Dennoch muß gesagt werden, daß die Anzahl der Korrespondenten, die regelmäßig aus einem Sprachgebiet für das andere berichten, in letzter Zeit gestiegen ist und daß die Berichterstattung dadurch sehr viel regelmäßiger und breiter geworden und nicht mehr allein die Angelegenheit von zwei oder drei größeren Zeitungen ist. Auch bei Radio und Fernsehen läßt sich trotz der vorhandenen Regionalisierungstendenzen eine wachsende Sensibilität für Fragen der anderssprachigen Nachbarn feststellen: Gerade nach dem Verzicht auf eine zentrale Produktionsstelle der Hauptinformationssendung werden regelmäßige Reportagen und Berichte aus dem angrenzenden Landesteil notwendig. Die teilweise vollzogene Regionalisierung der Tagesschau ist das neueste Beispiel dafür, daß Dezentralisation keineswegs Isolierung und Kontaktverlust zur Folge haben muß, sondern neue Möglichkeiten zur Gestaltung jener Fragen bietet, welche für beide Sprachbereiche von Belang sind. Da in der gesamten Schweiz die Fernsehprogramme aus Zürich, Genf und Lugano empfangen werden können, ist zumindest technisch eine permanente Hör- und Sehverbindung zu den anderssprachigen Nachbarn möglich. Allerdings dürfte dies ohne persönliche Kontakte zwischen den Menschen der verschiedenen Sprachregionen eine weithin ungenutzte Chance bleiben. Ganz generell gesprochen dürften die institutionell gesicherten Kontaktmöglichkeiten zwischen den Menschen diesseits und jenseits der Sprachgrenze in der individuellen Neugierde ihren Erfolg, aber auch ihre Grenzen finden.
Dies zeigt sich auch an jenen wenigen Orten, wo sprachliche Interaktion unvermeidbar ist. Die breit angelegte Untersuchung von

Gottfried Kolde über *Sprachkontakte in gemischtsprachigen Städten* dokumentiert an den Beispielen von Biel und Freiburg i. Ü., welche Formen zweisprachiger Koexistenz sich dort entwickelt haben, wo ein Neben- *und* Miteinander zweier Sprachgruppen eine alltägliche Notwendigkeit, aber auch eine langjährige Selbstverständlichkeit ist. Auch ein vielfältig ineinandergreifendes Beziehungsgeflecht zweier Sprachgruppen auf engem Raum schließt Konflikte nicht aus, die als Differenzen zwischen den Sprachgruppen ihren Niederschlag finden können. Manchmal wird gerade eine Divergenz zwischen den Sprachgruppen angenommen, weil die tieferen Ursachen für den Konflikt vielfältig und nur schwer feststellbar sind. Immerhin beweisen Orte wie Biel oder Freiburg i. Ü., daß zweisprachige Koexistenz möglich ist, ohne daß die eine Sprachgruppe fortwährend in die Defensive geraten muß. Kontakte werden hier ohne Selbstverlust praktiziert: was gerade für das sprachliche Zusammenleben aller schweizerischen Sprachgruppen als Leitbild dienen kann.

Die italienischsprachige Schweiz

Die Beziehungen zwischen der italienischsprachigen Schweiz und den übrigen Landesteilen sind schon deshalb weniger problemträchtig, weil sich die Erwartungshaltung der Tessiner und Italienischbündner von denen der welschen Bevölkerung stark unterscheidet.
Hier wird selten der Anspruch gleichrangiger Behandlung und Berücksichtigung erhoben, auch wenn dies de iure keineswegs abwegig wäre. Eine dem Französischen vergleichbare sprachliche Präsenz des Italienischen als Amtssprache gibt es in der Schweiz allenfalls im Bereich offizieller Anschriften, amtlicher Formulare und Dokumente. Sobald faktische Realitäten die sprachlichen Umweltbedingungen bestimmen, ist der politische Rangunterschied zwischen den gleichwertigen Sprachen unmittelbar zu fassen.
Augenmaß und politische Klugheit lassen die italienischsprachigen Schweizer weniger auf formale Gleichbehandlung pochen als dafür sorgen, daß Vertretungsansprüche dort eingelöst werden, wo Eigeninteressen berührt werden. Durch diese weniger globalen als zielorientierten Ansprüche der Italienischschweizer der deutschsprachigen

Mehrheit gegenüber sind die gegenseitigen Beziehungen – anders als jene zwischen deutscher und welscher Schweiz – ideologisch entschärft. Das Tessin und die italienischsprachigen Täler Graubündens treten gegenüber der Mehrheit als authentische Minderheit auf: Die erhobenen Ansprüche sind direkter an die unübersehbaren Grenzen der Eigenleistung rückgekoppelt.

Schon die *geographische Lage* der italienischsprachigen Südschweiz legt eine politische Haltung nahe, die sich von selektiver Repräsentanz und Mitentscheidung am meisten versprechen kann. Die stetige Verbesserung der Verkehrsverbindungen zwischen dem Tessin und den übrigen Landesteilen ist ein Politikum ersten Ranges und gilt seit Jahrzehnten als eine der wesentlichen Voraussetzungen für reale Kontakte. Das hergebrachte Bild vom Tessin als Sonnenstube der Schweiz, in der sich besser leben und schlechter arbeiten läßt als anderswo, ist längst überholt, seit sich das Tessin zu einem modernen Transitkanton entwickelt hat: mit allen infrastrukturellen ökonomischen und demographischen Verlagerungen, die als Folge solcher Wandlungen auftreten. Besonders der Dienstleistungssektor hat sich in den letzten Jahrzehnten überproportional entwickelt. Einige städtische Gemeinden des Tessins haben sich aus touristischen Attraktionspunkten zu bedeutenden schweizerischen Bankenplätzen gewandelt. Die vielleicht entscheidenden sprachpolitischen Veränderungen verdankt das Tessin jedoch seiner bevorzugten klimatischen und geographischen Lage: Ein Blick auf die Veränderungen der Grundbesitzverhältnisse in diesem Kanton zeigt eine rasante Verschiebung von einer beinah ausschließlich italienischsprachigen einheimischen Bevölkerung zu einem vielerorts geradezu erschreckend hohen Prozentsatz von Neuansiedlern anderer, vor allem deutscher Zunge. Zwar hat die massive Präsenz der Deutschschweizer und Deutschen den offiziellen Status des Italienischen im Tessin nie in Frage gestellt oder gefährdet. Für einen großen Teil der Zuzüger ist das Tessin Alters- oder Feriensitz; eine Assimilation an die aktive, politisch wirksame einheimische Bevölkerungsgruppe findet in der Regel nicht statt. Die Homogenität des sprachlichen Alltags ist durch diese Entwicklung vielerorts aber nicht mehr vorhanden, und bei allen wirtschaftlichen Vorteilen, die sich für das Tessin aus dieser Situation ergeben, macht sich ein ungutes Gefühl darüber breit, daß die deutsche Sprache im eigenen Sprachgebiet so gut gedeiht. Diese Entwicklung dürfte den Tessinern mindestens ebensoviel Sorge bereiten wie die Tatsache, daß man sie gesamtschweizerisch gelegentlich zu vergessen scheint und in Zürich wie in Genf als irrelevanten Faktor bei Entscheidungsprozessen schlicht übergeht. Gegenüber der deutschen Schweiz, die den Tessinern verkehrs- und wohl auch geschäftsmäßig näher liegt, teilen sie die Nöte der Welschschweizer mit den schweizerdeutschen Mundarten und erweisen sich im Verhältnis zur eigenen Mundart als weit entgegenkommender: Kein Tessiner würde einem Deutschschweizer, der sich mit ihm auf italienisch unterhält, das Gespräch dadurch erschweren, daß er Tessiner Mundart spricht, obwohl auch er an seinen lokalsprachlichen Eigenarten nicht wenig hängt.

In dieser sprachlichen Randlage ist es beinahe selbstverständlich, daß das Tessin bei aller politischen Zugehörigkeit zur Schweiz sich kulturell an Oberitalien orientiert. Seine Eigenständigkeit bleibt dennoch vor allem dort gewahrt, wo die Gesamtschweiz ihm die strukturellen Ausgangsbedingungen für die Eigendynamik nicht verwehrte. Dafür mag die Radio- und Fernseharbeit der Radiotelevisione della Svizzera Italiana als Beleg gelten. Auch wenn in Lugano mit weniger Mitteln als in Zürich und Genf für einen sehr kleinen schweizerischen Bevölkerungsanteil Medienarbeit geleistet wird, erweist sich die bevölkerungsrechnerisch großzügige Dotierung des italienischsprachigen Programms durch die Schweizerische Radio- und Fernsehgesellschaft als ein Musterbeispiel föderalistischen Denkens.
Im Gegensatz dazu ist es dem Tessin trotz mehrerer Anläufe nicht gelungen, eine eigene Universität zu errichten. Die akademische Ausbildung der Tessiner erfolgt nach wie vor in der französischen oder deutschen Schweiz und in Italien. Dies ist recht folgenreich, in erster Linie natürlich für die Tessiner und Italienischbündner selbst, letztlich aber auch für die Stellung des Italienischen im gesamten schweizerischen Bildungswesen. Das derzeit geplante Centro di Studi Regionali ist zwar kein Ersatz für ein breitgefächertes akademisches Lehr- und Forschungsprogramm, wie es eine Gesamtuniversität anböte, es wird aber dem italienischsprachigen Teil der Schweiz gestatten, postuniversitäre Weiterbildung und Forschung in einem Rahmen anzubieten, wo Sprache und Kultur der Region im Zentrum des Forschungsinteresses stehen. Auch die besonderen Zuwendungen des Bundes an den Kanton

Tessin für kulturelle Aktivitäten – seit 1981 jährlich 1,5 Millionen – sollten die Eigenständigkeit der italienischsprachigen Schweiz in kultureller Hinsicht fördern.
Obwohl die Beziehungen zwischen dem Tessin und der übrigen Schweiz nicht als problematisch oder gar als belastet gelten, leiden sie doch an einem Mangel, der sich trotz aller Vorkehr bisher nicht beheben ließ: Es ist immer wieder überraschend, wie wenig die Schweizer über die besonderen Probleme der italienischen Schweiz wissen, und dies, obwohl Presse, Radio und Fernsehen versuchen, diese Unkenntnis abzubauen. Freilich verfügen auch die Tessiner keineswegs über überragende Kenntnisse der anderen Landesteile. Er kann dies nicht allein mit Desinteresse erklärt werden. Ebenso stark liegt es wohl an der geographischen Situation, die gleichsam die Kontakte jahreszeitlich verengt und wieder erweitert, wie an der Natur des Menschen, sich mit traditionellen Freundbildern auch dann noch zufriedenzugeben, wenn diese Bilder längst veraltet sind.

Zwischen Tessinern und Italienischbündnern andererseits bestehen zwar freundnachbarliche und sprachsolidarische Beziehungen. Man versteht es aber auch durchaus, einander gegenseitig Ansprüche aufzurechnen. Von den italienischen Südtälern Graubündens öffnet sich die Val Mesolcina und Val Calanca direkt zum Kanton Tessin, womit Bellinzona faktisch die Funktion einer Hauptstadt für diese beiden Täler gewinnt. Bergell und Puschlav sind durch ihre Grenze zu Italien in einer ganz anderen politisch-ökonomischen Grenzsituation und entsprechend eindeutiger auf die weit entfernte Kantonshauptstadt Chur hin orientiert. Für das Verhältnis zwischen Tessinern und Italienischbündnern gelten jene psychologischen Gesetze, die zwischen dem großen und dem kleinen Nachbarn üblich sind. Dabei kann das Gefühl angemessener gegenseitiger Rücksichtnahme gewissen Schwankungen unterliegen. Interessant ist jedenfalls, daß Tessiner und Italienischbündner in der Regel getrennt marschieren, wenn es darum geht, in Bern für die Belange der italienischen Schweiz Verständnis zu finden und Finanzen zu lockern. Das kann zumindest ein Anzeichen dafür sein, daß die kantonale Identität minderheitenpolitisch höher eingeschätzt wird als die sprachliche Zusammengehörigkeit. Daß die Italienischbündner nicht auf der gesamten Linie mit den Tessinern «mitschwimmen», mag den Tessinern gar nicht so unangenehm sein.

Den Italienischbündnern erlaubt dies, ihrerseits ein Stück Eigenständigkeit einzubringen und gegenüber den Tessiner Interessen die eigenen klarer abzugrenzen. Die Sorge um die Erhaltung sprachlicher Vielfalt umfaßt auch das Bemühen, innersprachliche Differenzen und unterschiedliche Kulturtraditionen zu bewahren.

Sprachkontakte in Graubünden

Die Sprachsituation in Graubünden erscheint manchmal selbst den Befürwortern der Vielfalt als zu komplex. Die Zahlen muttersprachlicher Zugehörigkeit der Gesamtbevölkerung in Graubünden lauten für das Jahr 1980 wie folgt: 59,9 Prozent Deutsch, 21,9 Prozent Rätoromanisch, 13,5 Prozent Italienisch, 4,7 Prozent andere Sprachen. Nun wäre es aber falsch, anzunehmen, die Rätoromanen verfügten faktisch in Graubünden über eine vergleichbare sprachliche Durchsetzungskraft wie die Welschen im Bund, obwohl die Verhältniszahlen dies nahelegen. Zwar ist das Rätoromanische in allen seinen geschriebenen Formen als Kantonssprache anerkannt. Seine bloß partielle Geltung in wichtigen Lebens- und Arbeitsbereichen, die idiomatische Zersplitterung und das Fehlen einer gemeinsamen Schriftsprache erweisen sich als Hemmnis, um mit den beiden anderen Kantonssprachen mithalten zu können.
Dies bringt es mit sich, daß die *deutsche Sprache* in Graubünden faktisch *Hauptsprache* war und ist. Das Gewicht der beiden anderen Kantonssprachen blieb aber nicht ein für allemal festgelegt: Auch heute sind die Sprecher der drei Kantonssprachen noch dabei, ihre Position wechselseitig gegeneinander abzugrenzen, wobei sich in den letzten Jahrzehnten der Status der Minderheitensprachen im Kanton eindeutig verbessert hat. Für den Außenstehenden ergeben sich dabei manchmal erstaunliche Resultate: So sitzen gegenwärtig im fünfköpfigen Regierungsrat (Bündner Exekutive) drei Rätoromanen, ein Italienischbündner und ein Deutschbündner. Die sprachliche Zugehörigkeit ist also keineswegs das wichtigste Kriterium bei einer Wahl; parteipolitische Mitgliedschaft oder regionale Repräsentanz können durchaus das größere Gewicht haben.
Das deutschsprachige Graubünden verfügt über eine ausreichende

sprachinterne Vielfalt, um sich auch gegenüber den anderen Kantonssprachen flexibel und entgegenkommend verhalten zu können. Deutschbünden ist kein monolithischer Block. In sprachkultureller Perspektive ist beim Bündnerdeutsch sicherlich das Walserische von den anderen Mundarten zu unterscheiden. Auch das Churerdeutsch mit seinen Ausläufern in der näheren Umgebung der Hauptstadt muß von der neuen Koine-Mundart Graubündens, häufig etwas abschätzig als «Kurortdeutsch» apostrophiert, abgehoben werden. Die einheimischen Formen des Bündnerdeutschen sind einem kaum aufzuhaltenden Abschleifungsprozeß ausgesetzt. Man versteht, daß die Deutschbündner inzwischen nicht nur das Rätoromanische als gefährdete Sprachform des Kantons ansehen, sondern daß die Sorge um die Erhaltung bündnerdeutscher Sprachtraditionen mehr als berechtigt ist. Der Kanton hat bisher nicht unerhebliche Geldmittel für die Erhaltung des Rätoromanischen und zur Förderung des Italienischen aufgewendet. Im Verhältnis dazu waren die Stützungsmaßnahmen für die walserischen Sprachformen beschämend niedrig. Man begründete dies damit, daß es sich hier nur um eine besondere Mundart handle, während bei den Rätoromanen eine eigentliche Sprache auf dem Spiel stehe. Diese Unterscheidung ist aber reichlich akademischer Natur. Denn gerade die Förderung des Rätoromanischen in allen seinen Idiomen zielt nicht auf die Schaffung einer einheitlichen Schriftsprache, sondern will den Reichtum der Sprachformen innerhalb der Kantonsgrenzen so gut es geht erhalten. So betrachtet hat das Walserische denselben kulturellen Anspruch auf Weiterbestehen, und man kann es den Deutschbündnern nicht verübeln, wenn sie gelegentlich meinen, die Rätoromanen verstünden es, die Förderungsmittel des Kantons fast ausschließlich für ihr eigenes Anliegen auszuschöpfen.

Geographisch gesehen sind die *Italienischbündner* durch ihre Randlage in einer so ungünstigen Situation wie die Tessiner. Chur liegt für sie so weit entfernt wie für die Tessiner Bern. Der Bau des San-Bernardino-Straßentunnels hat die Hauptstadt für zwei der Südtäler etwas näher gerückt. Von Poschiavo aus bleibt die Reise nach Chur, vor allem im Winter, eine zeitaufwendige Angelegenheit. Dies ist in vieler Hinsicht nachteilig, auch wenn es hin und wieder auch seinen Nutzen haben mag, sich weitab von der politischen Zentrale zu befinden.
Der langjährigen vorsichtigen Strategie jener Italienischbündner, die in

der Hauptstadt als Parlamentarier, Lehrer, Verwaltungsbeamte etc. tätig waren, ist es zu verdanken, daß sich das Italienische als Kantonssprache zwischenzeitlich erheblich gefestigt hat. Der Weg, der in den höheren Schulen der Kantonshauptstadt zu italienischsprachigen Abteilungen und in der Kantonsverwaltung zu einem professionellen Übersetzungsdienst führte, war nicht kurz. Doch die Entschlossenheit der italienischsprachigen Gemeinden, sich nicht mit deutschsprachigen Gesetzen, Verordnungen, Regierungserlassen und Verwaltungsmaßnahmen abzufinden, hat zu jener italienischsprachigen Infrastruktur in Chur geführt, die für ein mehrsprachiges Staatsgebilde unabdingbar ist. Die Pro Grigioni Italiano, die Dachvereinigung der italienischsprachigen Täler, hat nicht nur traditionelle Kulturarbeit geleistet, sondern auch zur Verwandlung bisheriger deutschsprachiger Verwaltungsbastionen (beispielsweise des Kantonsgerichtes) in flexiblere mehrsprachige Institutionen beigetragen. Dabei konnten die Italienischbündner von Abwicklungsmustern profitieren, wie sie sich zwischen dem Tessin und dem Bund ausgeformt haben: Es handelte sich vielfach um die Umsetzung jener im Bund gebräuchlichen Formen der Mehrsprachigkeit auf die besonderen kantonalen Verhältnisse Graubündens. Im Einvernehmen mit der Kantonsregierung und gemeinsam mit der Dachorganisation der Rätoromanen, Lia Rumantscha, gelang es auch, für die Sprachförderungsmaßnahmen in den italienischsprachigen Tälern Bundessubventionen zu erhalten. Die Sprachpolitik der Italienischbündner ist insofern ein Paradefall für eine zwar unspektakuläre, aber auch unbeirrbare Strategie, mit der eine sprachliche Minderheit schrittweise die eigene Position ausbaut.

In einer weit ungünstigeren Lage befinden sich diesbezüglich die *Rätoromanen*, obwohl sie bevölkerungsmäßig die dreifache Stärke der Italienischbündner aufweisen. Zwar sind die internen Spannungen durch die Einsicht in die Gleichheit der Probleme weitgehend neutralisiert, die fehlende gemeinsame Schriftsprache schwächt dennoch ganz erheblich den Status des Rätoromanischen im Kanton und im Bund. Auch wenn die Rätoromanen heute untereinander weit weniger Verständnis- und Verständigungsprobleme haben als früher, erlaubt ihre prekäre Situation keine Einigungsexperimente, bei denen die umgangssprachliche Intimität zu ihrer Regionalsprache leichtfertig aufs Spiel gesetzt würde. Denn gerade sie macht wohl am stärksten gegen alle Verlockungen immun, die Sprache der Kindheit mit der Sprache der beruflichen Umwelt zu vertauschen.

Die entscheidende Frage für die Rätoromanen lautet, ob es möglich sein wird, ihre Muttersprache *neben* einer zweiten Sprache zu erhalten. Alle Erfahrungen, die man mit sprachlichen Minderheiten hat, die zur Zweisprachigkeit übergegangen sind, zeigen die Gefahr auf, daß die statusmäßig schwächere Sprache allmählich ganz auf den privaten Bereich zurückgedrängt wird und aus dem öffentlichen Leben verschwindet. Die gesamtschweizerisch manchmal etwas emotional, sogar larmoyant wirkenden Verlautbarungen der Rätoromanen kann man als Ausdruck jener deprimierenden Erfahrung wohl gelten lassen, daß Zweisprachigkeit unter Rätoromanen nicht einfach doppelte Sprachkompetenz besagt, sondern daß rätoromanische Sprachkenntnisse durch deutsche Spracherfahrungen ersetzt und verdrängt werden.

Das breitgefächerte Spracherhaltungsprogramm, das die Lia Rumantscha in Absprache mit der Kantonsregierung entwickelt hat, ist der Versuch, sich aus Realitätssinn auf dieses Wagnis einer zweisprachigen Lebenswelt einzulassen, allerdings im Bemühen, die Position des Rätoromanischen überall dort zu stärken, wo eine Chance dafür erblickt wird. Es ist offensichtlich, daß nur einseitige Aktionen zu keinen günstigen Ergebnissen führen können: So wichtig beispielsweise die Förderung des Rätoromanischen in Kindergärten und in der Primarschule ist, so verkommt die Sprache doch schnell zum ungeliebten Schulfach, wenn nicht garantiert ist, *daß das Rätoromanische in allen Lebensbereichen seinen Platz findet.* Daraus erklären sich die heute viel intensiveren Bemühungen, dem Rätoromanischen im sekundären Bildungsbereich bis hin zur Maturität, in der beruflichen Ausbildung, in Politik, Wirtschaft und Freizeit eine feste Position zu sichern. Die Ergebnisse der vergangenen Jahre im Versuch, die rätoromanische Sprache nicht zur Kinder- und Wirtshaussprache absinken zu lassen, sondern sie in allen Bereichen einsetzbar zu machen, geben Anlaß zu gewissen Hoffnungen. Sicherlich schätzen die Rätoromanen selbst die Tauglichkeit ihrer Muttersprache für ihre Arbeits- und Lebenswelt heute gerechter ein; das Minderwertigkeitsgefühl, das häufig im Bedeutungsgefälle zwischen einer großen und einer kleinen Sprache auftritt, ist weitgehend abgebaut. Die gruppensprachliche Besonderheit des Rätoromanischen in seinen verschiedenen mundartlichen Ausprägungen wird schon häufig von den Sprechern positiv veranschlagt.

Somit läuft gegenwärtig in Graubünden ein erstaunliches sprachliches Experiment, begleitet vom grundsätzlichen Wohlwollen der beiden anderen Sprachgruppen.

DER SPRACHLICHE PLURALISMUS DER SCHWEIZ

In seinem Buch über die *Soziologie und Politik der Sprachen Europas* schreibt Harald Haarmann: «Auf Fragen der Identität einzelner Sprachgemeinschaften (Selbsteinschätzung, Sprachbewußtsein, nationalistische Verhaltensweisen als Bestandteil eines kollektiven Bewußtseins usw.) bin ich deshalb nicht näher eingegangen, weil deren wissenschaftliche Erforschung noch in den Anfängen steckt und die Ergebnisse für einen gesamteuropäischen Rahmen noch zu lückenhaft sind.» Was wir unter sprachlicher Identität verstehen, läßt sich auch für die schweizerische Situation nicht auf eine Kurzformel bringen. Wenn der Zürcher Philosoph Lübbe schreibt: «Identität – das ist nichts anderes als die Antwort auf die Frage, wer wir sind, sei es individuell, sei es sozial, also zum Beispiel national oder europäisch», dann darf man hier sicherlich sprachliche Zugehörigkeit ergänzen und fragen: «Wer sind wir sprachlich?» Auch die Antwort darauf würde längst nicht alles klären, was den individuellen Sprecher an seine Sprachgemeinschaft bindet. Wenn man beispielsweise von der «identité romande» spricht, dann ist die Sprache der Welschschweizer sicherlich eingeschlossen, vielleicht sogar in erster Linie gemeint, aber im Bedeutungsfeld dieses Begriffes findet sich noch vieles andere, was nicht so sehr mit der Sprache als mit Lebensweisen, mit den Ortsgewohnheiten und den Landschaftsformen, mit einer eigenen Hierarchie der Werte und mit anderem mehr zusammenhängt. Es ist da längst nicht alles bloß verstandesmäßig aufzuspüren, was den einzelnen dazu bewegt, die Zugehörigkeit zu einer Sprach- und größeren Lebensgemeinschaft hochzuhalten und sich in dieser Bindung auch an symbolischen Ausdrucksformen zu orientieren. Zweifelsohne hat die Identifikation mit einer Gruppe für den einzelnen entlastende Wirkungen bezüglich seiner Selbstdarstellung und bietet in der Solidarität mit Gleichgesinnten ein Sicherheitsgefühl, das sich das Individuum als einzelnes nicht besorgen kann. Man hat den Schweizern oft regionale Befangenheit bescheinigt. Dies läßt sich auch als Versuch deuten, die Identifikationsmuster vor allem im überschaubaren Lebensbereich und weniger in

globaleren Leitbildern zu finden. Für die Erhaltung einer möglichst großen Vielfalt der Lebensformen ist dies gewiß nicht hinderlich.
Hinter dem, was man als die Identität einer Sprachgemeinschaft bezeichnet, verbirgt sich aber nicht nur Rationales. Es gibt darin auch «die ungefegten Ecken und Winkel unserer intellektuellen Wohnung», wie Ernst Gombrich es einmal bezeichnet hat. Sie vor allem anderen sind für das Entstehen der «geistigen Epidemien» verantwortlich: für das also, was man die weniger harmlosen unter den gegenseitigen Vorurteilen nennen könnte. Damit ist nicht die Tatsache gemeint, daß jede Sprachgemeinschaft auch über Worte verfügt, die ideologisch besetzt sind und mit denen eher Werthaltungen konserviert als Erkenntnisse gewonnen werden können. Zur sprachlichen Identität gehören sicherlich auch jene bestätigenden, affirmativen Orientierungsvokabeln, ungeeignet, um geistiges Neuland zu betreten, aber wie geschaffen, um sich im Vertrauten gut einzurichten. «Jedes Volk hat seine Tartüfferie und heißt sie seine Tugenden», dies gilt auch für Sprachgemeinschaften. Wenn aber Unterschiede geschichtlicher und sprachlicher Traditionen zu ethnischen und rassischen Merkmalen uminterpretiert werden, dann hat in der Tat eine «geistige Epidemie» um sich gegriffen, deren Verbreitung mit wirksamen Mitteln zu verhindern ist. Gewisse regionale Bewegungen in Europa haben eine höchst bedenkliche Nähe zu rassistischen Weltbildern erreicht, und gänzlich verschont haben diese Ideologien auch radikalere Splittergruppen schweizerischer Sprachgemeinschaften nicht. Edward Sapir schreibt einmal: «Es ist unmöglich, zwischen der Form einer Sprache und dem Charakter eines Volkes auch nur die geringste Beziehung nachzuweisen. Ihre Entstehungstendenzen und Veränderungen verlaufen unerbittlich in den Bahnen, die ihre Geschichte ihr vorgezeichnet hat.» Die Versuche, sprachlich-kulturelle Differenzen auf eine ethnische Basis zurückzuführen, sind wohl rein taktischer Natur und appellieren an die Primitivformen von Vergesellschaftung, in denen die Sippenhaft die oberste ethische Norm war.
Solchen Entwicklungen beugt man wirksam dadurch vor, daß die stärkste Sprachgruppe gegenüber den sprachlichen Minderheiten ihre «Bringschuld» anerkennt und die eigene Durchschlagskraft bewußt und freiwillig begrenzt. Die Beziehungen zwischen den Sprachgruppen sind nicht dann schon ausgewogen, wenn die Vertretungsansprüche in mathematischer Proporzgenauigkeit zur Gruppenstärke eingehalten

werden. Viel bedeutender ist, daß in jenen Bereichen, in denen die vitalen Interessen einer kleineren Sprachgruppe sich artikulieren, eine Minderheit proportional weit übervertreten sein müßte, um als am meisten betroffene entscheidungswirksam sein zu können.

Sprachlicher Pluralismus hängt freilich nicht allein davon ab, ob die stärkere Sprachgruppe sich bescheidet und den Minderheiten gegenüber sich wohlwollend verhält. Die kleineren Sprachen müssen selbst über die Verteidigung und Stärkung ihrer öffentlichen Position wachen, vor allem aber auch über jene Abwehrkräfte verfügen, die dem inneren Rückzug und dem Selbstmitleid Einhalt gebieten. Sie werden darüber hinaus eine partizipatorische Form der Auseinandersetzung finden müssen. Daß die Welt nicht nur aus Brüdern und aus Feinden besteht, sondern daß zwischen Menschen eine Fülle von anderen Beziehungsformen bestehen, die sich für die eigenen Interessen nutzen lassen. Dies ist eine Erkenntnis, die in unzufriedenen Minderheiten selten genug heimisch ist. Nicht weniger falsch und bequem wäre es, die Lösung des eigenen Minderheitenschicksals dem Staat zu überbürden. Ohne zusätzliche Stützung durch den Staat sind zwar die Chancen zur Erhaltung ökonomisch wenig einsetz- und verwertbarer Sprachformen nicht sehr groß. Aber diese ist auch nur aussichtsreich, solange die direkt Betroffenen sie in sprachfördernde Eigenaktivität ummünzen. Bei sprachlichen Minderheiten, die ohne die öffentliche Hand nicht auskommen, mag im Gegenzug zur Gönnerhaltung der Mehrheit so etwas wie ein Hochmut entstehen, der sich weigert, für staatliche «Geschenke» dankbar zu sein. Das ist eine jener psychologisch verständlichen Reaktionen auf großes Ungleichgewicht zwischen den Sprachgruppen. Ein beinah universeller Glaubenssatz von Sprachgemeinschaften lautet: «Hors de la territorialité point de salut.» Wenn in einer Sprachgemeinschaft das Heil nur noch von außen erwartet würde, wäre das, was da kommt, für die Wartenden wohl kein Heil mehr.

Man wird bei allen kontroversen Partikularhaltungen, die zwischen den Sprachgruppen möglich sind, den nichtkontroversen Bereich unseres sprachlichen Zusammenlebens nicht übersehen: jenes gemeinsame Bewußtsein nämlich, daß unsere vier Landessprachen nicht beliebig austauschbare Kommunikationsmedien sind, sondern daß in ihnen und durch sie eine besondere Geschichte und eine unverwechselbar eingefärbte Gegenwart uns ansprechen, die sich gegeneinander ohne Reste und Verluste nicht eintauschen lassen. Die Absicht, den anderen verstehen zu wollen, muß sich mit dem Willen verbinden, ihn anders sein zu lassen, als man es sich selbst wünscht. Die Erfahrung eines jeden Übersetzers, daß vieles zwischen den Sprachen deckungsungleich bleibt, gilt auch für die Beziehungen zwischen Sprechern. Ein jüdischer Schriftsteller hat einmal in bezug auf Minderheitensprachen vom «hoffnungslos intramuralen Humor» gesprochen, der zugrunde gehe, wenn man die Mauern aufbreche. So mag es noch mit vielem anderen sein. Doch besagt Pluralismus eben vor allem, daß es vorteilhaft ist, autonome Einheiten zu belassen und über sie nicht von höherer Warte aus zu verfügen.

Der sprachliche Pluralismus der Schweiz wird die wohl entscheidende Tauglichkeitsprobe dafür abgeben, wieweit wir fähig sind, treuhänderisch mit einem der wertvollsten Güter schweizerischer Tradition umzugehen. Dazu reicht heute die bloß «unbewußte Bereitschaft, dem Widerläufigen ein Ort zu sein», nicht mehr aus, die Karl Schmid als wichtige Ingredienz schweizerischer nationaler Identität entdeckte. Es werden viele bewußte Entscheidungen dafür vonnöten sein.

LITERATURHINWEISE

SPRACHGESCHICHTLICHE GRUNDLAGEN

Amman, Hektor/Schib, Karl, Historischer Atlas der Schweiz, Aarau ²1958
Bachmann, Albert/Gauchat, Louis/Salvioni, Carlo/v. Planta, Robert, Schweiz – Sprachen und Mundarten. In: Geographisches Lexikon der Schweiz, Bd. 5, Neuenburg 1907, S. 58–94
Beck, Marcel/Moosbrugger-Leu, Rudolf/Sonderegger, Stefan, Volks- und Sprachgrenzen in der Schweiz im Frühmittelalter. In: Schweizerische Zeitschrift für Geschichte, S. 433–534
Devoto, Giacomo, Il linguaggio d'Italia, Milano 1977
Drack, Walter (Hrsg.), Ur- und frühgeschichtliche Archäologie der Schweiz (6 Bde.), Basel 1968 ff.
Glatthard, Peter, Ortsnamen zwischen Aare und Saane, Bern 1977
Hachmann, Rolf, Die Germanen, Genf 1971
Krahe, Hans, Indogermanische Sprachwissenschaft (2 Bde.), Berlin ⁵1966
Mentz, Arthur, Schrift und Sprache der Burgunder. In: Zeitschrift für deutsches Altertum 85 (1954/55), S. 1–17
Müller, Wolfgang (Hrsg.), Zur Geschichte der Alemannen, Darmstadt 1975
Pedersen, Holger, Vergleichende Grammatik der keltischen Sprachen (2 Bde.), Göttingen 1909, 1913
Risch, Ernst, Die Räter als sprachliches Problem. In: Jahrbuch der schweizerischen Gesellschaft für Ur- und Frühgeschichte 55 (1970), S. 127–134
Sonderegger, Stefan, Die Ausbildung der deutsch-romanischen Sprachgrenze in der Schweiz im Mittelalter. In: Rheinische Vierteljahrsblätter 31 (1966/67), S. 223–290 (sowie zahlreiche weitere Arbeiten)
Stricker, Hans, Zur Verdeutschung des St. Galler Oberlandes und seiner Namen. In: Neujahrsblatt des Historischen Vereins des Kantons St. Gallen, Heft 120 (1980), S. 13–21 (sowie zahlreiche weitere Arbeiten)
Tagliavini, Carlo, Einführung in die romanische Philologie, München 1973
Weilenmann, Hermann, Die vielsprachige Schweiz, Basel 1925
Whatmough, Joshua, The Prae-Italic Dialects of Italy, Bd. 2, London 1933
Zimmerli, Jakob, Die deutsch-französische Sprachgrenze in der Schweiz (3 Bde.), Basel 1891–1899
Zinsli, Paul, Ortsnamen, Frauenfeld ²1975 (sowie zahlreiche weitere Arbeiten)

DIE DEUTSCHSPRACHIGE SCHWEIZ

Baechtold, Jakob, Geschichte der Deutschen Literatur in der Schweiz, Frauenfeld 1887
Boesch, Bruno, Die Aussprache des Hochdeutschen in der Schweiz, Zürich 1957
Boesch, Bruno, Untersuchungen zur alemannischen Urkundensprache des 13. Jahrhunderts, Bern 1946
Brandstetter, Renward, Die Reception der neuhochdeutschen Schriftsprache in Stadt und Kanton Luzern. In: Geschichtsfreund 46 (1891), S. 193–282 (sowie zahlreiche weitere Arbeiten)
Cysat, Renward, Collectanea Chronica und denkwürdige Sachen ... Hrsg. von Josef Schmid (bisher 2 Bde. in 5 Teilen), Luzern 1969 ff.

Eggers, Hans, Deutsche Sprachgeschichte (4 Bde.), Reinbek 1963 ff.
Ermatinger, Emil, Dichtung und Geistesleben der deutschen Schweiz, München 1933
Henzen, Walter, Schriftsprache und Mundarten, Bern 1954
Hotzenköcherle, Rudolf, Zur Raumstruktur des Schweizerdeutschen. In: Zeitschrift für Mundartforschung 28 (1961), S. 207–227
Hotzenköcherle, Rudolf, u. a., Sprachatlas der deutschen Schweiz, (bisher 4 Bde.), Bern 1962 ff.
Jörg, Ruth, Untersuchungen zum Schwund des Präteritums im Schweizerdeutschen, Bern 1976
Kaiser, Stephan, Die Besonderheiten der deutschen Schriftsprache in der Schweiz (2 Bde.), Mannheim 1969/70
Müller, Ernst Erhard, Wortgeschichte und Sprachgegensatz im Alemannischen, Bern 1960
Ris, Roland, Probleme aus der pragmatischen Sprachgeschichte der deutschen Schweiz. In: Horst Sitta (Hrsg.), Ansätze zu einer pragmatischen Sprachgeschichte, Tübingen 1980, S. 103–128 (sowie zahlreiche weitere Arbeiten)
Schwarzenbach, Rudolf, Die Stellung der Mundart in der deutschen Schweiz, Frauenfeld 1969
Schweizerisches Idiotikon – Wörterbuch der Schweizerdeutschen Sprache (bisher 13 Bde.), Frauenfeld 1891 ff.
Singer, Samuel, Die mittelalterliche Literatur in der deutschen Schweiz, Frauenfeld 1930
Socin, Adolf, Schriftsprache und Dialekte im Deutschen nach Zeugnissen alter und neuer Zeit, Heilbronn 1888
Sonderegger, Stefan, Althochdeutsch in St. Gallen, St. Gallen–Sigmaringen 1970
Sonderegger, Stefan, Die schweizerdeutsche Mundartforschung 1800–1959, Frauenfeld 1962
Sprache, Sprachgeschichte und Sprachpflege in der deutschen Schweiz, Zürich [2]1964
Stirnemann, Knut, Zur Syntax des gesprochenen Schweizer Hochdeutschen, Frauenfeld 1980
Trümpy, Hans, Schweizerdeutsche Sprache und Literatur im 17. und 18. Jahrhundert, Basel 1955
Tschudi, Ägidius, Die vralt warhafftig Alpisch Rhetia..., Basell 1538
Weiss, Richard, Die Brünig-Napf-Reuß-Linie als Kulturgrenze zwischen Ost- und Westschweiz auf volkskundlichen Karten. In: Schweizerisches Archiv für Volkskunde 58 (1962), S. 201–231
Wilhelm, Friedrich, Corpus der altdeutschen Originalurkunden bis zum Jahre 1300, Bd. 1, Lahr 1932
Zinsli, Paul, Walser Volkstum, Frauenfeld [3]1970

DIE FRANZÖSISCHSPRACHIGE SCHWEIZ

Atlas der Schweiz, Wabern–Bern 1967 (Tafel 28)
Bulletin du Glossaire des patois de la Suisse romande, 1 (1902) bis 14 (1915)
Burger, Michel, La tradition linguistique vernaculaire en Suisse romande: les patois. In: Le français hors de France, publié sous la direction de A. Valdman, Paris 1979, S. 259–269
Butz, Beat, Morphosyntax der Mundart von Vermes (Val Terbi), Bern 1981 (Romanica Helvetica, 95), S. 17–22
Calame, Francine; Fazan, Catherine, Le patois de la Gruyère – sa vitalité dans le village de La Roche, Neuchâtel 1979 (Séminaire de linguistique, vervielfältigt)

Casanova, Maurice, Considérations sur le français en Suisse romande. In: Educateur, Revue de pédagogie et d'éducation de la Société pédagogique de la Suisse romande, 1981/8, S. 30–33
Colloque de dialectologie francoprovençale organisé par le Glossaire des patois de la Suisse romande, Neuchâtel, 23–27 septembre 1969, Actes publiés par Zygmunt Marzys avec la collaboration de François Voillat, Neuchâtel/Genève: speziell die Artikel von M. Burger, M. Casanova, Z. Marzys, R.-C. Schüle, F. Voillat
Gauchat, Louis, Langue et patois de la Suisse romande. In: Dictionnaire géographique de la Suisse; Bd. 5, Neuchâtel 1908, S. 259–267
Gauchat, Louis; Jeanjaquet, Jules, Bibliographie linguistique de la Suisse romande, 2 Bände, Neuchâtel 1912–1920 (Glossaire des patois de la Suisse romande). – Bibliographische Nachträge erscheinen regelmäßig in den Jahresberichten der Redaktion: Rapports annuels de la rédaction du Glossaire des patois de la Suisse romande
Gauchat, Louis; Jeanjaquet, Jules; Tappolet, Ernest, Tableaux phonétiques des patois suisses romands, Neuchâtel 1925 (Glossaire des patois de la Suisse romande)
Glossaire des patois de la Suisse romande, Neuchâtel – Paris (ab 1972: Genève) – Neuchâtel, 1924 ff.
Hafner, Hans, Grundzüge einer Lautlehre des Altfrankoprovenzalischen, Bern 1955 (Romanica Helvetica, 52)
Jeanjaquet, Jules, Un document inédit du français dialectal de Fribourg au XVe siècle. In: Aus romanischen Sprachen und Literaturen, Festschrift Heinrich Morf, Halle a. d. S. 1905, S. 271–296
Jeanjaquet, Jules, Les patois valaisans, caractères généraux et particularités. In: Revue de linguistique romane, 7 (1931), S. 23–51
Lobeck, Konrad, Die französisch-frankoprovenzalische Dialektgrenze zwischen Jura und Saône, Genève/Erlenbach-Zürich (E. Rentsch) 1945 (Romanica Helvetica, 23)
Marzys, Zygmunt, De la scripta au patois littéraire: à propos de la langue des textes francoprovençaux antérieurs au XIXe siècle. In: Vox Romanica, 37 (1978), S. 193–213
Pierrehumbert, William, Dictionnaire historique du parler neuchâtelois et suisse romand, Neuchâtel 1926
Redard, Georges, Le patois, langue secrète. In: Musée neuchâtelois, 1954, S. 43–47
Schüle, Ernest, Glossaire des comptes de l'Hospice du Grand Saint-Bernard (1397–1477). In: Vallesia, 30 (1975), S. 341–384
Schüle, Ernest, Verschiedene Artikel in Heimatschutz, Publication de la Ligue suisse du patrimoine national, 73 (1978) und 74 (1979)

DIE SPRACHLICHE SITUATION DER SÜDSCHWEIZ

AA. VV., Aspetti della nostra italianità. Numero speciale di Cenobio 3 (1954), S. 131–288
Bianconi, Sandro, Lingua matrigna, Bologna 1980
Biscossa, Giuseppe, La lingua italiana nel Ticino. In: Il Veltro 12 (1968)
Bonalumi, Giovanni, La giovane Adula, Chiasso 1970
Fasani, Remo, La Svizzera plurilingue, Lugano 1982
Gilardoni, Silvano, Italianità ed elvetismo nel Canton Ticino. In: Archivio Storico Ticinese 12 (1971), S. 3–84
Locarnini, Guido, Die literarischen Beziehungen zwischen der italienischen und der deutschen Schweiz, Bern 1946

Lurati, Ottavio, Dialetto e italiano regionale nella Svizzera italiana, Lugano 1976
Lurati, Ottavio, Lingue in contatto e stratificazione linguistica. In: Language Learning. Individual Needs, Interdisciplinary Cooperation, Bi- and Multilingualism, Brüssel 1978, S. 199–222
Lurati, Ottavio, Turismo e folclore. Il caso ticinese. In: Schweiz. Archiv für Volkskunde 77 (1981), S. 39–51
Lurati, Ottavio/Pinana, Isidoro, Dialetto e vita popolare nella Val Verzasca, Lugano–Bellinzona 1982
Magginetti, Caterina/Lurati, Ottavio, Biasca e Pontirone. Gente, parlata, usanze, Basel 1975
Soldini, Adriano, Crisi culturale e politica. In: Il Cantonetto 12 (1964), S. 79 ff.
Tognina, Riccardo, Lingua e cultura della valle di Poschiavo, Basel 1967
Vocabolario dei dialetti della Svizzera Italiana (VSI), Lugano 1953 ff. (bis jetzt sind 2 Bde. erschienen, A- und B-)

DIE RÄTOROMANISCHE SCHWEIZ

Bezzola, Reto R., Litteratura dals Rumauntschs e Ladins, Chur 1979
Decurtins, Alexi, Zum deutschen Sprachgut im Bündnerromanischen. Sprachkontakt in diachronischer Sicht. In: Kulturelle und sprachliche Minderheiten in Europa. Aspekte der europäischen Ethnolinguistik und Ethnopolitik. Akten des 4. Symposiums über Sprachkontakt in Europa, Mannheim 1980/Tübingen 1981
Decurtins, Alexi / Stricker, Hans / Giger, Felix, Studis Romontschs 1950–1977. Bibliographisches Handbuch zur bündnerromanischen Sprache und Literatur, zur rätisch-bündnerischen Geschichte, Heimatkunde und Volkskultur mit Ausblicken auf benachbarte Gebiete, Bd. I: Materialien. Bd. II: Register. Chur 1977–1979 (Romanica Raetica 1/2)
DRG = Dicziunari Rumantsch Grischun, Chur 1939 ff. (Bände A- bis F- erschienen, einschl. den ersten 6 Faszikeln des G-)
Calgari, Guido, Die Rätoromanen und ihre Idiome. In: Die vier Literaturen der Schweiz. Die Literaturen aller vier Landessprachen. Die erste umfassende Darstellung von den Anfängen bis zur Gegenwart, Olten u. Freiburg i. Br. 1966
Cathomas, Bernard, Die Einstellungen der Rätoromanen zum Schwytzertütsch. In: Le Schwytzertütsch. Actes du colloque de la Commission inter-universitaire suisse de linguistique appliquée 33, Neuchâtel 1981, S. 80–102
Cathomas, Bernard, Erkundungen zur Zweisprachigkeit der Rätoromanen, eine soziolinguistische und pragmatische Leitstudie, Bern 1977 (Europäische Hochschulschriften, Reihe I, Deutsche Literatur und Germanistik, Bd. 183)
Furer, Jean-Jacques, Der Tod des Romanischen. Der Anfang vom Ende für die Schweiz, Revista Retoromontscha, Chur 1981 (in allen 4 Sprachen der Schweiz verfaßt)
Grisch, Mena, Die Mundart von Surmeir (Ober- und Unterhalbstein). Beitrag zur Kenntnis einer rätoromanischen Sprachlandschaft, Zürich/Leipzig 1939
Jud, Jakob, Zur Geschichte der bündnerromanischen Kirchensprache. Vortrag gehalten in Chur am 14. Januar 1919 in der Historisch-Antiquarischen Gesellschaft von Graubünden, Separatdruck, Chur 1919
Rohlfs, Gerhard, Rätoromanisch. Die Sonderstellung des Rätoromanischen zwischen Italienisch und Französisch, München 1975
Schmid, Heinrich, Zur Gliederung des Bündnerromanischen. In: Annalas da la Società Retorumantscha 89, Chur 1976, S. 7–62

Schorta, Andrea, Lautlehre der Mundart von Müstair (Münster, Kt. Graubünden). Mit Ausblicken auf die sprachlichen Verhältnisse des inneren Münstertals, Zürich/Leipzig 1938

Stimm, Helmut, Unveröffentlichtes Typoskript (ca. 100 DIN-A4-Seiten) transkribierter Tonbandaufnahmen Surselvisch, im Besitz von Prof. Dr. H. Stimm, München. Aufgenommen vom Besitzer in den Jahren 1967, 1970, 1975. Sprecherin ist vor allem Emilia Huonder, Mustér

DIE BEZIEHUNGEN ZWISCHEN DEN SCHWEIZERISCHEN SPRACHREGIONEN

Billigmeier, Robert Henry, A Crisis in Swiss Pluralism. Den Haag 1979 (Contributions to the Sociology of Language 26)

Botschaft des Bundesrates an die Bundesversammlung über die Anerkennung des Rätoromanischen als Nationalsprache, BBl. 1937 II, S. 1–32

Charte des langues, précédée de quatre textes d'information. Sprachencharta, mit vier einleitenden Texten. Fribourg 1969

Beiträge für eine Kulturpolitik in der Schweiz, Bericht der eidgenössischen Expertenkommission für Fragen einer schweizerischen Kulturpolitik (Clottu-Bericht), Bern 1975

Delamuraz, Jean Pascal, Pour une représentation vraiment équitable des minorités linguistiques dans l'administration fédérale. In: Trente Jours, Heft 7/8, 1978

Der Dialog zwischen Schweizern, Jahrbuch 1981 der Neuen Helvetischen Gesellschaft

Haarmann, Harald, Soziologie und Politik der Sprachen Europas, München 1975

Haefliger, Arthur, Die Sprachenfreiheit in der bundesgerichtlichen Rechtsprechung. In: Mélanges Henri Zwahlen. Lausanne 1977

Hegnauer, Cyril, Das Sprachenrecht der Schweiz, Diss., Zürich 1947

Kolde, Gottfried, Sprachkontakte in gemischtsprachigen Städten, vergleichende Untersuchungen über Voraussetzungen und Formen sprachlicher Interaktion verschiedensprachiger Jugendlicher in den Schweizer Städten Biel/Bienne und Fribourg/Freiburg i. Ü., Wiesbaden 1981

Müller, Hans-Peter, Die schweizerische Sprachenfrage vor 1914, Wiesbaden 1977 (Deutsche Sprache in Europa und Übersee 3)

Schäppi, Peter, Der Schutz sprachlicher und konfessioneller Minderheiten im Recht von Bund und Kantonen. Das Problem des Minderheitenschutzes, Zürich 1971

Sonderegger, Stefan, Die viersprachige Schweiz zwischen Geschichte und Zukunft. Aulavorträge 12, St. Gallen 1981

Viletta, Rudolf, Abhandlung zum Sprachenrecht..., Bd. 1: Grundlagen des Sprachenrechts, Zürich 1978 (Zürcher Studien zum öffentlichen Recht 4)

Vouga, Jean-Pierre, Romands, alémaniques, tessinois – mieux nous écouter pour mieux nous comprendre, Neuchâtel 1978

Weinreich, Uriel, Research Problems in Bilingualism with Special Reference to Switzerland. Diss. Columbia Univ., New York 1952

Zinsli, Paul, Vom Werden und Wesen der mehrsprachigen Schweiz, Bern 1964 (Schriften des Deutschschweizerischen Sprachvereins Nr. 1)